Sommaire / Inhou… Contents

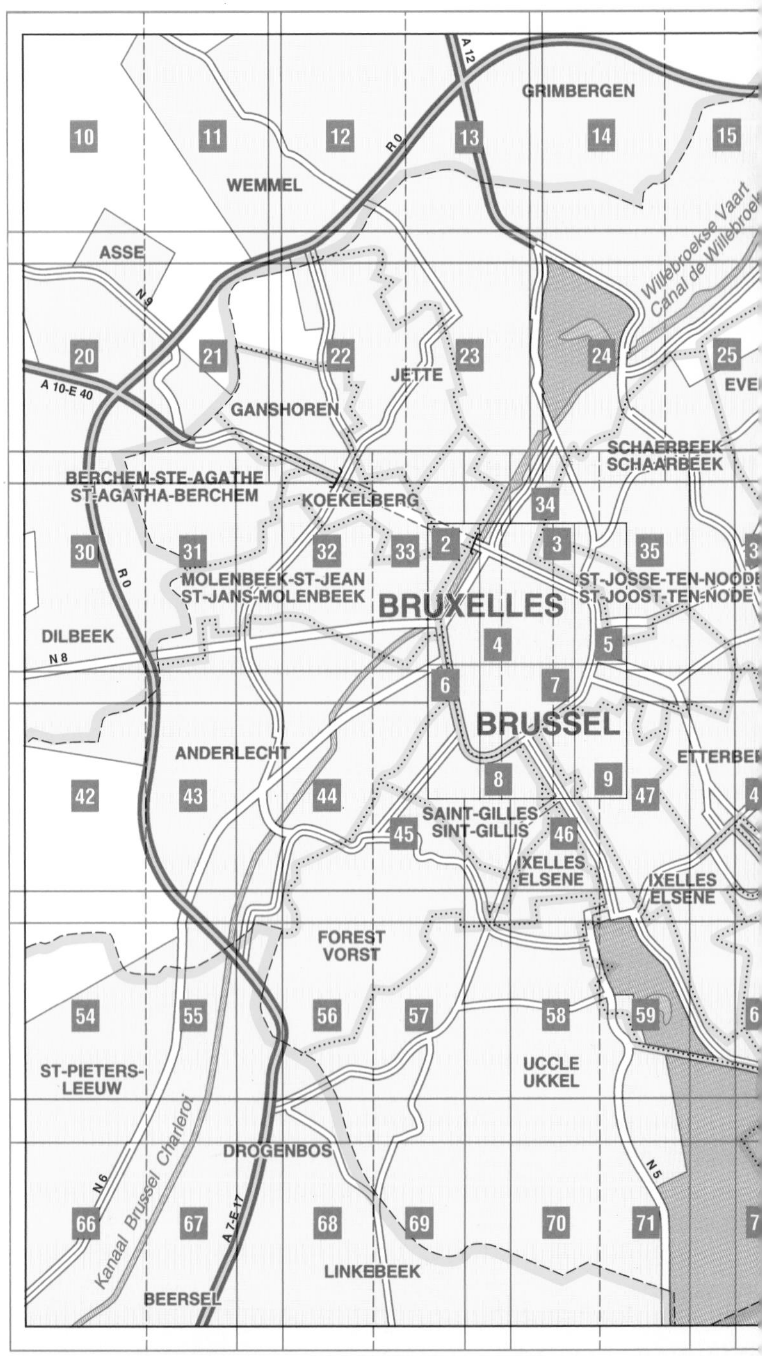

GRIMBERGEN
WEMMEL
ASSE
JETTE
GANSHOREN
SCHAERBEEK
SCHAARBEEK
BERCHEM-STE-AGATHE
ST-AGATHA-BERCHEM
KOEKELBERG
MOLENBEEK-ST-JEAN
ST-JANS-MOLENBEEK
BRUXELLES
ST-JOSSE-TEN-NOODE
ST-JOOST-TEN-NODE
DILBEEK
BRUSSEL
ANDERLECHT
ETTERBE
SAINT-GILLES
SINT-GILLIS
IXELLES
ELSENE
IXELLES
ELSENE
FOREST
VORST
ST-PIETERS-
LEEUW
UCCLE
UKKEL
DROGENBOS
LINKEBEEK
BEERSEL
Willebroekse Vaart
Canal de Willebroek
Kanaal Brussel Charleroi
A 12
R 0
A 10-E 40
N 9
N 8
N 6
N 5
A 7-E 17
10
11
12
13
14
15
20
21
22
23
24
25
30
31
32
33
2
34
3
35
4
5
6
7
8
9
42
43
44
45
46
47
54
55
56
57
58
59
66
67
68
69
70
71

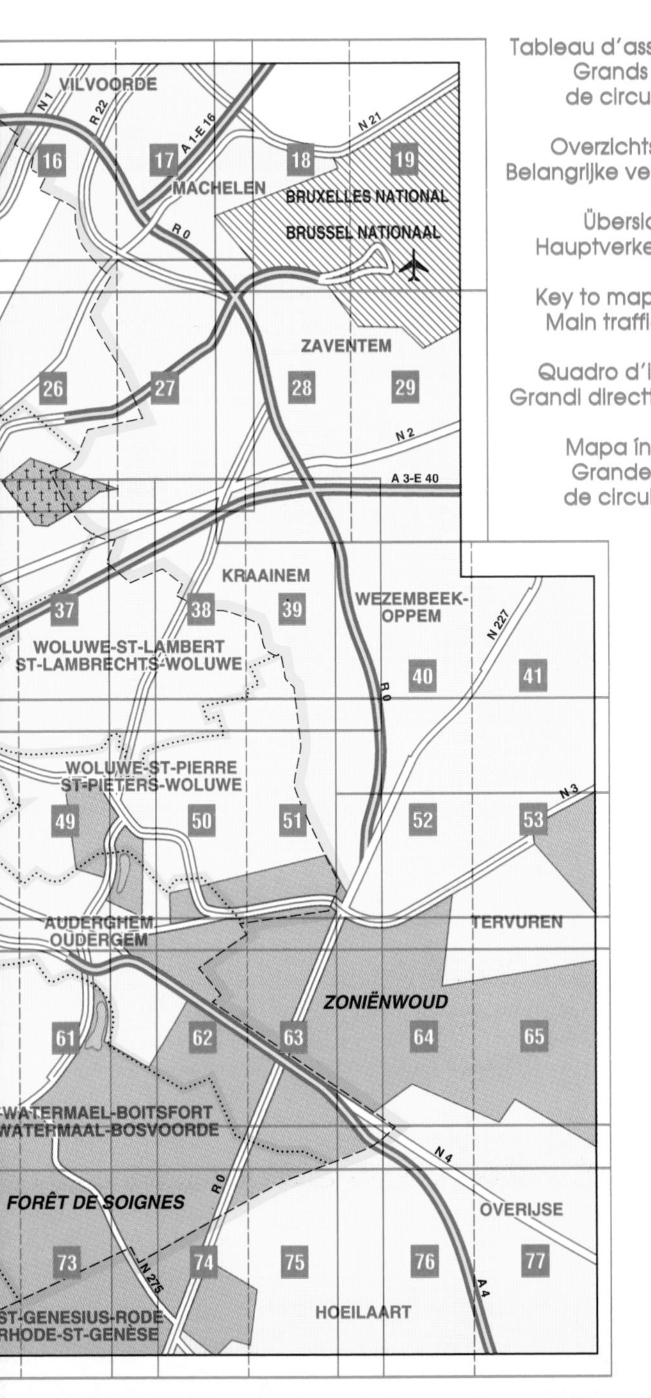

Tableau d'assemblage -
Grands axes
de circulation

Overzichtskaart -
Belangrijke verkeersaders

Übersicht -
Hauptverkesstraßen

Key to map pages -
Main traffic artery

Quadro d'insieme -
Grandi directtrici stradali

Mapa índice -
Grandes vías
de circulación

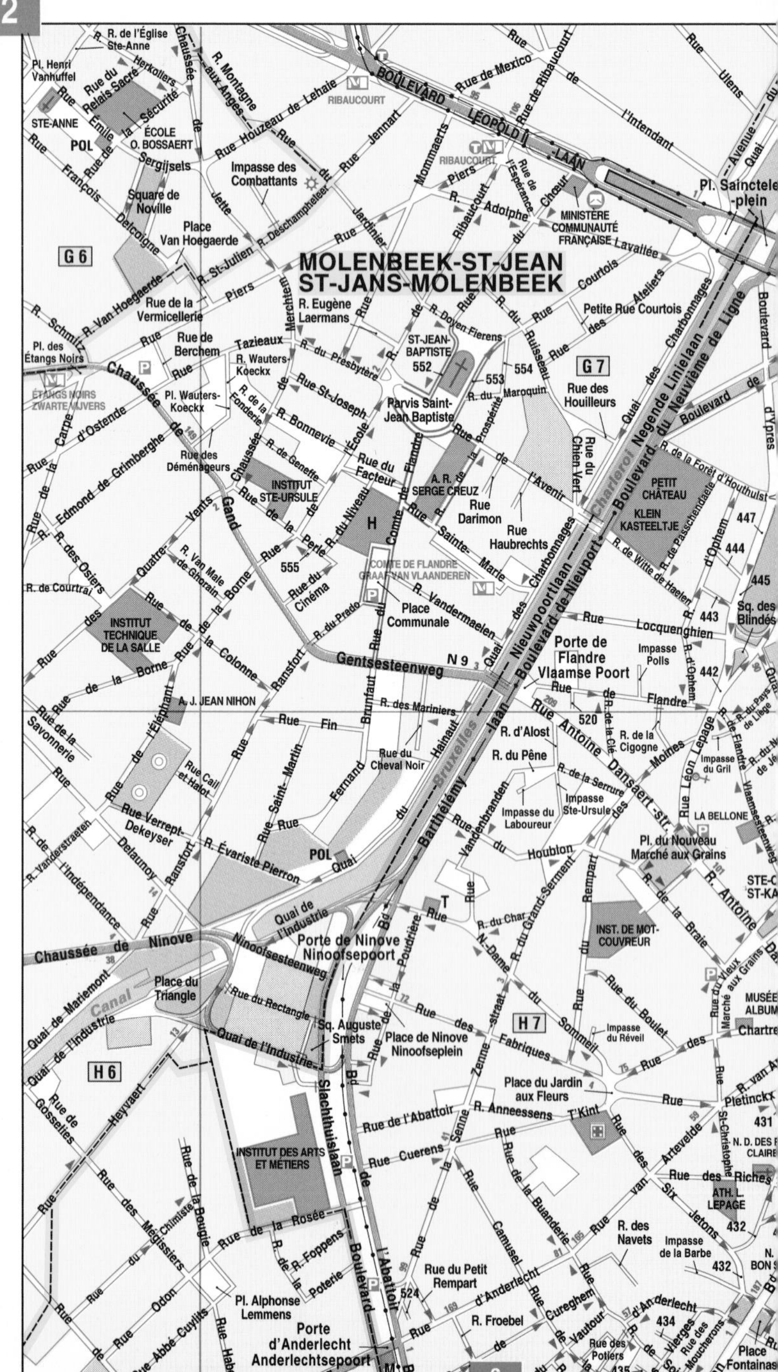

MOLENBEEK-ST-JEAN
ST-JANS-MOLENBEEK
G 6
G 7
H 6
H 7
R. de l'Église Ste-Anne
Pl. Henri Vanhuffel
Rue du Relais Sacré
Herkoliers
STE-ANNE
POL
ÉCOLE O. BOSSAERT
Rue Émile Sergijsels
Rue François Delcoigne
Square de Noville
Place Van Hoegaerde
Chaussée de Jette
R. Montagne aux Anges
Rue Houzeau de Lehaie
Impasse des Combattants
R. Deschampheleer
RIBAUCOURT
Rue Jennart
Rue du Jardinier
Rue Mommaerts
BOULEVARD LÉOPOLD II -LAAN
Rue de Mexico
Rue de Ribaucourt
Rue de l'Intendant
Rue Ulens
Avenue du Port
Quai
Pl. Sainctelette -plein
Rue Piers
R. Adolphe Lavallée
Rue de l'Espérance
Rue du Chœur
MINISTÈRE COMMUNAUTÉ FRANÇAISE
Rue St-Julien
R. Van Hoegaerde
Rue de la Vermicellerie
R. Schmitz
Pl. des Étangs Noirs
ÉTANGS NOIRS ZWARTE VIJVERS
Rue de Berchem
Rue Tazieaux
R. Wauters-Koeckx
Pl. Wauters-Koeckx
Rue Merchtem
R. Eugène Laermans
R. du Presbytère
ST-JEAN-BAPTISTE
552
553
554
R. Doyen Fierens
R. du Maroquin
Parvis Saint-Jean Baptiste
Rue St-Joseph
R. Bonnevie
Rue de l'École
Rue du Facteur
Rue Comte de Flandre
A. R. DE SERGE CREUZ
Rue de la Prospérité
Rue de l'Avenir
Rue Darimon
Rue Haubrechts
Rue Courtois
Petite Rue Courtois
Rue des Ateliers
Rue du Ruisseau
Rue des Houilleurs
Rue du Chien Vert
Quai des Charbonnages
Quai de Charleroi
Boulevard du Neuvième de Ligne
Nieuwpoortlaan
Boulevard de Nieuport
Negende Linielaan
Boulevard de Dixmude
Boulevard d'Ypres
R. de la Forêt d'Houthulst
PETIT CHÂTEAU KLEIN KASTEELTJE
R. de Passchendaele
R. de Witte de Haelen
Rue d'Ophem
447
444
445
443
442
Sq. des Blindés
Rue de Carpe
d'Ostende
R. de la Fonderie
R. de Geneffe
Rue des Déménageurs
Chaussée de Gand
INSTITUT STE-URSULE
Rue de la Perle
R. du Niveau
H
Rue Sainte-Marie
R. Vandermaelen
COMTE DE FLANDRE GRAAF VAN VLAANDEREN
Place Communale
Rue du Cinéma
555
R. du Prado
Gentsesteenweg
N 9
Rue Edmond de Grimberghe
Rue des Quatre-Vents
R. Van Male de Ghorain
R. des Osiers
R. de Courtrai
INSTITUT TECHNIQUE DE LA SALLE
Rue de la Borne
Rue de la Colonne
Rue Ransfort
Rue Brunfaut
Quai des Charbonnages
Porte de Flandre
Vlaamse Poort
Rue Locquenghien
Impasse Polls
Rue de Flandre
R. de la Cie
520
R. de la Cigogne
Rue Antoine Dansaert -str.
Rue des Moines
Rue Léon Lepage
Impasse du Gril
LA BELLONE
A. J. JEAN NIHON
Rue de l'Éléphant
Rue de la Savonnerie
Rue Cail et Halot
Rue Fin
R. des Mariniers
Rue du Hainaut
Rue du Cheval Noir
Rue Saint-Martin
Rue Fernand
Boulevard Barthélémy -laan
Bruxelles
R. d'Alost
R. du Pêne
R. de la Serrure
Impasse du Laboureur
Impasse Ste-Ursule
Rue Vandenbranden
Rue du Houblon
Pl. du Nouveau Marché aux Grains
Rue Verrept-Dekeyser
R. Évariste Pierron
POL
Quai du Hainaut
R. Vanderstraeten
R. de l'Indépendance
Delaunoy
Chaussée de Ninove
Quai de l'Industrie
Porte de Ninove
Ninoofsepoort
Ninoofsesteenweg
Rue de la Poudrière
R. du Char
Rue N.-Dame du Sommeil
R. du Grand-Serment
Rue du Rempart
INST. DE MOT-COUVREUR
R. de la Braie
R. Antoine Dansaert
STE-CATHERINE ST-KA
Rue du Vieux Marché aux Grains
MUSÉE ALBUM
Rue du Boulet
Impasse du Réveil
Rue des Chartreux
Place du Triangle
Canal
Quai de Mariemont
Rue du Rectangle
Sq. Auguste Smets
Place de Ninove
Ninoofseplein
Rue des Fabriques
Zennestraat
Quai de l'Industrie
Place du Jardin aux Fleurs
Rue Van Artevelde
Plétinckx
431
N. D. DES CLAIRE
Rue Heyvaert
Rue de Gosselies
Rue de l'Abattoir
R. Anneessens
T'Kint
Rue St-Christophe
Rue des Riches
ATH. L. LEPAGE
INSTITUT DES ARTS ET MÉTIERS
Slachthuislaan
Rue Cuerens
Rue de la Senne
Rue de la Buanderie
Rue des Six Jetons
Rue de la Bougie
Rue des Mégissiers
Rue du Chimiste
Rue de la Rosée
R. Foppens
R. de la Poterie
Boulevard de l'Abattoir
Rue Camusel
R. des Navets
Impasse de la Barbe
432
Rue du Petit Rempart
524
Rue d'Anderlecht
Rue de la Victoire
Rue Odon
Pl. Alphonse Lemmens
Porte d'Anderlecht
Anderlechtsepoort
Steenweg
R. Froebel
Rue Cureghem
Rue du Vautour
Rue des Potiers
435
R. des Vierges
Rue des Moucherons
434
Place Fontainas -plein
Rue Abbé Cuylits
Rue de la Brovère
Rue Haberman

6

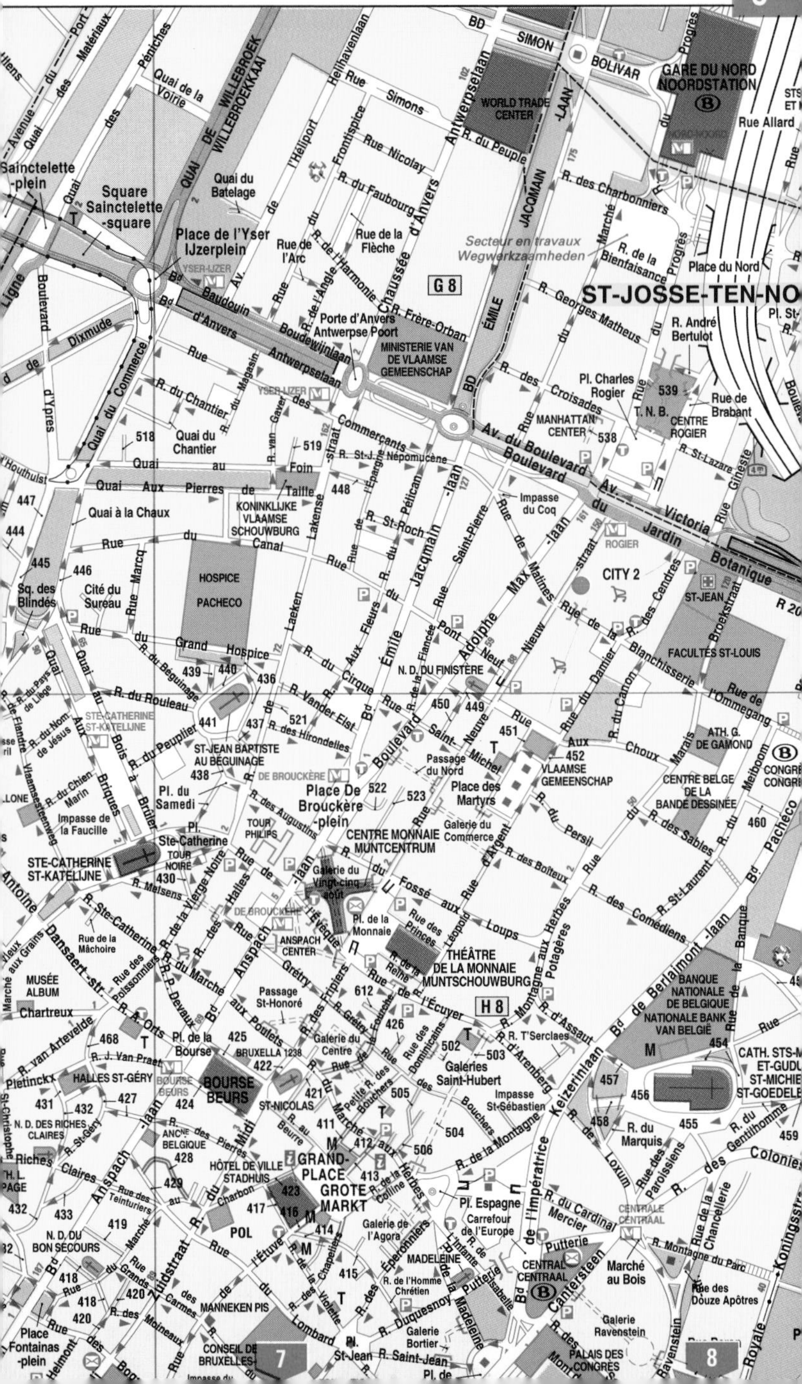
BD SIMON
BOLIVAR
GARE DU NORD
NOORDSTATION
Rue Allard
Avenue du Port
Quai des Matériaux
Quai des Péniches
Quai de la Voirie
QUAI DE WILLEBROEK
WILLEBROEKKAAI
Rue Simons
Rue Heliport
Hellhavenlaan
Antwerpselaan
WORLD TRADE CENTER
R. du Peuple
JACQMAIN -LAAN
Rue Nicolay
Frontispice
R. du Faubourg
R. des Charbonniers
Progrès
Saincteletteplein
Square Sainctelette-square
Quai du Batelage
Place de l'Yser
IJzerplein
YSER-IJZER
Rue de l'Arc
Rue de la Flèche
R. de l'Harmonie
R. de l'Angle
Chaussée d'Anvers
Secteur en travaux
Wegwerkzaamheden
R. de la Bienfaisance
Place du Nord
ST-JOSSE-TEN-NO
Ligne
Boulevard
Dixmude
Bd Baudouin
Boudewijnlaan
Bd d'Anvers
Antwerpselaan
Porte d'Anvers
Antwerpse Poort
R. Frère-Orban
G 8
ÉMILE
R. Georges Matheus
R. André Bertulot
MINISTERIE VAN DE VLAAMSE GEMEENSCHAP
Quai du Commerce
d'Ypres
Rue du Magasin
R. du Chantier
R. van Gaver
Rue des Commerçants
BD
R. des Croisades
Pl. Charles Rogier
539
Rue de Brabant
T. N. B.
CENTRE ROGIER
MANHATTAN CENTER
538
Av. du Boulevard
Boulevard
518
Quai du Chantier
519
Quai au Foin
R. St-J. Népomucène
R. St-Lazare
Gineste
d'Houthulst
Quai aux Pierres de Taille
448
l'Épargne
Impasse du Coq
Av. du Jardin Botanique
Av. Victoria
447
Quai à la Chaux
KONINKLIJKE VLAAMSE SCHOUWBURG
Lakense-straat
R. St-Roch
R. du Pélican
Jacqmain -laan
Rue Saint-Pierre
Rue de Malines
Max -laan
ROGIER
444
Rue du Canal
Rue Marcq
HOSPICE PACHECO
Rue de Laeken
Rue des Fleurs
Nieuw-straat
CITY 2
R 20
445
446
Sq. des Blindés
Cité du Sureau
Rue aux Fleurs
Émile
Rue du Pont Neuf
Adolphe
Rue de la Blanchisserie
Rue des Cendres
Broekstraat
ST-JEAN
FACULTÉS ST-LOUIS
Rue du Grand Hospice
R. du Béguinage
439
440
436
R. du Cirque
R. Vander Elst
N. D. DU FINISTÈRE
R. de la Fiancée
Rue du Damier
R. du Canon
Rue de l'Ommegang
R. du Pays de Liège
R. du Rouleau
R. de Flandre
R. du Nom de Jésus
STE-CATHERINE
ST-KATELIJNE
Quai aux Briques
Quai au Bois à Brûler
441
R. du Peuplier
437
521
R. des Hirondelles
450
449
451
Rue Neuve
Rue Saint-Michel
Rue aux Choux
Marais
ATH. G. DE GAMOND
Meiboom
CONGRÈS
ST-JEAN BAPTISTE AU BÉGUINAGE
438
DE BROUCKÈRE
Boulevard
Passage du Nord
452
VLAAMSE GEMEENSCHAP
R. du Chien Marin
Vlaamsesteenweg
Pl. du Samedi
R. des Augustins
Place De Brouckère -plein
522
523
Place des Martyrs
CENTRE BELGE DE LA BANDE DESSINÉE
460
Impasse de la Faucille
TOUR PHILIPS
R. du Persil
R. des Sables
Pacheco
Pl. Ste-Catherine
TOUR NOIRE
CENTRE MONNAIE
MUNTCENTRUM
Galerie du Commerce
R. d'Argent
STE-CATHERINE
ST-KATELIJNE
430
R. de la Vierge Noire
Rue des Halles
Galerie du Vingt-cinq août
R. du Fossé aux Loups
R. des Boiteux
Rue des Comédiens
R. St-Laurent
Bd de la Banque
Antoine Dansaert-str.
R. Melsens
R. Ste-Catherine
DE BROUCKÈRE
Rue de l'Évêque
Pl. de la Monnaie
Rue des Princes
Léopold
Rue Montagne aux Herbes Potagères
Rue de la Mâchoire
ANSPACH CENTER
Anspach
THÉÂTRE DE LA MONNAIE
MUNTSCHOUWBURG
Bd de Berlaimont -laan
BANQUE NATIONALE DE BELGIQUE
NATIONALE BANK VAN BELGIË
Marché aux Grains
MUSÉE ALBUM
Rue des Poissonniers
R. du Marché
R. P. Devaux
Passage St-Honoré
Gretry
R. des Fripiers
R. de la Reine
612
Rue de l'Écuyer
H 8
R. d'Assaut
Chartreux
R. A. Orts
Pl. de la Bourse
425
Rue aux Poulets
Galerie du Centre
426
Rue des Dominicains
502
503
R. T'Serclaes
R. d'Arenberg
Kaizerinlaan
454
Rue de la Rue
CATH. STS-M ET-GUDULE
ST-MICHIEL-EN-ST-GOEDELE
468
R. J. Van Praet
BRUXELLA 1238
422
R. de la Fourche
Galeries Saint-Hubert
Pietinckx
HALLES ST-GÉRY
BOURSE BEURS
421
Petite R. des Bouchers
505
Rue des Bouchers
Impasse St-Sébastien
457
456
431
432
427
424
ST-NICOLAS
R. au Beurre
R. du Marché aux Herbes
504
458
R. du Marquis
455
459
N. D. DES RICHES CLAIRES
R. St-Géry
ANC NE BELGIQUE
R. des Pierres
411
412
506
R. de la Montagne
R. de Loxum
R. des Paroissiens
R. des Colonies
R. du Gentilhomme
Riches Claires
428
Midi
HÔTEL DE VILLE STADHUIS
GRAND-PLACE
GROTE MARKT
413
Rue des Teinturiers
429
Charbon
423
R. de la Colline
Pl. Espagne
Carrefour de l'Europe
R. du Cardinal Mercier
CENTRALE CENTRAAL
Rue de la Chancellerie
432
433
417
416
Galerie de l'Agora
Bd de l'Impératrice
Putterie
R. Montagne du Parc
N. D. DU BON SECOURS
419
POL
414
Rue de l'Étuve
R. des Chapeliers
R. des Éperonniers
MADELEINE
R. de l'Infante Isabelle
CENTRAL CENTRAAL
Marché au Bois
Cantersteen
Koningsstraat
Rue des Douze Apôtres
418
420
Rue des Grands Carmes
Zuidstraat
Rue du Lombard
415
R. de l'Homme Chrétien
R. de la Violette
R. Duquesnoy
Pde la Madeleine
Galerie Ravenstein
Ravenstein
Royale
Place Fontainas -plein
Rue des Moineaux
MANNEKEN PIS
Rue du Midi
Galerie Bortier
CONSEIL DE BRUXELLES
Pl. St-Jean
R. Saint-Jean
PALAIS DES CONGRES
Rue de Bon
Helmont
7
8

Ulens
Avenue du Port
Quai des Matériaux
Quai des Péniches
Quai de la Voirie
QUAI DE WILLEBROEK
WILLEBROEKKAAI
Heliportlaan
Rue Simons
BD SIMON BOLIVAR
GARE DU NORD
NOORDSTATION
Rue du Progrès
Rue Allard
WORLD TRADE CENTER
Antwerpselaan
R. du Peuple
Rue Nicolay
Rue de l'Héliport
Frontispice
R. du Faubourg
R. des Charbonniers
Saincteletteplein
Square Saincteletteplein
Square Sainctelette -square
Quai du Batelage
Place de l'Yser
IJzerplein
YSER-IJZER
Rue de l'Arc
Rue de la Flèche
R. de l'Harmonie
R. de l'Angle
Chaussée d'Anvers
Secteur en travaux
Wegwerkzaamheden
R. de la Bienfaisance
Place du Nord
JACQMAIN-LAAN
ÉMILE
G 8
ST-JOSSE-TEN-NO
Bd Baudouin
Boudewijnlaan
Bd d'Anvers
Antwerpselaan
Porte d'Anvers
Antwerpse Poort
R. Frère-Orban
MINISTERIE VAN DE VLAAMSE GEMEENSCHAP
R. Georges Matheus
R. André Bertulot
Boulevard de Dixmude
Boulevard d'Ypres
de Ligne
Quai du Commerce
Rue du Magasin
R. du Chantier
Quai du Chantier
Rue des Commerçants
R. van Gaver
R. des Croisades
R. Charles Rogier
Pl. Charles Rogier
539
T. N. B.
CENTRE ROGIER
Rue de Brabant
MANHATTAN CENTER
538
518
519
Quai au Foin
R. St-J. Népomucène
Av. du Boulevard
Boulevard
R. St-Lazare
Rue Gineste
Quai aux Pierres de Taille
Quai à la Chaux
KONINKLIJKE VLAAMSE SCHOUWBURG
Lakense-straat
448
R. de l'Épargne
R. St-Roch
Rue du Pélican
Jacqmain-laan
Rue Saint-Pierre
Impasse du Coq
Av. du Jardin Botanique
Victoria
ROGIER
d'Houthulst
447
444
Ophem
445
446
Rue du Canal
HOSPICE PACHECO
Rue de Laeken
Rue des Fleurs
Rue de Malines
Max-laan
Nieuwstraat
CITY 2
Rue des Cendres
ST-JEAN
Broekstraat
Sq. des Blindés
Cité du Sureau
Rue Marcq
Rue du Grand Hospice
Rue du Cirque
Émile
Bd Adolphe
Rue du Pont Neuf
Rue de la Blanchisserie
FACULTÉS ST-LOUIS
R. du Béguinage
439
440
436
N. D. DU FINISTÈRE
Rue du Damier
Rue de l'Ommegang
Quai au Bois à Brûler
Quai aux Briques
R. du Rouleau
R. du Pays de Liège
R. de Flandre
STE-CATHERINE
ST-KATELIJNE
R. Vander Elst
R. de la Fiancée
450
449
R. du Canon
441
437
521
R. des Hirondelles
Rue Saint-Michel
Rue Neuve
451
Rue aux Choux
Marais
ATH. G. DE GAMOND
Impasse du Gril
R. du Nom de Jésus
R. du Peuplier
ST-JEAN BAPTISTE AU BÉGUINAGE
438
DE BROUCKÈRE
Boulevard
Passage du Nord
452
VLAAMSE GEMEENSCHAP
Meiboom
Pl. du Samedi
Place De Brouckère -plein
522
523
Place des Martyrs
CENTRE BELGE DE LA BANDE DESSINÉE
CONG
BELLONE
R. du Chien Marin
Impasse de la Faucille
Vlaamsesteenweg
R. des Augustins
TOUR PHILIPS
Galerie du Commerce
R. du Persil
R. des Sables
460
Pl. Ste-Catherine
CENTRE MONNAIE
MUNTCENTRUM
Rue d'Argent
Rue du Marais
STE-CATHERINE
ST-KATELIJNE
TOUR NOIRE
430
R. de la Vierge Noire
Rue des Halles
Galerie du Vingt-cinq août
R. du Fossé aux Loups
R. des Boiteux
R. St-Laurent
Bd Pachéco
R. Antoine Dansaert-str
R. Melsens
R. Ste-Catherine
DE BROUCKÈRE
Pl. de la Monnaie
Rue des Princes
Rue Léopold
R. des Comédiens
Rue de la Mâchoire
R. de l'Évêque
ANSPACH CENTER
THÉÂTRE DE LA MONNAIE
MUNTSCHOUWBURG
Rue aux Herbes Potagères
Berlaimont-laan
Rue de la Banque
Marché aux Grains
Rue du Vieux Marché aux Grains
MUSÉE ALBUM
Rue des Poissonniers
R. du Marché
Bd Anspach
R. Grétry
Passage St-Honoré
612
R. de la Reine
R. Montagne
H 8
BANQUE NATIONALE DE BELGIQUE
NATIONALE BANK VAN BELGIË
Chartreux
R. P. Devaux
Bd aux Poulets
R. des Fripiers
R. Fourche
R. de l'Écuyer
R. d'Assaut
R. A. Orts
Pl. de la Bourse
425
426
T
502
503
R. T'Serclaes
R. d'Arenberg
Bd de Berlaimont
Rue du Bois Sauvage
454
R. van Artevelde
468
R. J. Van Praet
BRUXELLA 1238
Galerie du Centre
Rue des Dominicains
Galeries Saint-Hubert
CATH. ST-MICHEL ET-GUDULE
ST-MICHIEL EN ST-GOEDELE
Pletinckx
HALLES ST-GÉRY
BOURSE BEURS
422
R. au Beurre
R. Grétry
Petite R. des Bouchers
505
Keizerinlaan
457
456
431
432
427
424
421
ST-NICOLAS
Impasse St-Sébastien
458
R. du Marquis
455
R. du Gentilhomme
St-Christophe
N. D. DES RICHES CLAIRES
R. St-Géry
R. ANCne BELGIQUE
R. des Pierres
Midi
411
R. du Marché aux Herbes
412
504
R. de la Montagne
Bd de l'Impératrice
Rue de Loxum
Rue des Paroissiens
R. des Colonies
Rue des Riches Claires
ATH. L. LEPAGE
428
HÔTEL DE VILLE
STADHUIS
GRAND-PLACE
GROTE MARKT
506
Pl. Espagne
Carrefour de l'Europe
R. du Cardinal Mercier
CENTRALE CENTRAAL
Rue de la Chancellerie
Anspachlaan
429
Rue des Teinturiers
R. du Charbon
423
416
417
413
R. de la Colline
432
433
419
Rue au Marché
POL
414
Galerie de l'Agora
R. de l'Infante
R. de Isabelle
Putterie
Marché au Bois
R. Montagne du Parc
N. D. DU BON SECOURS
R. de l'Étuve
R. des Chapeliers
415
Rue des Éperonniers
MADELEINE
CENTRAL
CENTRAAL
Cantersteen
Rue des Douze Apôtres
432
Bd
418
418
420
Zuidstraat
Rue des Grands Carmes
des Carmes
R. de Violette
R. de l'Homme Chrétien
R. Duquesnoy
Putterie
R. de la Madeleine
Bd de l'Empereur
Rue Ravenstein
Rue Royale
Rue Montagne de la Cour
Rue des Moineaux
MANNEKEN PIS
Rue du Lombard
Galerie Bortier
Galerie Ravenstein
Place Fontainas -plein
Rue d'Hoogstraeten
Rue du Midi
CONSEIL DE RÉGION
BRUXELLES-CAPITALE
Pl. St-Jean
R. Saint-Jean
PALAIS DES CONGRÈS
Rue Baron Horta
Rue de Moineaux

7
8

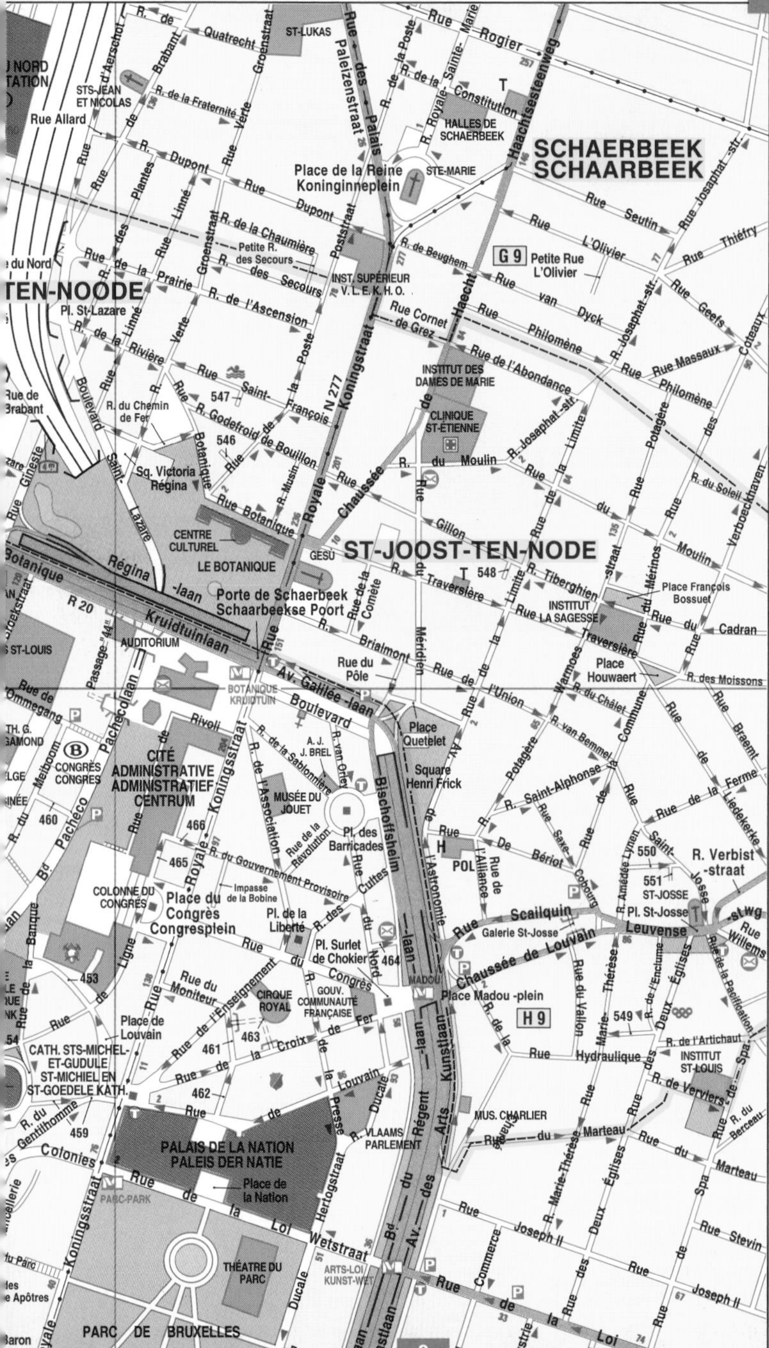
SCHAERBEEK
SCHAARBEEK
ST-JOOST-TEN-NODE
TEN-NODE
ST-LUKAS
STS-JEAN ET NICOLAS
Rue Allard
Rue Quatrecht
Rue Verte
Groenstraat
Rue des Palais
Paleizenstraat
R. de la Poste
R. de la Constitution
Rue Royale Sainte-Marie
Rue Rogier
Haachtsesteenweg
HALLES DE SCHAERBEEK
Place de la Reine
Koninginneplein
STE-MARIE
R. de la Fraternité
R. Dupont
Rue Dupont
Rue Linné
Rue des Plantes
Rue Seutin
Rue Josaphat-str.
Rue L'Olivier
Rue Thiéfry
G 9
Petite Rue L'Olivier
R. de la Chaumière
Petite R. des Secours
R. des Secours
Poststraat
INST. SUPÉRIEUR V. L. E. K. H. O.
R. de Beughem
Rue van Dyck
Rue Geefs
Rue de la Prairie
R. de l'Ascension
Rue Cornet de Grez
Rue Philomène
Rue de Haecht
Rue de l'Abondance
Rue Massaux
Coteaux
Pl. St-Lazare
R. de la Rivière
Rue Saint-François
Rue de la Poste
N 277
Koningsstraat
INSTITUT DES DAMES DE MARIE
CLINIQUE ST-ÉTIENNE
Rue de Brabant
Boulevard
R. du Chemin de Fer
547
546
R. Godefroid de Bouillon
Rue Botanique
Sq. Victoria Régina
Rue Saint-Lazare
Chaussée
Rue Royale
R. du Moulin
Rue de la Limite
Rue Potagère
Rue des Coteaux
R. du Soleil
Verboeckhaven
Rue du Moulin
Rue Gillon
R. Musin
CENTRE CULTUREL
LE BOTANIQUE
GESÙ
548
R. Tiberghien
Place François Bossuet
INSTITUT LA SAGESSE
Rue du Cadran
Rue Traversière
Rue de la Comète
R. Traversière
Rue du Méridien
Rue des Mérinos
Boulevard Botanique
Régina -laan
Kruidtuinlaan
R 20
Porte de Schaerbeek
Schaarbeekse Poort
R. Brialmont
Rue de l'Union
Place Houwaert
R. des Moissons
AUDITORIUM
ST-LOUIS
Passage "44"
Rue du Pôle
Av. Galilée -laan
BOTANIQUE KRUIDTUIN
Boulevard
R. du Châlet
Rue Braemt
Rue de l'Ommegang
Pachecolaan
Rivoli
Place Quetelet
Av. de l'Astronomie
R. van Bemmel
Rue de la Commune
CITÉ ADMINISTRATIVE
ADMINISTRATIEF CENTRUM
R. de la Sablonnière
A. J. J. BREL
R. van Orley
Bischoffsheim
Square Henri Frick
Rue Saint-Alphonse
Rue de la Ferme
Rue Liedekerke
CONGRÈS CONGRES
Meiboom
MUSÉE DU JOUET
R. de l'Association
Rue de la Révolution
Pl. des Barricades
Rue des Cultes
Rue Saxe-Cobourg
Rue de Bériot
Rue de l'Alliance
POL
Rue Saint-Josse
550
551
R. Amédée Lynen
R. Verbist -straat
460
Rue Pacheco
466
465
R. du Gouvernement Provisoire
Impasse de la Bobine
COLONNE DU CONGRÈS
Place du Congrès
Congresplein
Pl. de la Liberté
Rue du Nord
ST-JOSSE
Pl. St-Josse
Rue Scailquin
Galerie St-Josse
Leuvense -stwg
Rue Willems
Chaussée de Louvain
Rue de la Banque
Rue de Ligne
Rue du Congrès
Pl. Surlet de Chokier
464
453
Rue du Moniteur
Rue de l'Enseignement
CIRQUE ROYAL
GOUV. COMMUNAUTÉ FRANÇAISE
MADOU
Place Madou -plein
R. de la Charité
H 9
Rue du Vallon
Rue Marie-Thérèse
R. de l'Enclume
Rue des Deux Églises
Rue de la Pacification
549
Place de Louvain
463
461
Rue de la Croix de Fer
R. de l'Artichaut
Rue Hydraulique
INSTITUT ST-LOUIS
R. de Verviers
CATH. STS-MICHEL-ET-GUDULE
ST-MICHIEL EN ST-GOEDELE KATH.
462
Rue de Louvain
Rue de la Presse
Rue Ducale
Kunstlaan
R. du Gentilhomme
459
Rue des Colonies
PALAIS DE LA NATION
PALEIS DER NATIE
R. VLAAMS PARLEMENT
Bd du Régent
Av. des Arts
MUS. CHARLIER
Rue du Marteau
R. du Berceau
Rue du Spa
Rue de la Loi
Wetstraat
Place de la Nation
PARC-PARK
Hertogstraat
Rue Joseph II
Rue Stevin
Koningsstraat
THÉATRE DU PARC
ARTS-LOI KUNST-WET
Rue du Commerce
Rue de l'Industrie
PARC DE BRUXELLES
R. Zinner
Rue des Apôtres
Baron
Rue Royale

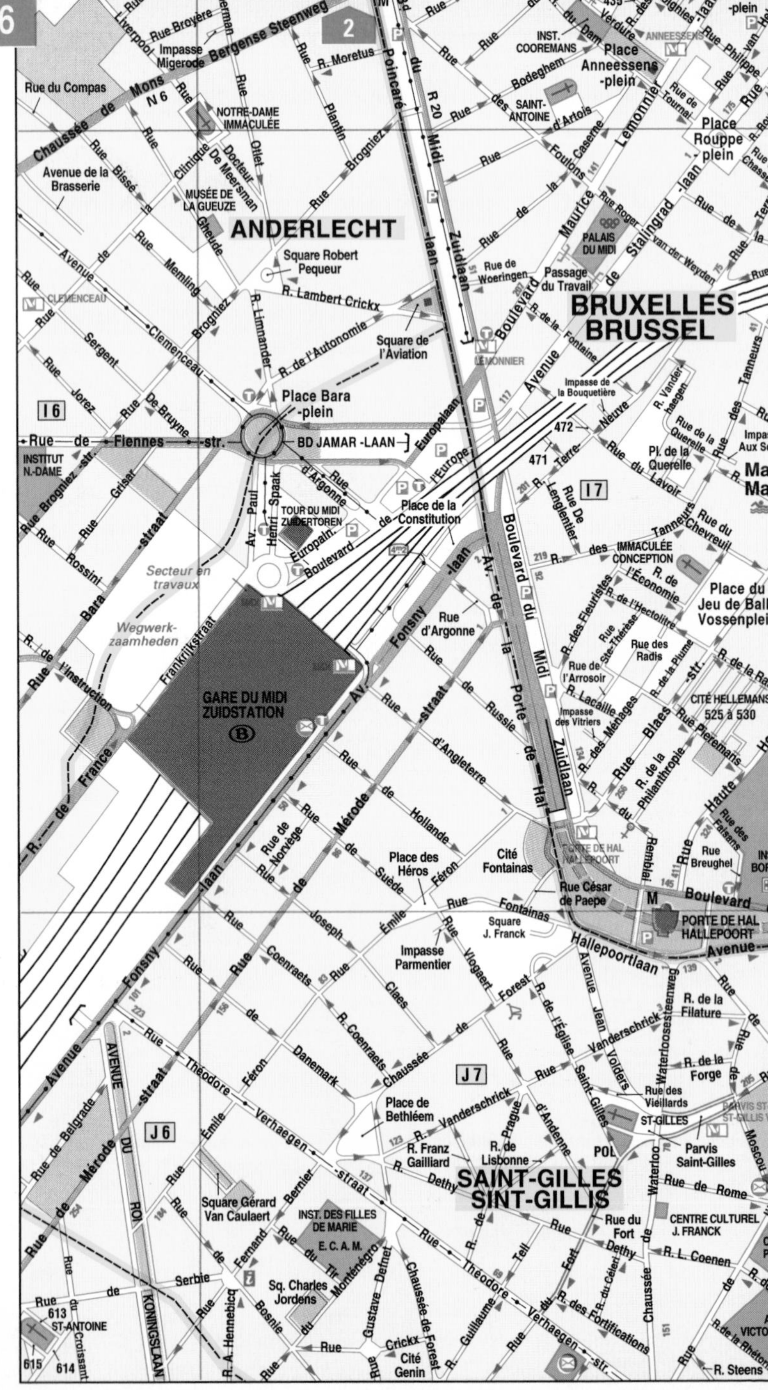
2
ANDERLECHT
BRUXELLES
BRUSSEL
SAINT-GILLES
SINT-GILLIS
Chaussée de Mons
N 6
Bergense Steenweg
Rue Liverpool
Rue Broyère
Impasse Migerode
Rue du Compas
R. Moretus
NOTRE-DAME IMMACULÉE
Avenue de la Brasserie
Rue Bissé
Rue Clinique
Docteur De Meersman
Rue Ollet
Rue Plantin
Rue Brogniez
MUSÉE DE LA GUEUZE
Rue Gheude
Rue Memling
Square Robert Pequeur
R. Lambert Crickx
Avenue de Clemenceau
CLEMENCEAU
Rue Sergent
Rue Jorez
Rue De Bruyne
R. Limnander
R. de l'Autonomie
Square de l'Aviation
Place Bara -plein
I 6
Rue de Fiennes -str.
BD JAMAR -LAAN
INSTITUT N.-DAME
Rue Brogniez -str.
Rue Grisar
Rue Rossini
Av. Paul Henri Spaak
TOUR DU MIDI ZUIDERTOREN
Rue d'Argonne
Europalaan
Boulevard de l'Europe
Place de la Constitution
Secteur en travaux
Wegwerk-zaamheden
Bara -straat
Frankrijkstraat
GARE DU MIDI ZUIDSTATION
R. de l'Instruction
R. de France
Bd Poincaré
R 20
Midi Zuidlaan
Rue du Dam
Rue Verdure
Rue des Soignies
INST. COOREMANS
Place Anneessens -plein
ANNEESSENS
Rue Philippe de Champagne
Rue de Tournai
Bodeghem
SAINT-ANTOINE
Rue des Foulons
d'Artois
Caserne
Lemonnier
Place Rouppe -plein
Rue du Chasseur
Rue Terre-Neuve
Rue Roger van der Weyden
Stalingrad -laan
PALAIS DU MIDI
Maurice
Rue de Woeringen
Passage du Travail
Boulevard Maurice Lemonnier
R. de la Fontaine
LEMONNIER
Avenue de Stalingrad
Impasse de la Bouquetière
R. Vanderhaegen
Rue de la Querelle
Pl. de la Querelle
Rue du Lavoir
Impasse Aux Sou
Rue des Tanneurs
Rue du Chevreuil
472
471
Rue Terre Neuve
Rue De Lenglentier
I 7
219
R. des Tanneurs
IMMACULÉE CONCEPTION
R. de l'Économie
R. des Fleuristes
R. de l'Hectolitre
Rue Ste-Thérèse
Rue des Radis
Rue de l'Arrosoir
R. de la Plume
R. Lacaille
Impasse des Vitriers
R. des Ménages
Rue Blaes -str.
R. de la Rasière
CITÉ HELLEMANS 525 à 530
Rue Pieremans
R. de la Philanthropie
Rue Haute
Rue des Fabricants
Place du Jeu de Balle
Vossenplein
Boulevard du Midi Zuidlaan
Avenue de la Porte de Hal
Av. Fonsny -laan
Rue d'Argonne
Rue de Russie
Rue d'Angleterre
Rue de Hollande
Rue de Norvège
Rue de Mérode -straat
Rue de Suède
Place des Héros
Rue Féron
Cité Fontainas
PORTE DE HAL HALLEPOORT
Rue César de Paepe
Rue Fontainas
Square J. Franck
Rue Émile Féron
Impasse Parmentier
Rue Vlogaert
Rue Joseph Claes
Rue Coenraets
R. Coenraets
Rue de Danemark
Chaussée de Forest
Hallepoortlaan
Avenue de la Porte de Hal
Rue du Remblai
Rue Breughel
INST. BORDET
Boulevard de Waterloo
Avenue Jean Volders
R. de l'Église Saint-Gilles
Waterloosesteenweg
R. de la Filature
R. de la Forge
Rue Vanderschrick
Rue des Vieillards
ST-GILLES
Parvis Saint-Gilles
PARVIS ST-GILLES
Rue de Moscou
Rue de Rome
J 7
Place de Bethléem
R. Vanderschrick
R. Franz Gailliard
R. de Lisbonne
Rue de Prague
Rue d'Andenne
POL
R. Dethy
Rue de Hongrie
Rue du Fort
Rue du Fort Dethy
CENTRE CULTUREL J. FRANCK
R. L. Coenen
Rue Théodore Verhaegen -straat
Avenue Fonsny
AVENUE DU ROI KONINGSLAAN
J 6
Rue de Belgrade
Rue de Mérode
Rue Émile Féron
Square Gérard Van Caulaert
Rue Bernier
INST. DES FILLES DE MARIE
E. C. A. M.
Rue du Tir
Rue Fernand Bernier
Rue de Serbie
Sq. Charles Jordens
Rue de Bosnie
Rue Monténégro
Rue Gustave Defnet
Chaussée de Forest
Rue Crickx
Cité Genin
Rue Guillaume Tell
R. des Fortifications
R. du Céleri
Chaussée de Waterloo
Rue du Croissant
613
ST-ANTOINE
614
615
R. A. Hennebicq
R. Steens
R. de la Rhétorique
A. R. VICTOR
C. B. P. P.

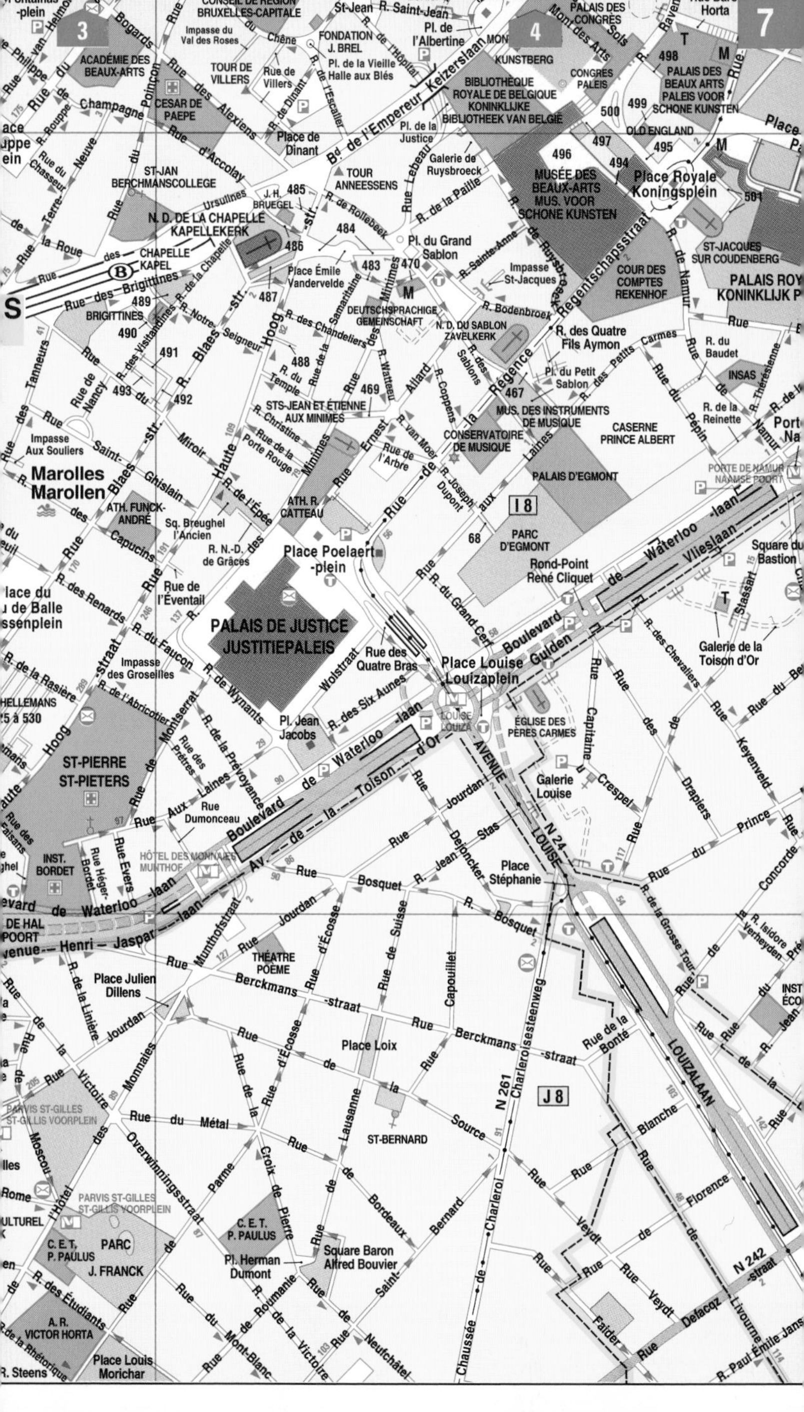

3
4
7
CONSEIL DE RÉGION BRUXELLES-CAPITALE
Impasse du Val des Roses
TOUR DE VILLERS
Rue de Villers
FONDATION J. BREL
Pl. de la Vieille Halle aux Blés
Pl. de l'Albertine
KUNSTBERG
PALAIS DES CONGRÈS
CONGRES PALEIS
Mont des Arts
Rue Baron Horta
ACADÉMIE DES BEAUX-ARTS
CÉSAR DE PAEPE
Rue des Alexiens
Rue de Champagne
Place de Dinant
Bd de l'Empereur Keizerslaan
Pl. de la Justice
BIBLIOTHÈQUE ROYALE DE BELGIQUE KONINKLIJKE BIBLIOTHEEK VAN BELGIË
PALAIS DES BEAUX ARTS PALEIS VOOR SCHONE KUNSTEN
OLD ENGLAND
498
499
500
497
495
496
494
Galerie de Ruysbroeck
TOUR ANNEESSENS
ST-JAN BERCHMANSCOLLEGE
N. D. DE LA CHAPELLE KAPELLEKERK
J. H. BRUEGEL
485
486
484
483
470
MUSÉE DES BEAUX-ARTS MUS. VOOR SCHONE KUNSTEN
Place Royale Koningsplein
501
ST-JACQUES SUR COUDENBERG
PALAIS ROY KONINKLIJK P
Pl. du Grand Sablon
Impasse St-Jacques
CHAPELLE KAPEL
Rue des Brigittines
Place Émile Vandervelde
487
489
BRIGITTINES
490
DEUTSCHSPRACHIGE GEMEINSCHAFT
N. D. DU SABLON ZAVELKERK
COUR DES COMPTES REKENHOF
Regentschapsstraat
R. des Quatre Fils Aymon
R. du Baudet
INSAS
R. de la Reinette
Rue des Tanneurs
Rue de Nancy
491
493
492
488
R. du Temple
469
STS-JEAN ET ÉTIENNE AUX MINIMES
Pl. du Petit Sablon
467
MUS. DES INSTRUMENTS DE MUSIQUE
CASERNE PRINCE ALBERT
Impasse Aux Souliers
Marolles Marollen
CONSERVATOIRE DE MUSIQUE
PALAIS D'EGMONT
PORTE DE NAMUR NAAMSE POORT
ATH. FUNCK-ANDRÉ
Sq. Breughel l'Ancien
ATH. R. CATTEAU
I 8
R. N.-D. des Grâces
Place Poelaert -plein
68
PARC D'EGMONT
Square du Bastion
Rond-Point René Cliquet
Rue de l'Éventail
Place du Jeu de Balle Vossenplein
PALAIS DE JUSTICE JUSTITIEPALEIS
Rue des Quatre Bras
Place Louise Louizaplein
Galerie de la Toison d'Or
Impasse des Groseilles
Pl. Jean Jacobs
LOUISE LOUIZA
ÉGLISE DES PÈRES CARMES
Galerie Louise
ST-PIERRE ST-PIETERS
Rue Dumonceau
Boulevard de Waterloo -laan
Av. de la Toison d'Or
HÔTEL DES MONNAIES MUNTHOF
INST. BORDET
Rue Héger-Bordet
Place Stéphanie
N 24
Avenue Henri Jaspar -laan
PORTE DE HAL
THÉATRE POÈME
Place Julien Dillens
Rue Berckmans -straat
Place Loix
Rue de la Bonté
J 8
N 261
Chaussée de Charleroi Charleroisesteenweg
Louizalaan
ST-BERNARD
PARVIS ST-GILLES ST-GILLIS VOORPLEIN
Rue du Métal
Overwinningsstraat
C.E.T. P. PAULUS
PARC J. FRANCK
Pl. Herman Dumont
Square Baron Alfred Bouvier
A.R. VICTOR HORTA
Place Louis Morichar
R. des Étudiants
N 242
R. Paul Émile Janson
Rue Defacqz
Rue Faider

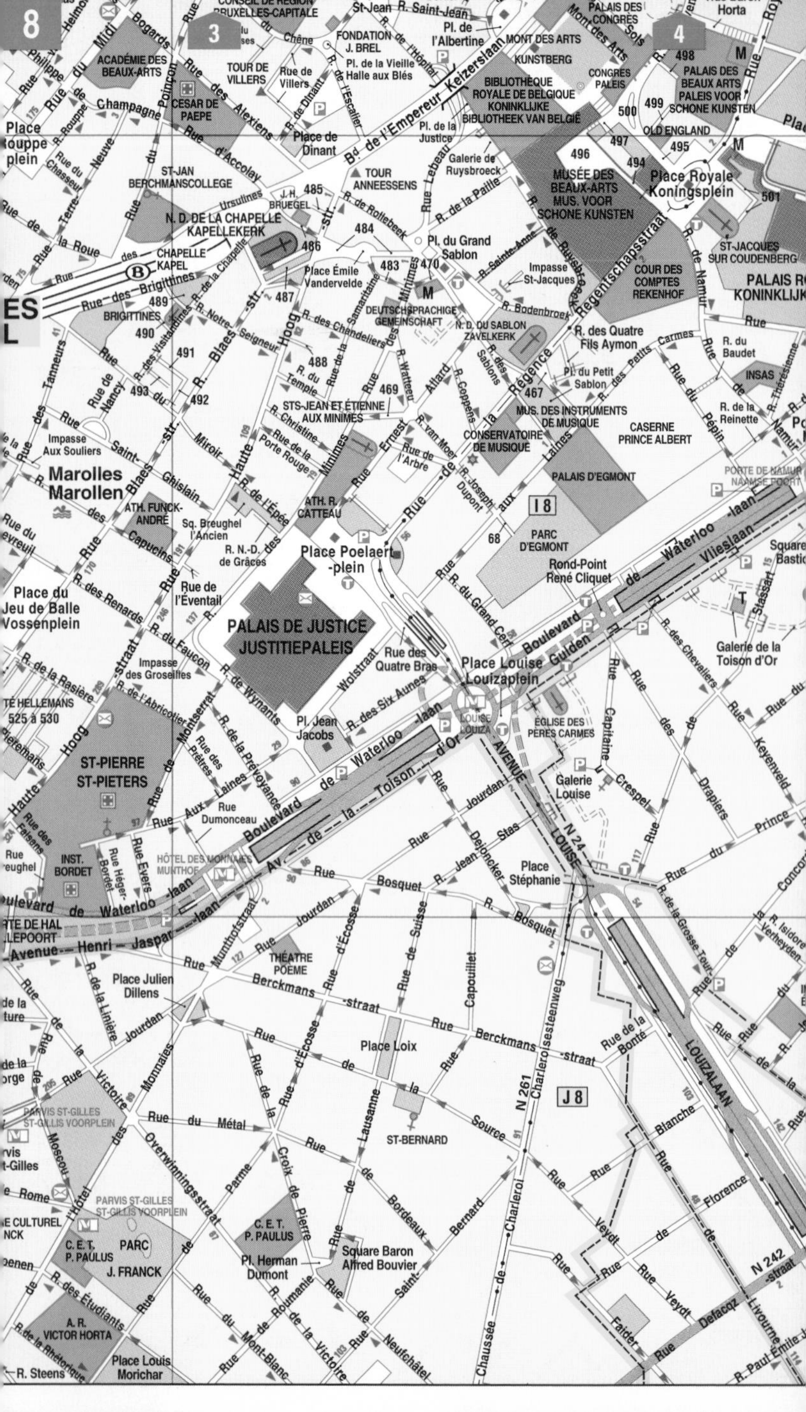

8
3
4
CONSEIL DE RÉGION BRUXELLES-CAPITALE
St-Jean
R. Saint-Jean
Pl. de l'Albertine
PALAIS DES CONGRÈS
CONGRES PALEIS
Mont des Arts
MONT DES ARTS
KUNSTBERG
Rue Baron Horta
ACADÉMIE DES BEAUX-ARTS
Rue du Midi
Bogards
Rue des Alexiens
TOUR DE VILLERS
Rue de Villers
FONDATION J. BREL
Pl. de la Vieille Halle aux Blés
R. de l'Hôpital
R. de l'Escalier
R. de Dinant
Place de Dinant
Bd. de l'Empereur Keizerslaan
BIBLIOTHÈQUE ROYALE DE BELGIQUE
KONINKLIJKE BIBLIOTHEEK VAN BELGIË
498
PALAIS DES BEAUX ARTS
PALEIS VOOR SCHONE KUNSTEN
499
500
OLD ENGLAND
497
495
496
494
M
CÉSAR DE PAEPE
Champagne
Place Rouppe plein
R. Rouppe
Rue du Chasseur
Terre-Neuve
Rue d'Accolay
ST-JAN BERCHMANSCOLLEGE
Pl. de la Justice
Galerie de Ruysbroeck
TOUR ANNEESSENS
Rue Lebeau
MUSÉE DES BEAUX-ARTS
MUS. VOOR SCHONE KUNSTEN
Place Royale Koningsplein
501
Ursulines
J. H. BRUEGEL
485
R. de Rollebeek
R. de la Paille
N. D. DE LA CHAPELLE KAPELLEKERK
484
Pl. du Grand Sablon
R. de Ruysbroeck
Regentschapsstraat
R. de Namur
ST-JACQUES SUR COUDENBERG
CHAPELLE KAPEL
486
483
470
R. Sainte-Anne
Impasse St-Jacques
COUR DES COMPTES REKENHOF
PALAIS R KONINKLIJK
Rue des Brigittines
489
487
Place Émile Vandervelde
M
BRIGITTINES
490
R. Notre-Seigneur
Hoog
R. des Chandeliers
R. de la Samaritaine
DEUTSCHSPRACHIGE GEMEINSCHAFT
R. Bodenbroek
N. D. DU SABLON ZAVELKERK
R. des Quatre Fils Aymon
R. des Sablons
R. des Petits Carmes
R. du Baudet
INSAS
Rue des Tanneurs
Rue de Nancy
491
493
492
R. Blaes
488
R. du Temple
469
R. Watteau
Allard
R. Coppens
Régence
Pl. du Petit Sablon
467
MUS. DES INSTRUMENTS DE MUSIQUE
Rue du Pépin
R. de la Reinette
CASERNE PRINCE ALBERT
Impasse Aux Souliers
Rue Saint-Ghislain
Miroir
Haute
R. Christine
STS-JEAN ET ÉTIENNE AUX MINIMES
Rue de la Porte Rouge
Minimes
Ernest
R. van Moer
Rue de l'Arbre
CONSERVATOIRE DE MUSIQUE
Laines
Marolles Marollen
ATH. FUNCK-ANDRÉ
des Capucins
Sq. Breughel l'Ancien
R. de l'Épée
ATH. R. CATTEAU
R. Joseph Dupont
aux
PALAIS D'EGMONT
PORTE DE NAMUR NAAMSE POORT
I8
68
PARC D'EGMONT
Rond-Point René Cliquet
Waterloo -laan
Vlieslaan
Square Bastion
Stassart
Rue du Beurre / Evreuil
Place du Jeu de Balle Vossenplein
R. des Renards
R. N.-D. de Grâces
Place Poelaert -plein
Rue de l'Éventail
PALAIS DE JUSTICE JUSTITIEPALEIS
R. du Grand Cerf
Boulevard
Galerie de la Toison d'Or
R. du Faucon
Impasse des Groseilles
Rue des Quatre Bras
Wolstraat
Place Louise Louizaplein
Gulden
R. des Chevaliers
R. de la Rasière
R. de l'Abricotier
R. de Wynants
R. des Six Aunes
LOUISE LOUIZA
ÉGLISE DES PÈRES CARMES
Rue Capitaine Crespel
CITÉ HELLEMANS 525 à 530
Montserrat
Pl. Jean Jacobs
AVENUE LOUISE
Galerie Louise
Rue des Drapiers
Keyenveld
ST-PIERRE ST-PIETERS
Rue des Prêtres
R. de la Prévoyance
Boulevard de Waterloo -laan
Av. de la Toison d'Or
Rue Jourdan
Rue Dumonceau
Rue aux Laines
Dejoncker
Stas
N 24
Rue du Prince
Rue des Faisans
Rue Breughel
INST. BORDET
Rue Héger-Bordet
Rue Evers
HÔTEL DES MONNAIES MUNTHOF
Rue Bosquet
R. Jean
Place Stéphanie
Concorde
Boulevard de Waterloo -laan
PORTE DE HAL HALLEPOORT
Avenue Henri Jaspar -laan
Munthofstraat
Jourdan
THÉATRE POÈME
Rue d'Écosse
Rue de Suisse
Capouillet
R. Bosquet
R. de la Grosse Tour
R. Isidore Verheyden
Rue Berckmans -straat
Place Julien Dillens
R. de la Linière
Place Loix
Rue de la Bonté
LOUIZALAAN
Rue de la Victoire
Rue des Monnaies
Rue de la Croix de Pierre
Lausanne
Rue de la Source
N 261
Charleroisesteenweg
J 8
PARVIS ST-GILLES ST-GILLIS VOORPLEIN
Rue du Métal
ST-BERNARD
Moscou
Overwinningsstraat
Rue de Parme
Blanche
Rue de Florence
Rue de l'Hôtel des Monnaies
Rue de Bordeaux
R. Bernard
Rue de Veydt
C. E. T. P. PAULUS
PARC J. FRANCK
Pl. Herman Dumont
Square Baron Alfred Bouvier
N 242
Chaussée de Charleroi
R. des Étudiants
A. R. VICTOR HORTA
R. de la Rhétorique
Place Louis Morichar
R. Steens
Rue du Mont-Blanc
R. de Roumanie
Rue de Neufchâtel
Faider
Defacqz
Livourne
R. Paul Émile Janson

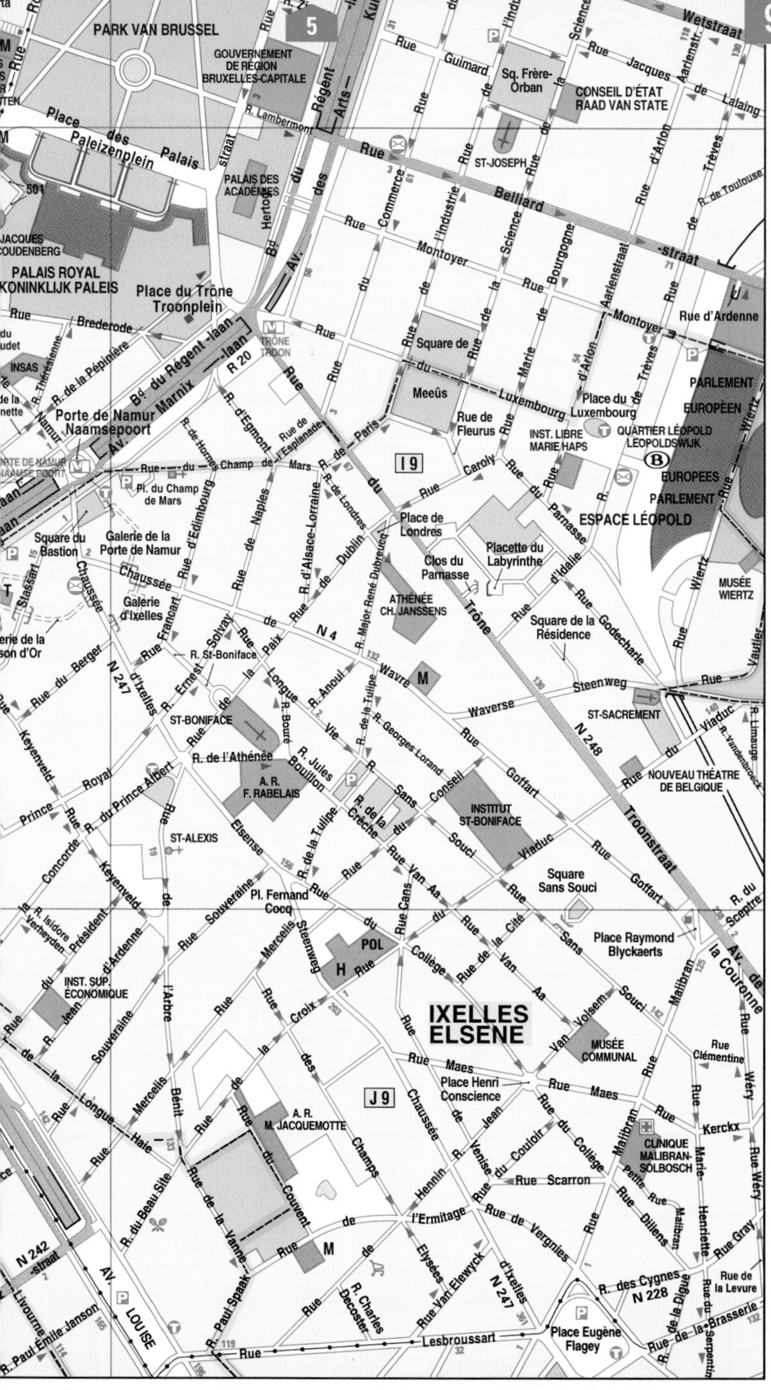
5
PARK VAN BRUSSEL
GOUVERNEMENT DE RÉGION BRUXELLES-CAPITALE
Wetstraat
Rue Guimard
Sq. Frère-Orban
CONSEIL D'ÉTAT RAAD VAN STATE
Rue Jacques de Lalaing
Place des Palais
Paleizenplein
R. Lambermont
Bd du Régent
Av. des Arts
ST-JOSEPH
Rue Belliard -straat
PALAIS DES ACADÉMIES
Hertogsstraat
JACQUES COUDENBERG
PALAIS ROYAL KONINKLIJK PALEIS
Place du Trône Troonplein
Rue Montoyer
Rue du Commerce
Rue de l'Industrie
Rue de la Science
Rue de Bourgogne
Aarlenstraat
Rue d'Arlon
Rue de Trèves
R. de Toulouse
Rue d'Ardenne
Rue Brederode
INSAS
R. de la Pépinière
R. Thérésienne
Bd du Régent -laan
Av. Marnix -laan
R 20
TRÔNE TROON
Square de Meeûs
Rue du Luxembourg
Place du Luxembourg
PARLEMENT EUROPÉEN
EUROPEES PARLEMENT
QUARTIER LÉOPOLD LEOPOLDSWIJK
ESPACE LÉOPOLD
INST. LIBRE MARIE HAPS
Rue de Fleurus
Rue Caroly
Rue du Parnasse
Porte de Namur Naamsepoort
PORTE DE NAMUR NAAMSE POORT
Rue du Champ de Mars
Pl. du Champ de Mars
R. d'Egmont
R. de Hornes
Rue de l'Esplanade
R. de Paris
R. de Londres
I 9
Place de Londres
Placette du Labyrinthe
Clos du Parnasse
Rue du Trône
Rue d'Idalie
Rue Wiertz
MUSÉE WIERTZ
Square du Bastion
Galerie de la Porte de Namur
Galerie d'Ixelles
Chaussée de Wavre
N 4
Rue d'Edimbourg
Rue de Naples
R. d'Alsace-Lorraine
Rue de Dublin
R. Major René Dubreucq
ATHÉNÉE CH. JANSSENS
Square de la Résidence
Rue Godecharle
Stassart
Chaussée d'Ixelles
N 247
Rue Francart
R. St-Boniface
Rue Ernest Solvay
Rue de la Paix
Rue Longue Vie
R. Anoul
R. de la Tulipe
R. Georges Lorand
Steenweg
Waverse
N 248
ST-SACREMENT
Rue du Viaduc
R. Limauge
R. Vandenbroeck
NOUVEAU THÉATRE DE BELGIQUE
Rue du Berger
Keyenveld
ST-BONIFACE
R. de l'Athénée
R. Bouré
R. Jules Bouillon
A. R. F. RABELAIS
R. Sans Souci
R. de la Crèche
Rue du Conseil
INSTITUT ST-BONIFACE
Rue Goffart
Troonstraat
Rue Royale
Prince
R. du Prince Albert
Concorde
ST-ALEXIS
Elsense
Rue Van Aa
Square Sans Souci
R. du Sceptre
Av. de la Couronne
R. Isidore Verheyden
Président
Rue Souveraine
Pl. Fernand Cocq
Rue Mercelis
Rue Cans
POL
H
Rue du Collège
Rue de la Cité
Place Raymond Blyckaerts
Rue Malibran
INST. SUP. ÉCONOMIQUE
Rue Jean d'Ardenne
Rue de l'Arbre Bénit
Rue de la Croix
IXELLES ELSENE
Rue Van Volsem
MUSÉE COMMUNAL
Rue Clémentine
Rue Wéry
Rue de la Longue Haie
Rue des Champs Élysées
J 9
Rue Maes
Place Henri Conscience
Rue Jean Hennin
A. R. M. JACQUEMOTTE
R. de Venise
Rue du Couloir
Rue Kerckx
CLINIQUE MALIBRAN-SOLBOSCH
Rue Marie-Henriette
Rue du Couvent
Rue Scarron
Petite Rue Malibran
Rue Dillens
Rue Gray
R. du Beau Site
Rue de la Vanne
Rue de l'Ermitage
Rue de Vergnies
N 242 -straat
Av. Louise
M
R. Paul Spaak
R. Charles Decoster
Rue Van Elewyck
R. des Cygnes
N 228
Rue de la Levure
Livourne
R. Paul Émile Janson
Rue Lesbroussart
Place Eugène Flagey
Rue de la Brasserie
R. de la Digue
Rue du Serpentin

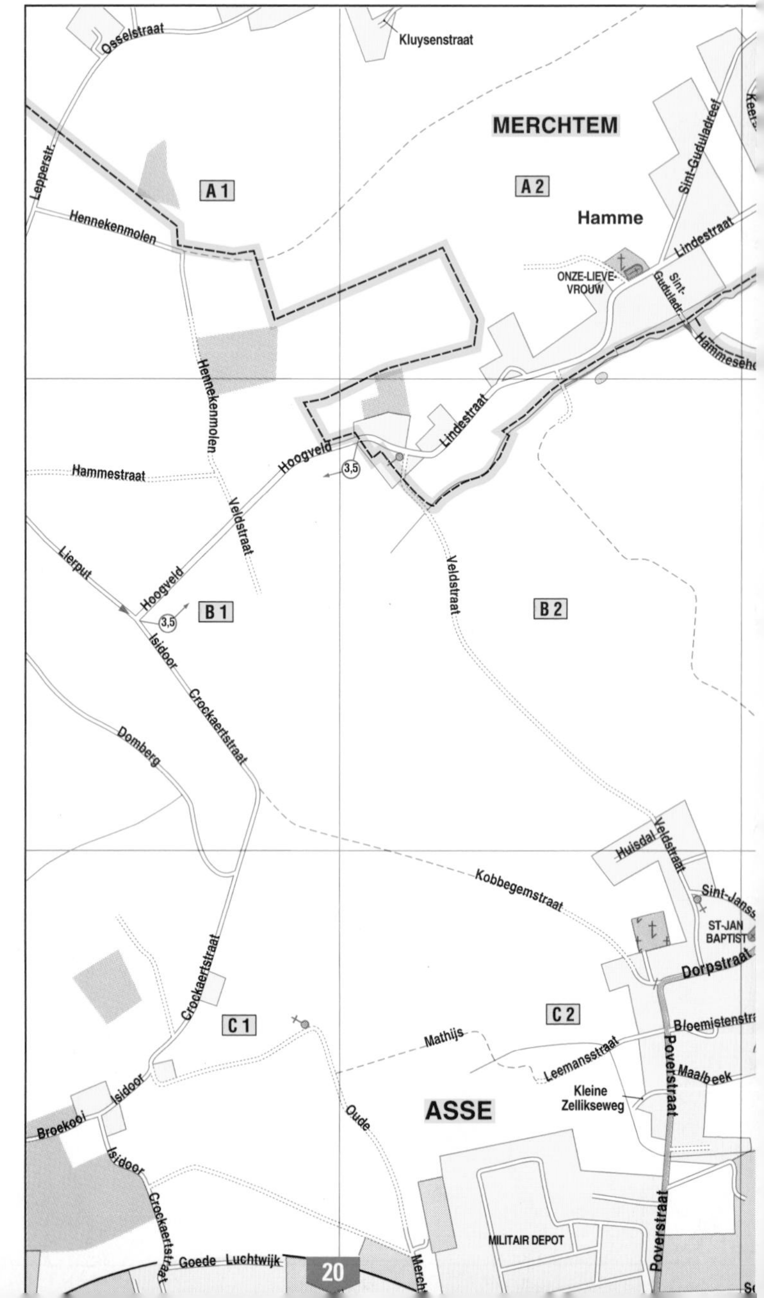

Osselstraat
Kluysenstraat
MERCHTEM
Lepperstr.
A 1
A 2
Sint-Guduladreef
Hamme
Hennekenmolen
Lindestraat
ONZE-LIEVE-VROUW
Sint-Guduladr.
Hammesehoek
Hennekenmolen
Lindestraat
Hoogveld
3,5
Hammestraat
Veldstraat
Veldstraat
Lierput
Hoogveld
3,5
B 1
B 2
Isidoor
Crockaertstraat
Domberg
Huisdal
Veldstraat
Kobbegemstraat
ST-JAN BAPTIST
Dorpstraat
Crockaertstraat
C 1
C 2
Bloemistenstr.
Mathijs
Leemansstraat
Poverstraat
Maalbeek
Isidoor
Kleine Zellikseweg
Oude
ASSE
Broekool
Isidoor
Crockaertstraat
MILITAIR DEPOT
Poverstraat
Goede Luchtwijk

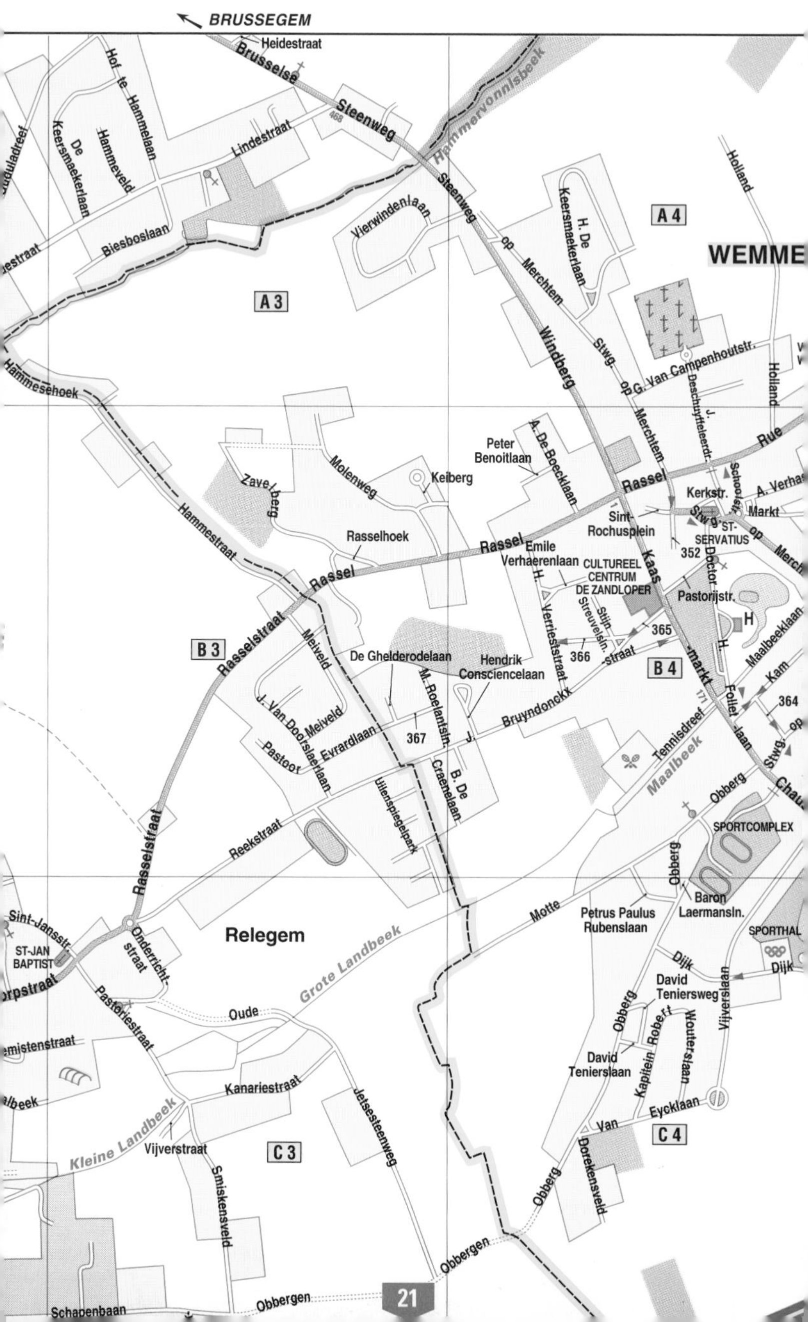
BRUSSEGEM
Heidestraat
Brusselse Steenweg
Steenweg
Hof te Hammelaan
De Keersmaekerlaan
Hammeveld
Lindestraat
Biesboslaan
Hammervonnisbeek
Vierwindenlaan
H. De Keersmaekerlaan
Stwg. op Merchtem
Windberg
A 3
A 4
WEMME
Holland
Hammesehoek
G. Van Campenhoutstr.
J. Deschuyffeleerdr.
Peter Benoitlaan
A. De Boecklaan
Molenweg
Keiberg
Zavelberg
Hammestraat
Rasselhoek
Rassel
Emile Verhaerenlaan
Sint-Rochusplein
Kerkstr.
Markt
ST-SERVATIUS
Schoolstr.
A. Verhae
Rue
CULTUREEL CENTRUM DE ZANDLOPER
Pastorijstr.
Doctor
Kaasmarkt
352
365
366
Stijn Streuvelsln.
H. Verriestsstraat
Bruyndonckxstraat
Rasselstraat
B 3
B 4
Meiveld
De Ghelderodelaan
Hendrik Consciencelaan
M. Roelantsln.
J. Van Doorslaerlaan
Pastoor Evrardlaan
367
B. De Craenelaan
Uilenspiegelpark
Maalbeeklaan
Kam
364
Stwg. op
H. Folletlaan
Tennisdreef
Maalbeek
Obberg
SPORTCOMPLEX
Reekstraat
Baron Laermansln.
Motte
Petrus Paulus Rubenslaan
SPORTHAL
Relegem
Sint-Jansstr.
ST-JAN BAPTIST
Onderrichtstraat
Dorpstraat
Grote Landbeek
Dijk
David Teniersweg
Vijverslaan
Pastoriestraat
Oude
Robert Woutersslaan
Kapitein
David Tenierslaan
Kanariestraat
Jetsesteenweg
Kleine Landbeek
Vijverstraat
Smiskensveld
C 3
C 4
Van Eycklaan
Dorekensveld
Obbergen
Schapenbaan

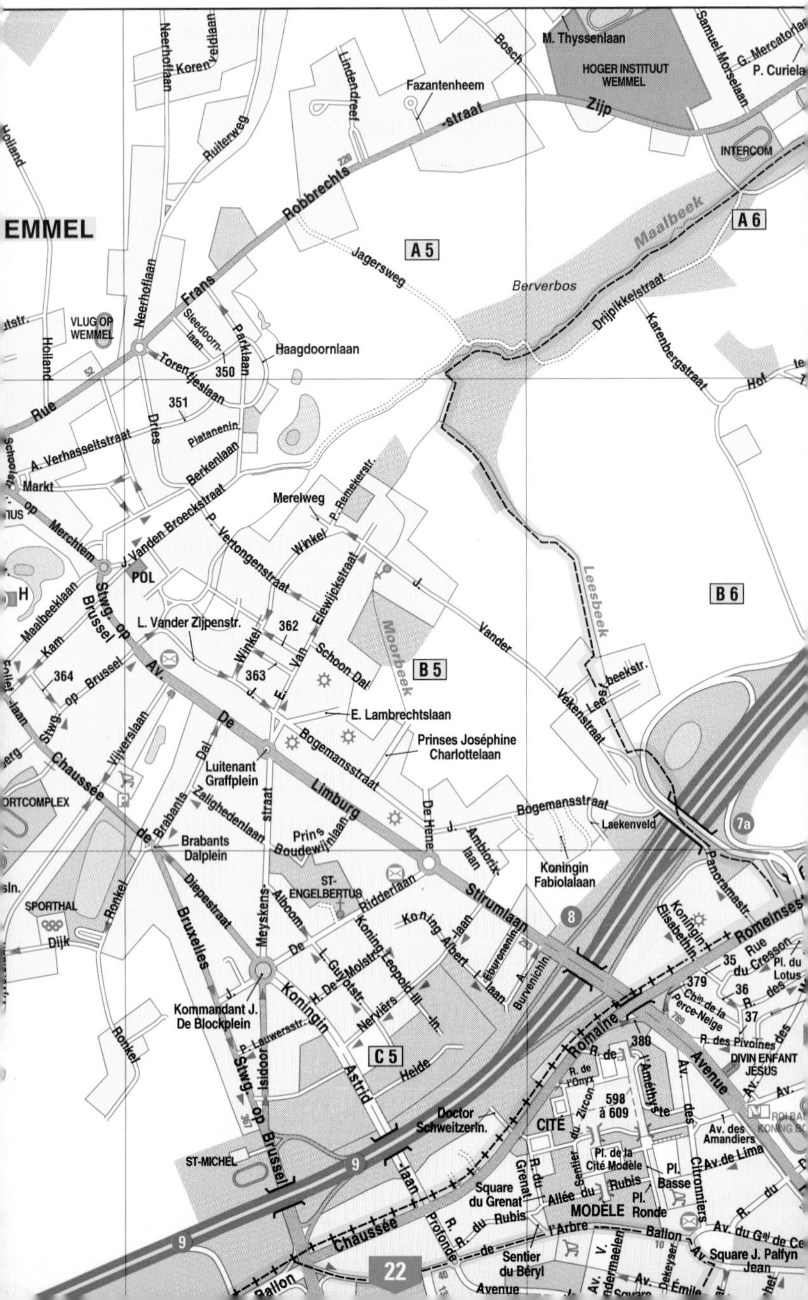
M. Thyssenlaan
HOGER INSTITUUT WEMMEL
Samuel Morselaan
G. Mercatorlaan
P. Curielaan
Neerhoflaan
Korenveldlaan
Lindendreef
Fazantenheem
Bosch
Zijp
-straat
Robbrechts
INTERCOM
Ruiterweg
Holland
EMMEL
A 5
A 6
Jagersweg
Maalbeek
Berverbos
Frans
Neerhoflaan
VLUG OP WEMMEL
Sleedoornlaan
Parklaan
Haagdoornlaan
Drijpikkelstraat
Karenbergstraat
Hof
Holland
Torentjeslaan
350
351
Rue
Dries
Platanenln.
A. Verhasseltstraat
Berkenlaan
Markt
Merelweg
P. Remekerstr.
Merchtem
J. Vanden Broeckstraat
P. Vertongenstraat
Winkel
Elewijckstraat
POL
H
Maalbeeklaan
Stwg. op Brussel
L. Vander Zijpenstr.
362
Moorbeek
Leesbeek
J. Vander
B 6
Kam
364
Brussel
Winkel
363
Van
Schoon Dal
B 5
Vekenstraat
Leestbeekstr.
E. Lambrechtslaan
Stwg. op
Av. De Limburg
Bogemansstraat
Prinses Joséphine Charlottelaan
Vijverslaan
Chaussée de Brabants
Luitenant Graffplein
ORTCOMPLEX
Dal
Zalighedenlaan
straat
De Hene
Bogemansstraat
Laekenveld
7a
J. Ambiorixlaan
Prins Boudewijnlaan
Brabants Dalplein
Koningin Fabiolalaan
Panoramastr.
SPORTHAL
Ronkel
Diepestraat
ST-ENGELBERTUS
Ridderlaan
Strumlaan
8
Dijk
Meyskens-
Alboom
Koning Albert I laan
Koningin Elisabethln.
Romeinsesteenweg
Bruxelles
De
L. Guyotstr.
Koning Leopold III -ln.
Eburonenln.
Burvenichln.
35
Rue du Cresson
Pl. du Lotus
H. De Molstr.
379
Ch^in de la Perce-Neige
36
R. des
37
Kommandant J. De Blockplein
Koningin
Nerviërs
R. des Pivoines
P. Lauwersstr.
C 5
Romaine
R. de
380
DIVIN ENFANT JÉSUS
Ronkel
Stwg. op Brussel
Isidoor
Astrid
Heide
R. de l'Onyx
l'Améthyste
Avenue
Av.
598 à 609
Doctor Schweitzerln.
CITÉ
du Zircon
Av. des
Av. des Amandiers
ST-MICHEL
9
Pl. de la Cité Modèle
Pl. Basse
Av. de Lima
R. du Grenat
Sentier
Citronniers
Square du Grenat
Allée du Rubis
Pl. Ronde
9
Chaussée
-laan
R. du Rubis
MODÈLE
R. profonde
de
l'Arbre
Ballon
Av. du Gal de Ce
Sentier du Béryl
22
Av. Square J. Palfyn
Jean
Ballon
Avenue
Vandermaelen
Dekeyser
Av. Émile
R. du

MEISE
ANTWERPEN
ST-NIKLAAS

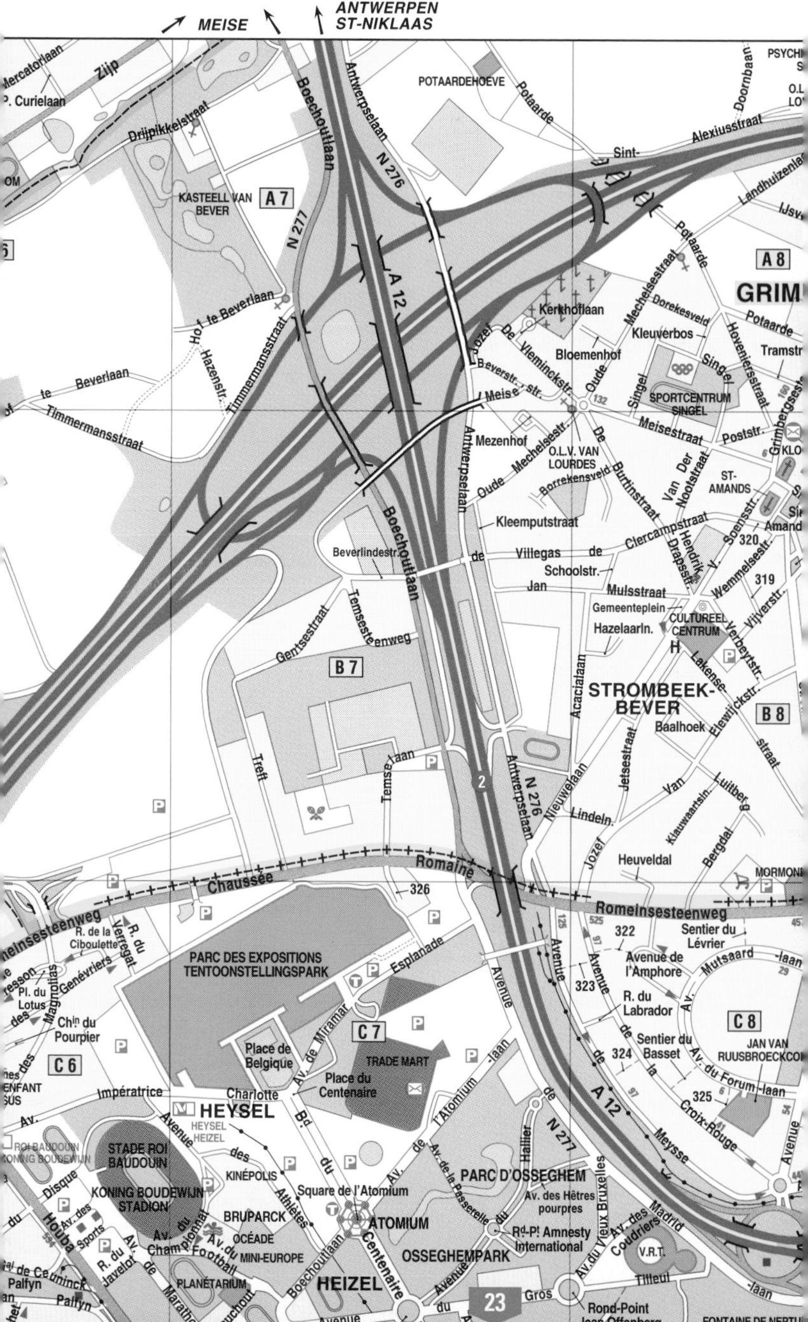

23

GRIMBERGEN

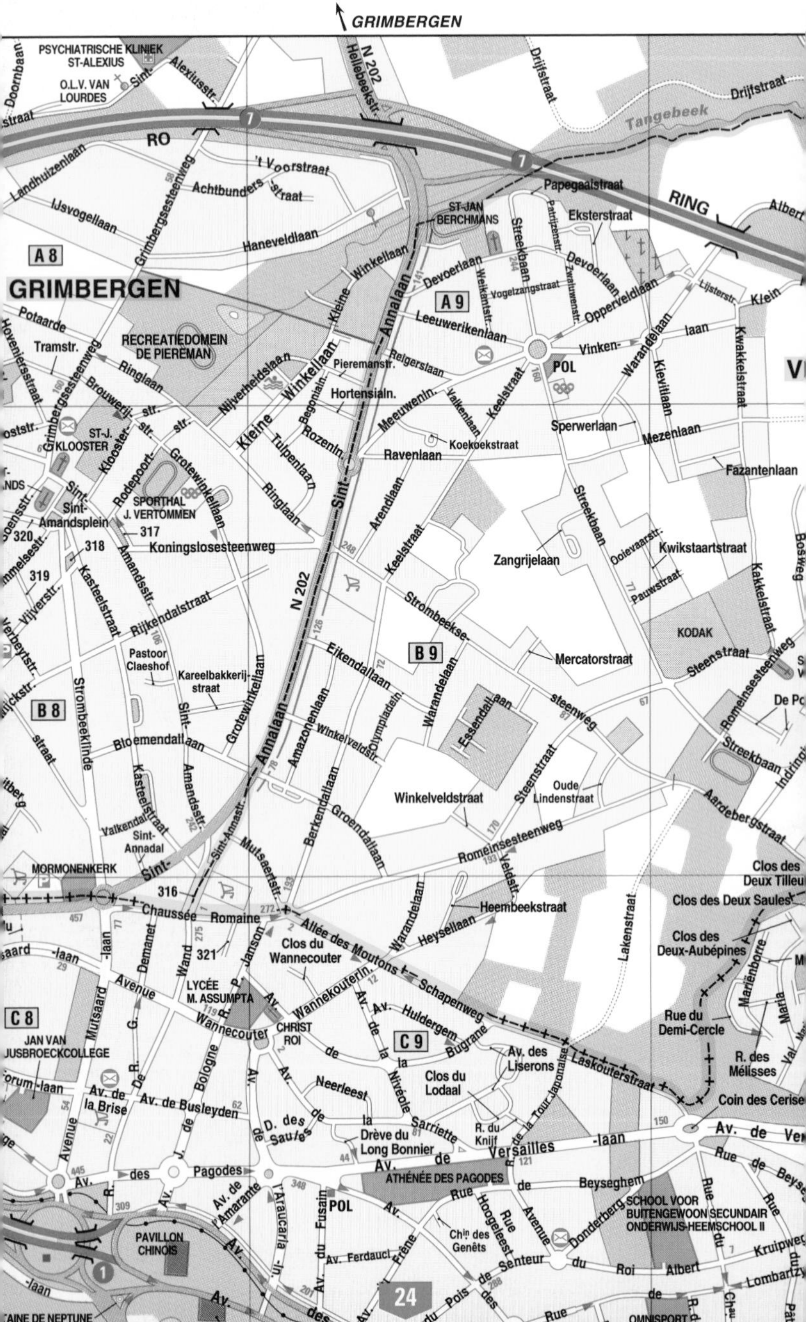

PSYCHIATRISCHE KLINIEK
ST-ALEXIUS
O.L.V. VAN
LOURDES
Doornbaan
Sint-Alexiusstr.
N 202
Hellebeekstr.
Drijfstraat
Tangebeek
RO
RING
't Voorstraat
Achtbunderstraat
Landhuizenlaan
Grimbergsesteenweg
IJsvogellaan
Haneveldlaan
ST-JAN
BERCHMANS
Papegaaistraat
Eksterstraat
Patrijzenstr.
Streekbaan
Devoerlaan
Zwaluwenstr.
Weikantstr.
Vogelzangstraat
Opperveldlaan
Lijsterstr.
Klein
A 8
A 9
GRIMBERGEN
Winkellaan
Kleine
Annalaan
Leeuwerikenlaan
Vinkenlaan
Warandelaan
Kwakkelstraat
Potaarde
Hoveniersstraat
Tramstr.
RECREATIEDOMEIN
DE PIEREMAN
Ringlaan
Nijverheidslaan
Kleine Winkellaan
Pieremanstr.
Reigerslaan
POL
Brouwerijstr.
Hortensialn.
Begonialn.
Meeuwenln.
Valkenlaan
Keelstraat
Kievitlaan
ST-J.
KLOOSTER
Kloosterstr.
Grotewinkellaan
Rozenln.
Tulpenlaan
Sperwerlaan
Mezenlaan
Koekoekstraat
Ravenlaan
Fazantenlaan
Rodepoortstr.
SPORTHAL
J. VERTOMMEN
Sint-Amandsplein
320
319
318
317
Koningslosesteenweg
Sint-
Arendlaan
Zangrijelaan
Ooievaarstr.
Kwikstaartstraat
Pauwstraat
Bosweg
Kasteelstraat
Amandsstr.
Rijkendalstraat
Vijverstr.
Verbeystr.
Keelstraat
Strombeeksesteenweg
KODAK
Kakkelstraat
Mercatorstraat
Steenstraat
Romeinsesteenweg
B 9
Eikendallaan
Pastoor
Claeshof
Kareelbakkerijstraat
Strombeeklinde
B 8
Amazonenlaan
Olympiadelaan
Winkelveldstr.
Warandelaan
Essendallaan
De Po
Streekbaan
Bloemendallaan
Sint-Amandsstr.
Berkendallaan
Winkelveldstraat
Steenstraat
Oude
Lindenstraat
Aardebergstraat
Valkendal
Sint-
Annadal
Groendallaan
Romeinsesteenweg
Clos des
Deux Tilleuls
MORMONENKERK
Sint-Annastr.
Mutsaertstr.
Veldstr.
316
Heembeekstraat
Clos des Deux Saules
Chaussée Romaine
Allée des Moutons
Warandelaan
Heysellaan
Lakenstraat
Clos des
Deux-Aubépines
Mutsaard-laan
321
Clos du
Wannecouter
Wannekouterln.
Schapenweg
Marienborre
Avenue Wannecouter
Demanet
Wand
LYCÉE
M. ASSUMPTA
R. P. Janson
Av.
Huldergem
Rue du
Demi-Cercle
Maria
C 8
JAN VAN
RUUSBROECKCOLLEGE
Mutsaard
CHRIST
ROI
Av. de la Nivéole
C 9
Bugrane
Av. des
Liserons
Laskouterstraat
R. des
Mélisses
Val
Forum-laan
Av. de
la Brise
Av. de Busleyden
J. de Bologne
Neerleest
Clos du
Lodaal
Coin des Cerises
Avenue
D. des
Saules
Drève du
Long Bonnier
Sarriette
R. du
Knijf
R. de la Tour Japonaise
150
Av. de Versailles
Av. des Pagodes
ATHÉNÉE DES PAGODES
Beyseghem
Rue de Beyseghem
Av. de
l'Amarante
l'Araucaria-ln.
Av. du Fusain
POL
Rue
Hoogeleest
Avenue
Donderberg
SCHOOL VOOR
BUITENGEWOON SECUNDAIR
ONDERWIJS-HEEMSCHOOL II
Rue du
PAVILLON
CHINOIS
Av. Ferdauci
Frêne
Chin des
Genêts
de Senteur
du Roi Albert
Kruipweg
Lombartzyde
Av. du Pois
Chau.
AINE DE NEPTUNE
OMNISPORT
24

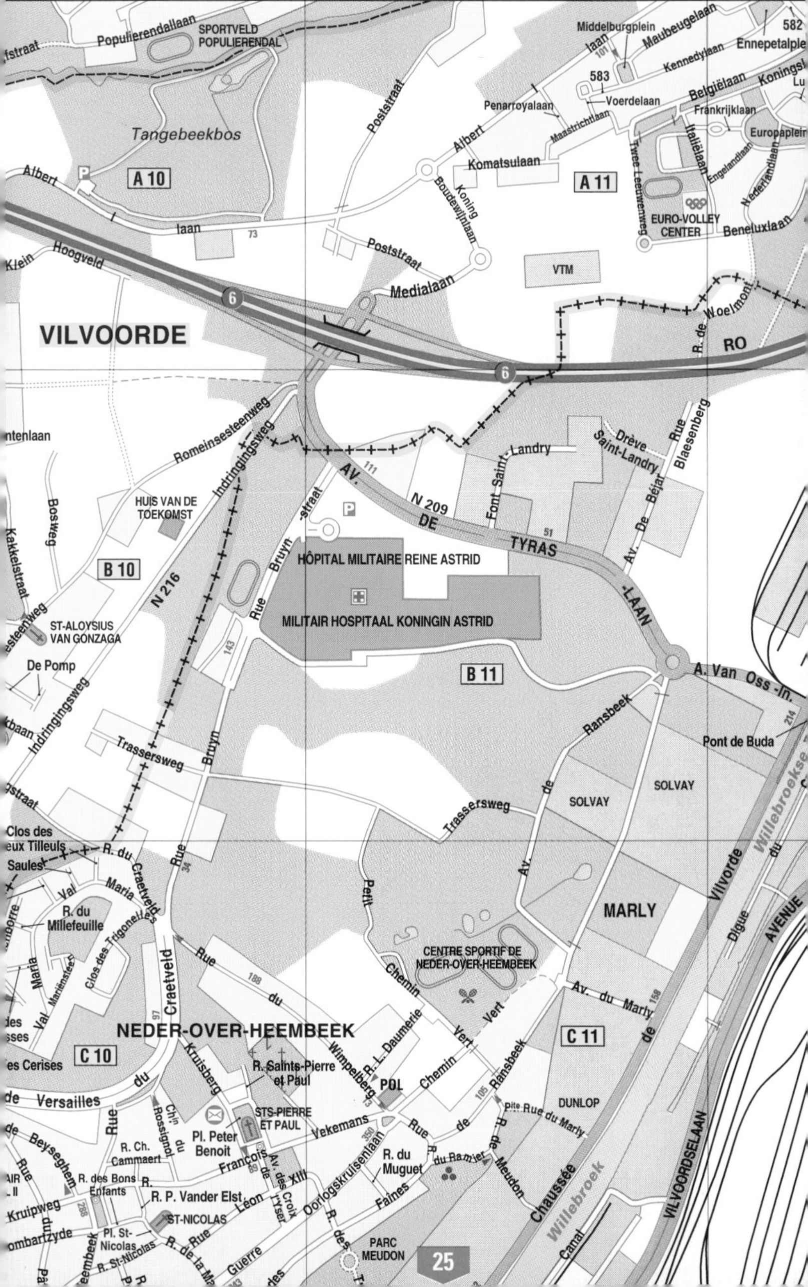

Populierendallaan
SPORTVELD POPULIERENDAL
Tangebeekbos
Albert
laan
A 10
Poststraat
Albert
Komatsulaan
Koning Boudewijnlaan
Middelburgplein
Maubeugelaan
582
Ennepetalplein
Kennedylaan
583
Voerdelaan
Penarroyalaan
Maastrichtlaan
Belgiëlaan
Frankrijklaan
Europaplein
Italiëlaan
Engelandlaan
Nederlandlaan
Twee Leeuwenweg
A 11
EURO-VOLLEY CENTER
Beneluxlaan
VTM
Poststraat
Medialaan
Klein
Hoogveld
VILVOORDE
6
R. de Woelmont
RO
Romeinsesteenweg
Indringingsweg
AV. N 209 DE TYRAS -LAAN
Saint-Landry
Font Saint-Landry
Drève Saint-Landry
Rue Blaesenberg
Av. De Béjar
HUIS VAN DE TOEKOMST
Bosweg
Kakkelstraat
B 10
N 216
Rue Bruyn straat
HÔPITAL MILITAIRE REINE ASTRID
MILITAIR HOSPITAAL KONINGIN ASTRID
ST-ALOYSIUS VAN GONZAGA
De Pomp
Indringingsweg
B 11
A. Van Oss -ln.
Ransbeek
Pont de Buda
Trassersweg
Bruyn
Trassersweg
SOLVAY
SOLVAY
Av. de
Clos des Deux Tilleuls
Saules
R. du Craetveld
Val Maria
R. du Millefeuille
Clos des Trigonelles
Rue
Petit
MARLY
Vilvorde
Willebroek
Digue du
AVENUE
CENTRE SPORTIF DE NEDER-OVER-HEEMBEEK
Chemin Vert
Rue du Wimpelberg
Av. du Marly
Craetveld
Val Mariensteen
Maria
C 10
NEDER-OVER-HEEMBEEK
Les Cerises
R. L. Daumerie
C 11
Kruisberg
R. Saints-Pierre et Paul
POL
Chemin Vert
Ransbeek
de
Versailles
du
Rue
Chin du Rossignol
STS-PIERRE ET PAUL
Vekemans
Rue de
Pte Rue du Marly
DUNLOP
de Beyseghem
R. Ch. Cammaert
Pl. Peter Benoit
François
Av. des Croix de Feu
XIII
Oorlogskruisenlaan
R. du Muguet
R. du Ramier
R. de Meudon
Chaussée
Willebroek
VILVOORDSELAAN
R. des Bons Enfants
R.
R. P. Vander Elst
Léon
Faînes
Kruipweg
ST-NICOLAS
Rue
Pl. St-Nicolas
R. St-Nicolas
R. de la M
Guerre
R. des
PARC MEUDON
25
Canal

MECHELEN
DOMEIN DRIE FONTEINEN
PAOLA PAVILJOEN
CULTUREEL CENTRUM STALLINGEN
A 12
A 13
B 12
B 13
C 12
C 13
MACHELEN WEST
MACHELEN
BEAULIEU
BUDA
VILVORDE
Brusselsesteenweg
Vilvoordsesteenweg
N 260
SCHAARBEEKLEI
WOLUWELAAN
R 22
Luxemburglaan
Koningslosteenweg
Europaplein
Blaesenbergweg
Lenterik
Steenkaai
Sluisstraat
Debackerstraat
Marie-Joséwijk
VOLVO
Machelenstraat
Vilvoordelaan
Harensesteenweg
Broekstraat
Nijverheidsstraat
Kerklaan
Rittwegerlaan
Gillekensstraat
Louis Brentastraat
Nieuwbrugstraat
Statieweg
Emmanuellaan
Diegemstr.
Gen. Lemanlaan
Chée de Buda
Budastwg.
Budasesteenweg
Dobbelenbergstraat
R. du Bruel
Hamweg
R. du Dobbelenberg
Beaulieustraat
Viaductstraat
De Warande
Villastraat
Schroonsstraat
Georges Lacroixstraat
Peter Bergstraat
Koning Boudewijnlaan
Holstraat
Sentier du Hollebeek
Witloof
Kuregemstraat
Rue du Keelbeek
Petite Av. de la Métrologie
Av. de la Métrologie
SERVICE DE METROLOGIE
Haecht
Oude
Sentier du Castrum
Klesper
R. Servandoni
R. Ste-Élisabeth
STE-ÉLISABETH
Sentier du Cortenbach
R. du Donjon
Chin du Keelbeek
Chin de la Traverse
R. de la Seigneurie
Rue de Verdun
R. Ter Elst
R. du Beemdgracht
Kasteelhof
Twyeninck
R. d'Hannetaire
Rue du Pré aux Oies
Vaart
Zenne
Digue du Canal
Willebroekse Canal
AVENUE DE
Oss.-In.
Buda
Machelenstr
Broekstraat
Rozen
G.I.S.
H. Rampelberg straat
582
26

MECHELEN

MACHELEN
DIEGEM
BRUCARGO
A 14
A 15
B 14
B 15
C 14
C 15
WOLUWELAAN
R 22
LUCHTHAVENLAAN
N 211
A 1 - E 19
N 21
R 0
Haachtsesteenweg
Moensstraat
Tuinwijk de Heuve
R. Quivreuxstraat
Lambrettestraat
Turcksinstr.
Peutiesesteenweg
J. De Leeuwstraat
Jan Veldmansstr.
F. Puelinckxstraat
Leuvensesteenweg
Kwekerijstraat
Begoniagaarde
Chrysantenstr.
Vivoordelaan
Heirbaan
Turcksinstr.
Kerkhofdreef
R. van der Stappenstraat
De Spoelberchstraat
De Spoelberchplein
Melsbroeksestraat
Dorpsplein
Kerklaan
POL
ST-GERTRUDISKERK
Dorpstraat
Nieuwstraat
Françoisstraat
De Neufforgeplein
Koningin Fabiolalaan
Koningin Astridlaan
Korenbloemstraat
Parkgaarde
Vredestraat
RUSTHUIS PARKHOF
Const. Hansoulstraat
Roelantsstraat
Toekomststraat
Parkstraat
Vuurkruisenlaan
Boskantweg
G.I.S.O.
Warande
Brounsstraat
Deblockstraat
Diegem
Weerstandersstraat
Stadionstraat
Albertlaan
Rozenstraat
P. Raedemaekersstraat
Weldoenersstraat
Lindegaarde
Molenstraat
Blijde Inkomststraat
Melkstraat
E. Dewandeleerstraat
Lindenplein
Ringweg
Ringstraat
Veldweg
Watertorenlaan
F. Campinestraat
Timmermanslaan
Felix
Eugène
Blaironstraat
J. Dilsstraat
J. B. Jacobsstraat
W. Willoxstraat
Schetsstraat
Broekstraat
Zaventemsesteenweg
DIEGEM NEERHOF
Neerhofstr.
Watermolenstraat
De Geyndt Gaarde
Nieuwe Zaventemsesteenweg
Dreststraat
P. De Kleermaekerstraat
Losstraat
De Greefstr.
Katarinastraat
De Cockplein
Sint-Korneliusstraat
CULTUREEL CENTRUM
Kosterstraat
ST-KATARINAKERK
Vanderstraat
Stationsstraat
De Ceusterstraat
Guetickstraat
Haacht

27

ANTWERPEN
MECHELEN

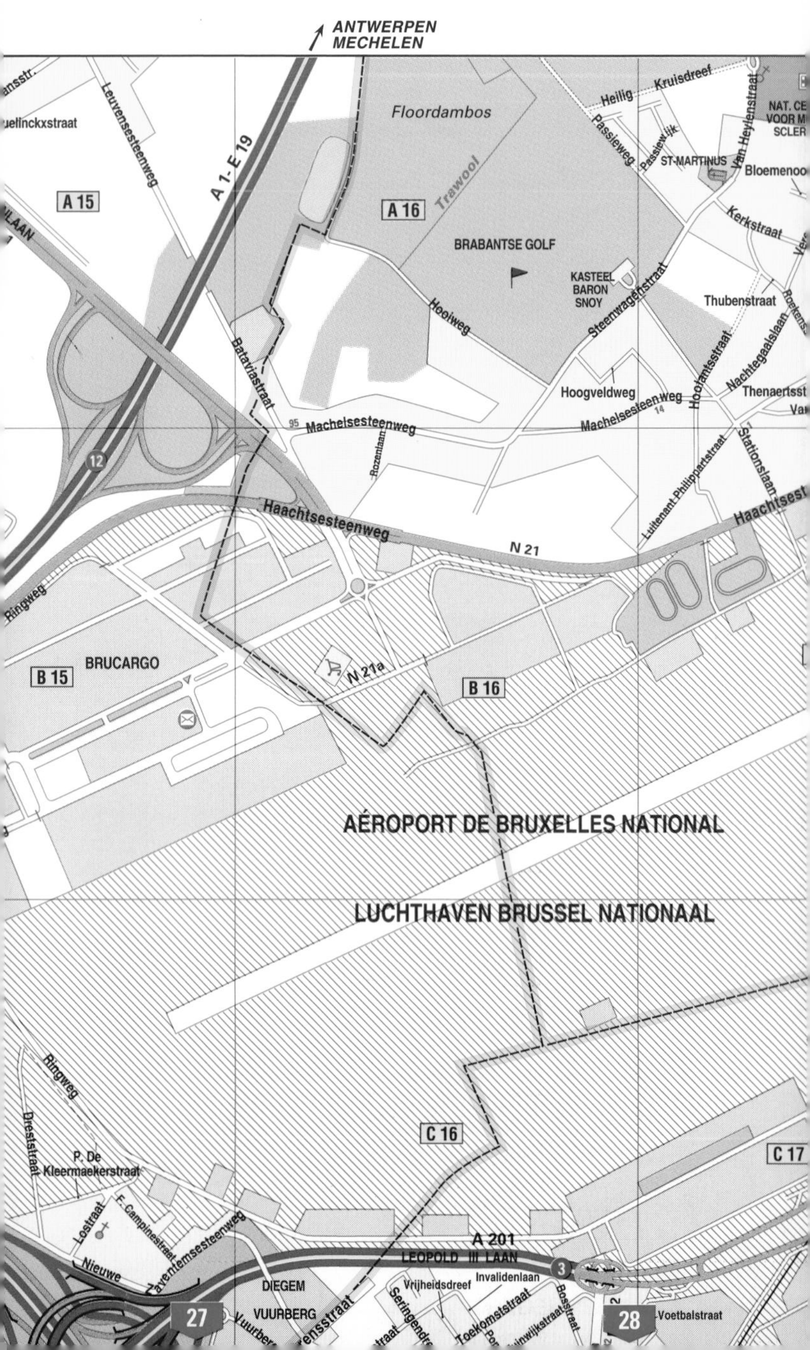

27
28

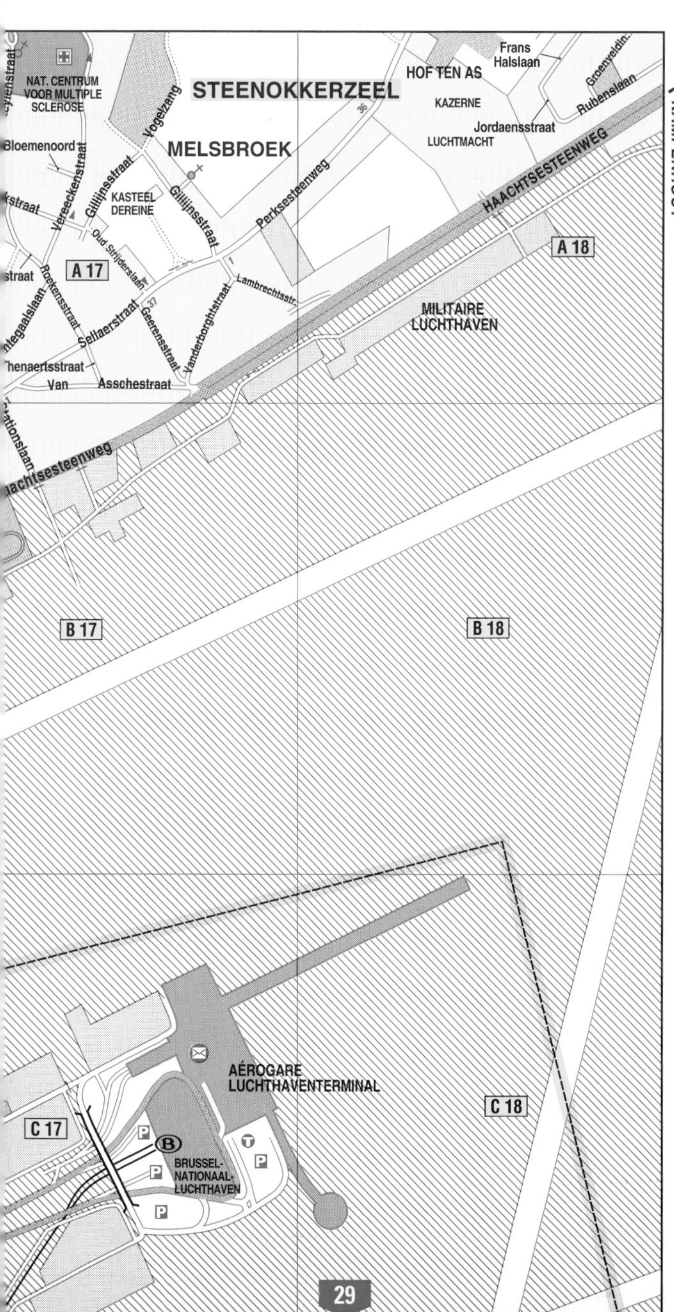
NAT. CENTRUM
VOOR MULTIPLE
SCLEROSE
STEENOKKERZEEL
MELSBROEK
HOF TEN AS
KAZERNE
LUCHTMACHT
Frans
Halslaan
Groenveldln.
Rubenslaan
Jordaensstraat
HAACHTSESTEENWEG
KAMPENHOUT
Bloemenoord
Vereeckenstraat
Gillijnsstraat
Vogelzang
KASTEEL
DEREINE
Perksesteenweg
Oud-Strijderslaan
A 17
A 18
Roekensstraat
Lambrechtsstr.
Sellaerstraat
Geerensstraat
Vanderborghtstraat
MILITAIRE
LUCHTHAVEN
Thenaertsstraat
Van
Asschestraat
Haachtsesteenweg
B 17
B 18
AÉROGARE
LUCHTHAVENTERMINAL
C 17
C 18
BRUSSEL-
NATIONAAL-
LUCHTHAVEN

10

AALST
GENT
MILITAIR DEPOT
KAZERNE
Guldenkouter
Poverstraat
Isidoor
Crockaertstraat
Goede Luchtwijk
Merchtemsebaan
BRUSSELSE STEENWEG
Doornveld
N 9
PONTBEEK-LAAN
Driepikkel
ZELLIK
Relegemstraat
Serge
Landerijen-str.
Jan Wilgendaal
Kortemansstr.
Windmolen
Lusthuizenstr.
Romeinse Baan
Welkomstr.
Hoogtepuntstr.
353
Klokjesbloem
Vliegwezen
Doel
Jan De Keersmaeckerstraat
V. Vanden Driesschestr.
Zellik
Dendermonde-straat
Brusselse Steenweg
Wilderozenstraat
Keienveld
Sint-Bavolaan
Rosseels-laan
A. De Deckerstr.
Jan Baptist De Greeflaan
D 1
Sint-Quirinuslaan
N 9c
D 2
361
F. Thirystr.
Vinkenln.
Frans Timmerman-straat
Kerklaan
ST-BAVO
Molenhoflaan
J. Greindeln.
Merelstr.
Leliegaarde
Nachtegaallaan
Kerkweg
Bondtstraat
Bronstr.
Ter
Th. Coppenstraat
Breugelpark
Laarbeeklaan
Kloosterstr.
Goedtsberge
C. Van Malderenst.
360
MARIA MAZZARELLO INST.
Louis De
De Nayerstr.
Theodoor
Coppenstr.
Th. Coppenstraat
Molenbeekdal
Noorderlaan
Molenbos
Kerkweg
Brusselse
Breugelweg
Is. Van Beverenstr.
Molenbeekdal
Meiboomstraat
Uitbreidingstraat
Frans Schtstraat
A 10-E 40
5
Industrialaan
Roekhout
Isidoor
Roekhout Bigardiaan
E 2
Oud Pelgrims
Friesland
E 1
Van
H. Vanden Eedenstr.
de
Noor
Groenstraat
Jozef
KASTEEL
KASTEEL
Pelgrims
Beverenstraat
R.
Taaiboomstr.
GROOT-BIJGAARDEN
Mertensstraat
Gossetlaan
Alfons
TEN GAERDE
Stationsstr.
POL
Alfons Gossetln.
Lentestr.
ST-EGIDIUSKERK
't Hofveld
Brusselstraat
Gemeenteplein
MARIA MAZZARELLO INSTITUT DON BOSCO
Pleinstr.
Konijnenberg
F 1
Hazelaar-str.
Hazepad
RO
Zwanenhof-straat
Stationsstr.
Nieuwenbos
Bosstraat
GROOT-BIJGAARDEN
F 2
Brusselstraat
Nieuwenbos
Benoitstraat
Guido Gezellestraat
Lindenlaan
Rozenlaan
Dansaertlaan
Robert

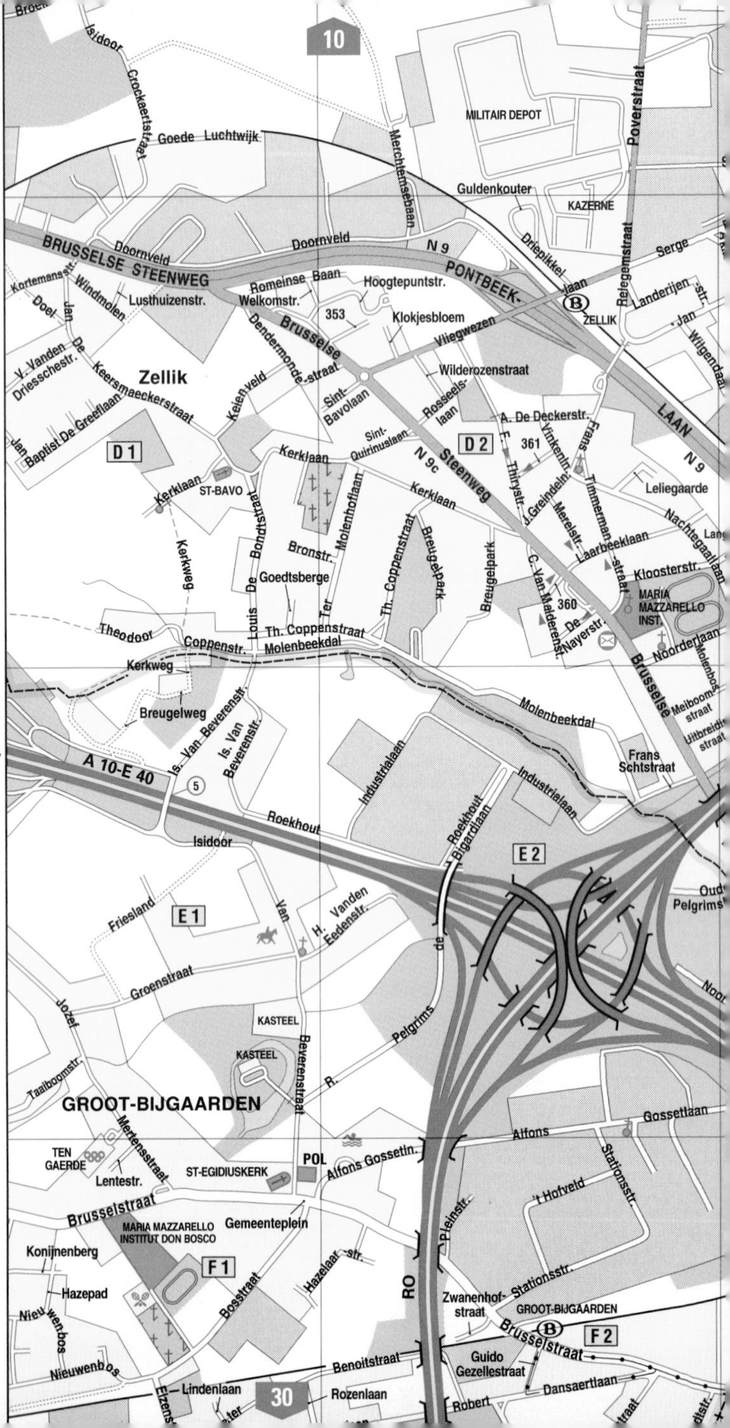

30

11
Smiskensveld
Obberg
Obbergen
Schapenbaan
Ortolaanstraat
Jan Leostr. Neerzellik-straat
Ecksteinlaan
d'Hoeve-straat
Akkerroor
Longinstraat
Jan Longin-straat
Wilgendaal
Plataan-laan
D 3
D 4
Bois du Laerbeek
Laarbeekbos
CHÂLET NORMAND
Chemin des
HÔPITA
ACADE
N 9
Langehaag
Nachtegaallaan
Molenbos
Melboom straat
Uitbreiding-straat
10
Kranenberg
Hoensveld
Hooghofkouter
De Haak
Pontbeek
Rue au Bois
NOUVEAU CIMETIÈRE
Molenbee
Dekinderstraat
Hortensialaan
Zuidertaan
Jozef Termoniastr.
Horing
Leon Gillardln.
Jan Tiebautstr.
E 3
Hendrik De Kosterlaan
Gillardlaan
Oude Pelgrimslaan
359
358
N 9c
Steenweg
F. Jacobslaan
Tieboutstraat
Rozenweg
Brusselse Steenweg
A. Temmerman-straat
Noordkustlaan
Pastoor Cooremansstr.
Nieuwe Gentsesteenweg
FAMILIEKERK
Alfons Gosselaan
Pontbeekstr.
R. de la Technologie
R. Bois des Îles
Pl. de la Gare
BERCHEM-STE-AGATHE
ST-AGATHA-BERCHEM
Chée de Gand
E 4
Het Veroost
Av. des Neuf Provinces
Secteur en travaux
Wegerk- zaamheden
R. A. Roobaert
Clos Edg. Neuberg
611
Av. M. Sn
Pl. Reine Paola
J. S. Bach
Vanderveken-straat
Parvis Ste-Cécile
STE-CÉCILE
Venelle Vivaldi
Mennegat
Clos des Musiciens
Mall
R. Nestor Martin
Av. de Rusatira
Pl. M. d'Autriche
Av. Marie de Hongrie
Maria van Ho
Clos J. Hendrickx
Clos L. Banken
BASILIX
540
Av. Charles Quint
R 20
KEIZER
Rue de Termonde
270
359
410
176
261
Rue Pampoel
45
Dendern
Zavelenberg
21
Hunderenveld
Chée de Zellik
N 9
Av. des Bardanes
Clos du Zavelenberg
R. des Chalets
Gentsesteenweg
PARC JEAN MONNET
Av. des Frères Becqué
R. de l'Azur
de Moranville
Avenue du
F 3
F 4
31
32
Avenue
Alcyons
R. H.
K.T.A. ZAVELENBERG
ST-AGATHA-BERCHEM
Pl. Oscar Ruelens
Openveld
Pl. de l'Initiative
44
42
43
Ens. Jean Christophe
Rue de l'Évolution
Combattants
Cité Moderne

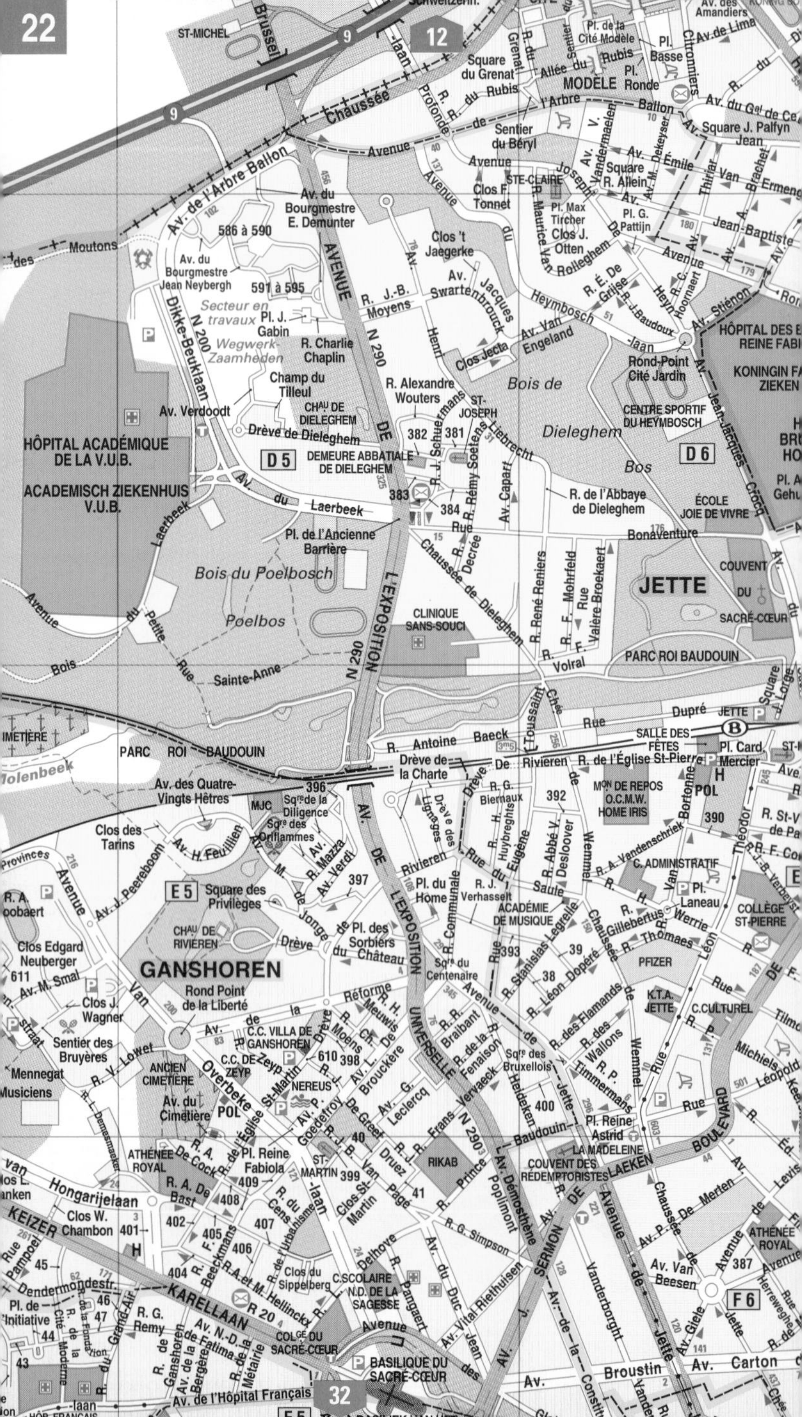
12
32
D 5
D 6
E 5
F 6
ST-MICHEL
Chaussée
Avenue
Av. de l'Arbre Ballon
Moutons
des
Av. du Bourgmestre E. Demunter
586 à 590
591 à 595
Av. du Bourgmestre Jean Neybergh
Secteur en travaux
Wegwerk-Zaamheden
Pl. J. Gabin
R. Charlie Chaplin
Champ du Tilleul
Av. Verdoodt
Dikke-Beuklaan
N 200
AVENUE
N 290
DE
L'EXPOSITION
HÔPITAL ACADÉMIQUE DE LA V.U.B.
ACADEMISCH ZIEKENHUIS V.U.B.
CHAU DE DIELEGHEM
Drève de Dieleghem
DEMEURE ABBATIALE DE DIELEGHEM
Av. du Laerbeek
Laerbeek
Pl. de l'Ancienne Barrière
Bois du Poelbosch
Poelbos
Avenue du Bois
Petite Rue Sainte-Anne
CLINIQUE SANS-SOUCI
R. J.-B. Moyens
R. Alexandre Wouters
Henri
Clos 't Jaegerke
Av. Swartenbrouck
Jacques
Clos Jecta
Av. Van Engeland
ST-JOSEPH
R. J. Schuermans
R. Rémy Soetens
Liebrecht
Bois de Dieleghem Bos
Av. Capart
R. de l'Abbaye de Dieleghem
R. Decrée
Rue Bonaventure
Chaussée de Dieleghem
R. René Reniers
R. F. Mohrfeld
Rue Valère Broekaert
Volral
JETTE
COUVENT DU SACRÉ-CŒUR
PARC ROI BAUDOUIN
ÉCOLE JOIE DE VIVRE
Av. Jean-Jacques Crocq
HÔPITAL DES REINE FABI
KONINGIN F ZIEKEN
Rond-Point Cité Jardin
CENTRE SPORTIF DU HEYMBOSCH
Heymbosch -laan
Av. Stiénon
R. É. De Grijse
R. J. Baudoux
Heyn
Hoornaert
Joseph De Rolleghem
R. Maurice Van
Pl. Max Tircher
Clos J. Otten
Pl. G. Pattijn
Jean-Baptiste
Avenue
STE-CLAIRE
Clos F. Tonnet
Sentier du Béryl
Square du Grenat
Allée du Rubis
R. du Rubis
R. du Grenat
Pl. de la Cité Modèle
MODÈLE
Pl. Basse
Pl. Ronde
Citronniers
Av. de Lima
Av. des Amandiers
Av. du Gal de Ce
Square J. Palfyn
Av. Émile
Van Ermeng
Square R. Allein
Av. Vandermaelen
Av. M. Dekeyser
Thiriar
Bracht
R. Profonde
Ballon
l'Arbre
Brussel
Rue Dupré
JETTE
Square J. Lorge
SALLE DES FÊTES
Pl. Card. Mercier
R. Antoine Baeck
Chée Toussaint
Rivieren
R. de l'Église St-Pierre
Mon DE REPOS O.C.M.W. HOME IRIS
POL
R. St-V de Pa
R. F. Co
Théodor
R. J.-B. Verbeyst
PARC ROI BAUDOUIN
MIETIÈRE
Molenbeek
Av. des Quatre-Vingts Hêtres
MJC
Sqre de la Diligence
Sqre des Oriflammes
Clos des Tarins
Av. H. Feuillien
Av. R. Mazza
Av. Verdi
Av. J. Peereboom
Provinces
Avenue
R. A. Bobaert
Square des Privilèges
CHAU DE RIVIEREN
GANSHOREN
Rond Point de la Liberté
Drève de Rivieren
Dreve des Lignages
Drève de la Charte
R. G. Biernaux
R. H. Huybreghts
Eugène
R. Abbé V. Desloover
Wemmel
R. A. Vandenschriek
C. ADMINISTRATIF
Pl. Laneau
COLLÈGE ST-PIERRE
Werrie
R. Gillebertus
R. Thomaes
PFIZER
K.T.A. JETTE
C.CULTUREL
Léon
Rue
Pl. du Home
R. J. Verhasselt
Rue du Saule
ACADÉMIE DE MUSIQUE
R. Stanislas Legrelle
R. Communale
Pl. des Sorbiers
Drève du Château
M. de Jonge
Sqre du Centenaire
R. Léon Dopéré
AV. DE L'EXPOSITION UNIVERSELLE
Avenue de Jette
Chaussée de Wemmel
R. des Flamands
R. des Wallons
R. P. Timmermans
Sqre des Bruxellois
Heideken
Baudouin
Pl. Reine Astrid
LA MADELEINE
COUVENT DES RÉDEMPTORISTES
BOULEVARD DE LAEKEN
Léopold
Michiels
Rue
Clos Edgard Neuberger
Av. M. Smal
Clos J. Wagner
Sentier des Bruyères
Mennegat
Musiciens
Van Overbeke
Av. de la Réforme
C.C. VILLA DE GANSHOREN
C.C. DE ZEYP
R. de Zeyp
ANCIEN CIMETIÈRE
Av. du Cimetière
POL
R. V. Lowet
NEREUS
Av. St-Martin
Drève Moens
R. H. Meuwis
R. Ch. Deman
Av. L. De Brouckère
Av. P. Goedefroy
Av. G. De Greef
Av. G. Leclercq
R. Frans Vervaeck
R. J.-B. Van Page
Druez
R. de la Fenaison
R. R. Brabant
RIKAB
R. Prince
N 290
Av. Démosthène Poplimont
SERMON
Av. de Jette
Av. de la Constit
Vanderborght
Chaussée de Merten
Av. P. De Merten
Av. Van Beesen
ATHÉNÉE ROYAL
Avenue de Herreweghe
Av. Giele
ATHÉNÉE ROYAL
R. A. De Cock
R. de l'Église
Pl. Reine Fabiola
ST-MARTIN
R. A. De Bast
R. du Cens
Urbanisme
Clos St-Martin
R. G. Simpson
R. F. Beeckmans
R.A. et M. Hellinckx
Clos du Sippelberg
C.SCOLAIRE N.D. DE LA SAGESSE
R. Delhove
R. Pangaert
Av. du Duc Jean
Av. Vital Riethuisen
Av. J.
Av. Carton
Broustin
Av.
Hongarijelaan
Clos W. Chambon
KEIZER
KARELLAAN
R 20
Rue Pampoel
Dendermondestr.
Pl. de l'Initiative
R. de la Cité Moderne
R. de la Fondation
R. du Grand-Air
R. G. Remy
R. de Ganshoren
Av. de la Bergère
Av. N.-D. de Fatima
Av. de la Métairie
COLGE DU SACRÉ-CŒUR
BASILIQUE DU SACRÉ-CŒUR
Avenue des
Av. de l'Hôpital Français
HÔP. FRANÇAIS

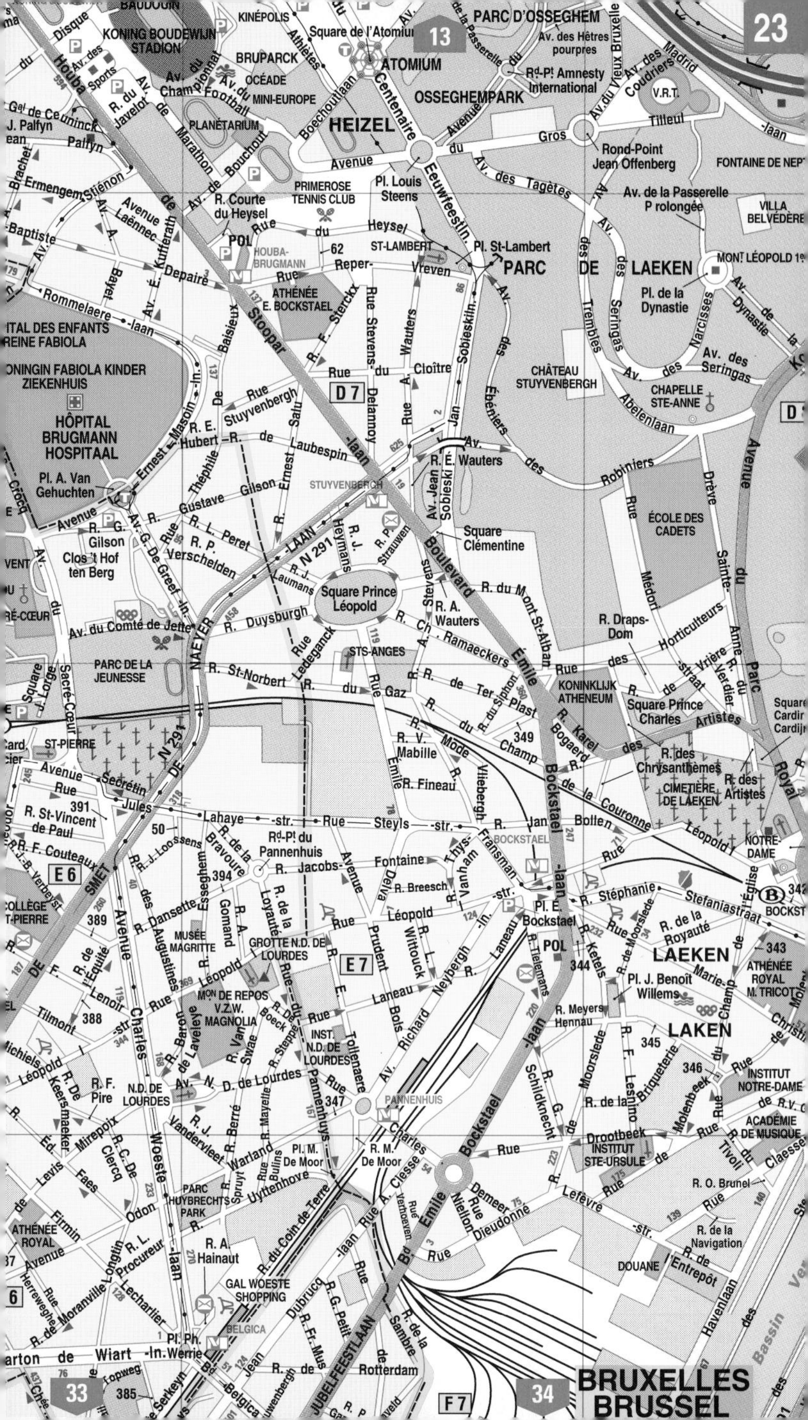
KINÉPOLIS
KONING BOUDEWIJN STADION
Square de l'Atomium
13
PARC D'OSSEGHEM
Av. des Hêtres pourpres
BRUPARCK
ATOMIUM
Rd-Pt Amnesty International
OCÉADE
MINI-EUROPE
OSSEGHEMPARK
V.R.T.
PLANÉTARIUM
HEIZEL
Rond-Point Jean Offenberg
FONTAINE DE NEPTUNE
PRIMEROSE TENNIS CLUB
Pl. Louis Steens
Av. de la Passerelle Prolongée
VILLA BELVÉDÈRE
POL
HOUBA-BRUGMANN
ST-LAMBERT
Pl. St-Lambert
PARC DE LAEKEN
MONT LÉOPOLD 1er
Pl. de la Dynastie
ATHÉNÉE E. BOCKSTAEL
HÔPITAL DES ENFANTS REINE FABIOLA
KONINGIN FABIOLA KINDER ZIEKENHUIS
CHÂTEAU STUYVENBERGH
CHAPELLE STE-ANNE
D 7
HÔPITAL BRUGMANN HOSPITAAL
Pl. A. Van Gehuchten
STUYVENBERGH
ÉCOLE DES CADETS
Square Clémentine
Clos 't Hof ten Berg
Square Prince Léopold
Av. du Comté de Jette
PARC DE LA JEUNESSE
STS-ANGES
KONINKLIJK ATHENEUM
Square Prince Charles
ST-PIERRE
CIMETIÈRE DE LAEKEN
NOTRE-DAME
Rd-Pt du Pannenhuis
BOCKSTAEL
E 6
Pl. E. Bockstael
COLLÈGE ST-PIERRE
MUSÉE MAGRITTE
GROTTE N.D. DE LOURDES
E 7
LAEKEN
ATHÉNÉE ROYAL M. TRICOT
Pl. J. Benoît Willems
MON DE REPOS V.Z.W. MAGNOLIA
LAKEN
INST. N.D. DE LOURDES
INSTITUT NOTRE-DAME
N.D. DE LOURDES
PANNENHUIS
ACADÉMIE DE MUSIQUE
INSTITUT STE-URSULE
Pl. M. De Moor
PARC HUYBRECHTS PARK
ATHÉNÉE ROYAL
DOUANE
GAL WOESTE SHOPPING
BELGICA
Pl. Ph. Werrie
JUBELFEESTLAAN
F 7
33
34

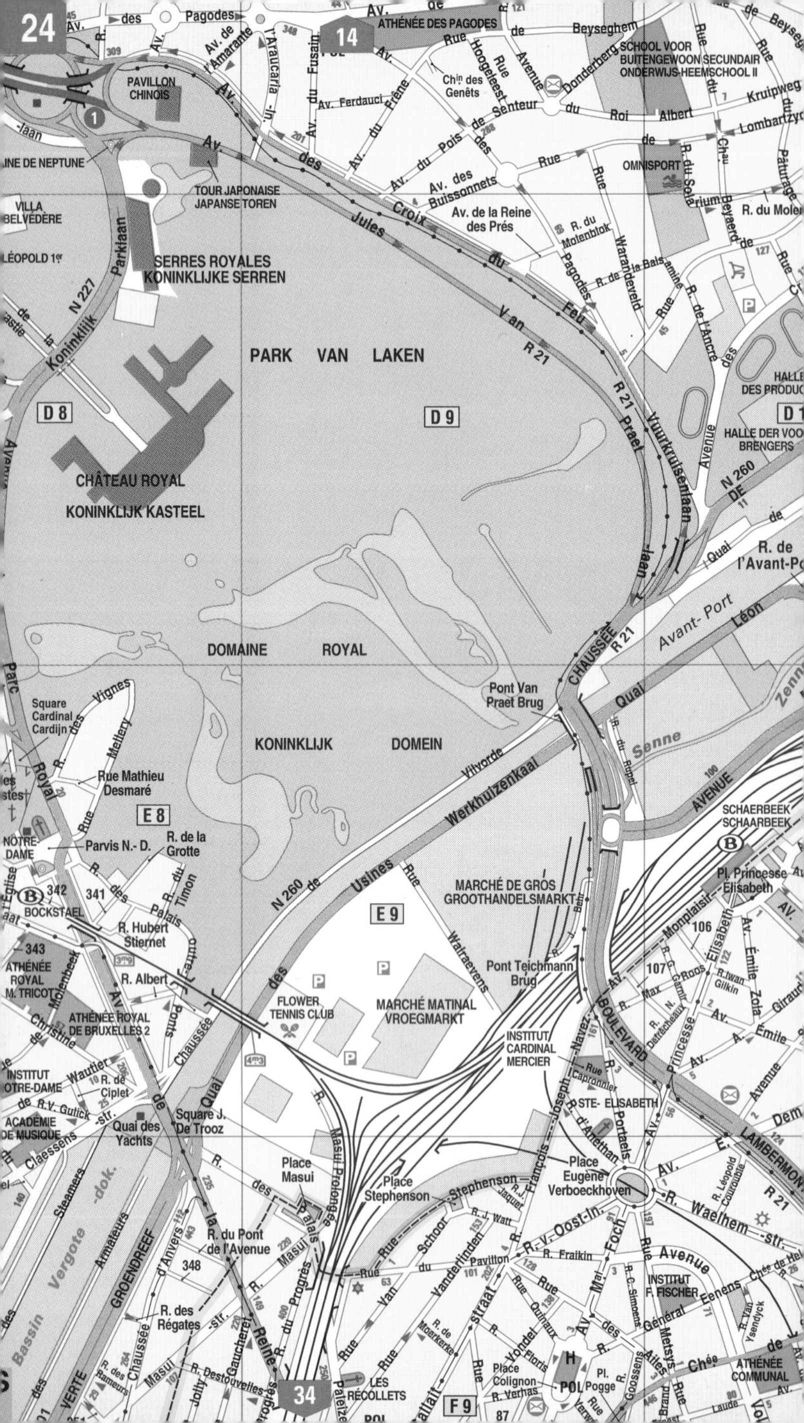
14
ATHÉNÉE DES PAGODES
Av. des Pagodes
Av. de l'Amarante
l'Araucaria -ln.
Av. du Fusain
Beyseghem
SCHOOL VOOR BUITENGEWOON SECUNDAIR ONDERWIJS-HEEMSCHOOL II
Rue Hoogeleest
Donderberg
Chin des Genêts
Av. Ferdauci
Av. du Frêne
Rue de Senteur
du Roi Albert
Kruipweg
Lombartzyde
PAVILLON CHINOIS
FONTAINE DE NEPTUNE
TOUR JAPONAISE
JAPANSE TOREN
Av. des Croix du Feu
Jules Van Praet
Av. du Pois de Senteur
Av. des Buissonnets
Av. de la Reine des Prés
OMNISPORT
R. du Solarium
Rue Beyaerd
R. du Moleri
R. du Molenblok
Rue Warandeveld
Pagodes
R. de la Balsamine
R. de l'Ancre
VILLA BELVÉDÈRE
LÉOPOLD 1er
Parklaan
SERRES ROYALES
KONINKLIJKE SERREN
N 227
Koninklijk
PARK VAN LAKEN
R 21
R 21 Praet
Vuurkruisenlaan
-laan
D 8
D 9
D 1
HALLE DES PRODUC
HALLE DER VOO BRENGERS
N 260
CHÂTEAU ROYAL
KONINKLIJK KASTEEL
R. de l'Avant-Port
Quai de l'Avant-Port
Quai Léon
Avant- Port
DOMAINE ROYAL
CHAUSSÉE R 21
Pont Van Praet Brug
Parc
Square Cardinal Cardijn
R. des Vignes
R. Mellery
KONINKLIJK DOMEIN
Vilvorde
Werkhuizenkaal
Senne
R. du Rupel
AVENUE
Royal
Rue Mathieu Desmaré
E 8
Rue
NOTRE-DAME
Parvis N.- D.
R. de la Grotte
SCHAERBEEK SCHAARBEEK
N 260 de Usines
MARCHÉ DE GROS
GROOTHANDELSMARKT
Pl. Princesse Elisabeth
342
341
BOCKSTAEL
R. des Palais
R. du Timon
E 9
Rue Walraevens
343
R. Hubert Stiernet
ATHÉNÉE ROYAL M. TRICOT
Molenbeek
R. Albert
Pont Teichmann Brug
Av. Monplaisir
106
107
R. Max
R. G. Garnir
R. Roos
R. Iwan Gilkin
Av. Émile Zola
FLOWER TENNIS CLUB
MARCHÉ MATINAL
VROEGMARKT
ATHÉNÉE ROYAL DE BRUXELLES 2
Christine
Ponts
Chaussée
Quai
R. Detrécheaux
Av. Émile
INSTITUT CARDINAL MERCIER
BOULEVARD
Princesse
INSTITUT NOTRE-DAME
Wautier
R. de Ciplet
R. V. Gulick
ACADÉMIE DE MUSIQUE
Quai des Yachts
Square J. De Trooz
Rue Capronnier
STE- ELISABETH
Portaels
d'Anethan
Joseph
François
Claessens
Steamers
Bassin Vergote -dok.
Armateurs
GROENDREEF
VERTE
R. Masui Prolongée
Place Masui
Place Stephenson
Stephenson
Place Eugène Verboeckhoven
LAMBERMONT
R 21
R. Léopold Courouble
R. Waelhem -str.
R. J. Watt
Schoor
R. v. Oost-ln.
Foch
R. du Pont de l'Avenue
348
R. Masui
R. du Progrès
du Pavillon
R. Fraikin
Avenue
INSTITUT F. FISCHER
R. des Régates
R. Destouvelles
Gaucheret
Reine
R. de Moerkerke
Vanderlinden
Vondel
Floris
Quinaux
H
POL
Pl. Pogge
Général Eenens
Metsys
Chée de Haecht
R. Van Ysendyck
ATHÉNÉE COMMUNAL
R. des Rameurs
Jolly
34
LES RÉCOLLETS
Place Colignon
R. Verhas
F 9
87
Laude
Voltaire

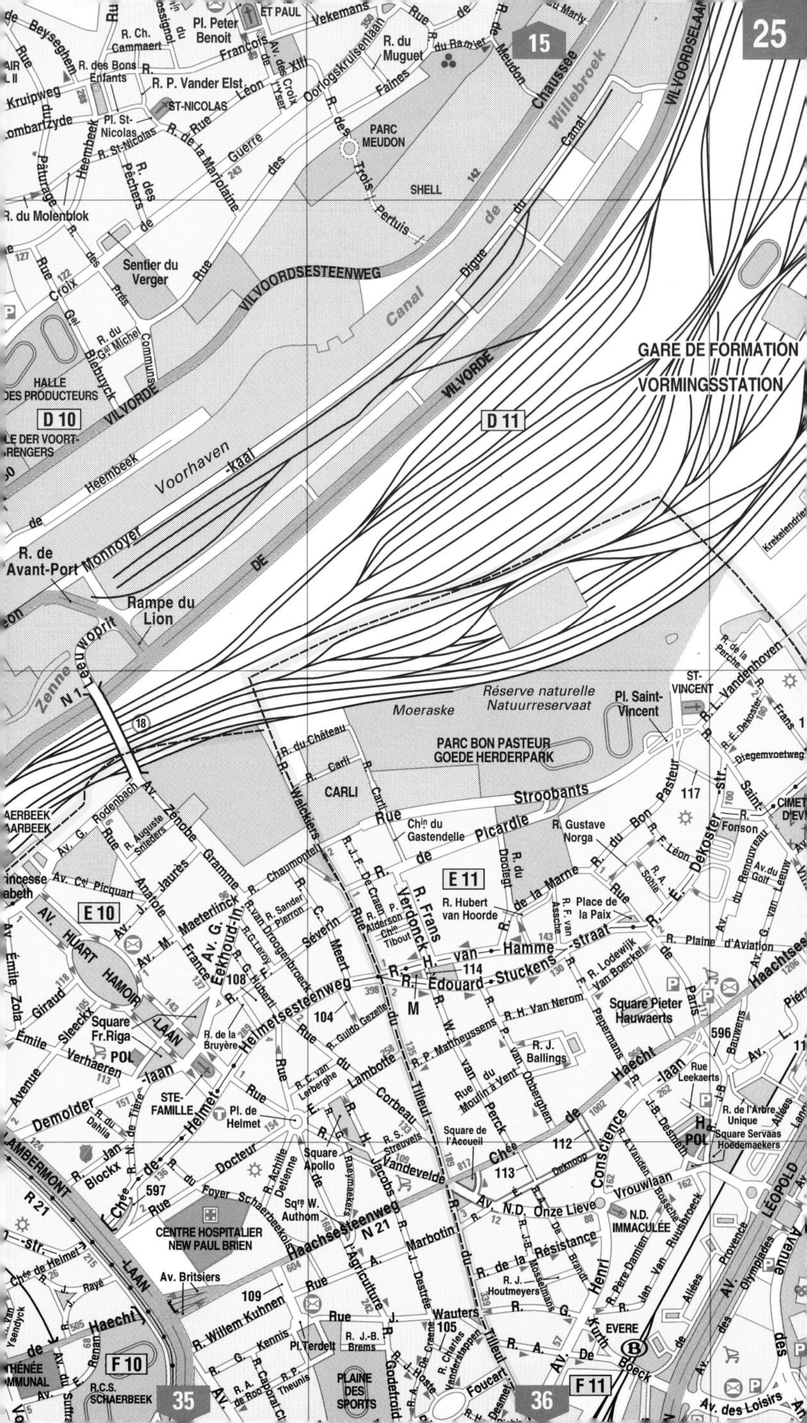

25
15
35
36
D 10
D 11
E 10
E 11
F 10
F 11
Pl. Peter Benoit
ET PAUL
R. Ch. Cammaert
R. des Bons Enfants
R. P. Vander Elst
ST-NICOLAS
Pl. St-Nicolas
R. St-Nicolas
R. de la Marjolaine
R. des Pêchers
R. du Molenblok
Sentier du Verger
PARC MEUDON
SHELL
R. du Muguet
Oorlogskruisenlaan
Av. des Croix de l'Yser
R. des Trois Pertuis
VILVOORDSESTEENWEG
Chaussée de Willebroek
Digue du Canal
Canal de Vilvorde
GARE DE FORMATION
VORMINGSSTATION
HALLE DES PRODUCTEURS
R. du Gal Michel
Biebuyck
Communsi
Heembeek
Voorhaven
-kaal
R. de l'Avant-Port
Monnoyer
Rampe du Lion
Leeuwoprit
Zenne
N 1
Réserve naturelle
Natuurreservaat
Moeraske
PARC BON PASTEUR
GOEDE HERDERPARK
Pl. Saint-Vincent
ST-VINCENT
R. du Château
R. Carli
CARLI
Rue Stroobants
Chin du Gastendelle
Rue de Picardie
R. Gustave Norga
R. du Bon Pasteur
R. Walckiers
R. Hubert van Hoorde
Place de la Paix
R. de la Marne
R. Frans Verdonck
H. van Hamme -straat
R. Édouard Stuckens
114
117
R. E. Dekoster
R. Plaine d'Aviation
Haachtsesteenweg
Square Pieter Hauwaerts
R. Lodewijk Van Boeckel
R. H. Van Nerom
R. J. Ballings
R. P. Mattheussens
Rue du Moulin à Vent
R. Pepermans
Av. Gustave Demey
R. du Tilleul
Rue Gramme
Av. G. Eekhoud-laan
Av. M. Maeterlinck
Av. Huart Hamoir -laan
Square Fr. Riga
POL
STE-FAMILLE
Pl. de Helmet
Helmetsesteenweg
104
108
Rue Lambotte
Rue Corbeau
Square Apollo
Vandevelde
Square de l'Accueil
Av. N.D. Onze Lieve Vrouwlaan
N.D. IMMACULÉE
Conscience
Chée de Haecht
112
113
596
597
Square Servaas Hoedemaekers
R. de l'Arbre Unique
Av. Émile Zola
Av. Émile Verhaeren
Avenue Demolder
Av. Jan Blockx
R. du Docteur
R. Achille Detienne
Sqre W. Authom
CENTRE HOSPITALIER NEW PAUL BRIEN
Haachsesteenweg
N 21
R. Marbotin
Rue de la Résistance
R. J. Houtmeyers
Av. Britsiers
109
Rue Willem Kuhnen
Pl. Terdelt
R. J.-B. Brems
PLAINE DES SPORTS
R. Goderfroid
R. Charles Vanderstappen
105
R. Wauters
Av. Foucart
R. A. De Boeck
EVERE
Av. Henri
LAMBERMONT -LAAN
R 21
Chée de Helmet
ATHÉNÉE COMMUNAL
R.C.S. SCHAERBEEK
Av. des Loisirs
Av. des Olympiades
LÉOPOLD III
VILVOORDSELAAN
Krekelendries
CIMET. D'EVERE
Av. du Golf
Av. du Renouveau

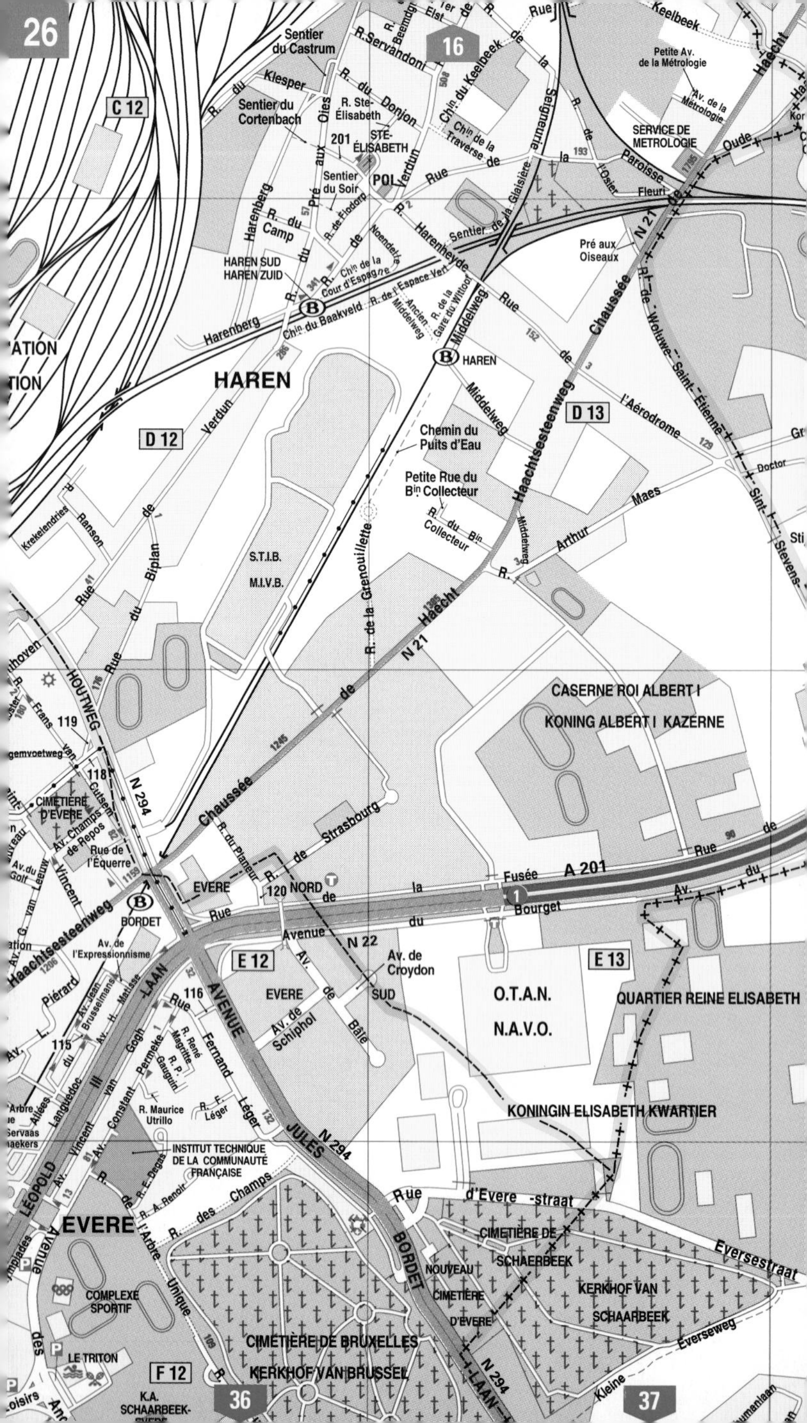
16
C 12
D 12
D 13
E 12
E 13
F 12
HAREN
Sentier du Castrum
R. Servandoni
Klesper
Sentier du Cortenbach
R. Ste-Élisabeth
STE-ÉLISABETH
201
POL
Sentier du Soir
R. du Donjon
Chin du Keelbeek
Chin de la Traverse
R. de la Seigneurie
R. de l'Osier
Paroisse
Keelbeek
Petite Av. de la Métrologie
Av. de la Métrologie
SERVICE DE METROLOGIE
Oude
Haecht
Fleuri
Harenberg
R. du Camp
Pré aux Oies
Verdun
Rue
Harenheyde
Sentier de la Glaisière
Pré aux Oiseaux
HAREN SUD
HAREN ZUID
Chin de la Cour d'Espagne
R. de l'Espace Vert
Chin du Baakveld
Ancien Middelweg
R. de la Gare du Wittoot
Middelweg
HAREN
Rue de l'Aérodrome
R. de Woluwe-Saint-Étienne
Chaussée Haachtsesteenweg
N 21
Chemin du Puits d'Eau
Petite Rue du Bin Collecteur
R. du Bin Collecteur
Doctor
Arthur Maes
Sint-Stevens-
Krekelendries
Ranson
Rue du Biplan
S.T.I.B.
M.I.V.B.
R. de la Grenouillette
Chaussée de Haecht
HOUTWEG
119
118
CIMETIÈRE D'EVERE
Av. Champs de Repos
Rue de l'Équerre
Av. du Golf
Vincent
Frans van Cutsem
N 294
CASERNE ROI ALBERT I
KONING ALBERT I KAZERNE
Rue de Strasbourg
R. du Planeur
EVERE
120 NORD
Rue de la Fusée
A 201
Av. du Bourget
Rue du Bourget
BORDET
Haachtsesteenweg
Av. de l'Expressionnisme
Avenue
N 22
Av. de Croydon
SUD
O.T.A.N.
N.A.V.O.
QUARTIER REINE ELISABETH
KONINGIN ELISABETH KWARTIER
LÉOPOLD III LAAN
Pierard
116
Rue Fernand Léger
Av. Jean Brusselmans
Av. H. Matisse
EVERE
Av. de Schiphol
Av. de Bâle
AVENUE JULES BORDET
N 294
115
Av. du Languedoc
Av. Vincent van Gogh
Av. Constant Permeke
R. René Magritte
R. P. Gauguin
R. F. Léger
R. Maurice Utrillo
INSTITUT TECHNIQUE DE LA COMMUNAUTÉ FRANÇAISE
R. E. Degas
R. A. Renoir
R. des Champs
Rue d'Evere -straat
Eversestraat
EVERE
R. de l'Arbre Unique
CIMETIÈRE DE SCHAERBEEK
KERKHOF VAN SCHAARBEEK
NOUVEAU CIMETIÈRE D'EVERE
COMPLEXE SPORTIF
LE TRITON
CIMETIÈRE DE BRUXELLES
KERKHOF VAN BRUSSEL
Eversweg
Kleine
K.A. SCHAARBEEK-

36
37

17
18
DIEGEM
Woluwelaan
Haachtsesteenweg
Sint-Korneliusstraat
CULTUREEL CENTRUM
ST-KATARINAKERK
De Geyndt Gaarde
Kosterstraat
Stationsstr.
Regimentsberg
De Ceusterstraat
Aastraat
Michielsstr.
Guricksstraat
De Greefstr.
Sint-Katarinastraat
DIEGEM HOEK
Zaventemsesteenweg
Vankeerberghenstraat
Vandensteenstraat
Bosstraat
DIEGEM
De Kleetlaan
Calenbergstraat
Denonstraat
Vandervekenstraat
Drie Lindenstraat
Van Houtstraat
V. Servranckxstraat
Groenstraat
J.-B. Paulusstraat
Pater Damiaanstraat
Doctor Albert Schweitzerstr.
Stijn Streuvelsstr.
Sint-Stevens-Woluwestraat
J. E. Mommaertslaan
J. Fitzgerald Kennedylaan
DIEGEM DE KLEET
D 14
D 15
Holidaystraat
Berkenlaan
DIEGEM BESSENVELD
A 201
Culliganlaan
DIEGEM KOUTERVELD
Kouterveldstraat
Excelsiorlaan
BEDRIJFSPARK KEIBERG
Bessenveldstraat
Hermeslaan
Grensstraat
Hector Henneaulaan
Belgicastraat
Minervastraat
Imperiastraat
DIEGEM HERMES
Fusie
la de Bourget
E 14
E 15
Weg van Haren
Zaventemsebaan
Karenberg
Spechtenberg
Ter Wilgen
Vinkenberg
Wijngaardstr.
Loofstraat
Roggeveeld
Korenstr.
Haverveld
Woluweveld
Rijmelgemplein
Jozef Van Damstraat
R 22
WOLUWEDAL
Sint-Stevens-Woluwe
Elie Aubinaustraat
Lange Wagenstraat
Tiendeschuurveld
Kleine Bosstraat
Kerkeveldweg
Burgemeester Willem Servranckxplein
Dorserhof
Borrestraat
Sint-Broekstraat
Veste
Weidestraat
Kleine Kerkstraat
Hendrik Thumasplein
ST-STEFAAN
Smidstraat
Leuvensesteenweg
Voordestraat
Trekkersstraat
Pl. de la Station Statieplein
Eversestraat
Eenenboomlaan
F 14
F 15
N 2
Smolderstraat
Frans

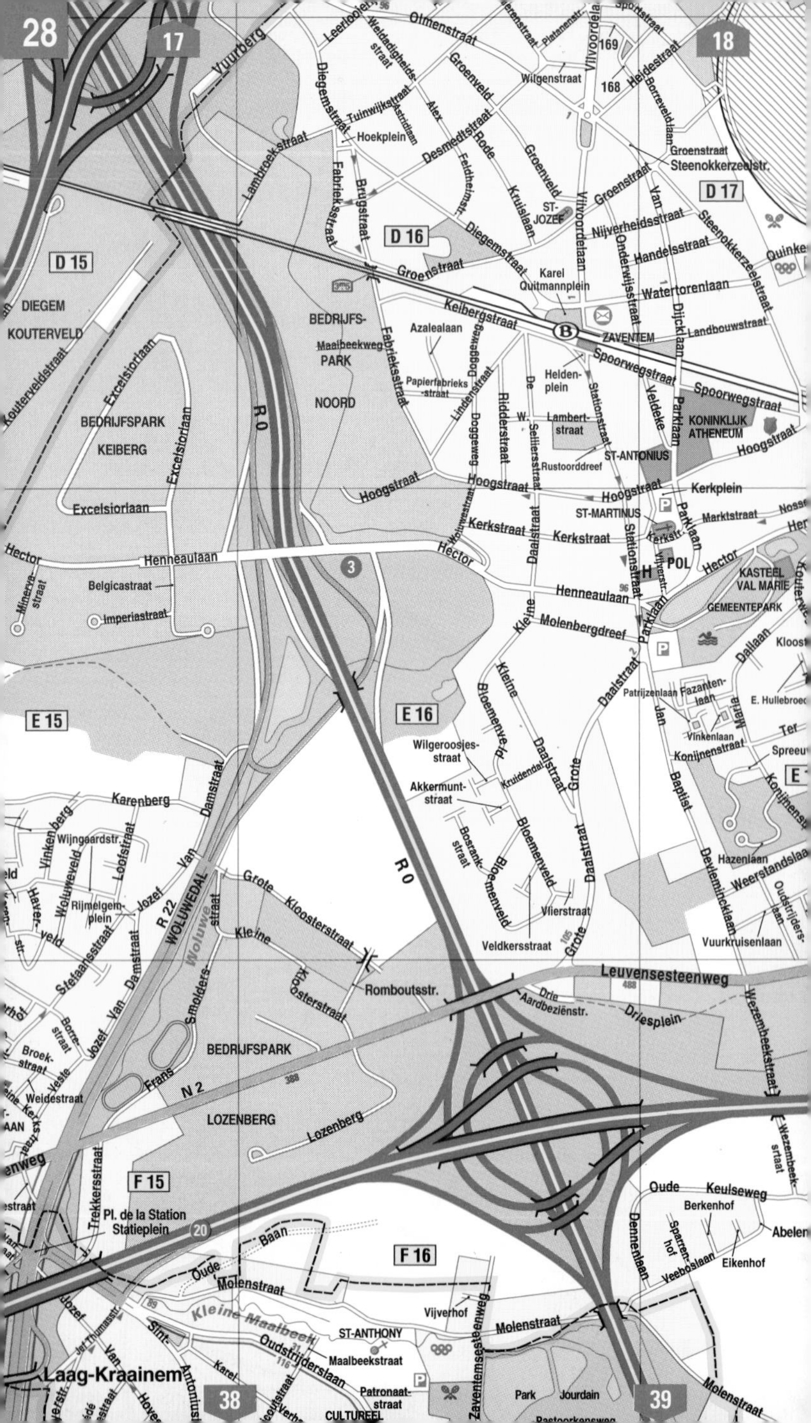
17
18
38
39
Vuurberg
Leerlooierij
Weldadigheidsstraat
Olmenstraat
Platanenstr.
Vilvoordelaan
169
168
Heidestraat
Wilgenstraat
Groenveld
Diegemstraat
Tuinwijkstraat
Astridlaan
Alex
Hoekplein
Desmedtstraat
Rode
Feldheimstr.
Kruislaan
Borreveldlaan
Groenstraat
Steenokkerzeelstr.
Lambroekstraat
Fabrieksstraat
Brugstraat
D 16
D 17
D 15
ST-JOZEF
Nijverheidsstraat
Onderwijsstraat
Van
Steenokkerzeelstraat
Quinkenstraat
Handelsstraat
Diegemstraat
Groenstraat
Karel Quitmannplein
Watertorenlaan
Dijcklaan
Keibergstraat
DIEGEM
KOUTERVELD
Kouterveldstraat
BEDRIJFSPARK NOORD
Maalbeekweg
Azalealaan
Doggeweg
ZAVENTEM
Landbouwstraat
Spoorwegstraat
Heldenplein
De
Stationstraat
Veldeke
Parklaan
Papierfabrieksstraat
Lindenstraat
Excelsiorlaan
BEDRIJFSPARK KEIBERG
R 0
Ridderstraat
W.
Lambertstraat
Seghersstraat
KONINKLIJK ATHENEUM
Hoogstraat
ST-ANTONIUS
Rustoorddreef
Excelsiorlaan
Hoogstraat
Kerkplein
ST-MARTINUS
Marktstraat
Nossegem
Wolvestraat
Kerkstraat
Daalstraat
Kerkstr.
Hector
Henneaulaan
3
POL
Vilverstr.
KASTEEL VAL MARIE
Belgicastraat
Minervastraat
Imperiastraat
96
GEMEENTEPARK
Kleine
Molenbergdreef
Kloosterstraat
Dallaan
E. Hullebroeck
Fazantenlaan
Patrijzenlaan
Vinkenlaan
Konijnenstraat
Jan
Baptist
Maria
Ter
Spreeuw
E 15
E 16
Bloemenveld
Wilgeroosjesstraat
Akkermuntstraat
Kruidendal
Grote
Bosrankstraat
Konijnenstraat
Hazenlaan
Weerstandslaan
Denerinckstraat
Oudstrijderslaan
Vuurkruisenlaan
Vlierstraat
Veldkersstraat
Karenberg
Damstraat
Vinkenberg
Wijngaardstr.
Loofstraat
Woluweveld
Rijmelgemplein
Jozef
Van
R 22
WOLUWEDAL
Woluwestraat
Kloosterstraat
Havenveld
Stefaansstraat
Smoldersstraat
Rombautsstr.
Leuvensesteenweg
488
Drie
Aardbeziënstr.
Driesplein
Borrestraat
Broekstraat
Veste
Weidestraat
Kerkstraat
BEDRIJFSPARK
LOZENBERG
Frans
N 2
388
Lozenberg
Wezembeekstraat
F 15
Trekkersstraat
Pl. de la Station
Statieplein
20
Oude
Keulseweg
Berkenhof
Sparrenhof
Abelen
Eikenhof
Veeboslaan
Dennenlaan
Baan
F 16
Oude
Molenstraat
Kleine Maalbeek
Vijverhof
Zaventemsesteenweg
Molenstraat
Oudstrijderslaan
ST-ANTHONY
Maalbeekstraat
116
Laag-Kraainem
Sint-Antonius
Karel
Patronaatstraat
Park
Jourdain
CULTUREEL
Pastoorkensweg
Molenstraat

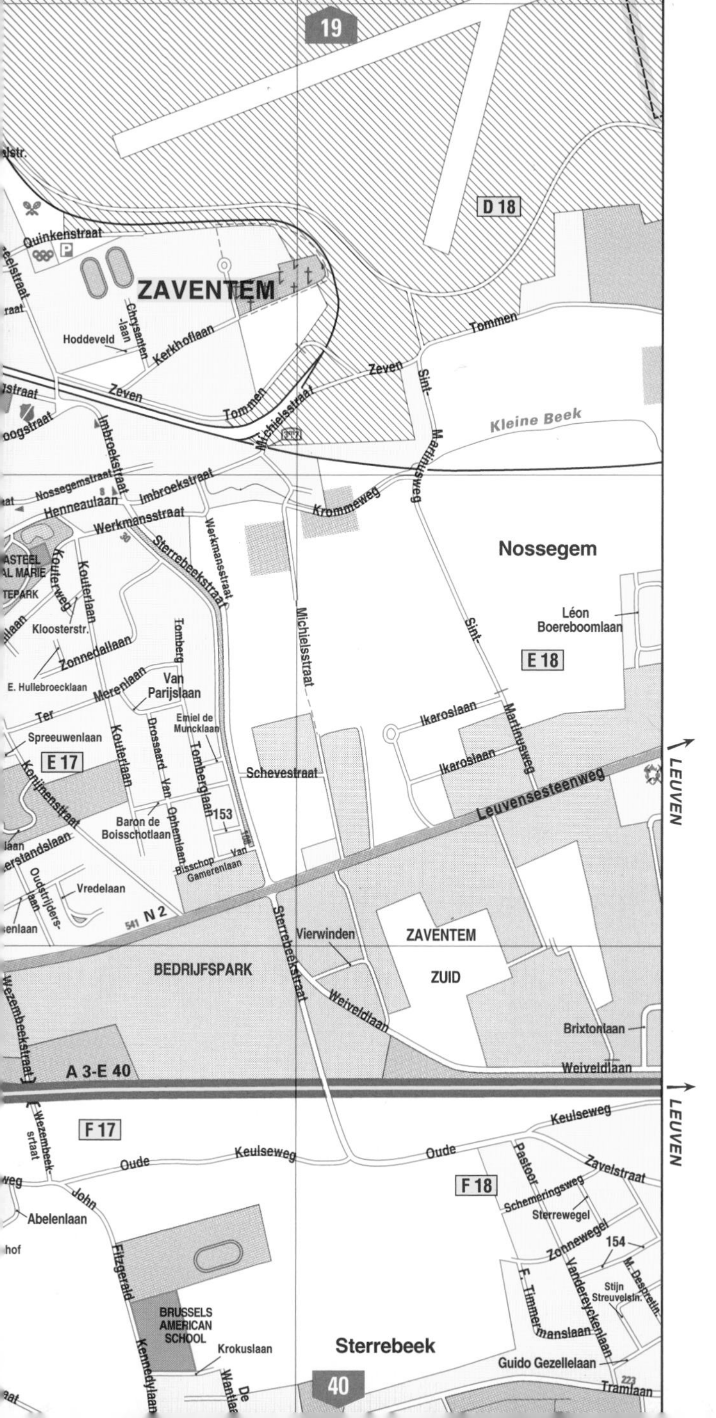
19
D 18
ZAVENTEM
Quinkenstraat
Hoddeveld
Chrysanten-laan
Kerkhoflaan
Tommen
Zeven
Sint-Martinusweg
Kleine Beek
Michielsstraat
Imbroekstraat
Nossegemstraat
Henneaulaan
Werkmansstraat
Krommeweg
Sterrebeekstraat
Nossegem
Kouterweg
Kouterlaan
Kloosterstr.
Zonnedallaan
E. Hullebroecklaan
Merenlaan
Tomberg
Van Parijslaan
Léon Boereboomlaan
E 18
Ikaroslaan
Ter
Spreeuwenlaan
Emiel de Muncklaan
Drossaard Van Ophemlaan
Tomberglaan
E 17
Konijnenstraat
Schevestraat
Leuvensesteenweg
LEUVEN
153
Baron de Boisschotlaan
Bisschop Van Gamerenlaan
Oudstrijders-laan
Vredelaan
N 2
Vierwinden
ZAVENTEM ZUID
BEDRIJFSPARK
Weiveldlaan
Brixtonlaan
Wezembeekstraat
A 3-E 40
F 17
Oude Keulseweg
Keulseweg
Pastoor
Zavelstraat
F 18
John Fitzgerald Kennedylaan
Abelenlaan
Schemeringsweg
Sterrewegel
Zonnewegel
154
M. Despretln.
F. Timmermanslaan
Vandereyckenlaan
Stijn Streuvelsln.
BRUSSELS AMERICAN SCHOOL
Krokuslaan
Sterrebeek
Guido Gezellelaan
Tramlaan
De Wantlaan
40

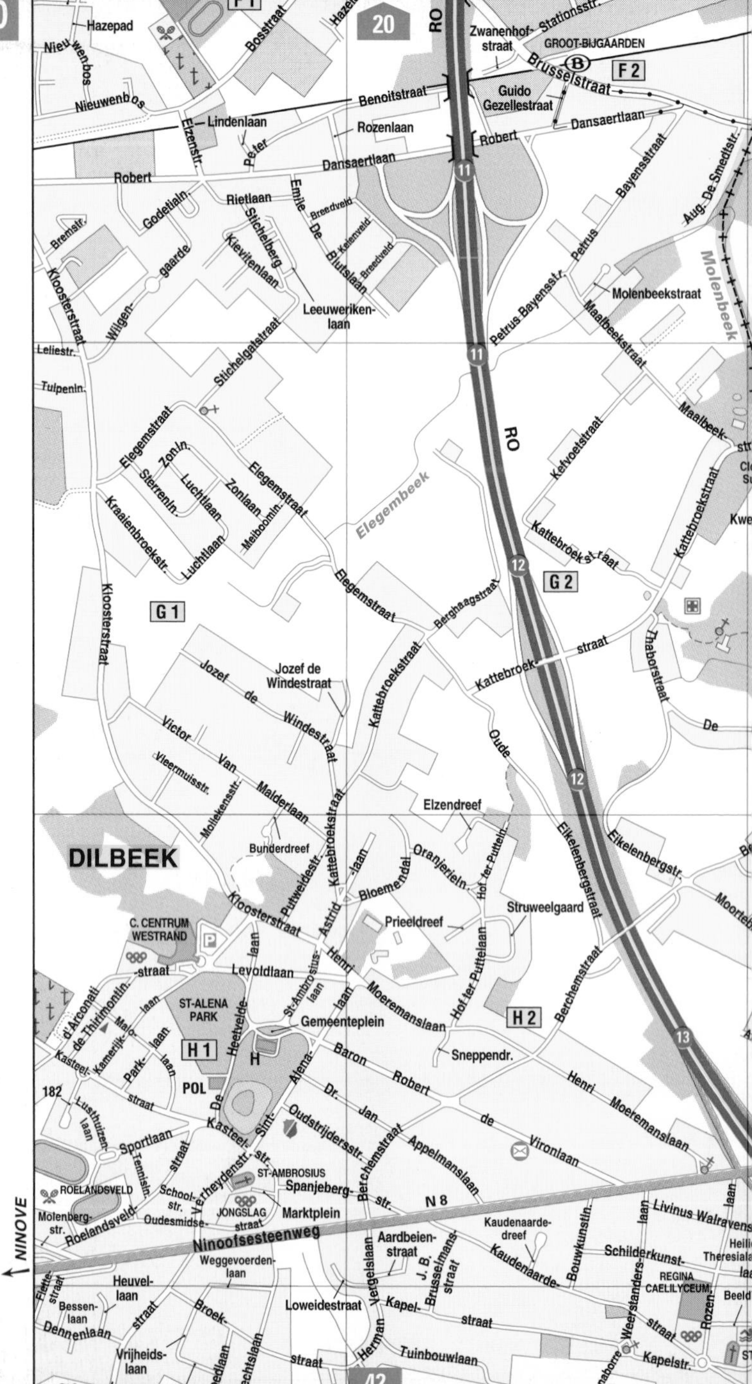

F1
20
F2
G1
G2
H1
H2
42
DILBEEK
GROOT-BIJGAARDEN
RO
NINOVE
N 8
Ninoofsesteenweg
Brusselstraat
Benoitstraat
Robert Dansaertlaan
Kloosterstraat
Elegemstraat
Kattebroekstraat
Elegembeek
Molenbeek
Eikelenbergstraat
Henri Moeremanslaan
Baron Robert de Vironlaan
Dr. Jan Appelmanslaan
C. CENTRUM WESTRAND
ST-ALENA PARK
ST-AMBROSIUS
JONGSLAG
ROELANDSVELD
REGINA CAELILYCEUM
Gemeenteplein
Marktplein

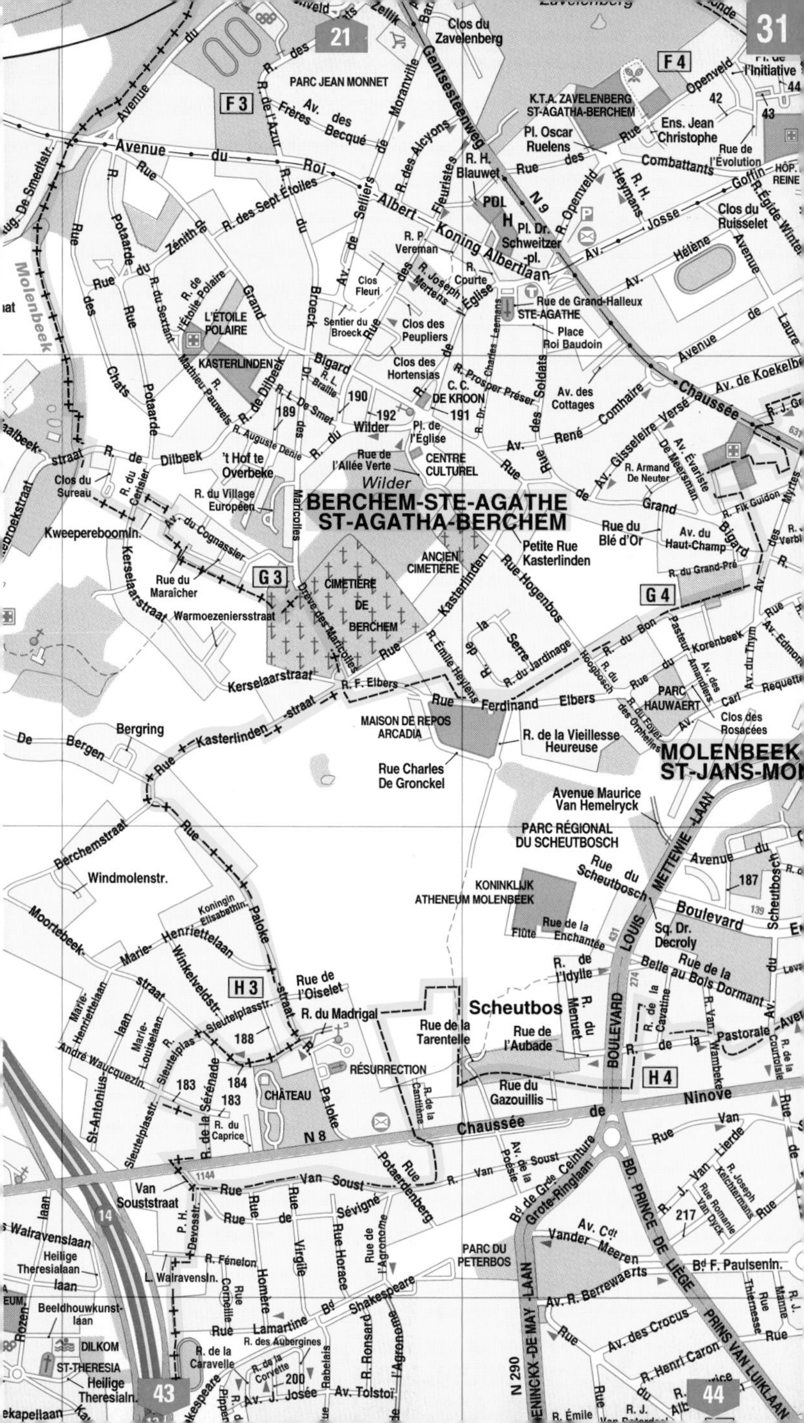

21
F 3
F 4
G 3
G 4
H 3
H 4
PARC JEAN MONNET
Clos du Zavelenberg
K.T.A. ZAVELENBERG ST-AGATHA-BERCHEM
Pl. Oscar Ruelens
Ens. Jean Christophe
Rue de l'Évolution
Pl. de l'Initiative
Avenue du Roi Albert
Koning Albertlaan
Gentsesteenweg
R. des Sept Étoiles
R. des Alcyons
Av. des Frères Becqué
R. H. Blauwet
PDL
Pl. Dr. Schweitzer -pl.
Rue des Combattants
R. Openveld
Clos du Ruisselet
Av. Hélène
L'ÉTOILE POLAIRE
KASTERLINDEN
Clos Fleuri
Clos des Peupliers
Clos des Hortensias
Rue de Grand-Halleux
STE-AGATHE
Place Roi Baudoin
C.C. DE KROON
R. Prosper Préser
Av. des Cottages
Av. René Comhaire
Chaussée
Av. de Koekelberg
Pl. de l'Église
Wilder
CENTRE CULTUREL
Rue de l'Allée Verte
BERCHEM-STE-AGATHE
ST-AGATHA-BERCHEM
't Hof te Overbeke
R. du Village Européen
Kweepereboomln.
Av. du Cognassier
Rue du Maraîcher
Warmoezeniersstraat
Kerselaarstraat
ANCIEN CIMETIÈRE
CIMETIÈRE DE BERCHEM
Drève des Maricolles
Petite Rue Kasterlinden
Rue Hogenbos
Rue du Blé d'Or
Av. du Haut-Champ
R. du Grand-Pré
Rue Ferdinand Elbers
MAISON DE REPOS ARCADIA
R. de la Vieillesse Heureuse
Rue Charles De Gronckel
PARC HAUWAERT
Clos des Rosacées
MOLENBEEK
ST-JANS-MO
De Bergen
Bergring
Rue Kasterlinden-straat
Avenue Maurice Van Hemelryck
PARC RÉGIONAL DU SCHEUTBOSCH
KONINKLIJK ATHENEUM MOLENBEEK
Rue du Scheutbosch
Boulevard Louis Mettewie-laan
Sq. Dr. Decroly
Rue de la Belle au Bois Dormant
Berchemstraat
Windmolenstr.
Moortebeek-straat
Marie-Henriettelaan
Winkelveldstr.
Rue de l'Oiselet
R. du Madrigal
Scheutbos
Rue de la Tarentelle
Rue de l'Aubade
Rue du Gazouillis
RÉSURRECTION
CHÂTEAU
Chaussée de Ninove
N 8
Van Souststraat
Rue Van Soust
Rue Potaerdenberg
Bd de Gde Ceinture
Grote-Ringlaan
BD. PRINCE DE LIÈGE
PRINS VAN LUIKLAAN
PARC DU PETERBOS
Av. Cdt Vander Meeren
Bd F. Paulsenln.
Av. R. Berrewaerts
Av. des Crocus
R. Henri Caron
Walravenslaan
Heilige Theresialaan
Beeldhouwkunst-laan
DILKOM
ST-THERESIA
Rue Lamartine
Bd Shakespeare
R. de la Caravelle
Av. Tolstoï
N 290
43
44

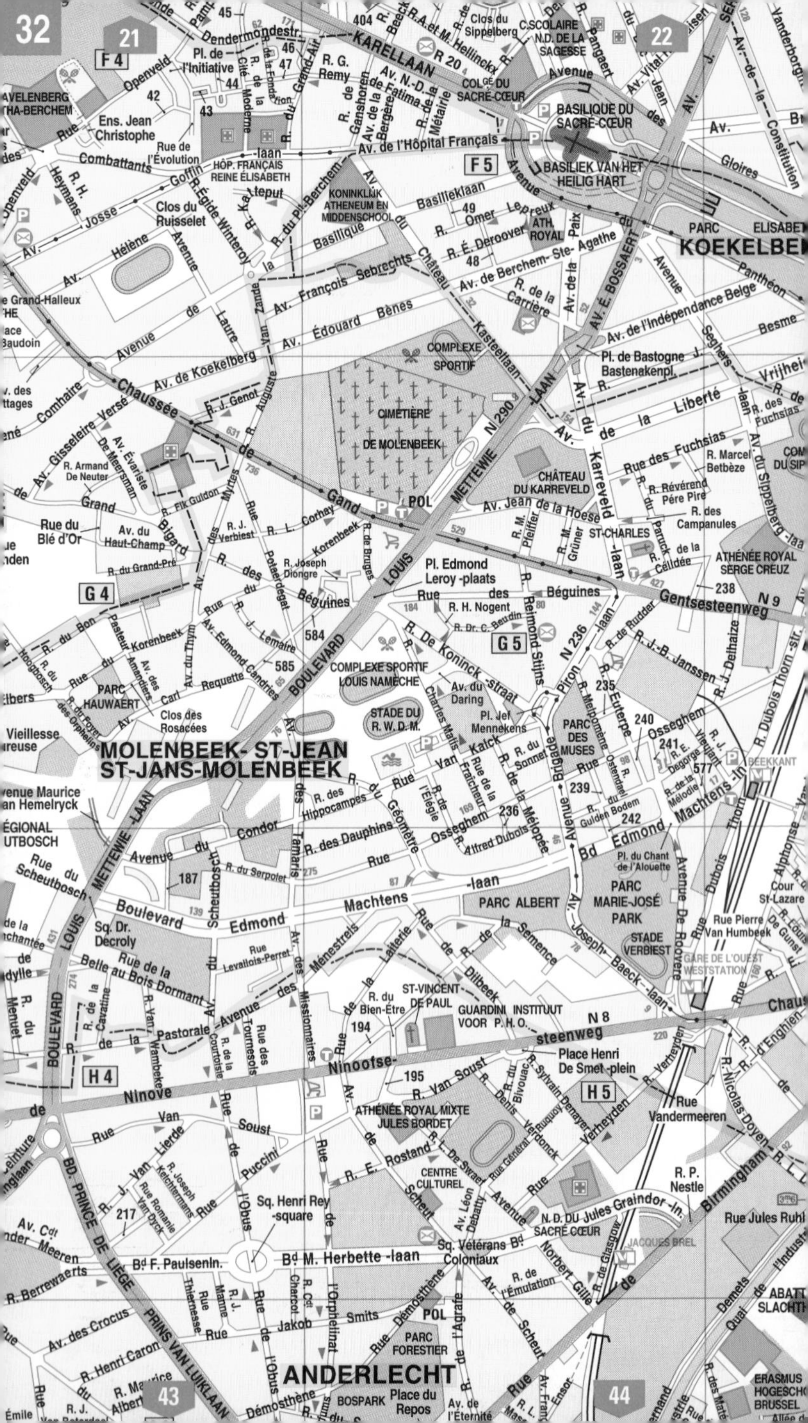
21
22
43
44
F 4
F 5
G 4
G 5
H 4
H 5
KARELLAAN
R 20
Dendermondestr.
Pl. de l'Initiative
Openveld
Ens. Jean Christophe
Rue de l'Évolution
Combattants
HÔP. FRANÇAIS REINE ÉLISABETH
Av. de l'Hôpital Français
R. G. Remy
Av. N.-D. de Fatima
Av. de la Bergère
R. de la Métairie
R. A. et M. Hellinckx
Clos du Sippelberg
C. SCOLAIRE N.D. DE LA SAGESSE
COLGE DU SACRÉ-CŒUR
BASILIQUE DU SACRÉ-CŒUR
BASILIEK VAN HET HEILIG HART
PARC ELISABETH
KOEKELBERG
Gloires
Av. de la Constitution
Basiliekiaan
KONINKLIJK ATHENEUM EN MIDDENSCHOOL
ATH. ROYAL
R. Omer Lepreux
R. É. Deroover
Av. de Berchem-Ste-Agathe
Av. François Sebrechts
Av. Édouard Bénes
Av. de Koekelberg
Avenue de Laure
Av. Van Zande
R. Auguste
Clos du Ruisselet
R. Égide Winteroy
R. H. Heymans
Av. Josse Goffin
Av. Hélène
Chaussée de Gand
Av. É. BOSSAERT
R. de la Carrière
Av. de l'Indépendance Belge
Panthéon
Besme
Pl. de Bastogne Bastenakenpl.
J. Seghers
COMPLEXE SPORTIF
CIMETIÈRE DE MOLENBEEK
Kasteellaan
N 290
METTEWIE LAAN
Av. du Karreveld
Av. de la Liberté
Rue des Fuchsias
R. Marcel Betbèze
R. Révérend Père Pire
R. des Campanules
CHÂTEAU DU KARREVELD
Av. Jean de la Hoese
ST-CHARLES
ATHÉNÉE ROYAL SERGE CREUZ
Av. du Sippelberg
Gentsesteenweg
N 9
R. J. Genot
Av. Gisseleire Versé
Comhaire
R. Armand De Neuter
Av. Évariste De Meersman
Grand Bigard
R. Flk Guldon
Rue du Blé d'Or
Av. du Haut-Champ
R. du Grand-Pré
R. J. Verbiest
R. L. Corhay
Korenbeek
R. de Bruges
R. Joseph Diongre
Potaerdegat
R. des Béguines
Pl. Edmond Leroy -plaats
Rue des Béguines
R. H. Nogent
R. Dr. C. Beudin
R. Reimond Stijns
N 236
R. De Koninck -straat
BOULEVARD LOUIS
584
585
R. J. Lemaire
Av. Edmond Candries
Av. du Thym
Av. des Amandiers
Pasteur
R. du Bon
R. Hoogbosch
PARC HAUWAERT
R. du Foyer des Orphelins
Carl Requette
Clos des Rosacées
COMPLEXE SPORTIF LOUIS NAMECHE
STADE DU R. W. D. M.
Av. du Daring
Charles Malis
Pl. Jef Mennekens
R. Van Kalck
Rue de la Fraîcheur
R. du Sonnet
R. de la Mélopée
PARC DES MUSES
Avenue Brigade Piron
R. Euterpe
R. Melpomène
Osseghem
R. Ostendael
Gulden Bodem
R. de la Mélodie
Vieljeux
BEEKKANT
Machtens
R. J.-B. Janssen
R. J. Delhaize
R. Dubois Thorn
MOLENBEEK- ST-JEAN
ST-JANS-MOLENBEEK
Vieillesse Heureuse
Avenue Maurice Van Hemelryck
RÉGIONAL SCHEUTBOSCH
Rue du Scheutbosch
Avenue du Condor
R. des Hippocampes
R. des Dauphins
Rue du Géomètre
R. de l'Élégie
Rue Osseghem
Alfred Dubois
Bd Edmond Machtens
Pl. du Chant de l'Alouette
PARC MARIE-JOSÉ PARK
STADE VERBIEST
Avenue De Roovere
Av. Joseph Baeck -laan
PARC ALBERT
R. du Serpolet
Av. des Tamaris
Boulevard Edmond Machtens -laan
Sq. Dr. Decroly
Rue de la Belle au Bois Dormant
Rue Levallois-Perret
Av. des Ménestrels
Av. des Missionnaires
Rue de la Laiterie
Rue de la Semence
Rue de Dilbeek
GARE DE L'OUEST WESTSTATION
Rue Pierre Van Humbeek
Cour St-Lazare
Rue Alphonse
R. Louis De Gunst
Chaussée de Ninove
Ninoofse- steenweg
N 8
ST-VINCENT DE PAUL
GUARDINI INSTITUUT VOOR P. H. O.
R. du Bien-Être
194
195
Place Henri De Smet -plein
Avenue Pastorale
R. de la Cavatine
R. Van Wambeke
R. de la Courtoisie
Rue des Tournesols
R. d'Enghien
BOULEVARD LOUIS METTEWIE LAAN
R. Van Soust
Rue Van Soust
R. du Bivouac
R. Denis
R. Sylvain Denayer
R. Verheyden
Rue Vandermeeren
R. Nicolas Doyen
ATHÉNÉE ROYAL MIXTE JULES BORDET
Rue Van Lierde
R. Joseph Ketcitermans
Rue Romanie Van Dyck
Rue Puccini
R. de l'Obus
Sq. Henri Rey -square
R. E. Rostand
R. L. De Swaef
Rue Général Ruquoy
Verdonck
CENTRE CULTUREL
Scheut
Av. Léon Debatty
N.-D. DU SACRÉ CŒUR
Jules Graindor -ln.
R. P. Nestle
Rue Jules Ruhl
Birmingham
BD. PRINCE DE LIÈGE
PRINS VAN LUIKLAAN
Av. Cdt Vander Meeren
R. Berrewaerts
Bd F. Paulsenln.
Bd M. Herbette -laan
Sq. Vétérans Coloniaux
JACQUES BREL
R. de l'Émulation
Norbert Gille
R. de Glasgow
Quai de l'Industrie
Demets
ABATTOIRS SLACHTHUIZEN
Av. des Crocus
Rue Thiernesse
R. J. Marme
R. Cdt Charcot
l'Orphelinat
Smits
Jakob
Rue Démosthène
POL
PARC FORESTIER
R. de l'Agrafe
Av. de Scheut
R. Henri Caron
R. Maurice Albert
ANDERLECHT
BOSPARK
Place du Repos
Av. de l'Éternité
ERASMUS HOGESCHOOL BRUSSEL

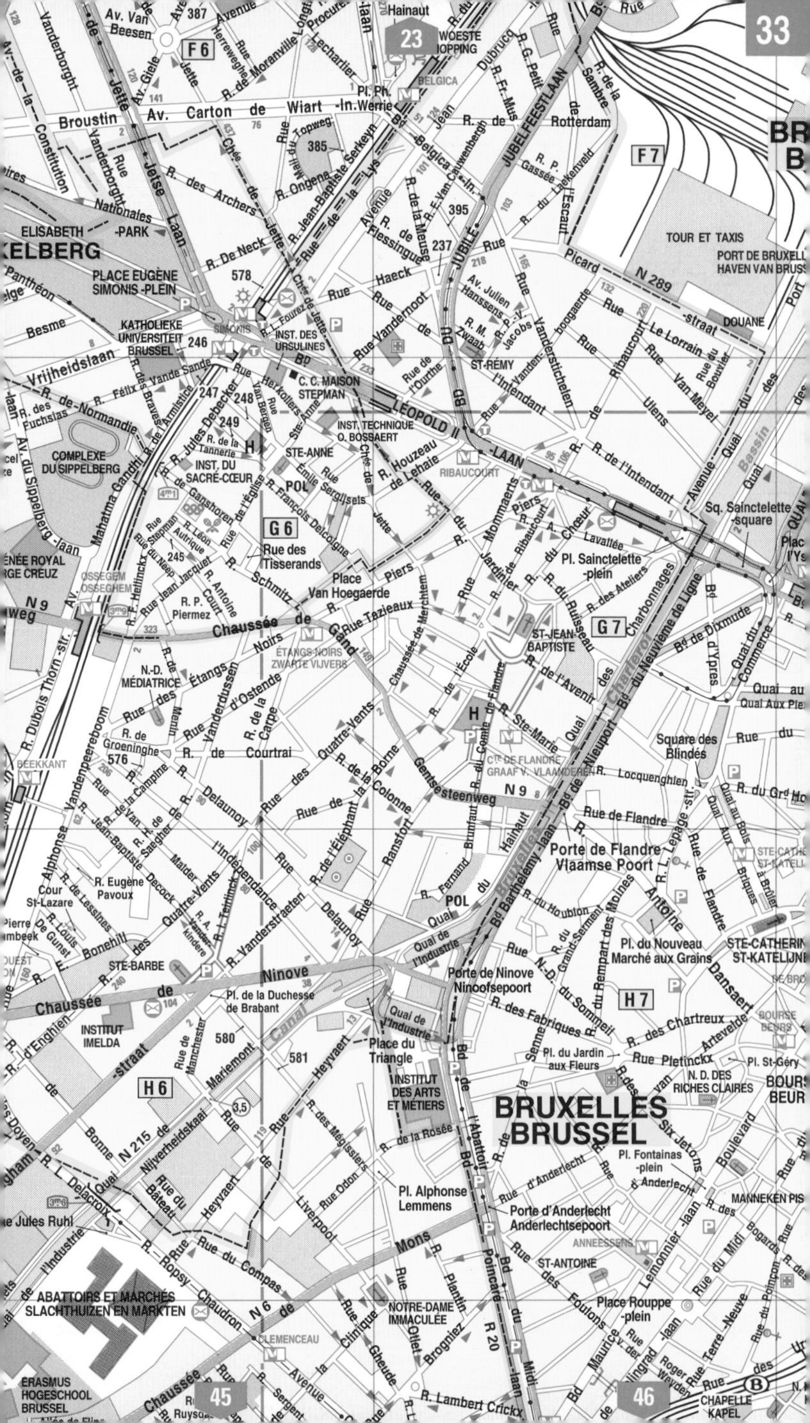
F6
F7
G6
G7
H6
H7
23
45
46
ELISABETH -PARK
KELBERG
PLACE EUGÈNE SIMONIS -PLEIN
KATHOLIEKE UNIVERSITEIT BRUSSEL
SIMONIS
INST. DES URSULINES
C. C. MAISON STEPMAN
INST. TECHNIQUE O. BOSSAERT
STE-ANNE
INST. DU SACRÉ-CŒUR
COMPLEXE DU SIPPELBERG
OSSEGEM OSSEGHEM
RIBAUCOURT
TOUR ET TAXIS
PORT DE BRUXELL HAVEN VAN BRUSS
DOUANE
ST-RÉMY
Sq. Sainctelette -square
Pl. Sainctelette -plein
ST-JEAN-BAPTISTE
ÉTANGS NOIRS ZWARTE VIJVERS
N.-D. MÉDIATRICE
BEEKKANT
Place Van Hoegaerde
Rue des Tisserands
Chaussée de Gand
Gentsesteenweg
Cte DE FLANDRE GRAAF V. VLAANDEREN
Square des Blindés
Porte de Flandre Vlaamse Poort
Pl. du Nouveau Marché aux Grains
STE-CATHERINE ST-KATELIJNE
STE-BARBE
INSTITUT IMELDA
Chaussée de Ninove
Pl. de la Duchesse de Brabant
Porte de Ninove Ninoofsepoort
Place du Triangle
INSTITUT DES ARTS ET MÉTIERS
BRUXELLES BRUSSEL
Pl. du Jardin aux Fleurs
N. D. DES RICHES CLAIRES
Pl. St-Géry
Pl. Fontainas -plein
MANNEKEN PIS
Porte d'Anderlecht Anderlechtsepoort
Pl. Alphonse Lemmens
ANNEESSENS
ST-ANTOINE
Place Rouppe -plein
ABATTOIRS ET MARCHÉS SLACHTHUIZEN EN MARKTEN
NOTRE-DAME IMMACULÉE
CLEMENCEAU
ERASMUS HOGESCHOOL BRUSSEL
CHAPELLE KAPEL
Bd Léopold II -laan
Bd du Jubilé Jubelfeestlaan
Av. Carton de Wiart
Bd de Nieuport
Bd Barthélemy -laan
Bd de l'Abattoir
Bd Poincaré
Bd du Midi -laan
R. Lambert Crickx
Rue de Flandre
Rue Antoine Dansaert
Canal
Quai de l'Industrie
Chaussée de Mons
Rue du Compas
N 289
N 9
N 215
N 6
R 20

BRUXELLES
BRUSSEL
ST-JOSSE-TEN-NOODE
F7
F8
G7
G8
H7
H8
23
45
46
TOUR ET TAXIS
PORT DE BRUXELLES
HAVEN VAN BRUSSEL
DOUANE
MICHELIN
QUAI DE WILLEBROEK
WILLEBROEKKAAI
ALLÉE VERTE
N 201
N 289
GROENDREEF
Helihavenlaan
Place Gaucheret
R. des Régates
Av. Philippe Thomas
Rue Liedts
Pl. Liedts -plein
LES RÉCOLLETS
POL
Koninginnelaan
R. des Palais
Paleizenstr.
Bd EMILE JACQMAIN -LN.
WORLD
TRADE CENTER
Place Solvay
GARE DU NORD
NOORDSTATION
STS-JEAN ET NICOLAS
ST-LUKAS
Rue Dupont
Rue de Quatrecht
Bd Simon Bolivar -ln
Sq. Sainctelette -square
Place de l'Yser
YSER IJZER
Pl. Sainctelette -plein
Bd Baudouin
Bd d'Anvers
Boudewijnln.
Antwerpseln.
Porte d'Anvers
Bd de Dixmude
Quai au Foin
Quai Aux Pierres de Taille
K.V.S.
Square des Blindés
Rue du Canal
Rue de Laeken
Rue du Pont Neuf
Rue Neuve
CITY 2
ROGIER
CENTRE ROGIER
Bd du Jardin Botanique
Kruidtuinln.
Av. Victoria Regina
R 20
LE BOTANIQUE
Porte de Schaerbeek
BOTANIQUE KRUIDTUIN
Rue Royale
Koningsstraat
Av. Galilée
Boulevard Bischoffsheim -ln
Place des Barricades
CONGRÈS CONGRES
CITÉ ADMINISTRATIVE
ADMINISTRATIEF CENTRUM
Pl. de la Liberté
Place du Congrès
Rue du Congrès
CENTRE BELGE DE LA BANDE DESSINÉE
Bd Pachéco
Bd de Berlaimont
Place des Martyrs
CENTRE MONNAIE
MUNTCENTRUM
Pl. de Brouckere -plein
ST-JEAN BAPTISTE AU BÉGUINAGE
N.D. DU FINISTÈRE
STE-CATHERINE ST-KATELIJNE
Porte de Flandre
Vlaamse Poort
Rue de Flandre
Pl. du Nouveau Marché aux Grains
R. du Fossé aux Loups
THÉÂTRE DE LA MONNAIE
MUNTSCHOUWBURG
DE BROUCKERE
Rue Dansaert
R. des Chartreux
Rue Pletinckx
Pl. St-Géry
N.D. DES RICHES CLAIRES
BOURSE BEURS
ST-NICOLAS
GRAND-PLACE
GROTE MARKT
CATH. STS-MICHEL-ET-GUDULE
ST-MICHIEL EN ST-GOEDELE KATH.
PALAIS DE LA NATION
PALEIS DER NATIE
Rue de la Loi
Rue de Louvain
PARC PARK
PARC DE BRUXELLES
PARK VAN BRUSSEL
Pl. Espagne
MADELEINE
Marché au Bois
CENTRALE CENTRAAL
Carrefour de l'Europe
Pl. Fontainas -plein
MANNEKEN PIS
Place Saint-Jean
Pl. de l'Albertine
BIBLIO. ROYALE DE BELGIQUE
PALAIS DES BEAUX-ARTS
Place des Palais
Pl. Royale
MUS. DES BEAUX-ARTS
MUS. VOOR SCHONE KUNSTEN
PALAIS ROYAL
KONINKLIJK PALEIS
Place du Trône
Place de Dinant
Bd de l'Empereur
Place Rouppe -plein
ANNEESSENS
Bd Lemonnier -laan
Rue des Ursulines
CHAPELLE KAPEL
N.D. DE LA CHAPELLE
KAPELLEKERK
Boulevard du Régent
Av. des Arts

24
25
47
48
F 9
F 10
G 9
G 10
H 9
H 10
SCHAERBEEK
SCHAARBEEK
ST-JOOST-TEN-NODE
PARC JOSAPHAT PARK
INSTITUT F. FISCHER
ATHÉNÉE COMMUNAL
R.C.S. SCHAERBEEK
PLAINE DES SPORTS
PARC ALBERT Ier
KONINKLIJK ATHENEUM
STE-SUZANNE
Place Colignon
Pl. Pogge
Place de Houffalize
NEPTUNIUM
ATHÉNÉE ROYAL
ST-SERVAIS
Pl. Lehon
Pl. Liedts-plein
CLINIQUE SCOLAIRE
HALLES DE SCHAERBEEK
STE-MARIE
Place de la Reine
Square É. Duployé
Place des Bienfaiteurs
Pl. Colonel Bremer
STE-ALICE
Square Prévost-Delaunay
Place de la Patrie
STE-THÉRÈSE
JEAN TITECA
Square Armand Steurs
Place Houwaert
Square Félix Delhaye
ACADÉMIE DES BEAUX-ARTS
ST-JOSSE
Place Dailly
Pl. des Chasseurs Ardennais
ATHÉNÉE A.MAX
Square Gutenberg
Square Marie-Louise
Square Ambiorix
Square Marguerite
Av. Palmerston
Av. Livingstone
Pl. des Gueux
ÉCOLE ROYALE MILITAIRE
KONINKLIJKE MILITAIRE SCHOOL
Square Frère-Orban
CONSEIL D'ÉTAT RAAD VAN STATE
MAELBEEK MAALBEEK
SCHUMAN
CHARLEMAGNE
BERLAYMONT
RESIDENCE PALACE
Rd.-Pt R. SCHUMAN -PLEIN
CONSEIL DE L'UNION EUROPÉENNE RAAD VAN DE EUROPESE UNIE
GRANDE MOSQUÉE
PARC DU CINQUANTENAIRE
MUSÉE DE L'ARMÉE
MUSEUM VAN HET LEGER
ST-JOSEPH
ST-SACREMENT
ARTS-LOI KUNST-WET
MADOU
Boulevard Lambermont-laan
Av. Louis Bertrand-laan
Avenue Rogier-laan
Av. Eisenhower-laan
Av. Jan Stobbaerts
Av. Paul Deschanel
Av. Voltaire-laan
Chée de Haecht
Chaussée de Louvain N 2
Leuvensesteenweg
Haachtsesteenweg N 21
Rue Royale-Ste-Marie
Rue des Palais - Paleizenstr.
Rue Royale - Koningsstraat
Rue de la Loi - Wetstraat
Bd Clovis
Av. de Cortenbergh - Kortenberglaan
Av. John Kennedy-laan
Rue Belliard
Chée d'Etterbeek
Av. Michel-Ange
Rue Archimède
Rue Stevin
Rue Joseph II
Rue du Marteau
Rue Traversière
Rue des Moissons
Rue Thomas Vinçotte
Av. Clays
Av. Dailly
Rue Josaphat
Rue Vonck
Rue de la Consolation
Av. Gustave Latinis
Av. des Glycines
Av. des Capucines
Av. des Héliotropes
Av. des Mimosas
Av. des Azalées
Rue Renkin
Rue Vandeweyer
Rue Verboeckhaven
Rue Potagère
Rue du Moulin
Rue Philomène
Rue Seutin
Rue L'Olivier
Rue Thiéfry
Rue van Hammée
Rue Rubens
Av. Britsiers
Pl. Terdelt
Rue Bossaerts
Rue Auguste Lambiotte
Av. Ernest Cambier
Av. Félix Marchal
Av. Léon Victor
Rue R. Rasson
Rue des Patriotes
Rue Franklin
Rue Le Corrège
Rue Charles Quint
Rue des Confédérés
Rue Rogier
Rue Scailquin
Chaussée de Louvain
Rue de l'Industrie
Rue du Commerce
Rue de la Science
Rue Jacques de Lalaing
Rue de Trèves
Rue d'Arlon
Rue Montoyer
Rue Guimard
Bd du Régent
Av. des Arts - Kunstlaan
Bd Bischoffsheim-laan
Rue de la Charité
Rue Hydraulique
Rue des Deux Églises
Rue du Méridien
Rue de l'Astronomie
Rue Galilée
Rue de Liedekerke
Rue de la Commune
Rue Verbist
Rue de la Ferme
Rue de Gravelines
Rue des Éburons
Rue Bonneels
Rue du Cardinal
Rue Ortélius
Rue Ph. le Bon
Rue Charlemagne
Rue du Taciturne
Rue Saint-Quentin
Rue Eeckelaers
Rue de la Cible
Rue Léon Mignon
Rue Artan
Rue Josse Impens
Rue Godefroid Devreese
Rue Frans Binjé
Rue Fontaine d'Amour
Rue Eugène Smits
Rue Albert de Latour
Rue Alexandre Markelbach
Rue Roelandts
Av. Voltaire
Av. du Suffrage Universel
Av. Ambassadeur Van Vollenhoven
Rue Coteaux
Rue Kessels
Rue Geefs
Rue Vifquin
Rue de Robiano
Rue de l'Est
Rue de la Ruche
Rue Vandermeersch
Rue Lefrancq
Rue de la Marne
Rue Brichaut
Rue de la Poste
Rue des Pâquerettes
Rue Vogler
Rue Henri Bergé
Rue Herman
Rue de Jérusalem
Rue Ernest Laude
Rue Goossens
Rue Metsys
Rue des Ailes
Av. Général Eenens
Av. Maréchal Foch
Rue Vondel
Rue Floris
Rue Verwée
Rue Renan
Rue Rayé
Rue Willem Kuhnen
Rue Kennis
Rue Capitaine Claes
Rue Godefroid Guffens
Av. Charles Gilisquet
Av. Voltaire

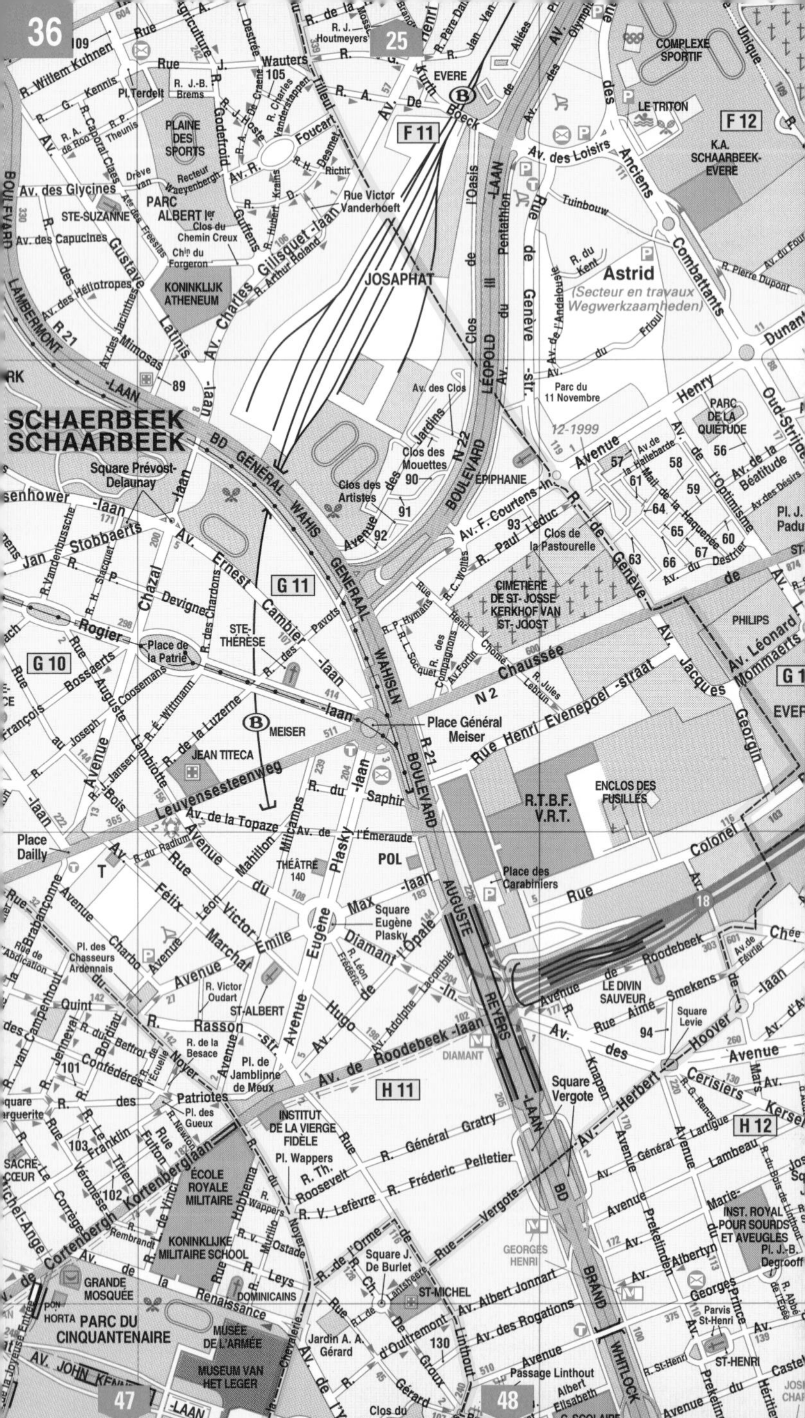
25
47
48
F 11
F 12
G 10
G 11
H 11
H 12
SCHAERBEEK
SCHAARBEEK
COMPLEXE SPORTIF
LE TRITON
K.A. SCHAARBEEK-EVERE
EVERE
PLAINE DES SPORTS
PARC ALBERT Ier
STE-SUZANNE
KONINKLIJK ATHENEUM
JOSAPHAT
Astrid
(Secteur en travaux Wegwerkzaamheden)
Parc du 11 Novembre
12-1999
PARC DE LA QUIÉTUDE
ÉPIPHANIE
CIMETIÈRE DE ST-JOSSE KERKHOF VAN ST-JOOST
PHILIPS
Square Prévost-Delaunay
STE-THÉRÈSE
Place de la Patrie
MEISER
Place Général Meiser
JEAN TITECA
R.T.B.F. V.R.T.
ENCLOS DES FUSILLÉS
Place Dailly
THÉÂTRE 140
POL
Place des Carabiniers
Square Eugène Plasky
Pl. des Chasseurs Ardennais
ST-ALBERT
LE DIVIN SAUVEUR
Square Levie
DIAMANT
Pl. de Jamblinne de Meux
Square Vergote
INSTITUT DE LA VIERGE FIDÈLE
Pl. Wappers
ÉCOLE ROYALE MILITAIRE
KONINKLIJKE MILITAIRE SCHOOL
SACRÉ-CŒUR
GRANDE MOSQUÉE
PARC DU CINQUANTENAIRE
MUSÉE DE L'ARMÉE
MUSEUM VAN HET LEGER
Square J. De Burlet
ST-MICHEL
Jardin A. A. Gérard
GEORGES HENRI
INST. ROYAL POUR SOURDS ET AVEUGLES
Pl. J.-B. Degrooff
Parvis St-Henri
ST-HENRI
Passage Linthout
BOULEVARD LAMBERMONT -LAAN
BD GÉNÉRAL WAHIS GENERAAL WAHISLN
BOULEVARD LÉOPOLD III -LAAN
BOULEVARD AUGUSTE REYERS -LAAN
BD BRAND WHITLOCK
Leuvensesteenweg
Chaussée
Rue Henri Evenepoel -straat
Av. de Roodebeek -laan
Avenue Rogier -laan
Av. Ernest Cambier -laan
Av. des Glycines
Av. des Capucines
Av. des Loisirs
Rue de Genève -str.
Av. des Anciens Combattants
Av. Jacques Georgin
Av. Léonard Mommaerts
Av. Eugène Plasky -laan
Av. Milcamps
Rue Victor Vanderhoeft
Av. de Cortenbergh Kortenberglaan
Av. Herbert Hoover
Rue Général Gratry
R. Frédéric Pelletier
Rue Vergote
Av. Albert Jonnart
Av. des Rogations
Av. Dailly
R. Willem Kuhnen
Pl. Terdelt
R. J.-B. Brems
R. Godefroid Guffens
Av. Gustave Latinis
Av. Charles Gilisquet -laan
Av. des Jacinthes
Av. des Mimosas
Av. des Héliotropes
Av. Jan Stobbaerts
Av. Chazal
R. Auguste Lambiotte
R. de la Luzerne
Rue Josaphat
Av. Félix Marchal
Av. Émile Max
Av. Victor Hugo
Rue du Noyer
Rue Rasson
Rue des Patriotes
Rue des Confédérés
R. Th. Roosevelt
R. V. Lefèvre
R. de l'Orme
Rue de Linthout
Av. de la Renaissance
Av. des Cerisiers
Av. Prekelinden
Av. Georges Henri
Av. Marie-José
Av. Albertyn

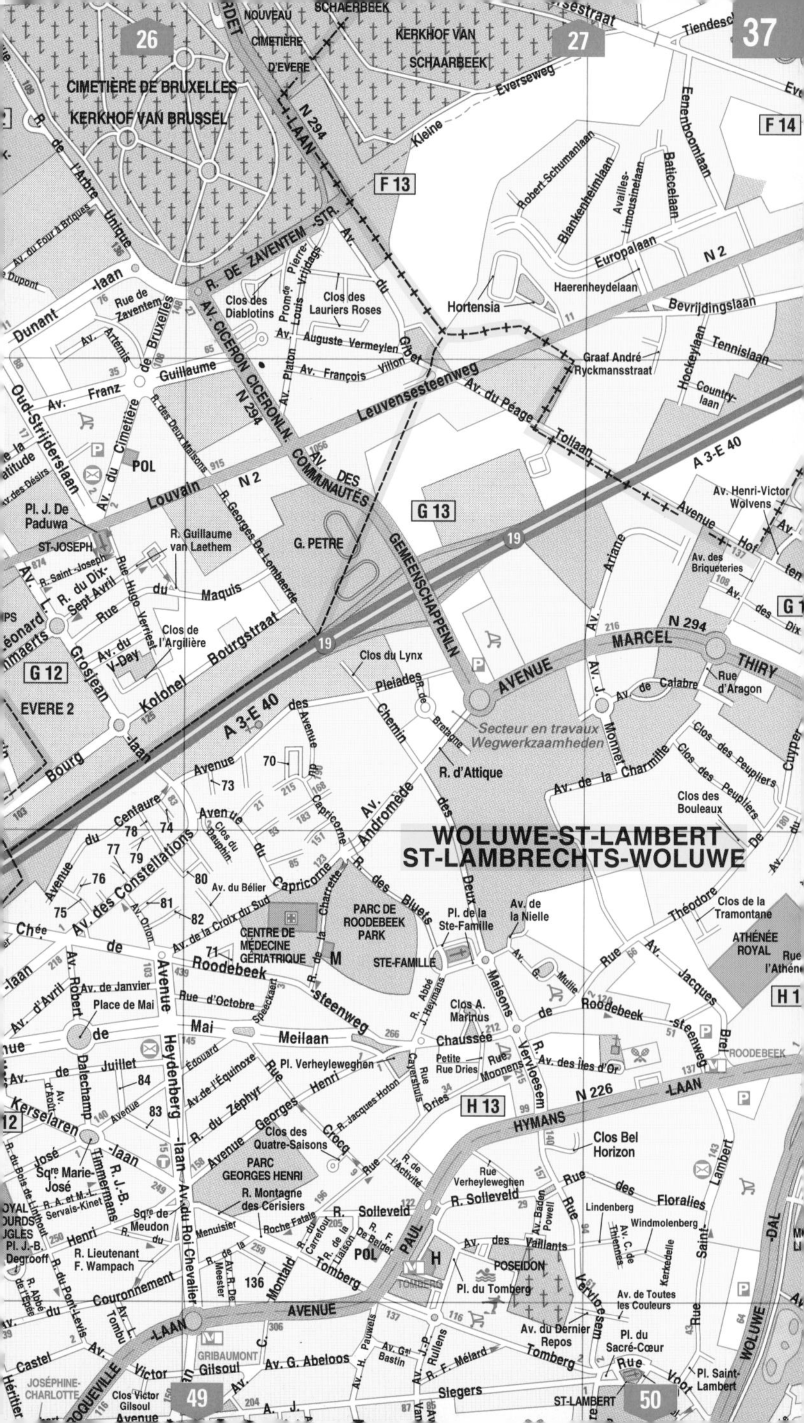
26
27
37
F 14
F 13
G 13
G 12
H 13
49
50
SCHAERBEEK
NOUVEAU CIMETIÈRE D'EVERE
KERKHOF VAN SCHAARBEEK
CIMETIÈRE DE BRUXELLES
KERKHOF VAN BRUSSEL
Everseweg
Kleine
Tiendesch
Eenenboomlaan
Baticcelaan
Robert Schumanlaan
Blankenheimlaan
Availles-Limousinelaan
Europalaan
N 2
Haerenheydelaan
Hortensia
Bevrijdingslaan
Tennislaan
Hockeylaan
Country-laan
Graaf André Ryckmansstraat
R. de l'Arbre Unique
Av. du Four à Briques
Dupont
Dunant -laan
Rue de Zaventem
R. DE ZAVENTEM -STR.
N 294
Av. du Gibet
Clos des Diablotins
Prom. Pierre-Louis Vrijdags
Clos des Lauriers Roses
Av. Auguste Vermeylen
Av. Platon
Av. François Villon
Av. Artémis
de Bruxelles
Guillaume
Av. Franz
AV. CICERON CICERONLN
Leuvensesteenweg
Av. du Péage
Tollaan
A 3-E 40
Oud-Strijderslaan
Av. du Cimetière
R. des Deux Maisons
POL
Louvain
N 2
AV. DES COMMUNAUTÉS
Av. Henri-Victor Wolvens
Avenue Hof ten
Av. des Briqueteries
Av. des Dix
Pl. J. De Paduwa
ST-JOSEPH
R. Guillaume van Laethem
R. Georges De Lombaerde
G. PETRE
GEMEENSCHAPPENLN
Ariane
R. Saint-Joseph
R. du Dix-Sept Avril
Rue Hugo Verriest
du Maquis
Rue
Av. L. Léonard Mommaerts
Clos de l'Argilière
Bourgstraat
Av. du V-Day
Grosjean
Kolonel
Bourg -laan
EVERE 2
N 294
AVENUE MARCEL THIRY
Av. J. Monnet
Av. de Calabre
Rue d'Aragon
Clos du Lynx
Pleiades
R. de Bretagne
Chemin des Deux Maisons
Secteur en travaux
Wegwerkzaamheden
R. d'Attique
Av. de la Charmille
Clos des Peupliers
Clos des Bouleaux
Avenue des
Avenue du Capricorne
Av. Andromède
WOLUWE-ST-LAMBERT
ST-LAMBRECHTS-WOLUWE
Avenue du Centaure
Clos du Dauphin
Avenue du Capricorne
Av. des Constellations
Av. du Bélier
R. de la Charrette
R. des Bluets
PARC DE ROODEBEEK PARK
Pl. de la Ste-Famille
Av. de la Nielle
Av. Théodore De
Clos de la Tramontane
ATHÉNÉE ROYAL
Av. Orion
Av. de la Croix du Sud
CENTRE DE MÉDECINE GÉRIATRIQUE
M
STE-FAMILLE
Av. G. Mullie
Rue Jacques
Chée de Roodebeek -steenweg
Av. Robert Dalechamp
Av. de Janvier
Place de Mai
Rue d'Octobre
Speeckaert
Avenue Heydenberg -laan
R. Abbé J. Heymans
Clos A. Marinus
R. Vervloesem
Chaussée de Roodebeek steenweg
de Mai Meilaan
Av. d'Avril
Juillet
Édouard
Av. de l'Équinoxe
Pl. Verheyleweghen
Petite Rue Dries
Rue Moonens
Rue Cayershuis
Av. des Îles d'Or
ROODEBEEK
N 226
HYMANS -LAAN
Kerselaren
R. du Zéphyr
Rue Henri
Avenue Georges
R. Jacques Hoton
Dries
Clos des Quatre-Saisons
Crocq
Clos Bel Horizon
Rue Lambert
Sq^re Marie-José
Timmermans
R. J.-B.
PARC GEORGES HENRI
R. de l'Activité
Rue Verheyleweghen
R. Solleveld
Rue des Floralies
R. du Bois de Linthout
R. A. et M.-L. Servais-Kinet
Sq^re de Meudon
R. Montagne des Cerisiers
R. Solleveld
Lindenberg
Windmolenberg
Pl. J.-B. Degrooff
Henri
R. Lieutenant F. Wampach
Av. du Roi Chevalier
Menuisier
Roche Fatale
R. du Carrefour
R. de la Liaison
R. F. De Belder
POL
PAUL
H
Av. Baden Powell
Av. des Vaillants
Av. C. de Thiennes
Kerkedelle
Saint-
Tomberg
Couronnement
Av. R. De Meester
Montald
TOMBERG
POSEIDON
Pl. du Tomberg
Av. de Toutes les Couleurs
Av. du Dernier Repos
Vervloesem
AVENUE
R. Abbé de l'Épée
R. du Pont-Levis
Av. L. Tombu
-LAAN
GRIBAUMONT
Av. C.
Av. H. Pauwels
Av. Gal Bastin
Av. J.-P. Rullens
R. F. Mélard
Tomberg
Pl. du Sacré-Cœur
Pl. Saint-Lambert
WOLUWE -DAL
Castel
Victor Gilsoul
Av. G. Abeloos
JOSÉPHINE-CHARLOTTE
Clos Victor Gilsoul
Slegers
ST-LAMBERT
Voot
POQUEVILLE

27

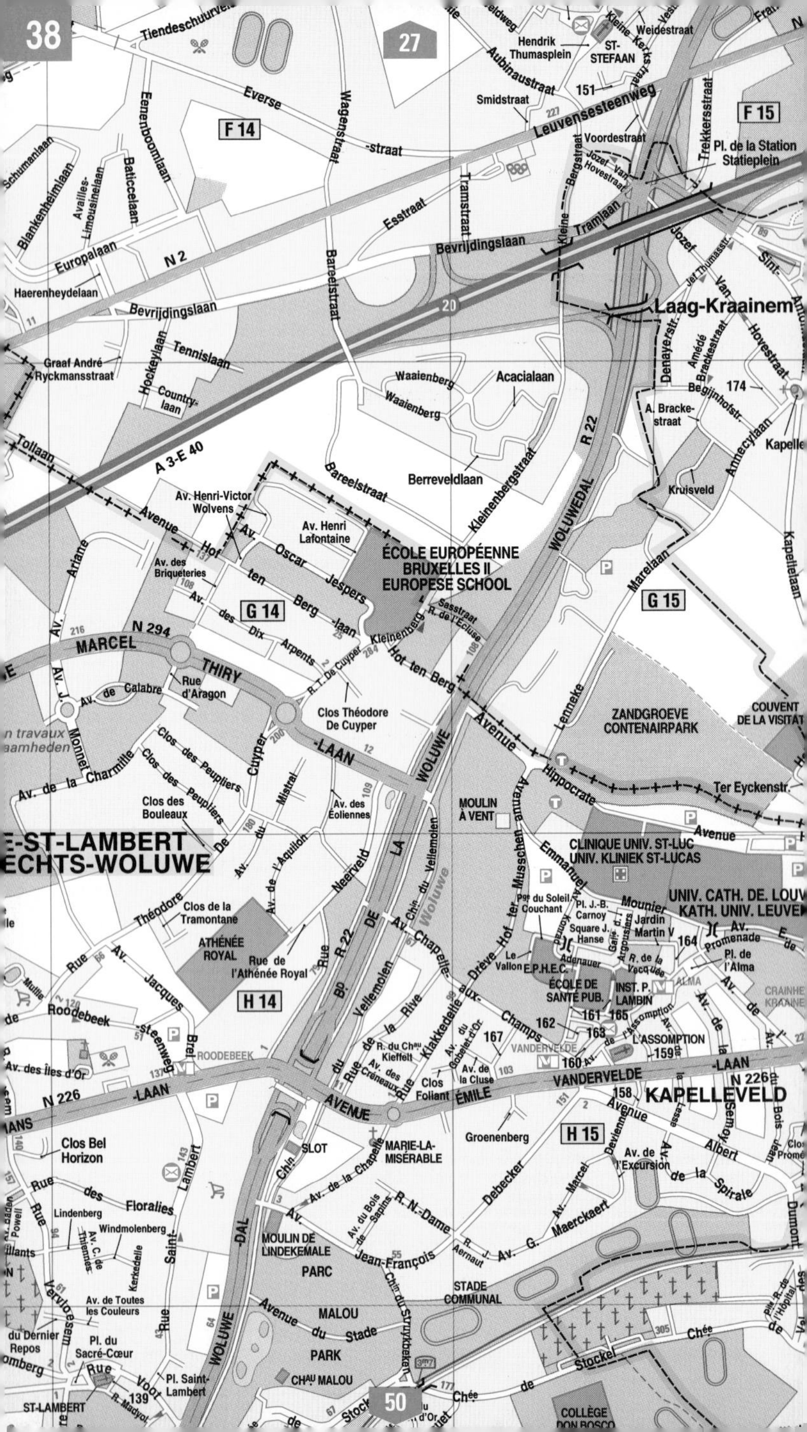

50

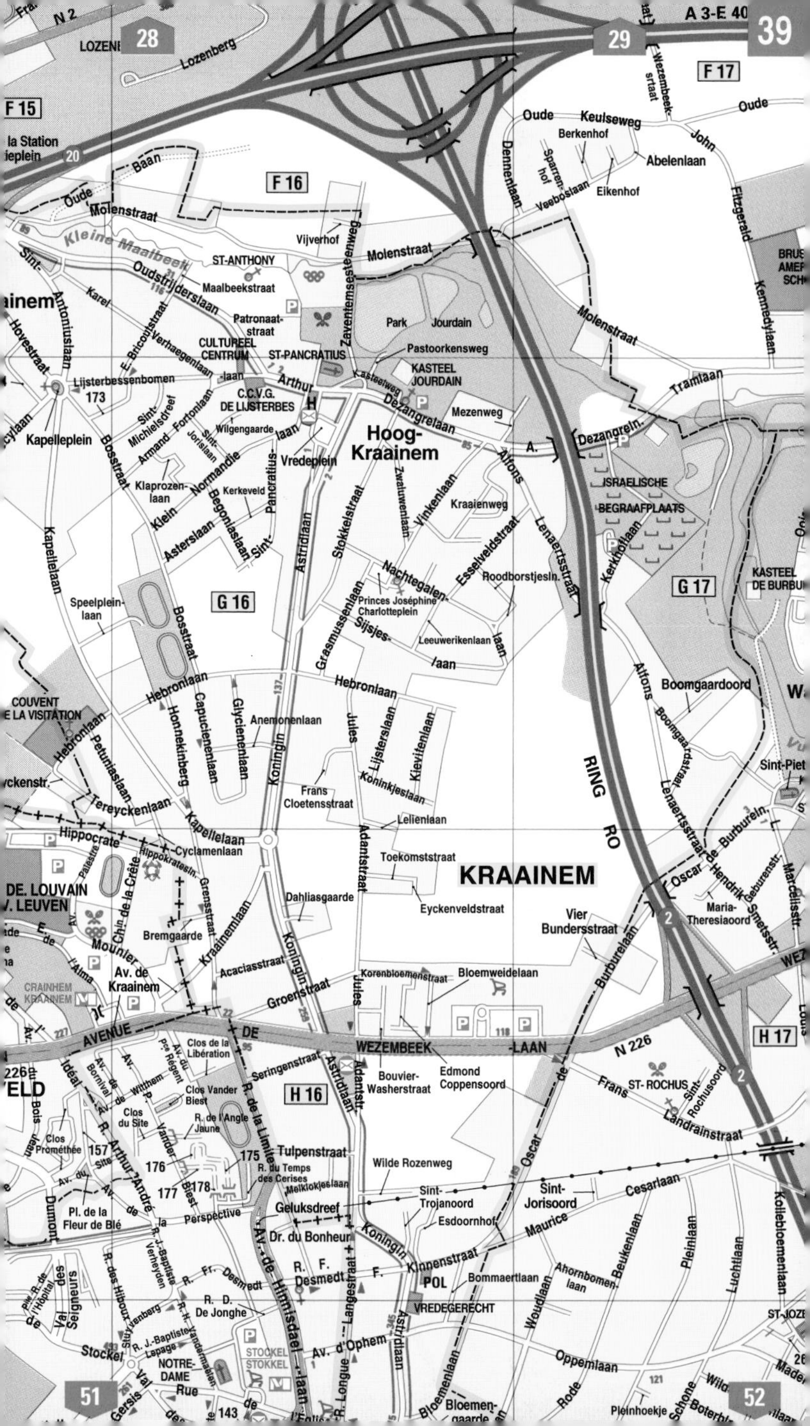

A 3-E 40
28
29
N 2
LOZENB
Lozenberg
F 15
F 16
F 17
G 16
G 17
H 16
H 17
51
52
la Station
ieplein
20
Oude
Baan
Molenstraat
Kleine Maalbeek
Sint-
Antoniuslaan
Oudstrijderslaan
Maalbeekstraat
ST-ANTHONY
Vijverhof
Molenstraat
Zaventemsesteenweg
Karel
Bricoultstraat
Verhaegenlaan
Patronaat-
straat
CULTUREEL
CENTRUM
ST-PANCRATIUS
Park
Jourdain
Pastoorkensweg
KASTEEL
JOURDAIN
Kasteelweg
Dezangrelaan
Mezenweg
Hovestraat
Lijsterbessenbomen
-laan
Arthur
C.C.V.G.
DE LIJSTERBES
173
Kapelleplein
Sint-
Michielsdreef
Armand
Fortonlaan
Sint-
Jorislaan
Wilgengaarde
Vredeplein
Hoog-
Kraainem
Bosstraat
Normandie
Klaprozen-
laan
Kerkeveld
Pancratius-
laan
Klein
Asterslaan
Begonialaan
Sint-
Astridlaan
Stokkelstraat
Zwaluwenlaan
Vinkenlaan
Kraaienweg
Alfons
Lenaertsstraat
Esselveldstraat
Roodborstjesln.
Nachtegalen-
Princes Joséphine
Charlotteplein
Grasmussenlaan
Sijsjes-
laan
Leeuwerikenlaan
laan
Kapellelaan
Speelplein-
laan
Bosstraat
Hebronlaan
Hebronlaan
Capucienenlaan
Glycinenlaan
Anemonenlaan
Honnekinberg
Koningin
Jules
Lijsterslaan
Kievitenlaan
Koninkjeslaan
Frans
Cloetensstraat
Lelienlaan
Adantstraat
Toekomststraat
KRAAINEM
Eyckenveldstraat
Dahliasgaarde
COUVENT
DE LA VISITATION
Hebronlaan
Petunialaan
Tereyckenlaan
Hippocrate
Hippokrateslн.
Cyclamenlaan
Kapellelaan
Grensstraat
Palestre
Ch. de la Crête
DE LOUVAIN
V. LEUVEN
Mounier
Bremgaarde
Kraainemlaan
Acaciasstraat
Av. de
Kraainem
CRAINHEM
KRAAINEM
Groenstraat
Korenbloemenstraat
Bloemweidelaan
AVENUE
DE
WEZEMBEEK
-LAAN
N 226
Clos de la
Libération
Av. du
Pce Régent
Av. de Witthem
Clos Vander
Biest
Seringenstraat
Bouvier-
Washerstraat
Edmond
Coppensoord
Clos
du Site
R. de l'Angle
Jaune
R. de la Limite
Clos
Prométhée
157
site
176
175
R. du Temps
des Cerises
177
178
Tulpenstraat
Wilde Rozenweg
Melklokjeslaan
Geluksdreef
Av. du
Pl. de la
Fleur de Blé
Dumont
Idéal
R. Arthur André
Perspective
Dr. du Bonheur
Sint-
Trojanoord
Esdoornhof
Sint-
Jorisoord
Cesarlaan
Maurice
R. J.-Baptiste
Verheyden
R. des Hiboux
R. Fr. Desmedt
R. F.
Desmedt
F.
Kinnenstraat
POL
Bommaertlaan
VREDEGERECHT
Ahornbomen-
laan
Beukenlaan
Pleinlaan
Luchtlaan
Kollebloemenlaan
R. D.
De Jonghe
Av. de Hinnisdael
Langestraat
Koningin
Astridlaan
Av. d'Ophem
R. Longue
Stuyvenberg
R. J.-Baptiste
Lepage
Stockel
NOTRE-
DAME
STOCKEL
STOKKEL
Val des Seigneurs
Val
Rue
143
Gersis
Woudlaan
Oppemlaan
Rode
Bloemenlaan
Bloemen-
gaarde
Pleinhoekje
Schone
Oscar
de
Burburelaan
Vier
Bundersstraat
Oscar
Hendrik
Smetsstr.
Maria-
Theresiaoord
Marcelisstr.
Burburelan
Lenaertsstraat
Boomgaardstraat
Boomgaardoord
Alfons
Sint-Piet
KASTEEL
DE BURBU
Kerkhoflaan
ISRAELISCHE
BEGRAAFPLAATS
Dezangreln.
A.
Tramlaan
Molenstraat
Kennedylaan
Fitzgerald
John
Oude
Keulseweg
Berkenhof
Abelenlaan
Eikenhof
Veebosiaan
Sparren-
hof
Dennenlaan
Wezembeek-
straat
RING
RO
ST- ROCHUS
Sint-
Rochusoord
Frans
Landrainstraat
ST-JOZE

29

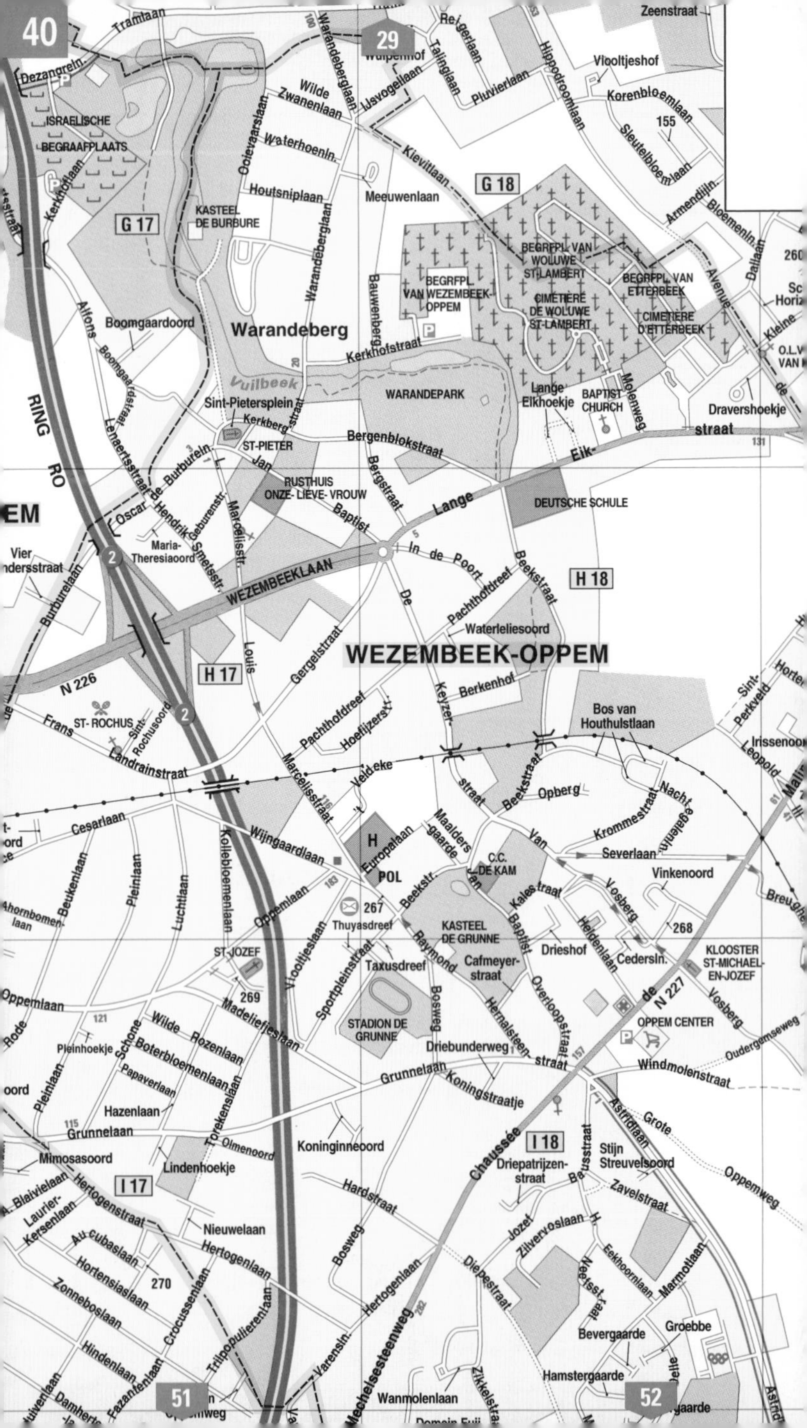
Tramlaan
Dezangreln.
ISRAELISCHE
BEGRAAFPLAATS
Kerkhoflaan
Warandeberglaan
Wulpenhof
Reigerlaan
Talinglaan
Hippodroomlaan
Zeenstraat
Viooltjeshof
Korenbloemlaan
155
Sleutelbloemlaan
Pluvierlaan
IJsvogellaan
Wilde Zwanenlaan
Waterhoenln.
Kievitlaan
Meeuwenlaan
Ooievaarslaan
Houtsniplaan
KASTEEL DE BURBURE
G 17
G 18
Armendijln.
Bloemenln.
Dallaan
260
BEGRFPL. VAN WOLUWE ST-LAMBERT
CIMETIERE DE WOLUWE ST-LAMBERT
BEGRFPL. VAN ETTERBEEK
CIMETIERE D'ETTERBEEK
BEGRFPL. VAN WEZEMBEEK-OPPEM
Bauwenberg
Warandeberg
Boomgaardoord
Alfons
Boomgaardstraat
Kerkhofstraat
Vuilbeek
WARANDEPARK
Lange Eikhoekje
BAPTIST CHURCH
Molenweg
Avenue
Kleine
de
O.L.V. VAN
Dravershoekje
Sint-Pietersplein
Kerkbergstraat
ST-PIETER
Bergenblokstraat
Lange Eikstraat
131
RING RO
EM
Lenaertsstraat
Oscar de Burbureln.
Hendrik Smetsstr.
Geburenstr.
Marcelisstr.
Jan Baptist
RUSTHUIS ONZE- LIEVE- VROUW
Bergstraat
DEUTSCHE SCHULE
Maria-Theresiaoord
Vier Windersstraat
Burburelaan
In de Poort
Beekstraat
H 18
Pachthofdreef
Waterleliesoord
WEZEMBEEKLAAN
WEZEMBEEK-OPPEM
N 226
H 17
Louis
Gergelstraat
De Keyzerstraat
Berkenhof
Bos van Houthulstlaan
Sint-Perkveld
Leopold
Irissenoord
ST- ROCHUS
Sint-Rochusoord
Frans Landrainstraat
Pachthofdreef
Hoefijzerst.
Veldeke
Beekstraat
Opberg
Nachtegalenln.
Krommestraat
Marcelisstraat
Cesarlaan
Wijngaardlaan
Kollebloemenlaan
Europalaan
H
POL
Maaldersgaarde
C.C. DE KAM
Van Severlaan
Vinkenoord
Breughel
Beukenlaan
Pleinlaan
Luchtlaan
Ahornbomenlaan
Oppemlaan
267
Beekstr.
Thuyasdreef
KASTEEL DE GRUNNE
Kalesstraat
Jan Baptist
Vosberg
Heldenlaan
268
Drieshof
Cedersln.
KLOOSTER ST-MICHAEL-EN-JOZEF
ST-JOZEF
269
Viooltjeslaan
Sportpleinstraat
Taxusdreef
Raymond
Cafmeyerstraat
Overloopstraat
de N 227
Vosberg
Oppemlaan
Madeliefjeslaan
STADION DE GRUNNE
Bosweg
Hernalsteenstraat
OPPEM CENTER
Oudergemseweg
121
Rode
Pleinhoekje
Schone
Wilde Rozenlaan
Boterbloemenlaan
Papaverlaan
Driebunderweg
Grunnelaan
Koningstraatje
157
Windmolenstraat
Astridlaan
Grote Oppemweg
Pleinlaan
Hazenlaan
Torekenslaan
115
Grunnelaan
Olmenoord
Koninginneoord
Chaussée
I 18
Baustraat
Stijn Streuvelsoord
Driepatrijzenstraat
Mimosasoord
Lindenhoekje
I 17
Blauwvielaan
Laurier-Kersenlaan
Hertogenstraat
Nieuwelaan
Hertogenlaan
Hardstraat
Zavelstraat
Jozef Zilvervoslaan
Aucubaslaan
Hortensiaslaan
270
Crocussenlaan
Bosweg
Diepestraat
Neetsstraat
Eekhoornlaan
Marmottelaan
Zonneboslaan
Tripopulierenlaan
Hertogenlaan
Bevergaarde
Groebbe
Hindenlaan
Fazantenlaan
Varensln.
Mechelsesteenweg
Zikkelstraat
Hamstergaarde
Wanmolenlaan
Domein Fuji
gaarde
Oppemweg

51

52

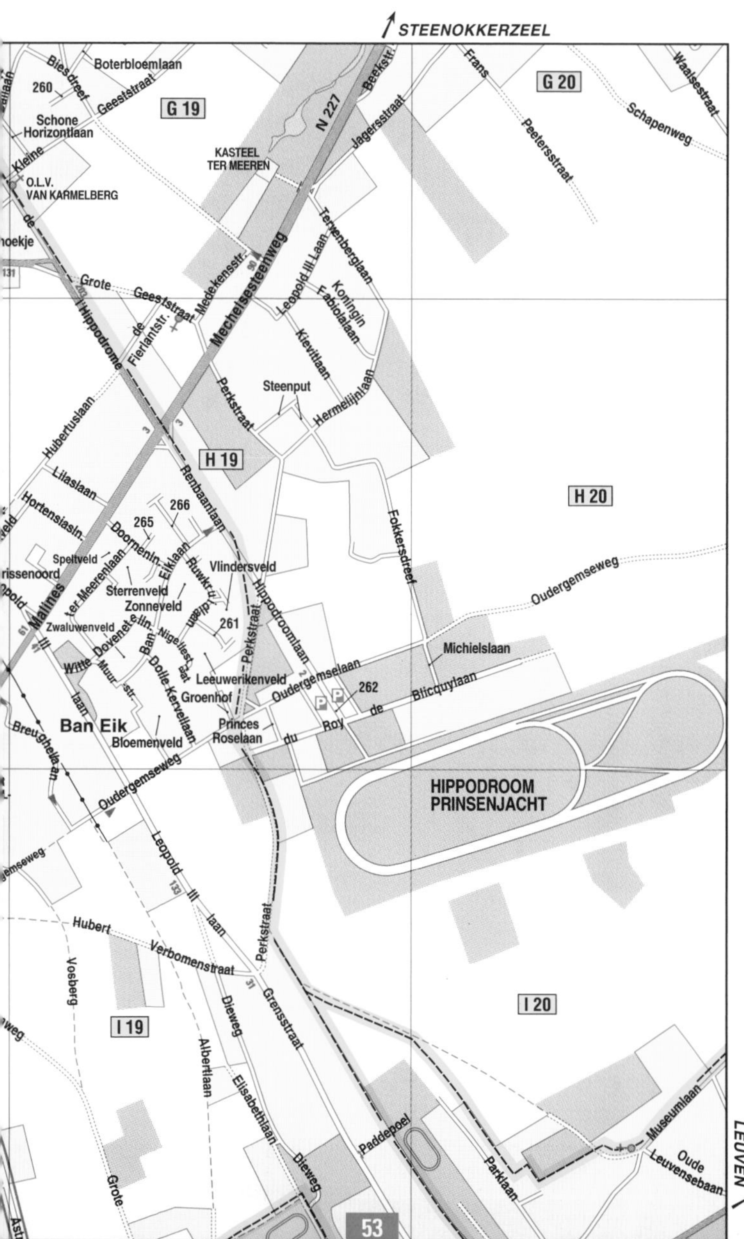
STEENOKKERZEEL
LEUVEN
G 19
G 20
H 19
H 20
I 19
I 20
KASTEEL TER MEEREN
O.L.V. VAN KARMELBERG
HIPPODROOM PRINSENJACHT
Ban Eik
Boterbloemlaan
Biesdreef
Geeststraat
Schone Horizontlaan
Kleine
N 227
Beekstr.
Jagersstraat
Frans
Peetersstraat
Schapenweg
Waalsestraat
Mechelsesteenweg
Medekensstr.
Tervenberglaan
Leopold III Laan
Koningin Fabiolalaan
Grote Geeststraat
de Fierlantstr.
Hippodrome
Kievitlaan
Steenput
Hermelijnlaan
Perkstraat
Hubertuslaan
Lilaslaan
Hortensiasln.
Renbaanlaan
Fokkersdreef
Oudergemseweg
Doornenln.
Eiklaan
Speltveld
ter Meerenlaan
Sterrenveld
Zonneveld
Vlindersveld
Ruwkruidlaan
Hippodroomlaan
Zwaluwenveld
Dovenetelln.
Nigellestraat
Malines
Michielslaan
Witte
Muur
Ban
Dolle Kervellaan
Leeuwerikenveld
Groenhof
Oudergemselaan
de Blicquylaan
Roy
du
Princes Roselaan
Bloemenveld
Breughellaan
Leopold III laan
Hubert Verbomenstraat
Vosberg
Dieweg
Grensstraat
Albertlaan
Elisabethlaan
Paddepoel
Parklaan
Museumlaan
Oude Leuvensebaan
Grote
Astrid
260
266
265
261
262
131
133
53

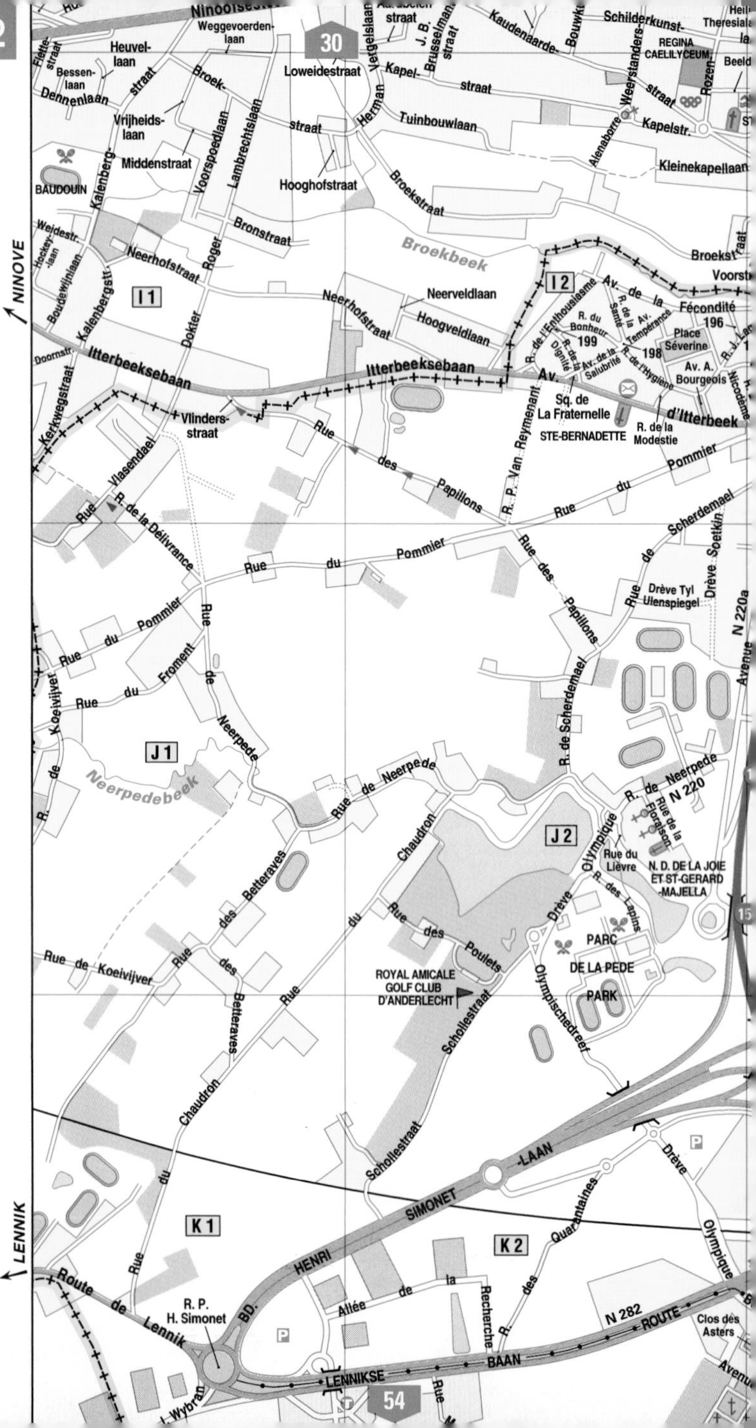

30

Ninoofsesteenweg
Weggevoerdenlaan
Vergelslaan
J. B. Brusselmanstraat
Kaudenaarde-
Bouwkunde
Schilderkunst-
Heilige Theresialaan
Fletterstraat
Heuvellaan
Bessenlaan
Dennenlaan
Broekstraat
Loweidestraat
Kapelstraat
Herman
REGINA CAELILYCEUM
Rozen-
Beeld
Weerstandersstraat
Kapelstr.
Vrijheidslaan
Middenstraat
Voorspoedlaan
Lambrechtslaan
Tuinbouwlaan
Alenaborre
Kleinekapellaan
BAUDOUIN
Kalenberg
Hooghofstraat
Broekstraat
Bronstraat
Broekbeek
Weidestr.
Hockeylaan
Neerhofstraat
Roger
Broekstraat
Voorstraat
Boudewijnlaan
Kalenbergstr.
I 1
Dokter
Neerhofstraat
Neerveldlaan
Hoogveldlaan
I 2
Av. de la Fécondité
R. de l'Enthousiasme
R. de la Santé
R. du Bonheur
Av. Tempérance
199
196
198
Place Séverine
R. de la Dignité
Av. de la Salubrité
R. de l'Hygiène
Av. A. Bourgeois
Nicodème
Doornstr.
Itterbeeksebaan
Itterbeeksebaan
Av. d'Itterbeek
Sq. de La Fraternelle
STE-BERNADETTE
R. de la Modestie
Kerkwegstraat
Vlindersstraat
Rue des Papillons
R. P. Van Reymenant
Rue du Pommier
Vlasendael
R. de la Délivrance
Rue du Pommier
Rue des Papillons
Rue de Scherdemael
Drève Tyl Ulenspiegel
Drève Soetkin
N 220a
Avenue
Rue du Pommier
Rue de Neerpede
Rue du Froment
Rue Koeivijver
R. de Scherdemael
J 1
Neerpedebeek
R. de
Rue de Neerpede
R. de Neerpede N 220
Rue de la Floraison
J 2
Chaudron
Olympique
Rue du Lièvre
N. D. DE LA JOIE ET ST-GERARD -MAJELLA
Rue des Betteraves
Rue du
R. des Lapins
Drève
15
Rue des Poulets
PARC DE LA PEDE PARK
Rue de Koeivijver
Rue des Betteraves
ROYAL AMICALE GOLF CLUB D'ANDERLECHT
Rue
Schollestraat
Olympischedreef
Chaudron
Schollestraat
P
Drève
du
-LAAN
SIMONET
Olympique
LENNIK
K 1
HENRI
Rue des Quarantaines
K 2
Route de Lennik
Rue
BD.
R. P. H. Simonet
Allée de la Recherche
R. des
N 282
ROUTE
Clos des Asters
P
LENNIKSE
BAAN
Avenue
NINOVE
Wybran
Rue

54

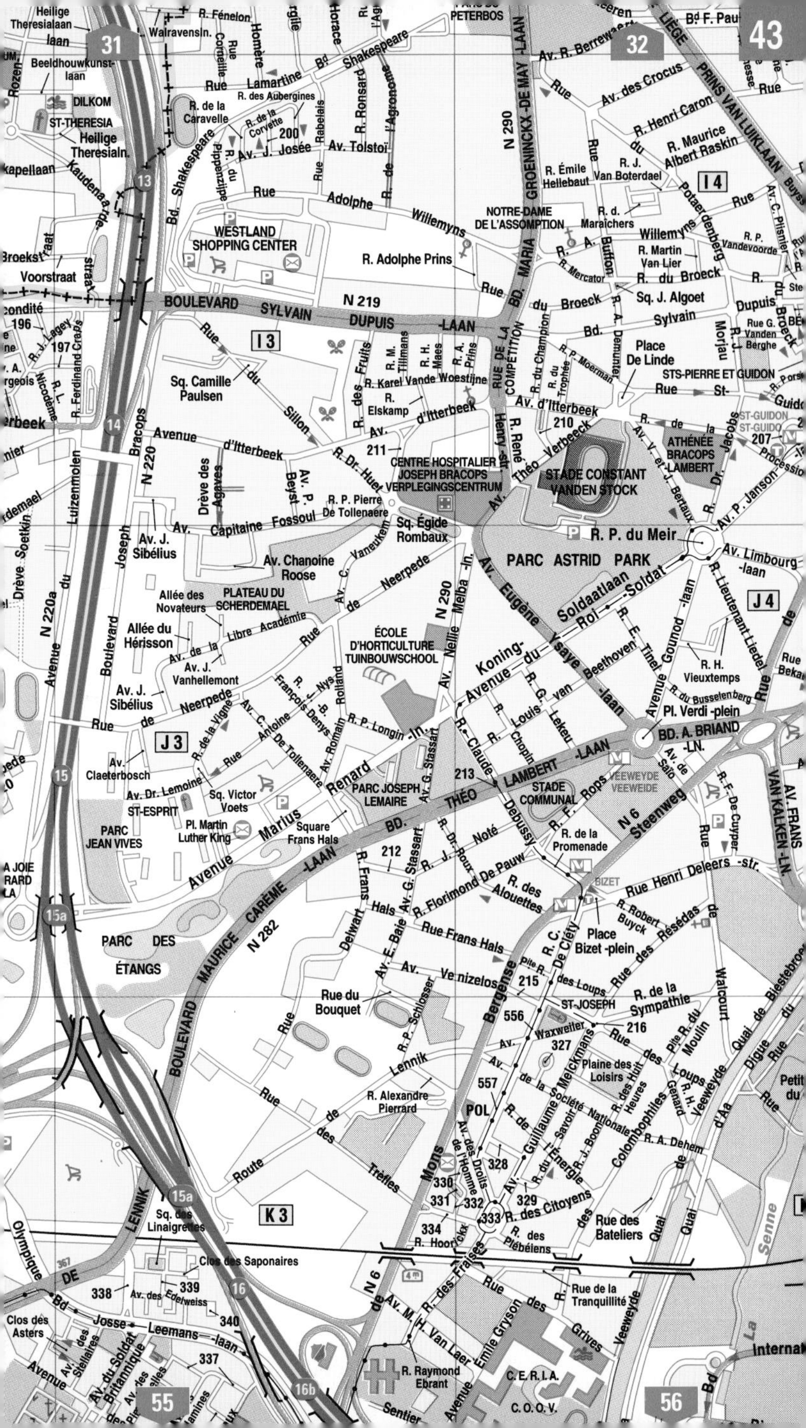
31
32
55
56
Heilige Theresialaan
R. Fénelon
Walravensln.
Rue Corneille
Homère
Horace
PETERBOS
Av. R. Berrewaert
Bd F. Paul
LIEGE
PRINS VAN LUIKLAAN
Beeldhouwkunst-laan
Rozen
DILKOM
ST-THERESIA
Heilige Theresialn.
Rue Lamartine
Bd Shakespeare
R. des Aubergines
R. de la Caravelle
R. de la Corvette
200
Av. J. Josée
Av. Tolstoï
R. Ronsard
Rabelais
R. de l'Agronome
N 290
GROENINCKX-DE MAY -LAAN
BD. MARIA
Av. des Crocus
R. Henri Caron
R. Maurice Albert Raskin
Rue du Potaerdenberg
R. Émile Hellebaut
R. J. Van Boterdael
I 4
kapellaan
Kaudenaarde
13
R. du Pippenzijpe
Rue Adolphe Willemyns
NOTRE-DAME DE L'ASSOMPTION
R. d. Maraîchers
Av. C. Plisnier
R. P. Vandevoorde
WESTLAND SHOPPING CENTER
R. Adolphe Prins
R. A. Buffon
R. Martin Van Lier
R. Mercator
R. du Broeck
Broekstraat
Voorstraat
BOULEVARD SYLVAIN DUPUIS -LAAN
N 219
Rue du Broeck
Sq. J. Algoet
Dupuis
Bd. Sylvain
Morjau
Rue G. Vanden Berghe
196
197
R. J. Lagey
R. Ferdinand Craps
R. L. Nicodème
Rue du Sillon
I 3
Sq. Camille Paulsen
R. des Fruits
R. M. Tillimans
R. H. Maes
R. A. Prins
R. Karel Vande Woestijne
RUE DE LA COMPÉTITION
R. du Champion
R. du Trophée
R. P. Moerman
R. A. Demunter
Place De Linde
STS-PIERRE ET GUIDON
Rue St-Guidon
R. Elskamp
Av. d'Itterbeek
210
R. de la Procession
ST-GUIDON
207
ATHÉNÉE BRACOPS LAMBERT
14
Bracops
Avenue d'Itterbeek
N 220
211
R. Dr. Huet
CENTRE HOSPITALIER JOSEPH BRACOPS VERPLEGINGSCENTRUM
Av. Henry -str.
R. René
Av. Théo Verbeeck
STADE CONSTANT VANDEN STOCK
Av. V. et J. Bertaux
R. Dr. Jacobs
Av. P. Janson
Luizenmolen
Drève des Agaves
Av. P. Beyst
R. P. Pierre De Tollenaere
Av. Capitaine Fossoul
Sq. Égide Rombaux
R. P. du Meir
PARC ASTRID PARK
Av. Limbourg -laan
Dreve Soetkin
Av. J. Sibélius
Joseph
Av. Chanoine Roose
Av. C. Vaneukem
Rue de Neerpede
N 290
Av. Nellie Melba -ln.
Av. Eugène Ysaye -laan
Soldaatlaan
Av. du Roi -Soldat
R. Lieutenant Liedel
J 4
N 220a
Avenue du
Allée des Novateurs
PLATEAU DU SCHERDEMAEL
Allée du Hérisson
Av. de la Libre Académie
Av. J. Vanhellemont
ÉCOLE D'HORTICULTURE TUINBOUWSCHOOL
Koning-Avenue
R. G. Leleu
R. E. Tinel
Av. Gounod -laan
R. H. Vieuxtemps
R. du Busselenberg
Rue Beethoven
Boulevard
Av. J. Sibélius
Neerpede
R. J.-B. Nys
François Denys
Rolland
R. P. Longin -ln.
R. Louis van Beethoven
R. Chopin
Pl. Verdi -plein
BD. A. BRIAND -LN.
Rue de
J 3
R. de la Vigne
Av. C. Antoine
De Tollenaere
Av. Romain
Av. G. Stassart
R. Claude Debussy
Av. Claeterbosch
15
Av. Dr. Lemoine
Rue
Sq. Victor Voets
Renard
PARC JOSEPH LEMAIRE
213
BD. THÉO LAMBERT -LAAN
STADE COMMUNAL
R. F. Rops
VEEWEYDE VEEWEIDE
Av. de Saio
R. F. De Cuyper
AV. FRANS VAN KALKEN -LN.
ST-ESPRIT
Pl. Martin Luther King
PARC JEAN VIVES
Avenue Marius
Square Frans Hals
R. Frans Hals
212
R. J. Noté
R. Dr. Roux
R. de la Promenade
N 6
Steenweg
Rue
CAREME -LAAN
R. Florimond De Pauw
R. des Alouettes
BIZET
Rue Henri Deleers -str.
15a
Delwart
Av. E. Baie
Rue Frans Hals
R. Robert Buyck
Place Bizet -plein
Rue des Résédas
PARC DES ÉTANGS
N 282
BOULEVARD MAURICE
Av. Venizelos
Pte R. des Loups
215
R. C. De Clety
Bergense
Walcourt
Rue du Bouquet
R. P. Schlosser
ST-JOSEPH
R. de la Sympathie
556
Waxweiler
216
Rue des Loups
Pte R. du Moulin
Quai de Biestebroeck
Digue du
Rue
Rue
Lennik
327
Plaine des Loisirs
R. des Huit Heures
R. H. Genard
Veeweyde
Petit du
Rue de
R. Alexandre Pierrard
557
POL
Av. de la Société Nationale
Av. Guillaume Melckmans
R. du Savoir
R. J. Boon
R. de l'Énergie
Colombophiles
R. A. Dehem
Quai d'Aa
Route des Trèfles
Mons
Av. des Droits de l'Homme
328
329
R. des Citoyens
Rue des Bateliers
Quai de
Senne
DE LENNIK
Sq. des Linaigrettes
K 3
330
331
332
333
334
R. Hoorickx
R. des Plébéiens
Olympique
367
Clos des Saponaires
R. des Fraises
Rue de la Tranquillité
338
Av. des Edelweiss
339
16
N 6
de
Av. M. H. Van Laer
Rue des Grives
Emile Gryson
Veeweyde
Clos des Asters
Bd Josse Leemans -laan
340
Av. des Stellaires
Av. du Soldat Britannique
337
R. Raymond Ebrant
C.E.R.I.A.
C.O.O.V.
16b
Avenue
Sentier
Internat
Bd

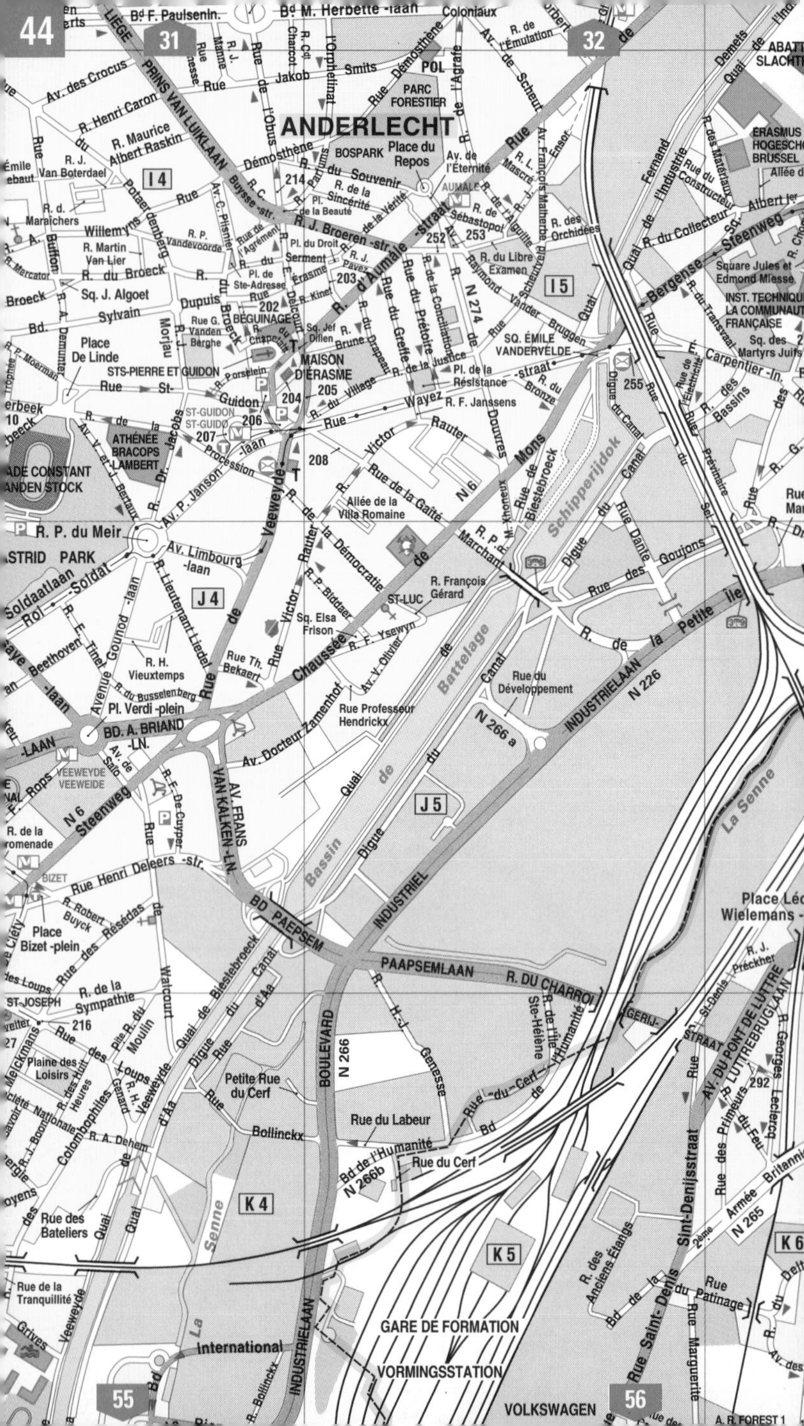
31
32
ANDERLECHT
PARC FORESTIER
BOSPARK
Place du Repos
MAISON D'ÉRASME
BÉGUINAGE
STS-PIERRE ET GUIDON
Place De Linde
ATHÉNÉE BRACOPS LAMBERT
ASTRID PARK
Chaussée de Mons
Schipperijdok
Bassin de Battelage
INDUSTRIELAAN
BOULEVARD INDUSTRIEL
La Senne
GARE DE FORMATION
VORMINGSSTATION
VOLKSWAGEN
ERASMUS HOGESCHOOL BRUSSEL
I 4
I 5
J 4
J 5
K 4
K 5
K 6

55
56

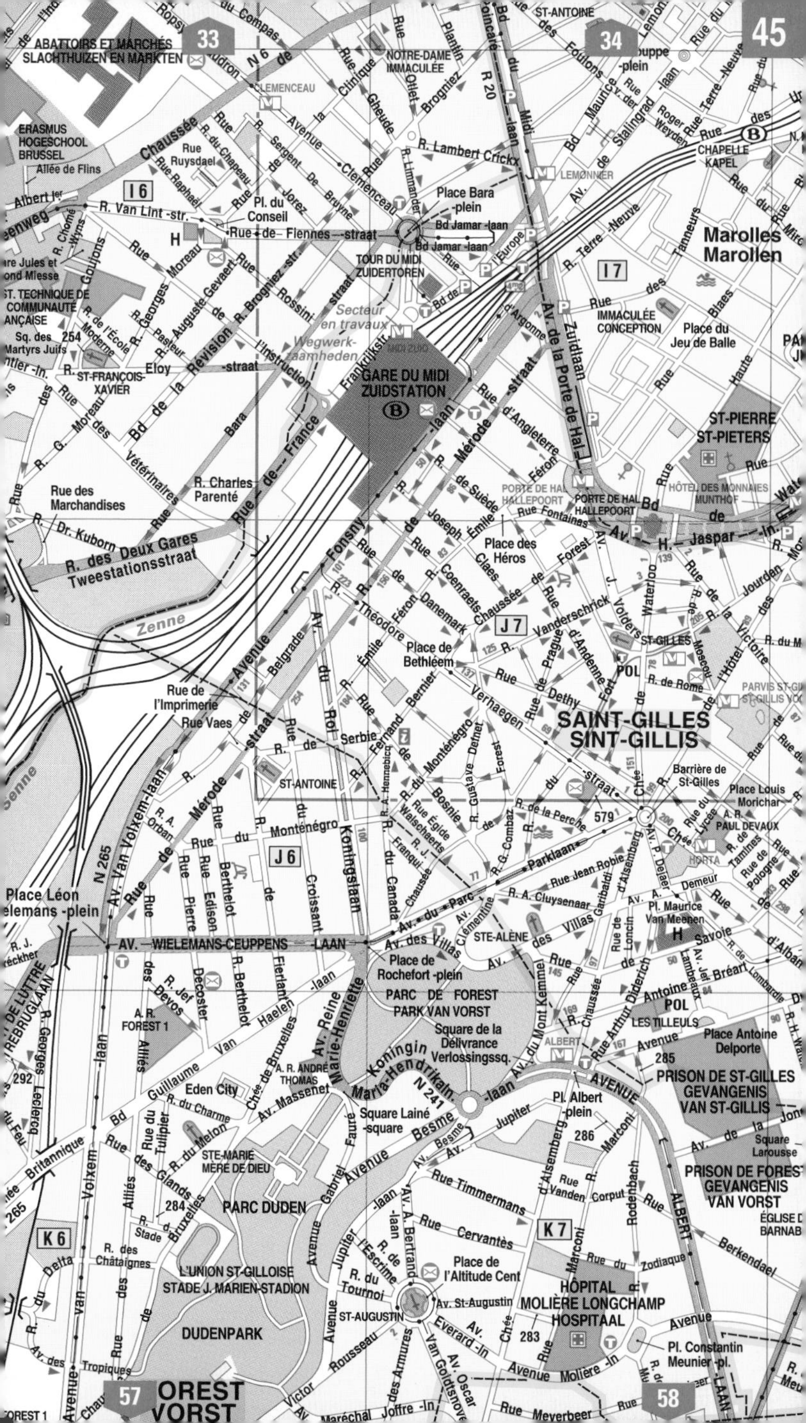
33
34
57
58
ABATTOIRS ET MARCHÉS
SLACHTHUIZEN EN MARKTEN
ERASMUS HOGESCHOOL BRUSSEL
Allée de Flins
NOTRE-DAME IMMACULÉE
CLEMENCEAU
LEMONNIER
CHAPELLE KAPEL
Marolles Marollen
Place Bara -plein
Bd Jamar -laan
TOUR DU MIDI ZUIDERTOREN
Secteur en travaux
Wegwerkzaamheden
MIDI ZUID
GARE DU MIDI ZUIDSTATION
IMMACULÉE CONCEPTION
Place du Jeu de Balle
ST-PIERRE ST-PIETERS
HÔTEL DES MONNAIES MUNTHOF
PORTE DE HAL HALLEPOORT
Av. de la Porte de Hal Zuidlaan
Bd de Waterloo
Av. H. Jaspar -ln.
Pl. du Conseil
Rue de Fiennes -straat
ST-FRANÇOIS-XAVIER
Sq. des Martyrs Juifs
Bd de la Révision
Rue des Vétérinaires
R. Charles Parenté
Rue des Marchandises
R. des Deux Gares Tweestationsstraat
Zenne
Rue de France
Av. Fonsny
Rue de Mérode -straat
Place des Héros
Chaussée de Forest
Place de Bethléem
ST-GILLES
SAINT-GILLES SINT-GILLIS
PARVIS ST-GILLIS VOORPLEIN
Barrière de St-Gilles
Place Louis Morichar
PAUL DEVAUX
HORTA
Rue de l'Imprimerie
Rue Vaes
ST-ANTOINE
Rue du Monténégro
Koningslaan
Parklaan
Place Léon Wielemans -plein
AV. WIELEMANS-CEUPPENS -LAAN
STE-ALÈNE
Place de Rochefort -plein
PARC DE FOREST PARK VAN VORST
Square de la Délivrance Verlossingssq.
Pl. Maurice Van Meenen
LES TILLEULS
Place Antoine Delporte
PRISON DE ST-GILLES GEVANGENIS VAN ST-GILLIS
ALBERT
AVENUE ALBERT LAAN
A. R. FOREST 1
A. R. ANDRÉ THOMAS
Eden City
Av. Reine Marie-Henriette Koningin Maria-Hendrikaln.
Square Lainé -square
Pl. Albert -plein
PRISON DE FOREST GEVANGENIS VAN VORST
STE-MARIE MÈRE DE DIEU
PARC DUDEN
DUDENPARK
L'UNION ST-GILLOISE STADE J. MARIEN-STADION
Place de l'Altitude Cent
ST-AUGUSTIN
HÔPITAL MOLIÈRE LONGCHAMP HOSPITAAL
Pl. Constantin Meunier -pl.
Avenue Molière -ln
Rue Meyerbeer
Av. Maréchal Joffre -ln
FOREST VORST
I 6
I 7
J 6
J 7
K 6
K 7

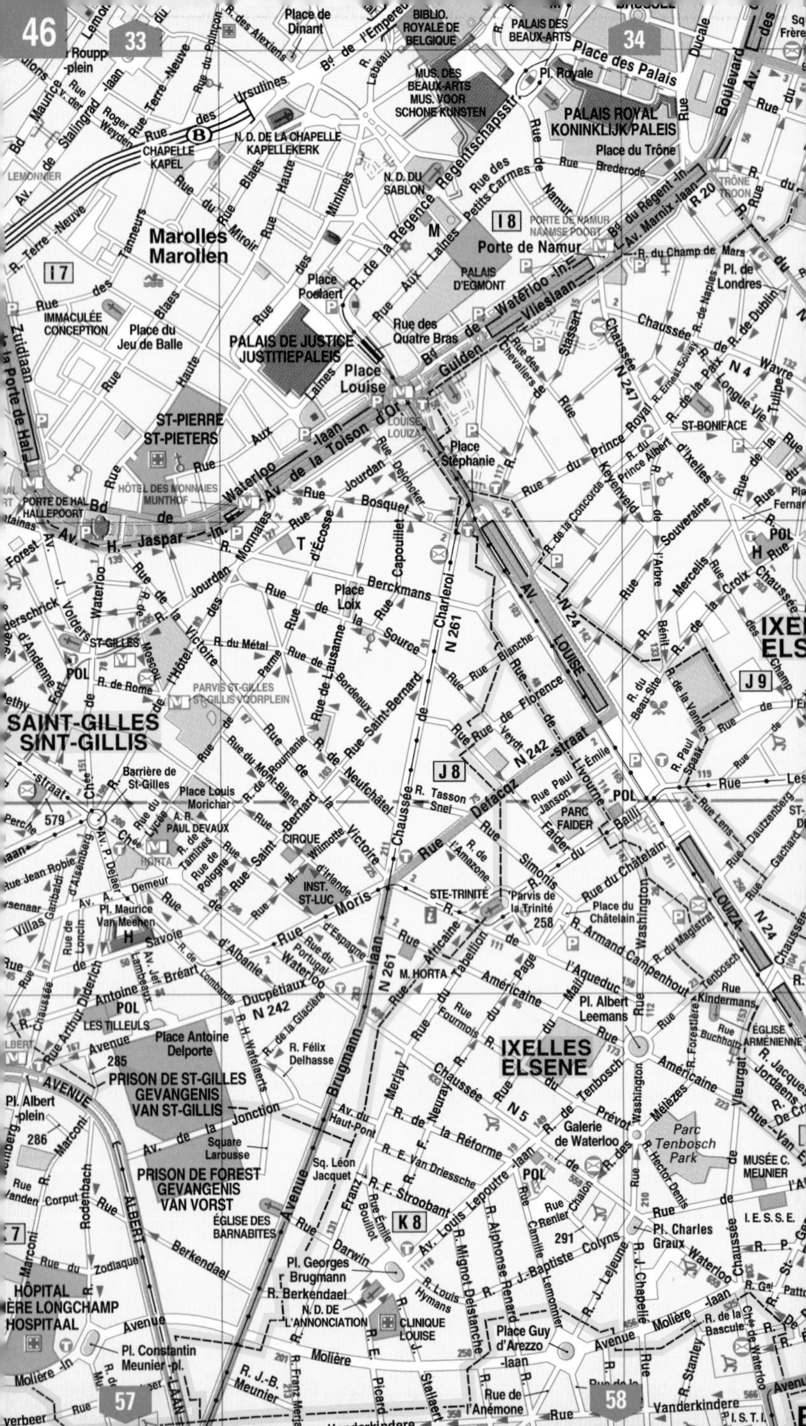
33
34
57
58
Place de Dinant
BIBLIO. ROYALE DE BELGIQUE
PALAIS DES BEAUX-ARTS
Place des Palais
Pl. Royale
MUS. DES BEAUX-ARTS
MUS. VOOR SCHONE KUNSTEN
PALAIS ROYAL
KONINKLIJK PALEIS
Place du Trône
TRÔNE
TROON
N. D. DE LA CHAPELLE
KAPELLEKERK
CHAPELLE
KAPEL
LEMONNIER
N. D. DU SABLON
PORTE DE NAMUR
NAAMSE POORT
Porte de Namur
PALAIS D'EGMONT
Marolles
Marollen
I 7
I 8
IMMACULÉE CONCEPTION
Place du Jeu de Balle
Place Poelaert
PALAIS DE JUSTICE
JUSTITIEPALEIS
Rue des Quatre Bras
Place Louise
LOUISE
LOUIZA
ST-PIERRE
ST-PIETERS
HÔTEL DES MONNAIES
MUNTHOF
PORTE DE HAL
HALLEPOORT
Place Stéphanie
Pl. de Londres
ST-BONIFACE
Place Loix
ST-GILLES
PARVIS ST-GILLES
ST-GILLIS VOORPLEIN
SAINT-GILLES
SINT-GILLIS
IXELLES
ELSENE
J 8
J 9
Barrière de St-Gilles
Place Louis Morichar
A. R. PAUL DEVAUX
HORTA
CIRQUE
INST. ST-LUC
STE-TRINITÉ
Parvis de la Trinité
PARC FAIDER
Place du Châtelain
Pl. Maurice Van Meenen
M. HORTA
Pl. Albert Leemans
LES TILLEULS
Place Antoine Delporte
PRISON DE ST-GILLES
GEVANGENIS VAN ST-GILLIS
Pl. Albert -plein
Square Larousse
PRISON DE FOREST
GEVANGENIS VAN VORST
Sq. Léon Jacquet
ÉGLISE DES BARNABITES
Galerie de Waterloo
Parc Tenbosch Park
MUSÉE C. MEUNIER
ÉGLISE ARMÉNIENNE
I. E. S. S. E.
Pl. Charles Graux
K 8
Pl. Georges Brugmann
N. D. DE L'ANNONCIATION
CLINIQUE LOUISE
HÔPITAL
HOSPITAAL
Pl. Constantin Meunier -pl.
Place Guy d'Arezzo
I. S. T. I.
Bd de Waterloo
Av. de la Toison d'Or
Av. Louise
Chaussée de Charleroi
Rue Defacqz
Avenue Brugmann
Chaussée de Waterloo
Avenue Molière
Rue Vanderkindere
N 4
N 5
N 24
N 242
N 247
N 261
R 20

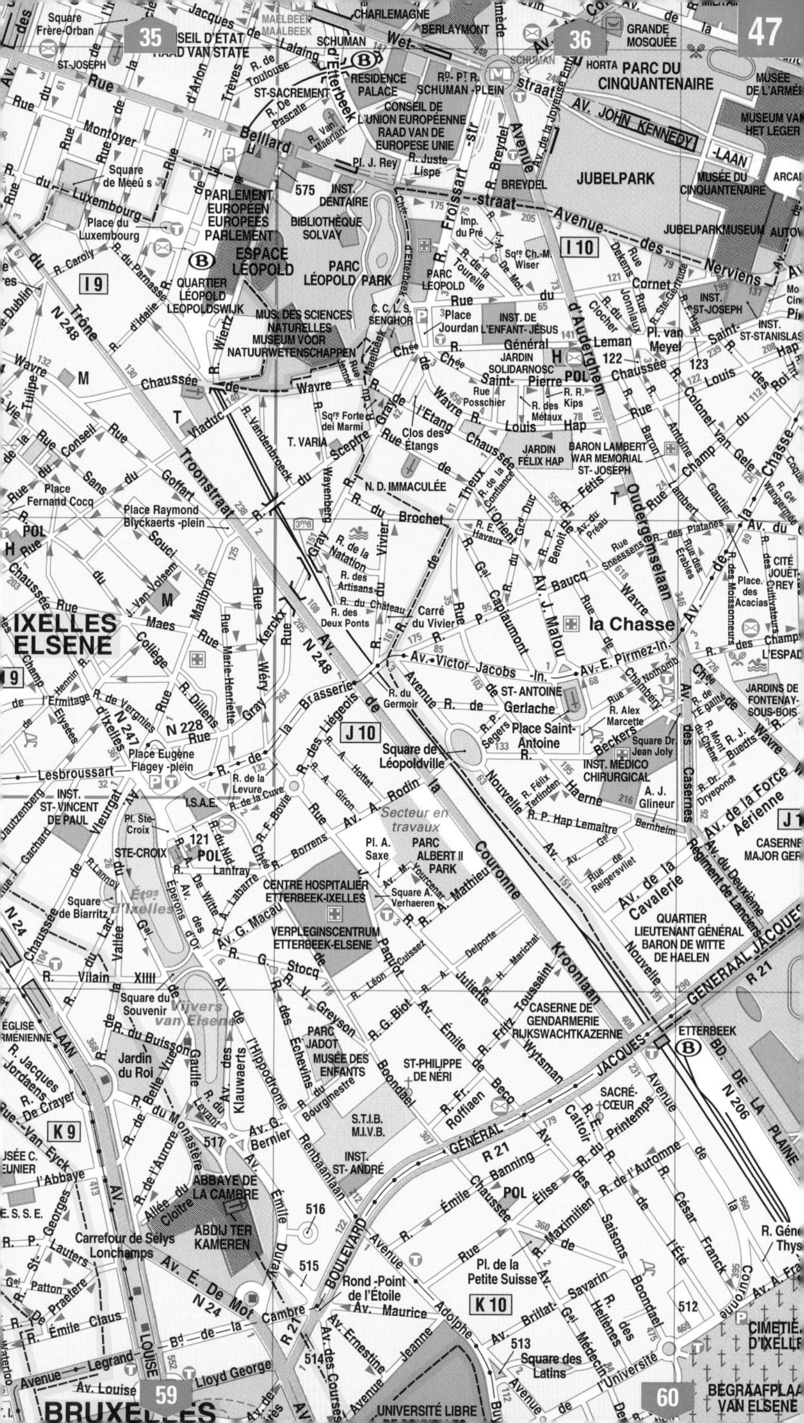
35
36
59
60
CHARLEMAGNE
BERLAYMONT
GRANDE MOSQUÉE
Square Frère-Orban
CONSEIL D'ÉTAT RAAD VAN STATE
MAELBEEK MAALBEEK
SCHUMAN
Wet-straat
ST-JOSEPH
R. de Toulouse
Trèves
RESIDENCE PALACE
Rd- Pt R. SCHUMAN -PLEIN
HORTA
PARC DU CINQUANTENAIRE
MUSÉE DE L'ARMÉE
ST-SACREMENT
R. De Pascale
CONSEIL DE L'UNION EUROPÉENNE RAAD VAN DE EUROPESE UNIE
AV. JOHN KENNEDY -LAAN
MUSEUM VAN HET LEGER
Rue Montoyer
Belliard
R. Van Maerlant
Pl. J. Rey
R. Juste Lipse
Square de Meeûs
R. Breydel
Avenue de la Joyeuse Entrée
JUBELPARK
MUSÉE DU CINQUANTENAIRE
ARCADE
575
INST. DENTAIRE
BREYDEL
Rue du Luxembourg
PARLEMENT EUROPÉEN EUROPEES PARLEMENT
BIBLIOTHÈQUE SOLVAY
Froissart
Imp. du Pré
Avenue des Nerviens
JUBELPARKMUSEUM
AUTOWORLD
Place du Luxembourg
ESPACE LÉOPOLD
PARC LÉOPOLD PARK
Sqre Ch.-M. Wiser
I 10
R. Caroly
R. du Parnasse
QUARTIER LÉOPOLD LEOPOLDSWIJK
PARC LEOPOLD
R. de la Tourelle
R. De Mot
Dekens
Rue Cornet
I 9
Trône
N 248
R. d'Idalie
MUS. DES SCIENCES NATURELLES MUSEUM VOOR NATUURWETENSCHAPPEN
C. C. L. S. SENGHOR
Place Jourdan
INST. DE L'ENFANT- JÉSUS
INST. ST-JOSEPH
INST. ST-STANISLAS
Wiertz
Général
JARDIN SOLIDARNOSC
Leman
Pl. van Meyel
122
123
Wavre
Chaussée de Wavre
Tulipe
M
Saint-Pierre
POL
Chaussée
Colonel van Gele
Rue Louis Hap
T
Viaduc
R. Vandenbroeck
Sqre Forte dei Marmi
Rue Posschier
R. des Métaux
R. R. Kips
Rue du Conseil
T. VARIA
Clos des Étangs
Rue de l'Etang
JARDIN FÉLIX HAP
BARON LAMBERT WAR MEMORIAL ST- JOSEPH
Antoine
Baron Lambert
Chasse
Rue Sans Souci
Goffart
Troonstraat
Sceptre
Wayenberg
N. D. IMMACULÉE
Theux
Place Fernand Cocq
Place Raymond Blyckaerts -plein
R. du Brochet
R. E. Havaux
Oudergemselaan
Rue Gray
R. de la Natation
R. des Artisans
Vivier
R. du Château
Av. J. Malou
Capiaumont
Rue Sneessens
R. des Platanes
CITÉ JOUËT-REY
Chaussée de Wavre
IXELLES ELSENE
Rue Maes
Malibran
Rue Marie-Henriette
Rue Kerckx
R. des Deux Ponts
Carré du Vivier
Baucq
Place des Acacias
la Chasse
Rue du Collège
R. Dillens
Wéry
Brasserie
Av. Victor-Jacobs -ln.
Av. E. Pirmez-ln.
R. du Germoir
Avenue de la Couronne
ST- ANTOINE
R. de Gerlache
R. Alex Marcette
Chée de Wavre
JARDINS DE FONTENAY-SOUS-BOIS
R. de Vergnies
N 247
N 228
Rue
R. des Liégeois
J 10
Square de Léopoldville
Place Saint-Antoine
Square Dr. Jean Joly
Beckers
INST. MÉDICO CHIRURGICAL
Place Eugène Flagey -plein
Lesbroussart
R. de la Levure
R. de la Cuve
R. A. Hottat
R. A. Giron
R. Félix Terlinden
Haerne
A. J. Glineur
Av. des Casernes
Av. de la Force Aérienne
INST. ST- VINCENT DE PAUL
I.S.A.E.
Pl. Ste-Croix
STE-CROIX
121
POL
Rue Lanfray
Av. A. Rodin
Secteur en travaux
PARC ALBERT II PARK
Pl. A. Saxe
R. P. Hap Lemaître
Bernheim
CASERNE MAJOR GER
Regiment de Lanciers
Av. de la Cavalerie
QUARTIER LIEUTENANT GÉNÉRAL BARON DE WITTE DE HAELEN
Square de Biarritz
Étgs d'Ixelles
CENTRE HOSPITALIER ETTERBEEK-IXELLES
VERPLEGINSCENTRUM ETTERBEEK-ELSENE
Square A. Verhaeren
Av. G. Macau
R. G. Stocq
Paquot
R. Vilain XIIII
Kroonlaan
GENERAAL JACQUES
R 21
N 24
Square du Souvenir
Vijvers van Elsene
Greyson
R. G. Biot
Av. Émile de Beco
Wytsman
CASERNE DE GENDARMERIE RIJKSWACHTKAZERNE
ÉGLISE ARMÉNIENNE
R. du Buisson
Jardin du Roi
PARC JADOT MUSÉE DES ENFANTS
ST-PHILIPPE DE NÉRI
ETTERBEEK
BD. DE LA PLAINE
N 206
R. Jacques Jordaens
R. De Crayer
Klauwaerts
l'Hippodrome
Boondael
R. Fr. Roffiaen
SACRÉ-CŒUR
Printemps
K 9
Rue Van Eyck
R. du Monastère
517
Av. G. Bernier
S.T.I.B. M.I.V.B.
GÉNÉRAL
R. de l'Aurore
ABBAYE DE LA CAMBRE
ABDIJ TER KAMEREN
INST. ST- ANDRÉ
R 21
Banning
POL
R. de l'Automne
César Franck
E. S. S. E.
Carrefour de Sélys Longchamps
Allée du Cloître
516
BOULEVARD
R. Maximilien
Saisons
R. Géné Thys
515
Rond -Point de l'Étoile
Pl. de la Petite Suisse
K 10
Savarin
R. des Hellènes
512
Patton
R. Émile Claus
Av. É. De Mot
N 24
Av. Maurice
Adolphe
CIMETIÈRE D'IXELLES
LOUISE
Bd de la Cambre
514
Av. Ernestine
513
Square des Latins
Av. Brillat-Savarin
Gal Médecin
Université
Legrand
Lloyd George
Av. des Courses
BEGRAAFPLAATS VAN ELSENE
Av. Louise
BRUXELLES
UNIVERSITÉ LIBRE

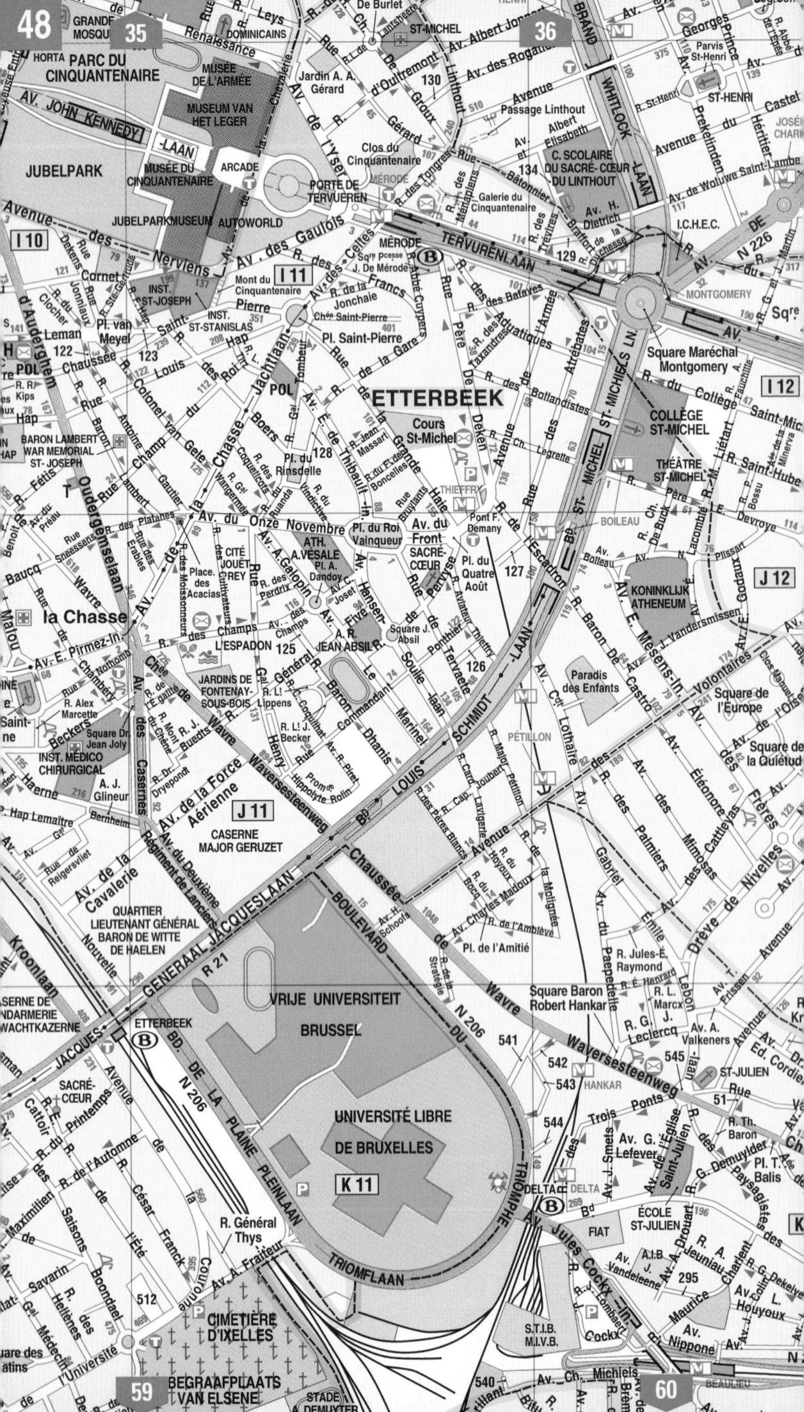
35
36
59
60
GRANDE MOSQUÉE
HORTA
PARC DU CINQUANTENAIRE
Renaissance
DOMINICAINS
Leys
De Burlet
ST-MICHEL
Av. Albert Jonart
BRAND
WHITLOCK
LAAN
Georges
Prince
Parvis St-Henri
ST-HENRI
MUSÉE DE L'ARMÉE
MUSEUM VAN HET LEGER
AV. JOHN KENNEDY
-LAAN
JUBELPARK
MUSÉE DU CINQUANTENAIRE
ARCADE
JUBELPARKMUSEUM
AUTOWORLD
Chevalerie
Jardin A. A. Gérard
Av. de l'Yser
Rue d'Oultremont
Av. des Rogations
Linthout
Groux
Gérard
Passage Linthout
Albert Elisabeth
C. SCOLAIRE DU SACRÉ-CŒUR DU LINTHOUT
Avenue Prekelinden
Avenue du Castel
Héritier
Av. de Woluwe Saint-Lambert
Clos du Cinquantenaire
PORTE DE TERVUEREN
MÉRODE
R. des Tongres
R. des Ménapiens
Galerie du Cinquantenaire
Bâtonnier
Av. H. Dietrich
I.C.H.E.C.
Avenue des Nerviens
I 10
Av. des Gaulois
Av. des Celtes
MÉRODE
Sqre Pcesse J. De Mérode
TERVURENLAAN
R. des Trévires
R. de la Duchesse
N 226
MONTGOMERY
Dekens
Cornet
Jonniaux
INST. ST-JOSEPH
Mont du Cinquantenaire
I 11
R. des Francs
R. de la Jonchaie
Chée Saint-Pierre
Pl. Saint-Pierre
R. Abbé Cuypers
R. des Bataves
R. des Aduatiques
R. des Taxandres
Av. de l'Armée
Atrébates
Square Maréchal Montgomery
Pierre
INST. ST-STANISLAS
Leman
Pl. van Meyel
Saint-
Hap
Clocher
Chaussée
Louis
Roi
Rue de la Gare
Père de Deken
R. des Bollandistes
ST. MICHIELS LN.
R. du Collège
I 12
POL
Kips
d'Auderghem
Colonel van Gele
Jachtlaan
Tombeur
ETTERBEEK
Cours St-Michel
R. Ch. Legrelle
COLLÈGE ST-MICHEL
Saint-Michel
R. Saint-Hubert
BARON LAMBERT WAR MEMORIAL
ST- JOSEPH
Antoine
Baron
Rue Champ du la Chasse
Boers
Pl. du Rinsdelle
Av. E. de Thibault
R. Jean Massart
Grande Haie
THIEFFRY
THÉÂTRE ST-MICHEL
R. M. Liétart
Fétis
Oudergemselaan
Gautier
R. Gal Wangermée
Coquelicots
R. du Ruanda
R. du Vindictive
R. du F. des Boncelles
Rue Bruylants
Pont F. Demany
R. de l'Escadron
BOILEAU
R. Ch. De Buck
Lacombe
Devroye
Av. du Préau
R. des Platanes
Av. du Onze Novembre
Pl. du Roi Vainqueur
Av. du Front
SACRÉ-CŒUR
Bd. St. Michel
Av. Boileau
Plissart
Godaux
Rue Sneessens
Rue des Érables
Place des Acacias
R. des Moissonneurs
CITÉ JOUËT REY
ATH. A.VÉSALE
Pl. A. Dandoy
Yser
Pl. du Quatre Août
KONINKLIJK ATHENEUM
J 12
Baucq
Wavre
Malou
la Chasse
R. des Cultivateurs
R. des Perdrix
Av. A. Galopin
Av. C. Joset
Av. Hansen-Soulie
Av. Five
Aviateur Thieffry
Av. E. Mesens-ln.
Av. J. Vandersmissen
Av. E. Pirmez-ln.
Chambéry
Nothomb
L'ESPADON
R. des Champs
Av. des Champs
125
A. R. JEAN ABSIL
Square J. Absil
Ponthier
Tervaete
126
LAAN
R. Baron De Castro
Paradis des Enfants
Volontaires
R. Alex Marcette
Square Dr. Jean Joly
Beckers
INST. MÉDICO CHIRURGICAL
Chée de Wavre
JARDINS DE FONTENAY-SOUS-BOIS
R. Lt Lippens
Gal Henry
Général Baron
Commandant
Le Marinel
Av. Cdt Lothaire
Av. Eléonore
Square de l'Europe
Square de la Quiétude
R. Mont du Chêne
R. J. Buedts
R. Lt J. Becker
Coquilhat
Dhanis
PÉTILLON
SCHMIDT
Av. des Frères
R. Dr. Dryepondt
Prom. Hippolyte Rolin
Av. R. Piret
LOUIS
R. des Pères Blancs
R. Card. Lavigerie
R. Major Pétillon
Av. des Palmiers
Av. des Mimosas
Av. des Cattleyas
Haerne
A. J. Glineur
Bernheim
Av. de la Force Aérienne
Waversesteenweg
J 11
CASERNE MAJOR GERUZET
Bd
R. Cap. Joubert
Avenue
R. du Hoyoux
R. de la Molignée
Av. Gabriel Émile
Dréve de Nivelles
R. Hap Lemaître
Rue de Regersvliet
Av. de la Cavalerie
Av. du Deuxième Régiment de Lanciers
QUARTIER LIEUTENANT GÉNÉRAL BARON DE WITTE DE HAELEN
Nouvelle
Chaussée de Wavre
BOULEVARD DU TRIOMPHE
Av. H. Schoofs
R. du Bocq
Av. Charles Madoux
R. de l'Amblève
Pl. de l'Amitié
Av. du Paepedelle
R. Jules-E. Raymond
Lebon
Av. T. Frissen
Avenue
Kroonlaan
GENERAAL JACQUESLAAN
R 21
VRIJE UNIVERSITEIT BRUSSEL
R. de la Stratégie
N 206
Square Baron Robert Hankar
R. L. Marcx
R. G. Leclercq
Av. A. Valkeners
Av. Ed. Cordier
CASERNE DE GENDARMERIE RIJKSWACHTKAZERNE
ETTERBEEK
BD. DE LA PLAINE
PLEINLAAN
541
542
543
HANKAR
545
ST-JULIEN
Rue des Trois Ponts
SACRÉ-CŒUR
Printemps
Cattoir
R. du Printemps
Avenue de la Couronne
UNIVERSITÉ LIBRE DE BRUXELLES
K 11
544
R. Th. Baron
Av. G. Lefever
Av. J. Smets
Av. de l'Église Saint-Julien
R. G. Demuylder
R. des Paysagistes
Pl. T. Balis
R. de l'Automne
Maximilien
R. des Saisons
R. César Franck
R. de l'Été
DELTA
Bd
ÉCOLE ST-JULIEN
FIAT
R. Général Thys
Av. A. Fraiteur
TRIOMFLAAN
Av. Jules Cockx -ln.
Av. A. Drouart
Av. Vandeleene
R. A. Jeuniau
Charlent
R. G. Dekelver
Av. L. Houyoux
R. Savarin
R. des Hellènes
Boondael
512
CIMETIÈRE D'IXELLES
S.T.I.B. M.I.V.B.
R. J. Lombaerts
Cockx
Av. Nippone
Maurice
295
Square des Latins
Gal Médecin
Université
BEGRAAFPLAATS VAN ELSENE
STADE A. DEMUYTER
540
Av. Ch. Michiels
BEAULIEU

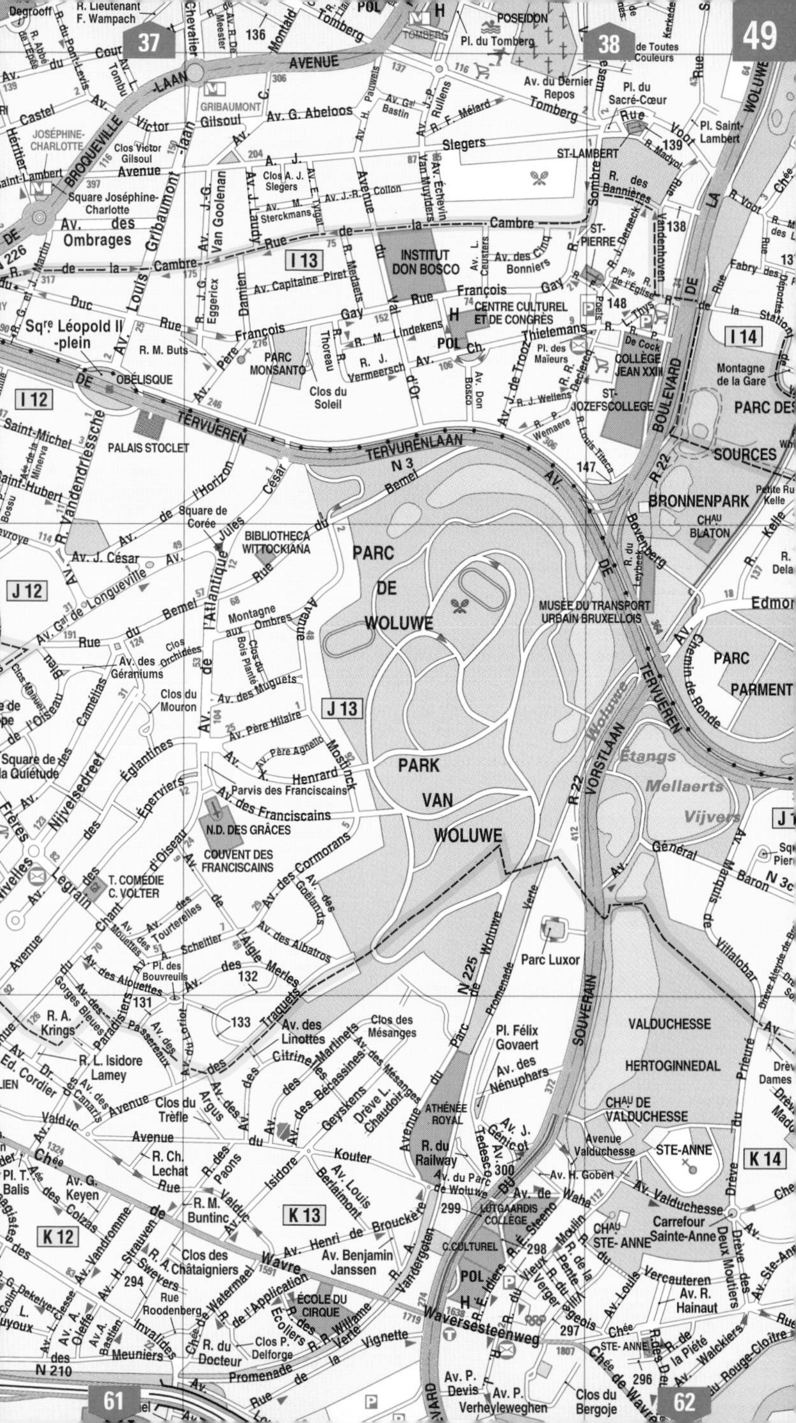
37
38
POSEIDON
Pl. du Tomberg
TOMBERG
Tomberg
AVENUE
GRIBAUMONT
Av. G. Abeloos
Av. du Dernier Repos
Pl. du Sacré-Cœur
Pl. Saint-Lambert
JOSÉPHINE-CHARLOTTE
BROQUEVILLE
Clos Victor Gilsoul
Slegers
ST-LAMBERT
Square Joséphine-Charlotte
R. des Bannières
Av. des Ombrages
Cambre
ST-PIERRE
I 13
INSTITUT DON BOSCO
Av. des Cinq Bonniers
Av. Capitaine Piret
François Gay
CENTRE CULTUREL ET DE CONGRÈS
COLLÈGE JEAN XXIII
I 14
Montagne de la Gare
Sq^re Léopold II -plein
PARC MONSANTO
Clos du Soleil
OBÉLISQUE
I 12
ST-JOZEFSCOLLEGE
PARC DES SOURCES
PALAIS STOCLET
TERVUEREN
TERVURENLAAN
N 3
BRONNENPARK
CH^AU BLATON
Square de Corée
BIBLIOTHECA WITTOCKIANA
PARC DE WOLUWE
Av. J. César
J 12
MUSÉE DU TRANSPORT URBAIN BRUXELLOIS
Av. Gal de Longueville
PARC PARMENT
Av. des Géraniums
Clos du Mouron
Av. des Muguets
J 13
Av. Père Hilaire
Square de la Quiétude
PARK VAN WOLUWE
VORSTLAAN
Étangs Mellaerts Vijvers
Parvis des Franciscains
Av. des Franciscains
N.D. DES GRÂCES
COUVENT DES FRANCISCAINS
Av. des Cormorans
Général Baron
T. COMÉDIE C. VOLTER
Av. des Albatros
Parc Luxor
Pl. des Bouvreuils
N 225
SOUVERAIN
R. A. Krings
Av. des Linottes
Clos des Mésanges
VALDUCHESSE
HERTOGINNEDAL
R. L. Isidore Lamey
Pl. Félix Govaert
Av. des Nénuphars
Clos du Trèfle
ATHÉNÉE ROYAL
CH^AU DE VALDUCHESSE
R. du Railway
STE-ANNE
K 14
R. Ch. Lechat
Av. Valduchesse
Carrefour Sainte-Anne
Pl. T. Balis
Av. G. Keyen
R. M. Buntinc
K 13
LUTGAARDIS COLLEGE
CH^AU STE-ANNE
K 12
Av. Henri de Brouckère
Av. Benjamin Janssen
C.CULTUREL
Clos des Châtaigniers
ÉCOLE DU CIRQUE
Waversesteenweg
Av. R. Hainaut
N 210
R. du Docteur
Clos P. Delforge
Av. P. Devis
Av. P. Verheyleweghen
Clos du Bergoje
Chée de Wavre
61
62

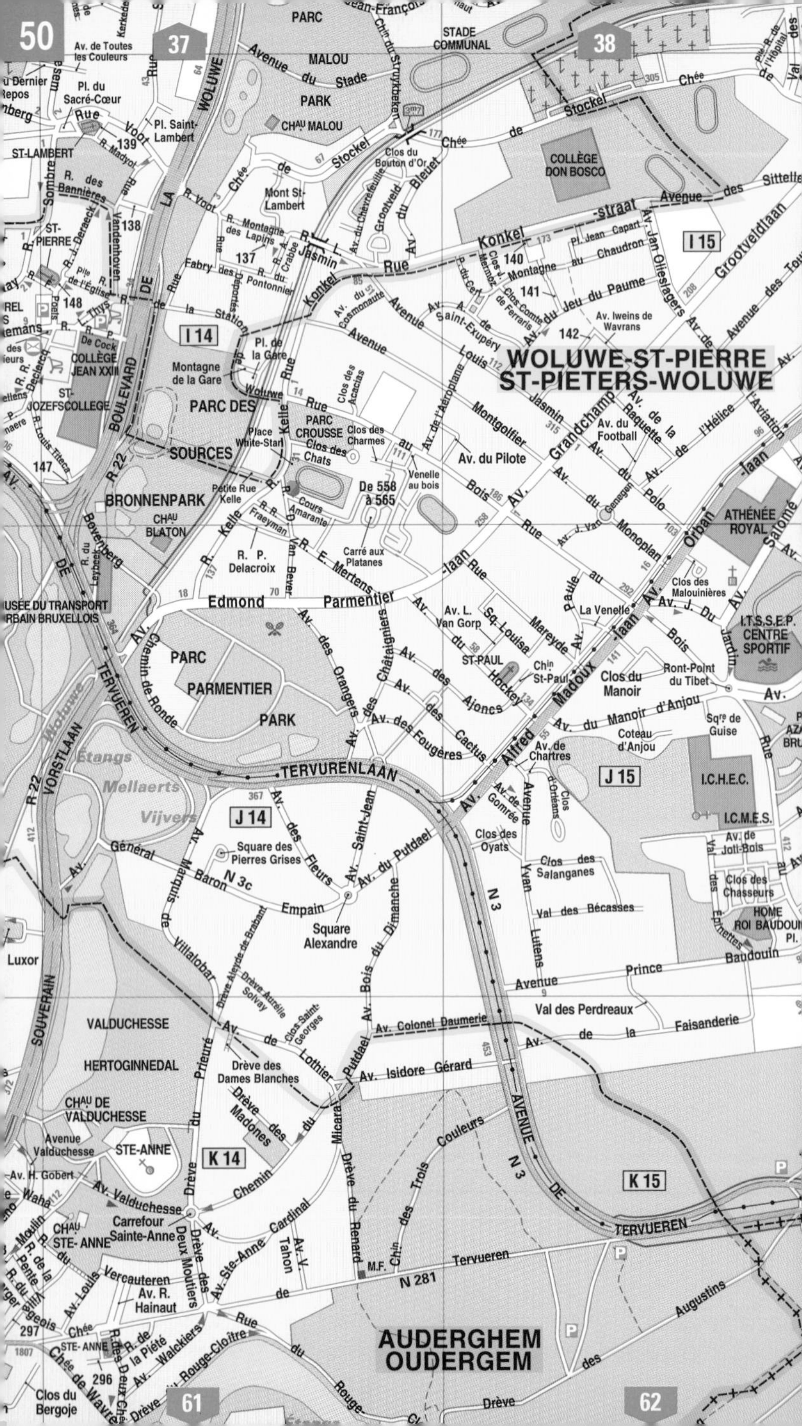
37
38
61
62
PARC MALOU PARK
CH^AU MALOU
STADE COMMUNAL
Avenue du Stade
Av. de Toutes les Couleurs
Pl. du Sacré-Cœur
Pl. Saint-Lambert
ST-LAMBERT
Mont St-Lambert
BOULEVARD DE LA WOLUWE
Chée de Stockel
COLLÈGE DON BOSCO
Avenue des Sittelles
Konkel-straat
Rue Konkel
Av. Jan Olieslagers
Grootveldlaan
I 15
I 14
ST-PIERRE
COLLÈGE JEAN XXIII
ST-JOZEFSCOLLEGE
Montagne de la Gare
Pl. de la Gare
PARC DES SOURCES
BRONNENPARK
CH^AU BLATON
PARC CROUSSE
Clos des Chats
Clos des Charmes
Place White-Star
Petite Rue Kelle
R. P. Delacroix
Cours Amarante
Carré aux Platanes
De 558 à 565
Venelle au bois
Av. du Pilote
Av. de l'Aéroplane
Av. Louis Jasmin
Avenue Montgolfier
Avenue du Cosmonaute
Av. A. de Saint-Exupéry
Av. du Jeu du Paume
Montagne au Chaudron
Pl. Jean Capart
Clos Comte de Ferraris
Av. Iweins de Wavrans
WOLUWE-ST-PIERRE
ST-PIETERS-WOLUWE
Av. Grandchamp
Av. de la Raquette
Av. du Football
Av. de l'Hélice
Av. de l'Aviation
Av. du Polo
Av. du Monoplan
Rue au Bois
Av. Orban
Orban-laan
ATHÉNÉE ROYAL
Clos des Malouinières
I.T.S.S.E.P. CENTRE SPORTIF
Av. J. Du Jardin
Rond-Point du Tibet
Clos du Manoir
Av. du Manoir d'Anjou
Coteau d'Anjou
Sq^re de Guise
I.C.H.E.C.
I.C.M.E.S.
Av. de Joli-Bois
Clos des Chasseurs
HOME ROI BAUDOUIN
Av. Alfred Madoux
Madoux-laan
La Venelle
Rue Mareyde
Sq. Louisa
Av. L. Van Gorp
Av. du Hockey
ST-PAUL
Ch^in St-Paul
Edmond Parmentier
Parmentier-laan
PARC PARMENTIER PARK
Chemin de Ronde
Av. des Orangers
Av. des Châtaigniers
Av. des Ajoncs
Av. des Cactus
Av. des Fougères
Av. de Chartres
Av. de Gomrée
Clos d'Orléans
J 15
J 14
TERVURENLAAN
AVENUE DE TERVUEREN
TERVUERENLAAN
MUSÉE DU TRANSPORT URBAIN BRUXELLOIS
Étangs Mellaerts Vijvers
Woluwe
SOUVERAIN VORSTLAAN
R 22
Av. Général Baron Empain
N 3c
Square des Pierres Grises
Square Alexandre
Av. des Fleurs
Av. Saint-Jean
Av. du Putdael
Av. Bois du Dimanche
Av. Marquis de Villalobar
Drève Aleyde de Brabant
Drève Aurélie Solvay
Clos Saint-Georges
Clos des Oyats
Avenue Yvan Lutens
Clos des Salanganes
Val des Bécasses
Avenue Prince Baudouin
Val des Perdreaux
Av. de la Faisanderie
Av. Colonel Daumerie
Av. Isidore Gérard
Av. de Lothier
Drève des Dames Blanches
Drève des Madones
Drève du Prieuré
VALDUCHESSE
HERTOGINNEDAL
CH^AU DE VALDUCHESSE
STE-ANNE
K 14
K 15
Avenue Valduchesse
Av. H. Gobert
Av. Valduchesse
Carrefour Sainte-Anne
CH^AU STE-ANNE
Drève des Deux Moutiers
Av. Ste-Anne
Av. Cardinal Micara
Drève du Renard
Chemin des Trois Couleurs
Av. V. Tahon
Chée de Tervueren
N 281
N 3
M.F.
Av. Louis Vercauteren
Av. R. Hainaut
Rue du Rouge-Cloître
Av. Walckiers
R. de la Piété
Chée de Wavre
Clos du Bergoje
AUDERGHEM
OUDERGEM
Augustins
Luxor

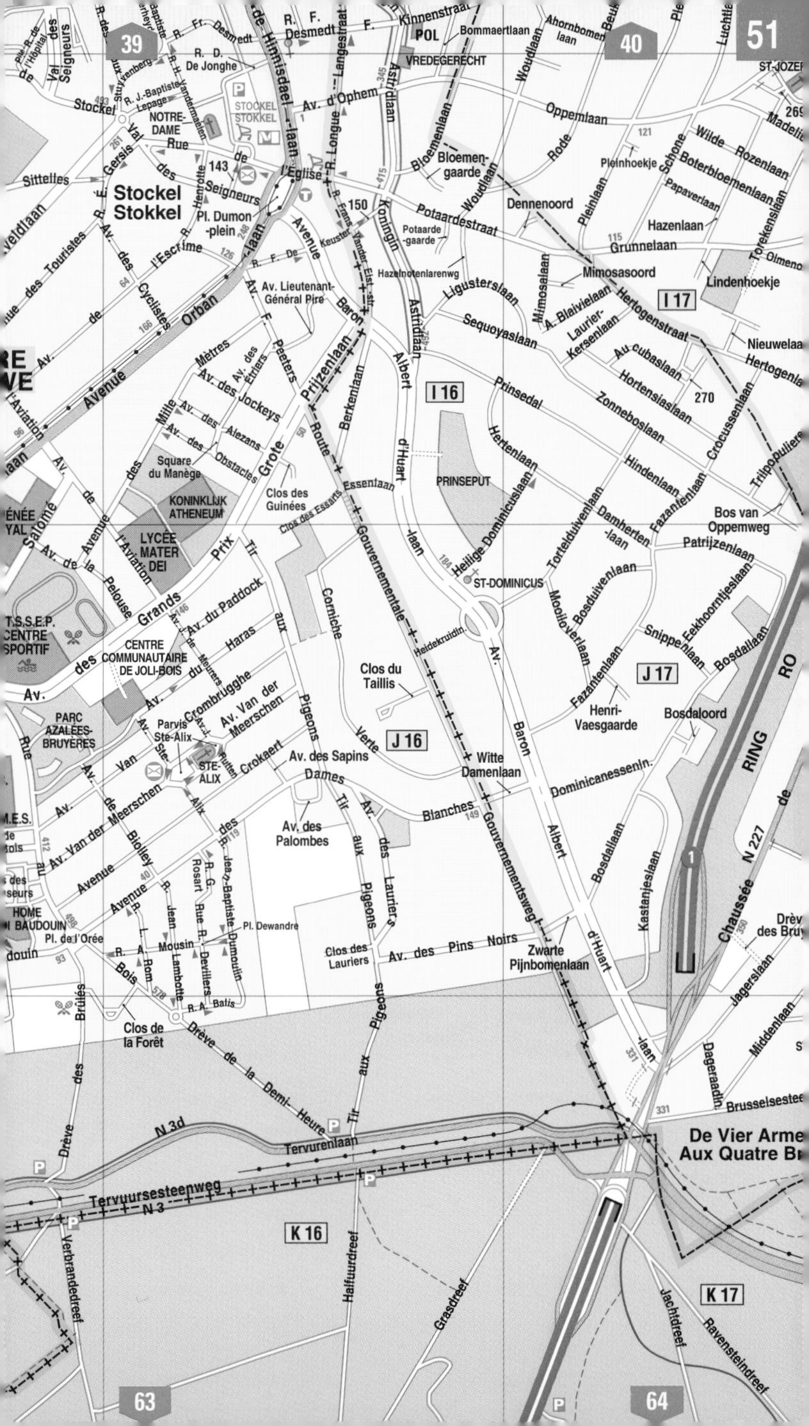
51
39
40
63
64
I 16
I 17
J 16
J 17
K 16
K 17
Stockel
Stokkel
STOCKEL
STOKKEL
NOTRE-DAME
POL
VREDEGERECHT
Bommaertlaan
Ahornbomenlaan
Kinnenstraat
R. F. Desmedtstraat
R. Fr. Desmedt
R. D. De Jonghe
R. H. Vandermaelen
R. J.-Baptiste Lepage
Stuyvenberg
Val des Seigneurs
Rue de l'Hôpital
Stockel
Av. d'Ophem
Oppemlaan
Woudlaan
Rode
de Hinnisdael-laan
R. Longue
Langestraat
Astridlaan
Koningin
Bloemenlaan
Bloemengaarde
Wilde Rozenlaan
Boterbloemenlaan
Papaverlaan
Schone
Pleinhoekje
Pleinlaan
Dennenoord
Hazenlaan
Grunnelaan
Torekenslaan
Lindenhoekje
Mimosaoord
Mimosalaan
A. Blaivielaan
Laurier-Kersenlaan
Hertogenstraat
Nieuwelaan
Au cubaslaan
Hortensiaslaan
Zonneboslaan
Crocussenlaan
Trilpopulieren
Hindenlaan
Fazantenlaan
Bos van Oppemweg
Damherten-laan
Patrijzenlaan
Bosduivenlaan
Eekhoorntjeslaan
Snippenlaan
Bosdallaan
Torteldvivenlaan
Mooilooverlaan
Fazantenlaan
Henri-Vaesgaarde
Bosdaloord
RING
Chaussée de
N 227
Drève des Bruyères
Jagerslaan
Middenlaan
Dageraadln.
Brusselsesteenweg
De Vier Armen
Aux Quatre Bras
Sittelles
Av. Gersis
Rue Val des Seigneurs
R. Henrotte
Pl. Dumon -plein
l'Eglise
R. Frans Vander Elst
Potaardestraat
Potaarde-gaarde
Hazelnotenlarenweg
Ligusterslaan
Sequoyaslaan
Prinsedal
Hertenlaan
PRINSEPUT
Heilige Dominicuslaan
ST-DOMINICUS
Av. des Touristes
Av. des Cyclistes
Av. de l'Escrime
Avenue Orban
R. F. De Keuster
Avenue Baron
Av. Lieutenant-Général Pire
Av. F. Peeters
Prijzenlaan
Berkenlaan
Albert d'Huart -laan
Av. de l'Aviation
Av. des Etriers
Av. des Mètres
Av. des Jockeys
Av. des Alezans
Av. des Obstacles
Av. des Mille
Square du Manège
KONINKLIJK ATHENEUM
LYCÉE MATER DEI
Clos des Guinées
Grote Prijs
Route Gouvernementale
Essenlaan
Clos des Essarts
Corniche Verte
Heidekruidln.
Av. Salomé
Avenue de l'Aviation
Av. de la Pelouse
T.S.S.E.P. CENTRE SPORTIF
Av. des Grands Prix
Av. du Paddock
Av. J. de Meurers
Av. du Haras
Tir aux Pigeons
CENTRE COMMUNAUTAIRE DE JOLI-BOIS
Av. Crombrugghe
Av. Van der Meerschen
Parvis Ste-Alix
Av. J. Rutten
STE-ALIX
Crokaert
Av. des Sapins
Clos du Taillis
Witte Damenlaan
Dominicanessenln.
Av. Albert
PARC AZALÉES-BRUYÈRES
Rue au Bois
Av. Van der Meerschen
Av. Ste-Alix
Avenue de Biolley
Dames Blanches
Av. des Palombes
Av. des Lauriers
Gouvernementsweg
Bosdallaan
Kastanjeslaan
R. G. Rosart
Rue R. Devillers
Jean-Baptiste Dumoulin
R. Jean Lambotte
Pl. Dewandre
R. Mousin
R. A. Rom
R. L.
R. A. Balis
Clos des Lauriers
Av. des Pins Noirs
Zwarte Pijnbomenlaan
d'Huart -laan
HOME BAUDOUIN
Pl. de l'Orée
Bois
Clos de la Forêt
Drève des Brûlés
Drève de la Demi-Heure
Tir aux Pigeons
N 3d
Tervurenlaan
Tervuursesteenweg
N 3
Verbrandedreef
Halfuurdreef
Grasdreef
Jachtdreef
Ravensteindreef

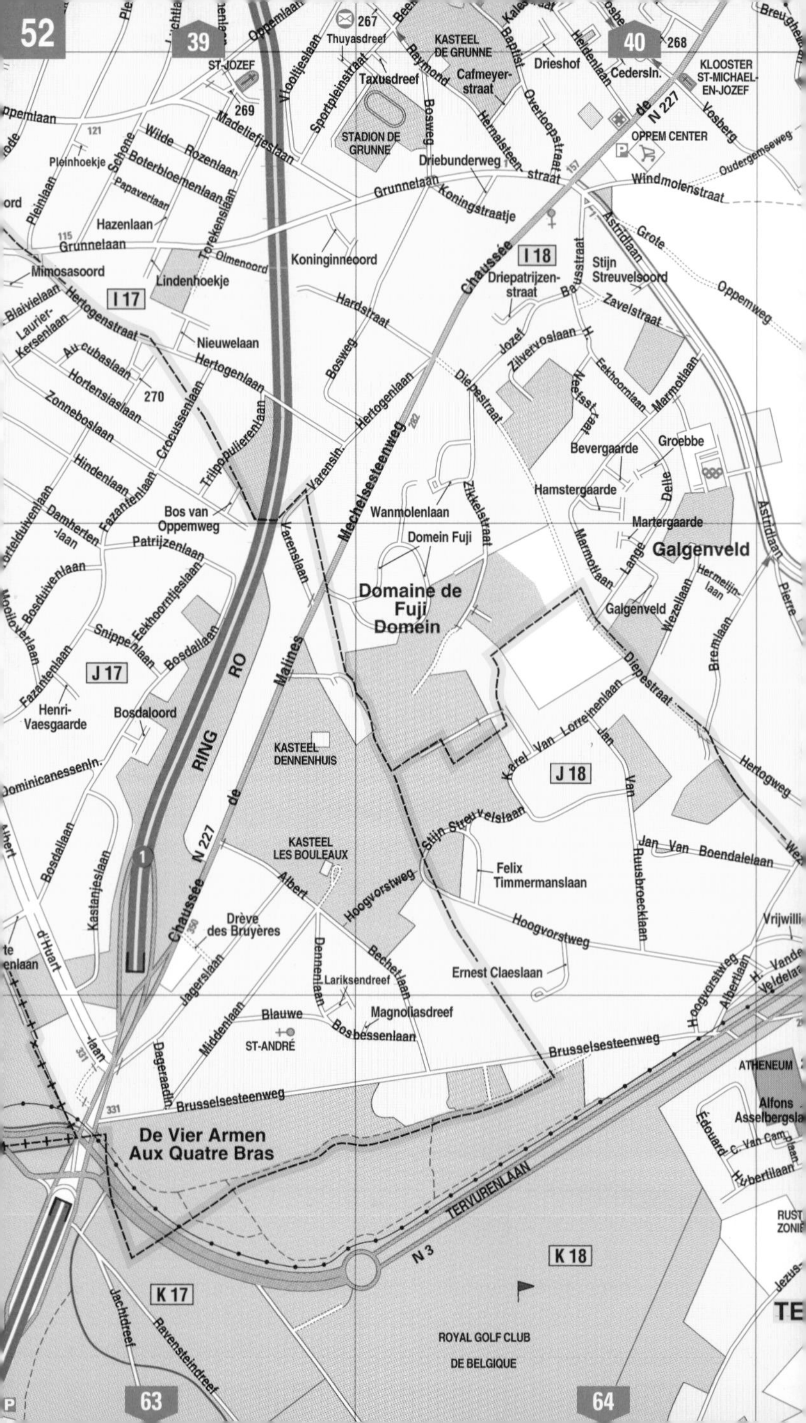
39
40
267
268
269
270
Thuyasdreef
KASTEEL DE GRUNNE
ST-JOZEF
Taxusdreef
Cafmeyer-straat
Drieshof
Cedersln.
KLOOSTER ST-MICHAEL-EN-JOZEF
Vosberg
STADION DE GRUNNE
OPPEM CENTER
Oudergemseweg
Windmolenstraat
Sportpleinstraat
Vlooltjeslaan
Madeliefjeslaan
Wilde Rozenlaan
Boterbloemenlaan
Papaverlaan
Pleinhoekje
Pleinlaan
Hazenlaan
Grunnelaan
Torekenslaan
Olmenoord
Lindenhoekje
Mimosasoord
Koninginneoord
Koningstraatje
Driebunderweg
Bosweg
Hernalsteenstraat
Overloopstraat
Heldenlaan
Raymond
Chaussée de N 227
I 17
I 18
Driepatrijzen-straat
Stijn Streuvelsoord
Grote Oppemweg
Astridlaan
Zavelstraat
Hardstraat
Hertogenstraat
Blaivielaan
Laurier-Kersenlaan
Aucubaslaan
Hortensiaslaan
Nieuwelaan
Hertogenlaan
Zonneboslaan
Crocussenlaan
Trilpopulierenlaan
Hindenlaan
Fazantenlaan
Damherten-laan
Bos van Oppemweg
Patrijzenlaan
Varensln.
Varenslaan
Mechelsesteenweg
Diepestraat
Jozef Zilvervoslaan
Neerstraat
Eekhoornlaan
Marmotlaan
Bevergaarde
Groebbe
Hamstergaarde
Delle
Martergaarde
Lange
Galgenveld
Wanmolenlaan
Domein Fuji
Zikkelstraat
Domaine de Fuji Domein
Hermelijnlaan
Wezellaan
Bremlaan
Pierre
Bosduivenlaan
Eekhoorntjeslaan
Snippenlaan
Bosdallaan
J 17
Fazantenlaan
Henri-Vaesgaarde
Bosdaloord
RING RO
Chaussée de Malines
KASTEEL DENNENHUIS
Karel Van Lorreinenlaan
Jan Van Ruusbroecklaan
J 18
Hertogweg
Dominicanessenln.
Bosdallaan
Stijn Streuvelslaan
KASTEEL LES BOULEAUX
N 227
Albert
Hoogvorstweg
Felix Timmermanslaan
Jan Van Boendalelaan
Kastanjeslaan
d'Huart
Drève des Bruyères
Dennenlaan
Bechetlaan
Ernest Claeslaan
Vrijwilli
Jagerslaan
Lariksendreef
Magnoliasdreef
Blauwe
Bosbessenlaan
ST-ANDRÉ
Middenlaan
Hoogvorstweg
Albertlaan
H. Vandeveldelaan
Dageraadln.
Brusselsesteenweg
ATHENEUM
Alfons Asselbergsla
Édouard
C. Van Cam
Hubertilaan
De Vier Armen Aux Quatre Bras
TERVURENLAAN
N 3
K 18
K 17
RUST ZONE
Jachtdreef
Ravensteindreef
ROYAL GOLF CLUB DE BELGIQUE
TE
63
64
P

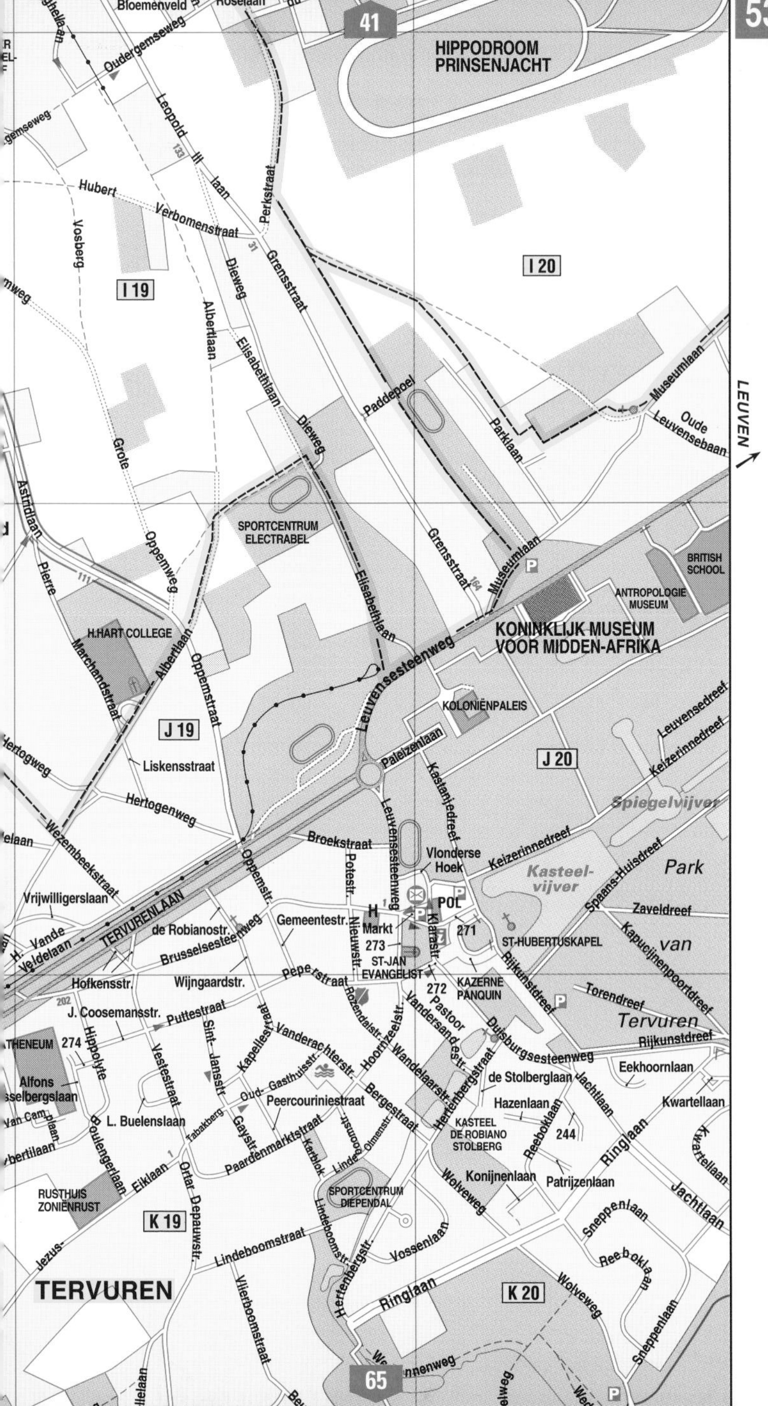
41
HIPPODROOM
PRINSENJACHT
Bloemenveld
Roselaan
Breughellaan
Oudergemseweg
Leopold III laan
133
Hubert
Verbomenstraat
Vosberg
Perkstraat
31
Dieweg
Grensstraat
I 19
I 20
Albertlaan
Elisabethlaan
Paddepoel
Parklaan
Museumlaan
LEUVEN
Oude
Leuvensebaan
Grote
Astridlaan
Oppemweg
Dieweg
SPORTCENTRUM
ELECTRABEL
Grensstraat
164
Museumlaan
BRITISH
SCHOOL
ANTROPOLOGIE
MUSEUM
KONINKLIJK MUSEUM
VOOR MIDDEN-AFRIKA
Pierre
111
H.HART COLLEGE
Marchandstraat
Albertlaan
Oppemstraat
Elisabethlaan
Leuvensesteenweg
KOLONIËNPALEIS
J 19
Hertogweg
Liskensstraat
Paleizenlaan
Kastanjedreef
J 20
Leuvensedreef
Keizerinnedreef
Spiegelvijver
Hertogenweg
Wezembeekstraat
Broekstraat
Leuvensesteenweg
Potestr.
Vlonderse
Hoek
Keizerinnedreef
Kasteel-
vijver
Park
Spaans-Huisdreef
Vrijwilligerslaan
TERVURENLAAN
Oppemstr.
POL
H
Zaveldreef
H. Vande
Veldelaan
de Robianostr.
Brusselsesteenweg
Gemeentestr.
Markt
Nieuwstr.
Klarastr.
271
ST-HUBERTUSKAPEL
Kapucijnenpoortdreef
van
273
ST-JAN
EVANGELIST
Peperstraat
Hofkensstr.
Wijngaardstr.
272
Pastoor
KAZERNE
PANQUIN
Rijkunstdreef
Torendreef
Tervuren
202
J. Coosemansstr.
Puttestraat
Rozendalstr.
Vandersandestr.
Duisburgsesteenweg
Rijkunstdreef
THENEUM
274
Hippolyte
Sint-Jansstr
Vestestraat
Kapellestraat
Vanderachterstr.
Hoornzeelstr.
Wandelaarsstr.
Hertenbergstraat
Eekhoornlaan
Alfons
sselbergslaan
Oud-Gasthuisstr.
Peercouriniestraat
Bergestraat
de Stolberglaan
Jachtlaan
Kwartellaan
Van Cam
L. Buelenslaan
Tabakberg
Gaystr.
Paardenmarktstraat
Karblok
Lindeboomstr.
KASTEEL
DE ROBIANO
STOLBERG
Hazenlaan
Reeboklaan
244
Ringlaan
Kwartellaan
Boulengerlaan
Eiklaan
Ortar Depauwstr.
Wolveweg
Konijnenlaan
Patrijzenlaan
RUSTHUIS
ZONIËNRUST
SPORTCENTRUM
DIEPENDAL
Jachtlaan
K 19
Sneppenlaan
Jezus-
Lindeboomstraat
Vossenlaan
Reeboklaan
TERVUREN
Hertenbergstr.
Ringlaan
K 20
Wolveweg
Sneppenlaan
Vlierboomstraat
65

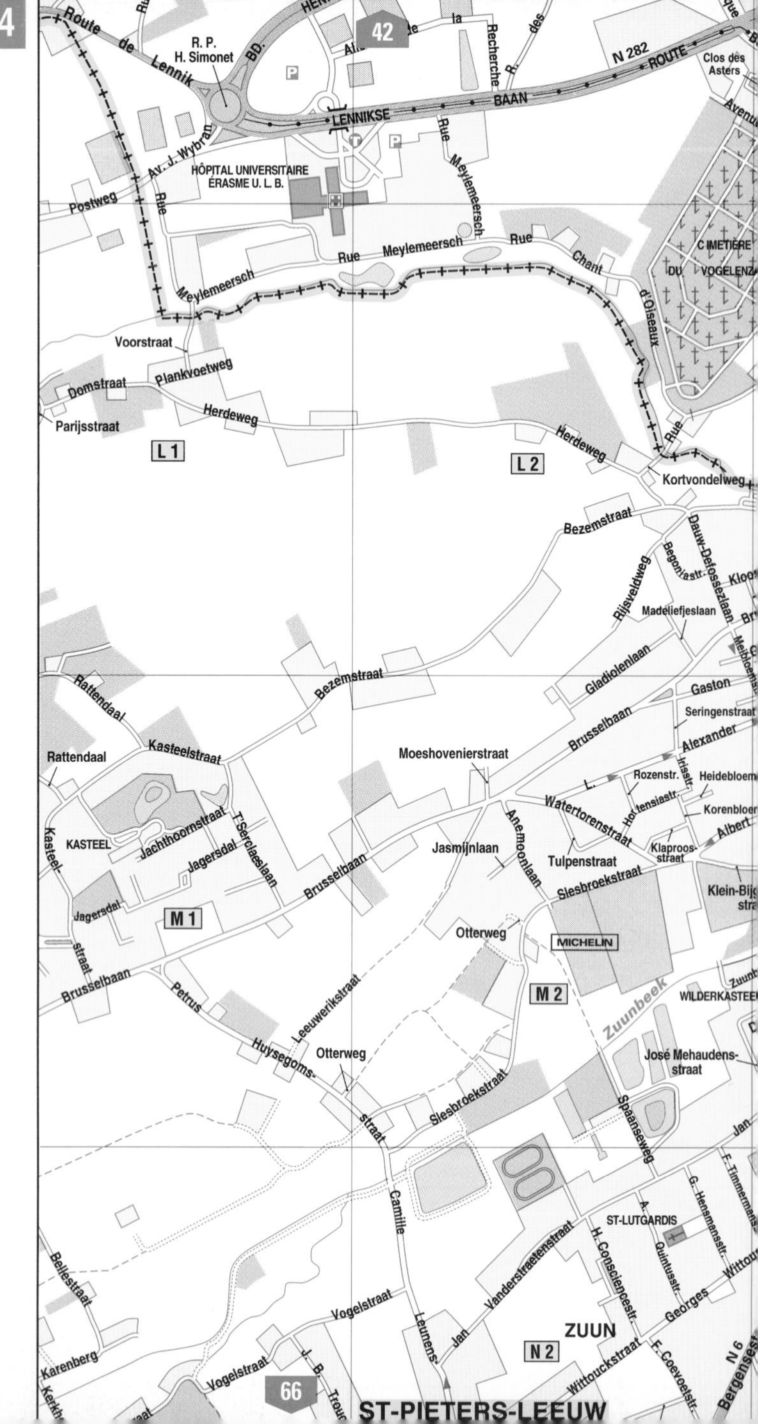
42
Route de Lennik
R. P.
H. Simonet
BD.
Recherche
N 282
ROUTE
Clos des
Asters
LENNIKSE
BAAN
Av. J. Wybran
HÔPITAL UNIVERSITAIRE
ÉRASME U. L. B.
Rue Meylemeersch
Postweg
Rue
Meylemeersch
Rue Meylemeersch
Rue
Chant
d'Oiseaux
CIMETIÈRE
DU
Voorstraat
Plankvoetweg
Domstraat
Parijsstraat
Herdeweg
L 1
L 2
Herdeweg
Rue
Kortvondelweg
Bezemstraat
Dauw-Defossezlaan
Begonia str.
Rijsveldweg
Madeliefjeslaan
Gladiolenlaan
Gaston
Seringenstraat
Rattendaal
Bezemstraat
Brusselbaan
Alexander
Rattendaal
Kasteelstraat
Moeshovenierstraat
Rozenstr.
Irisstr.
Heidebloem
Hortensiastr.
Korenbloem
Watertorenstraat
Albert
Klaproos-
straat
Anemoonlaan
Jasmijnlaan
Tulpenstraat
Kasteel-
straat
KASTEEL
Jachthoornstraat
T'Serclaeslaan
Jagersdal
Brusselbaan
Slesbroekstraat
Jagersdal
M 1
Otterweg
MICHELIN
Brusselbaan
Petrus
Leeuwerikstraat
M 2
Zuunbeek
WILDERKASTEEL
Huysegoms-
straat
Otterweg
José Mehaudens-
straat
Slesbroekstraat
Spaanseweg
Jan
Camille
F. Timmermans
G. Hensmansstr.
A. Quintusstr.
ST-LUTGARDIS
Bellestraat
H. Consciencestr.
Vanderstraetenstraat
Georges
Wittouck
Vogelstraat
Leunens-
Jan
ZUUN
N 2
N 6
Bergensest.
Karenberg
Vogelstraat
J. B.
Wittouckstraat
F. Coeveotstr.
66
ST-PIETERS-LEEUW

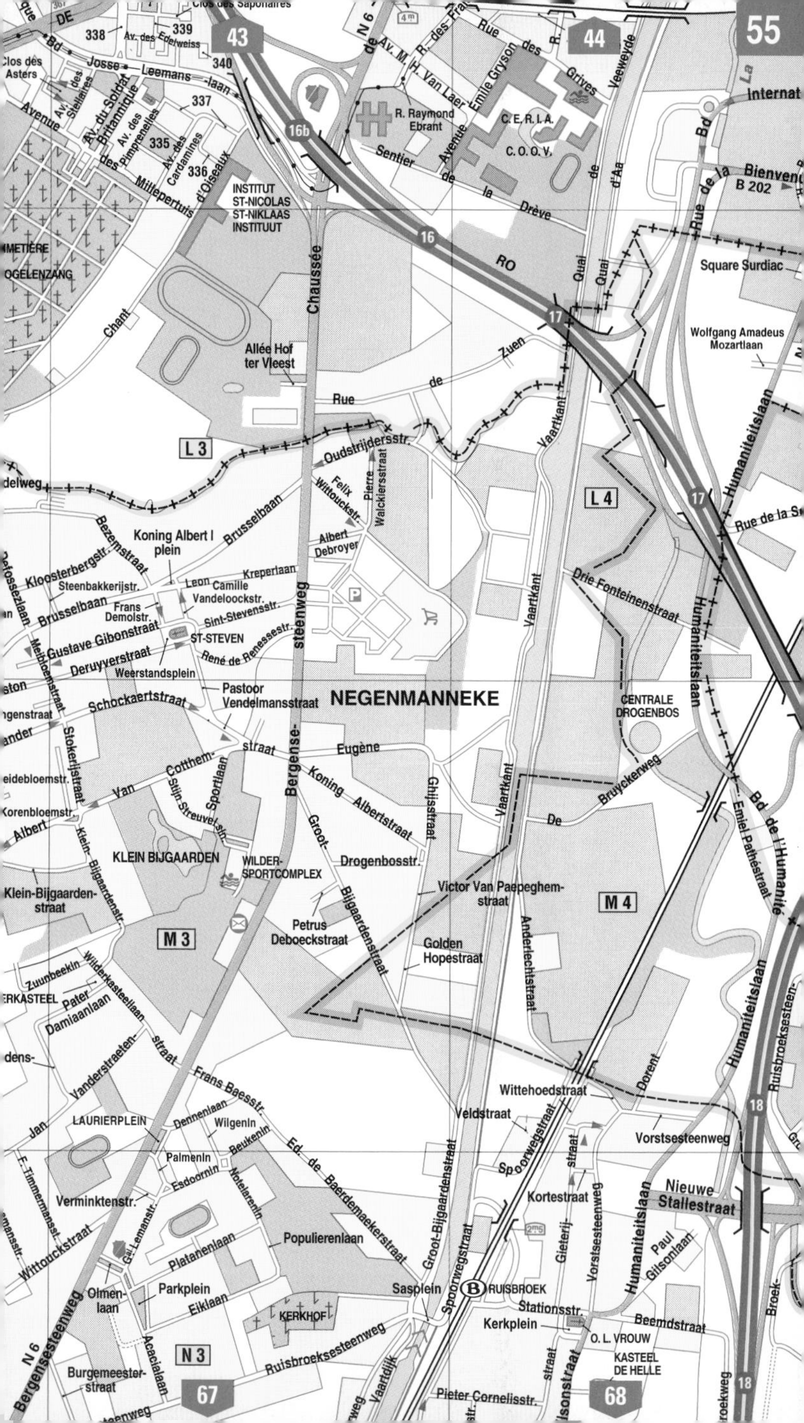

43
44
67
68
Clos des Saponaires
338
339
340
Av. des Edelweiss
Bd
Josse Leemans -laan
Clos des Asters
Av. des Stellaires
Av. du Soldat Britannique
Avenue
Av. des Pimprenelles
Av. des Cardamines
335
336
337
des Millepertuis
d'Oiseaux
INSTITUT ST-NICOLAS ST-NIKLAAS INSTITUUT
CIMETIÈRE
VOGELENZANG
Chant
16b
16
17
18
RO
N 6
Av. M.
R. des Fra
Rue des Grives
H. Van Laer
Emile Gryson
R. Raymond Ebrant
Sentier
Avenue de la Drève
C.E.R.I.A.
C.O.O.V.
Veeweyde
Quai de
Quai d'Aa
Bd
Internat
Rue de la Bienvenu
B 202
Square Surdiac
Wolfgang Amadeus Mozartlaan
Chaussée
Allée Hof ter Vleest
Rue de Zuen
L 3
L 4
M 3
M 4
N 3
Oudstrijdersstr.
Felix Wittouckstr.
Pierre Walckiersstraat
delweg
Brusselbaan
Bezemstraat
Koning Albert I plein
Kloosterbergstr.
Steenbakkerijstr.
Leon
Camille Vandeloockstr.
Kreperlaan
Albert Debroyer
Frans Demolstr.
Sint-Stevensstr.
Gustave Gibonstraat
ST-STEVEN
René de Renessestr.
Deruyverstraat
Weerstandsplein
Pastoor Vendelmansstraat
Schockaertstraat
NEGENMANNEKE
Vaartkant
Humaniteitslaan
Rue de la S
Drie Fonteinenstraat
CENTRALE DROGENBOS
De Bruyckerweg
Bd de l'Humanité
Emiel Pathéstraat
Bergense-steenweg
Cotthem-straat
Eugène
Koning Albertstraat
Ghijsstraat
Stokerijstraat
Van
Sportlaan
Stijn Streuvelsstr.
Albert
Korenbloemstr.
Klein-Bijgaardenstr.
KLEIN BIJGAARDEN
WILDER-SPORTCOMPLEX
Groot-Bijgaardenstraat
Drogenbosstr.
Victor Van Paepeghem-straat
Anderlechtstraat
Klein-Bijgaarden-straat
Petrus Deboeckstraat
Golden Hopestraat
Zuunbeekln
Wilderkasteellaan
Pater Damiaanlaan
Vanderstraeten-straat
Frans Baesstr.
Jan
LAURIERPLEIN
Dennenlaan
Wilgenln
Beukenln
Ed. de Baerdemaekerstraat
F. Timmermansst.
Palmenln
Esdoornln
Notelarenln
Verminktenstr.
Wittouckstraat
Gal. Lemanstr.
Platanenlaan
Populierenlaan
Olmen-laan
Parkplein
Eiklaan
KERKHOF
Sasplein
Groot-Bijgaardenstraat
Spoorwegstraat
RUISBROEK
Stationsstr.
Kerkplein
O.L. VROUW
KASTEEL DE HELLE
Beemdstraat
Acacialaan
Burgemeester-straat
Ruisbroeksesteenweg
Vaartdijk
Pieter Cornelisstr.
Bergensesteenweg
N 6
Wittehoedstraat
Dorent
Veldstraat
Vorstsesteenweg
Kortestraat
Gieterij-straat
Nieuwe Stallestraat
Paul Gilsonlaan
Ruisbroeksesteen

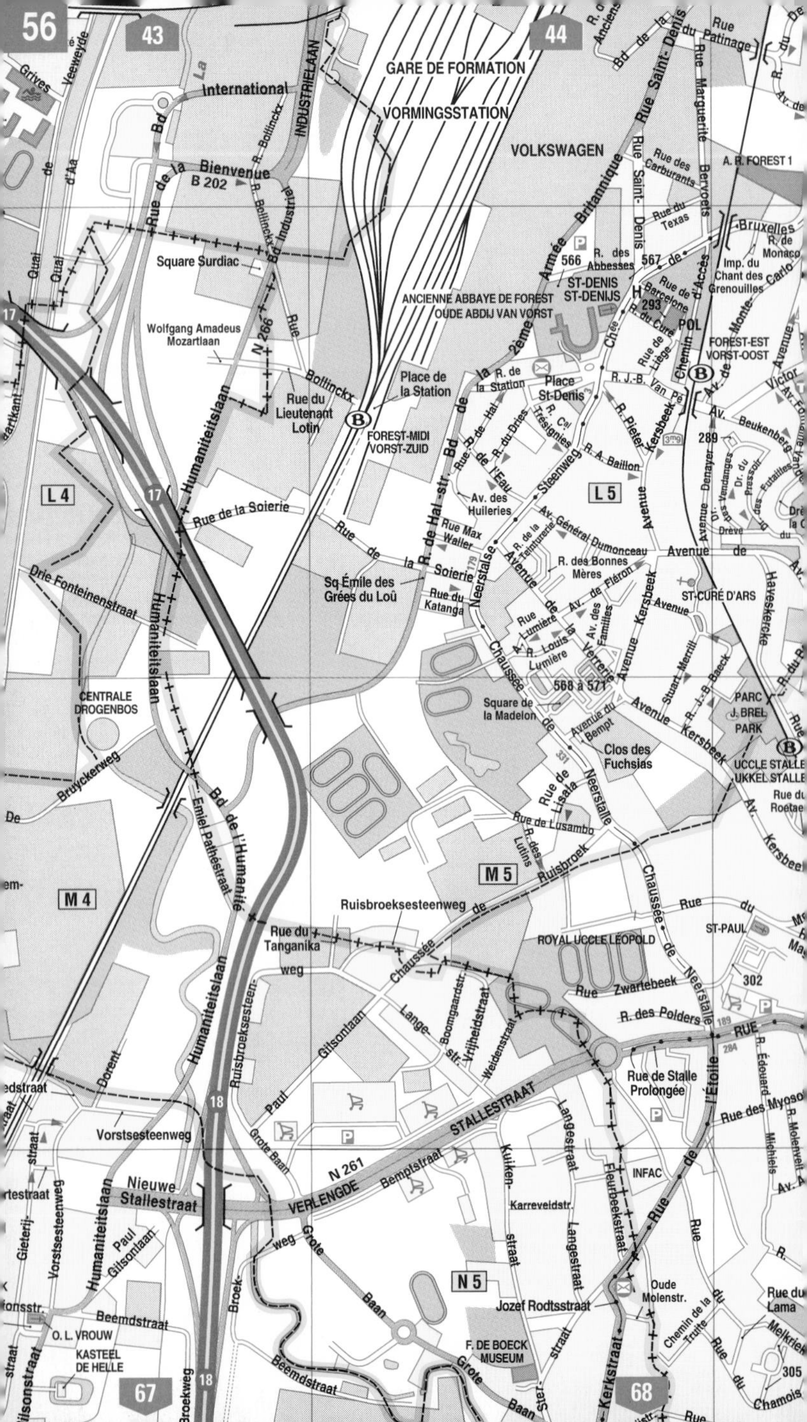
43
44
GARE DE FORMATION
VORMINGSSTATION
VOLKSWAGEN
INDUSTRIELAAN
Bd International
Rue de la Bienvenue
B 202
R. Bollinckx
Bd Industriel
Quai de Veeweyde
Quai d'Aa
Grives
Square Surdiac
Wolfgang Amadeus Mozartlaan
N 266
Rue Bollinckx
Rue du Lieutenant Lotin
Place de la Station
FOREST-MIDI
VORST-ZUID
ANCIENNE ABBAYE DE FOREST
OUDE ABDIJ VAN VORST
566
R. des Abbesses
567
ST-DENIS
ST-DENIJS
2ème Armée Britannique
Rue Saint-Denis
Rue Marguerite Bervoets
Rue du Patinage
Rue des Carburants
Rue du Texas
A. R. FOREST 1
Bruxelles
R. de Monaco
Imp. du Chant des Grenouilles
Av. de Monte-Carlo
Rue de Barcelone
293
R. du Curé
POL
Chemin d'Accès
FOREST-EST
VORST-OOST
Rue de Liège
R. de la Station
Place St-Denis
R. J.-B. Van Pé
Av. Victor
Av. Beukenberg
289
R. C^el Trésignies
R. Pieter
Kersbeek
R. A. Baillon
L 4
L 5
17
Humaniteitslaan
Rue de la Soierie
Bd de la 2ème Armée
R. de Hal-str.
Av. des Huileries
Rue Max Waller
Rue de la Soierie
Sq Émile des Grées du Loû
Rue du Katanga
179
Neerstalse Steenweg
Av. Général Dumonceau
R. de la Teinturerie
R. des Bonnes Mères
Avenue de la Verrerie
Av. de Fléron
Av. des Familles
Rue Lumière
A. R. Louis Lumière
Avenue Kersbeek
Avenue Denayer
Avenue de Haveskercke
ST-CURÉ D'ARS
Stuart Merrill
R. J.-B. Baeck
PARC J. BREL PARK
UCCLE STALLE
UKKEL STALLE
Rue du Roetaert
Drie Fonteinenstraat
CENTRALE DROGENBOS
Bruyckerweg
568 à 571
Square de la Madelon
Chaussée de Neerstalle
Avenue du Bempt
Clos des Fuchsias
331
Rue de Lisala
Rue de Lusambo
R. des Lutins
Emiel Pathéstraat
Bd de l'Humanité
M 4
M 5
Ruisbroek
Ruisbroeksesteenweg
Chaussée de Ruisbroek
Rue du Tanganika
Rue du Zwartebeek
ROYAL UCCLE LEOPOLD
ST-PAUL
302
R. des Polders
189
284
Rue de Stalle Prolongée
Rue de l'Étoile
R. Édouard
Rue des Myosotis
Michiels
Boomgaardstr.
Vrijheidstraat
Weidenstraat
Lange str.
Paul Gilsonlaan
Dorent
Humaniteitslaan
Ruisbroeksesteenweg
18
STALLESTRAAT
N 261
VERLENGDE
Nieuwe Stallestraat
Bempt straat
Grote Baan
Vorstsesteenweg
Langestraat
Kuikenstraat
INFAC
Karreveldstr.
Fleurbeekstraat
N 5
Jozef Rodtsstraat
Oude Molenstr.
Chemin de la Truite
Rue du Lama
Melkriek
305
Chamois
Beemdstraat
O. L. VROUW
KASTEEL DE HELLE
Broekweg
F. DE BOECK MUSEUM
Grote Baan
Beemdstraat
Kerkstraat
67
68

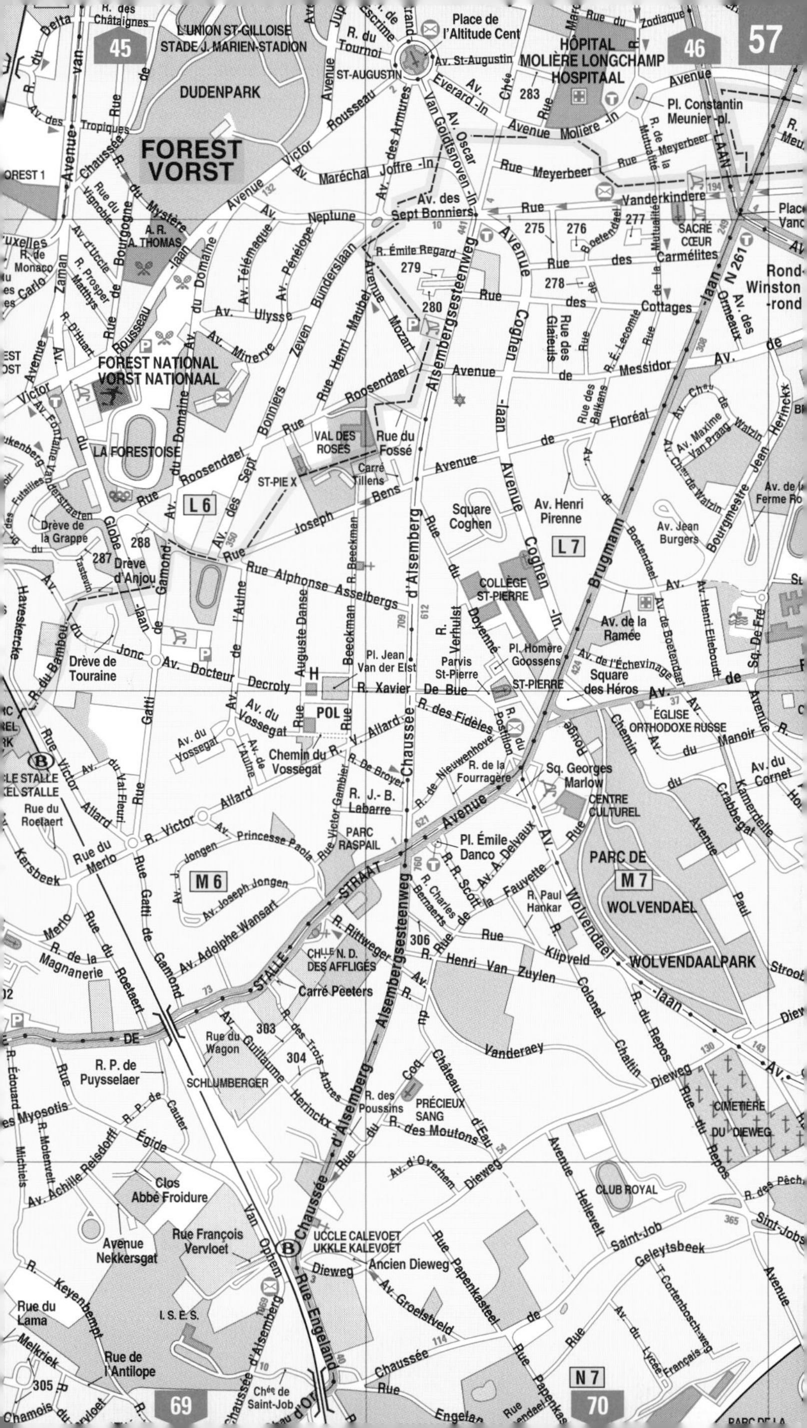
45
46
69
70
L'UNION ST-GILLOISE
STADE J. MARIEN-STADION
DUDENPARK
FOREST
VORST
Place de l'Altitude Cent
Av. St-Augustin
ST-AUGUSTIN
HÔPITAL
MOLIÈRE LONGCHAMP
HOSPITAAL
Pl. Constantin Meunier -pl.
Avenue Molière -ln
Rue Meyerbeer
Rue Vanderkindere
Av. des Sept Bonniers
Av. Maréchal Joffre -ln
Av. Oscar Van Goidtsnoven -ln
Av. Everard -ln
Av. des Armures
Avenue Victor Rousseau
Rue Neptune
A.R. A. THOMAS
R. de Monaco
Rue du Vignoble
Rue du Mystère
Chaussée de Bourgogne
Av. Télémaque
Av. Pénélope
Zeven Bunderslaan
R. Émile Regard
Rue des Carmélites
Rue des Cottages
SACRÉ CŒUR
Rond-Winston -rond
Av. des Ormeaux
N 261
Brugmann -laan
Av. Ulysse
Av. Minerve
Av. du Domaine
Rue Henri Maubel
Avenue Mozart
Altsembergsesteenweg
Avenue Coghen -laan
Rue des Glaïeuls
Rue É. Lecomte
Av. de Messidor
FOREST NATIONAL
VORST NATIONAAL
LA FORESTOISE
Rue Roosendael
VAL DES ROSES
Rue du Fossé
Carré Tillens
ST-PIE X
Avenue de Floréal
Rue des Balkans
Av. Maxime Van Praag
Av. Ch. de Walzin
Bourgmestre Jean Herinckx
Av. de la Ferme Rose
Rue Joseph Bens
Square Coghen
Av. Henri Pirenne
L 6
L 7
Av. Jean Burgers
Drève de la Grappe
Drève d'Anjou
Rue du Globe
Av. Gamond
Rue Alphonse Asselbergs
R. Beeckman
COLLÈGE ST-PIERRE
Rue du Doyenné
R. Verhulst
Av. de la Ramée
Av. de Boetendael
Av. Henri Elleboudt
Sq. De Frère
Drève de Touraine
R. du Bambou
Havesckercke
Av. Docteur Decroly
Rue Auguste Danse
Pl. Jean Van der Elst
R. Xavier De Bue
Parvis St-Pierre
Pl. Homère Goossens
ST-PIERRE
Av. de l'Échevinage
Square des Héros
ÉGLISE ORTHODOXE RUSSE
Av. du Manoir
Av. du Cornet
Av. du Vossegat
Chemin du Vossegat
POL
R. V. Allard
R. des Fidèles
R. du Postillon
R. De Broyer
R. de Nieuwenhove
R. de la Fourragère
Sq. Georges Marlow
CENTRE CULTUREL
Chemin du Crabbegat
Kamerdelle
LE STALLE
KEL STALLE
Rue Victor Allard
Rue du Val Fleuri
Rue du Roetaert
Rue du Merlo
Kersbeek
R. J.-B. Labarre
PARC RASPAIL
Av. Princesse Paola
Av. Joseph Jongen
Pl. Émile Danco
R. Charles Bernaerts
R. R. Scott
Av. A. Delvaux
Av. Wolvendael -laan
PARC DE WOLVENDAEL
M 6
M 7
Avenue Paul Stroobant
Rue Gatti de Gamond
Av. Adolphe Wansart
Stalle Straat
CH. N.-D. DES AFFLIGÉS
Carré Peeters
R. Rittweger
R. Henri Van Zuylen
Rue de la Fauvette
R. Paul Hankar
Rue Klipveld
Rue Colonel Chaltin
WOLVENDAALPARK
R. du Repos
R. de la Magnanerie
Rue du Wagon
Av. Guillaume Herinckx
R. des Trois Arbres
R. P. de Puysselaer
SCHLUMBERGER
Vanderaey
Dieweg
CIMETIÈRE DU DIEWEG
Av. du Coq
Château d'Eau
R. des Poussins
PRÉCIEUX SANG
R. des Moutons
Rue du Ham
Chaussée d'Alsemberg
R. P. de Cauter
Égide
R. Molenvelt
Michiels
Av. Achille Reisdorff
Clos Abbé Froidure
Av. d'Overhem
Avenue Hellevelt
CLUB ROYAL
Rue Saint-Job
R. des Pêch.
Avenue Nekkersgat
Rue François Vervloet
Van Ophem
UCCLE CALEVOET
UKKLE KALEVOET
Ancien Dieweg
Rue Papenkasteel
Geleytsbeek
T. Cortenbosch-weg
Av. du Lycée Français
R. Keyenbempt
Rue du Lama
Melkriek
Rue de l'Antilope
I. S. E. S.
Chée de Saint-Job
Av. Groelstveld
Rue Engeland
Chaussée de Saint-Job
N 7
Chamois

45
46
69
70
L 7
L 8
L 9
M 7
M 8
M 9
N 7
N 8
Pl. Georges Brugmann
R. Berkendael
N. D. DE L'ANNONCIATION
CLINIQUE LOUISE
HOSPITAAL
Pl. Constantin Meunier -pl.
Avenue Molière -laan
R. J.-B. Meunier
Place Guy d'Arezzo
Rue de l'Anémone
Rue de la Primevère
Rue Vanderkindere
I. S. T. I.
Chaussée de Waterloo
Place Léon Vanderkindere
SACRÉ CŒUR
EDITH CAVELL
Rue des Carmélites
Rond-Point Winston Churchill -rond punt
Avenue Winston Churchill -laan
N 261
N 241
Avenue Bel-Air
Av. de Messidor
Rue des Cottages
Av. des Ormeaux
Rue Marianne
Rue Marie Depage
Rue Général Lotz
Rue Gabrielle
Rue Dodonée
Rue Lincoln
PARC BRUGMANN
Av. A. Dupuich
Avenue Léo Errera
MUSÉE DAVID ET ALICE VAN BUUREN MUSEUM
PARC MONTJOIE
INSTITUT MONTJOIE
Avenue Montjoie
N. D. DU ROSAIRE
R. Ernest Gossart
Avenue Moscicki
Avenue de la Floride
Av. Floréal
Rue des Balkans
Av. Maxime Van Praag
Av. Chant de Walzin
Av. Jean Burgers
Av. de la Ferme Rose
Bourgmestre Jean Herinckx
ROYAL LEOPOLD CLUB
Rue Jones
Bosveld-weg
Av. Brunard
Rue Édith Cavell
Clos Dandoy
Rue Langeveld
Avenue René Gobert
Av. du Beau-Séjour
Avenue Brugmann
Av. de Boetendael
Henri Pirenne
Sukkelweg
Rue Roberts
Rue Zeecrabbe
Av. du Hoef
Avenue de Sumatra
I. E. S. P. T.
ST-MARC
Av. de la Ramée
Av. Henri Ellebondt
Sq. De Fré
Avenue de Fré -laan
Av. de l'Échevinage
Square des Héros
Chemin de la Source
Carré Dewandeleer
CHÂTEAU
R. Groeselenberg
ÉGLISE ORTHODOXE RUSSE
Av. du Manoir
CLINIQUE ET ÉCOLE DES DEUX ALICE
ATHÉNÉE ROYAL UCCLE 1
Avenue Houzeau -laan
Avenue de Saturne
Av. Juliette
Square République d'Argentine
Sq. Georges Marlow
CENTRE CULTUREL
Av. du Cornet
Kamerdelle
Crabbegat
Av. ten Horen
Av. des Archères
Rue des Statuaires
Square Charles Lagrange
Rue Copernic
Avenue Hamoir
Av. de l'Observatoire
PARC DE WOLVENDAEL
WOLVENDAALPARK
Avenue Paul Stroobant
Dieweg
OBSERVATOIRE ROYAL KONINKLIJKE STERRENWACHT
Avenue Circulaire
Av. de Mercure
R. de l'Équateur
Avenue Albert Lancaster
Chaussée de Saint-Job
Place de Saint-Job
Av. Wolvendael
R. Klipveld
Av. Colonel Chaltin
R. du Repos
Avenue Georges Lecointe
Av. Louis Thévenet
Av. François Folie
Av. Jean et Pierre Carsoel -laan
ST-JOB
CIMETIÈRE DU DIEWEG
Rue Baron Perelman
Av. Den Doorn
Clos du Drossart
Rue de la Pêcherie
Rue Jean Benaets
Avenue Hellevelt
CLUB ROYAL
R. des Pêcheurs
Rue Basse
Saint-Job Sint-Jobsesteenweg
Geleytsbeek
'T Cortenbosch-weg
Kauwberg
Chaussée de Saint-Job
Chemin Avijl
Montagne de St-Job
Vieille Rue du Moulin
Av. d'Andrimont
Avenue Dolez
R. de Wansijn
Rue Baron Roger Vander Noot
Clos Bourgmestre De Keyser
Av. du Lycée Français
UCCLE UKKEL
Avenue Hoche
PARC DE LA

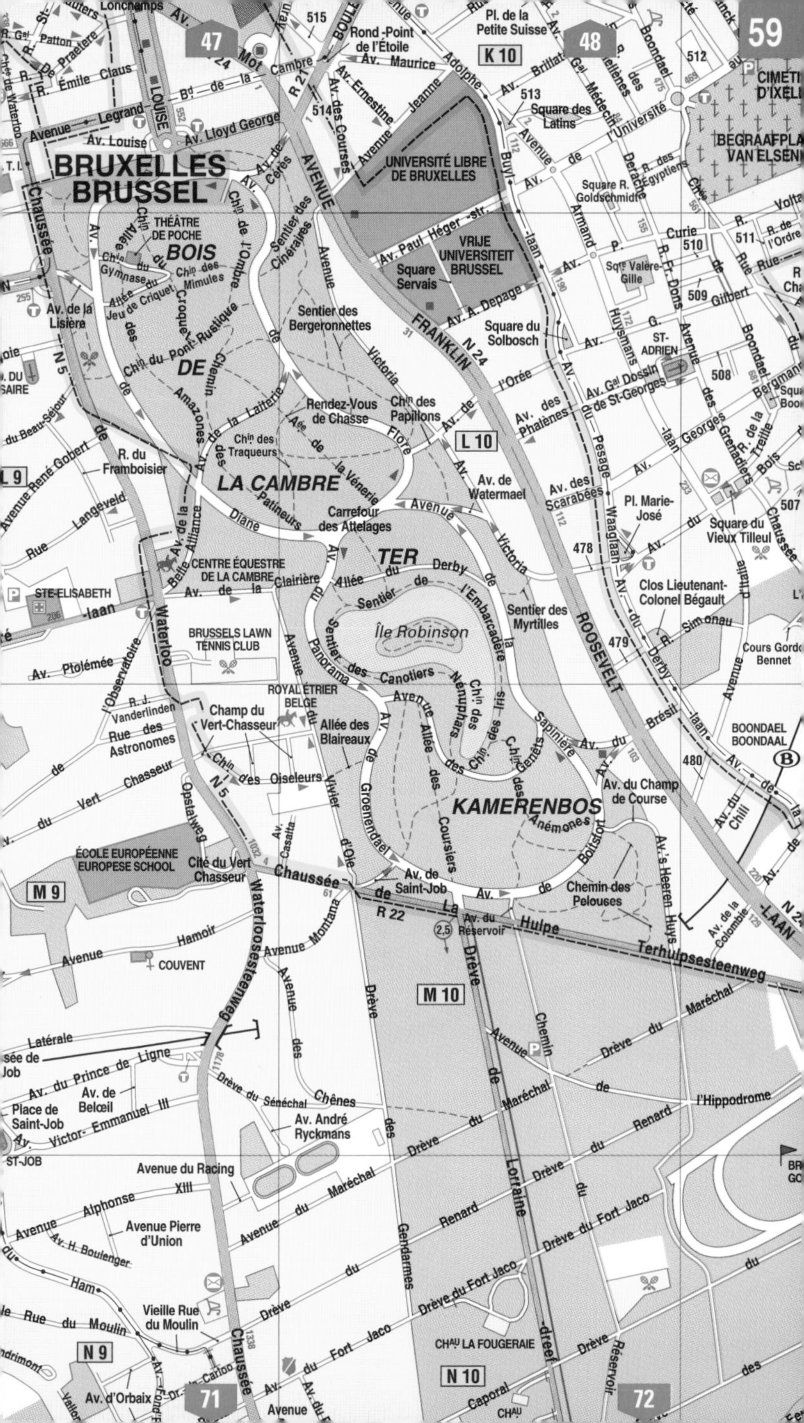
59
47
48
71
72
K 10
L 9
L 10
M 9
M 10
N 9
N 10
BRUXELLES
BRUSSEL
BOIS
DE
LA CAMBRE
TER
KAMERENBOS
UNIVERSITÉ LIBRE DE BRUXELLES
VRIJE UNIVERSITEIT BRUSSEL
THÉATRE DE POCHE
CENTRE ÉQUESTRE DE LA CAMBRE
BRUSSELS LAWN TENNIS CLUB
ROYAL ETRIER BELGE
ÉCOLE EUROPÉENNE
EUROPESE SCHOOL
STE-ELISABETH
COUVENT
CHAU LA FOUGERAIE
BEGRAAFPLA
VAN ELSEN
CIMETI
D'IXELL
Île Robinson
Rond-Point de l'Étoile
Pl. de la Petite Suisse
Square des Latins
Square R. Goldschmidt
Sqre Valère-Gille
Square Servais
Square du Solbosch
ST-ADRIEN
Pl. Marie-José
Square du Vieux Tilleul
Clos Lieutenant-Colonel Bégault
Cours Gordon Bennet
BOONDAEL
BOONDAAL
Av. Louise
Av. Lloyd George
Avenue Legrand
Bd de la Cambre
Av. Émile Claus
R. de Praetere
Av. des Courses
Av. Ernestine
Avenue Jeanne
Av. Maurice
Av. Adolphe Buyl
Av. Brillat-Savarin
Av. Gal Médecin
Av. de l'Université
Av. Armand Huysmans
R. Fr. Dons
Av. Paul Héger-str.
Av. A. Depage
Av. Gal Dossin de St-Georges
Av. des Phalènes
Av. des Scarabées
Av. de l'Orée
Av. de la Forêt
Av. du Pesage
Av. Georges Bergmann
Av. des Grenadiers
Av. Gilbert
Av. de Watermael
Avenue Franklin Roosevelt
N 24
Avenue Victoria
Avenue de Flore
Av. de Cérès
Chin de l'Ombre
Sentier des Cinéraires
Sentier des Bergeronnettes
Rendez-Vous de Chasse
Chin des Papillons
Chin des Traqueurs
Allée de la Vénerie
Carrefour des Attelages
Av. de la Laiterie
Chin du Pont Rustique
Chin des Mimules
Allée du Jeu de Criquet
Allée du Gymnase
Av. des Amazones
Av. de la Lisière
Av. de Diane
Av. des Patineurs
Av. de la Clairière
Allée du Derby
Sentier de l'Embarcadère
Sentier des Myrtilles
Sentier du Panorama
Sentier des Canotiers
Chin des Iris
Chin des Nénuphars
Allée des Coursiers
Chin des Genêts
Chin des Anémones
Avenue de la Sapinière
Av. de Boitsfort
Av. de Groenendael
Av. du Vivier d'Oie
Allée des Blaireaux
Av. du Champ de Course
Chemin des Pelouses
Av. du Réservoir
Av. de Saint-Job
Chaussée de La Hulpe
Terhulpsesteenweg
R 22
Chaussée de Waterloo
Waterloosesteenweg
N 5
Av. de la Belle Alliance
R. du Framboisier
Avenue René Gobert
Rue Langeveld
Av. Ptolémée
Av. de l'Observatoire
R. J. Vanderlinden
Rue des Astronomes
Champ du Vert-Chasseur
Chin des Oiseleurs
Av. du Vert Chasseur
Cité du Vert Chasseur
Opstalweg
Av. Casalta
Avenue Montana
Avenue Hamoir
Avenue des Chênes
Drève des Gendarmes
Drève de Lorraine
Lorraine-dreef
Avenue du Maréchal
Drève du Maréchal
Drève de l'Hippodrome
Drève du Renard
Drève du Fort Jaco
Av. du Fort Jaco
Chemin du Réservoir
Drève du Caporal
Drève du Sénéchal
Av. André Ryckmans
Avenue du Racing
Av. Alphonse XIII
Avenue Pierre d'Union
Av. H. Boulenger
Rue du Ham
Vieille Rue du Moulin
Rue du Moulin
Av. d'Orbaix
Place de Saint-Job
Av. Victor-Emmanuel III
Av. de Beloeil
Av. du Prince de Ligne
Latérale
ST-JOB
Av. Bourgmestre Jean Bergmann
Av. de la Treille
Av. du Derby
Av. Simonau
Av. du Brésil
Av. du Chili
Av. de la Colombie
Av. de la Houlette
Av. 's Heeren Huys
Av. Léo Errera
Waaglaan
Boondael
Chaussée de Boondael
Av. de l'Hippodrome
Av. des Saisons
Av. du Bois de la Cambre
Av. du Beau-Séjour
R. de l'Ordre
Curie
Rue Volta
R. des Égyptiens
Square Derache
Av. Boondael
Av. Georges Bergmann
Rue Marie-Henriette
Chée de Waterloo
Ixelles
Gymnase
Hulpe
2,5

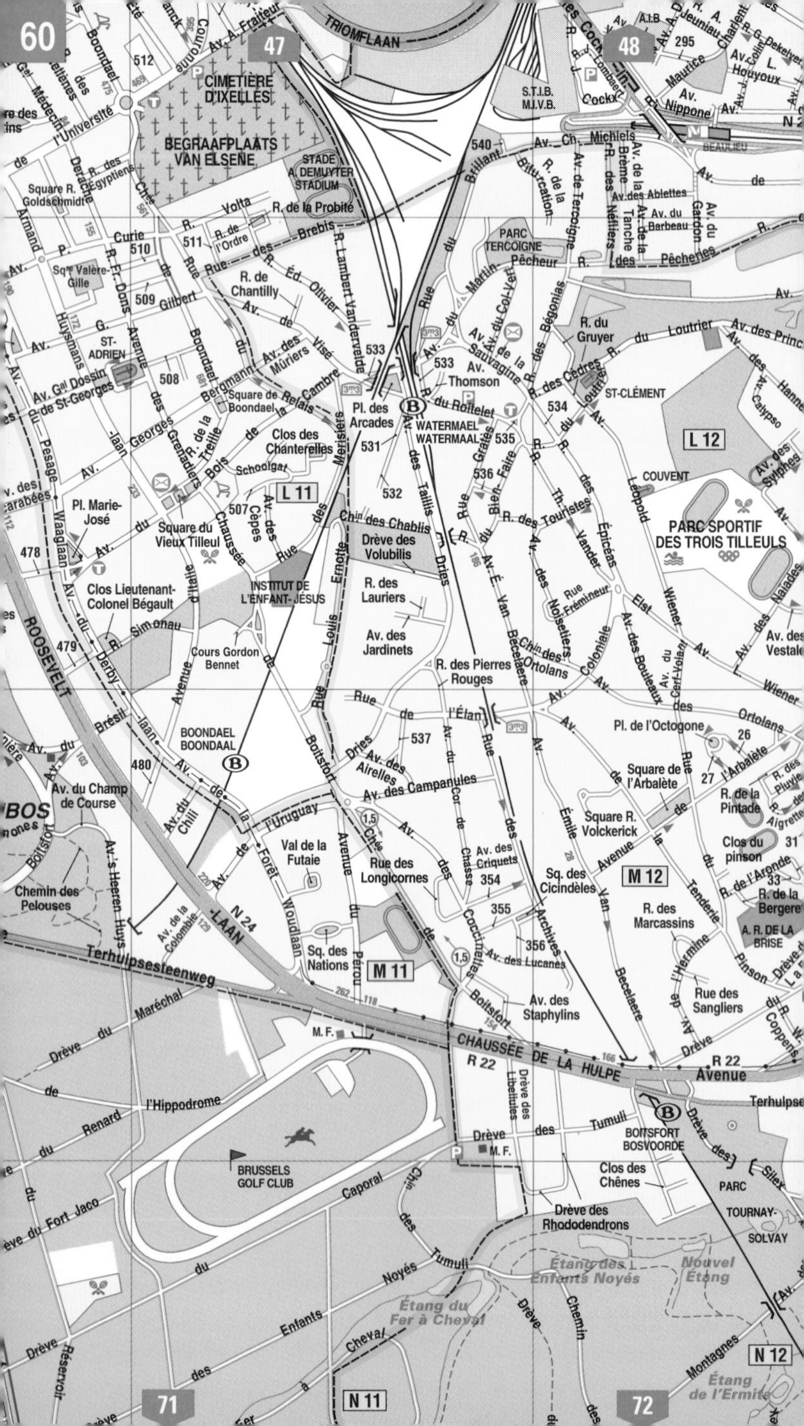
60
47
48
71
72
TRIOMFLAAN
CIMETIÈRE D'IXELLES
BEGRAAFPLAATS VAN ELSENE
STADE A. DEMUYTER STADIUM
S.T.I.B. M.I.V.B.
BEAULIEU
Av. Ch. Michiels
Av. de Tercoigne
PARC TERCOIGNE
Square R. Goldschmidt
R. de la Probité
R. de l'Ordre
R. des Brebis
R. de Chantilly
Av. Éd. Olivier
R. Lambert Vandervelde
Sqre Valère-Gille
ST-ADRIEN
Av. Gal Dossin de St-Georges
Square de Boondael
Av. des Mûriers
Av. du Bois de la Cambre
Pl. des Arcades
WATERMAEL WATERMAAL
Av. Thomson
R. du Roitelet
Av. de la Sauvagine
Av. des Bégonias
R. du Gruyer
Av. du Loutrier
R. des Cèdres
ST-CLÉMENT
L 12
L 11
COUVENT
PARC SPORTIF DES TROIS TILLEULS
Clos des Chanterelles
Schoolgat
Av. des Cèpes
Pl. Marie-José
Square du Vieux Tilleul
Ch. des Chablis
Drève des Volubilis
R. des Lauriers
Av. des Jardinets
INSTITUT DE L'ENFANT-JÉSUS
Clos Lieutenant-Colonel Bégault
R. Simonau
Cours Gordon Bennet
R. des Pierres Rouges
Rue de l'Élan
R. des Touristes
Av. des Noisetiers
Rue Fréminer
Ch. des Ortolans
Av. Coloniale
Av. des Bouleaux
Av. du Cerf-Volant
Pl. de l'Octogone
Square de l'Arbalète
Square R. Volckerick
R. de la Pintade
Clos du pinson
R. de l'Aronde
R. de la Bergere
A. R. DE LA BRISE
M 12
R. des Marcassins
Rue des Sangliers
Av. des Staphylins
Av. des Lucanes
Sq. des Cicindèles
Av. des Criquets
Rue des Longicornes
Val de la Futaie
Sq. des Nations
M 11
BOONDAEL BOONDAAL
Av. des Campanules
Av. des Airelles
Av. de l'Uruguay
Av. du Chili
Av. du Champ de Course
Chemin des Pelouses
Av. de la Colombie
ROOSEVELT
N 24
Terhulpsesteenweg
CHAUSSÉE DE LA HULPE
R 22
M. F.
BRUSSELS GOLF CLUB
l'Hippodrome
Drève du Caporal
Drève des Libellules
Drève des Tumuli
BOITSFORT BOSVOORDE
Clos des Chênes
Drève des Rhododendrons
PARC TOURNAY-SOLVAY
Étang des Enfants Noyés
Nouvel Étang
Étang du Fer à Cheval
Étang de l'Ermite
N 12
N 11

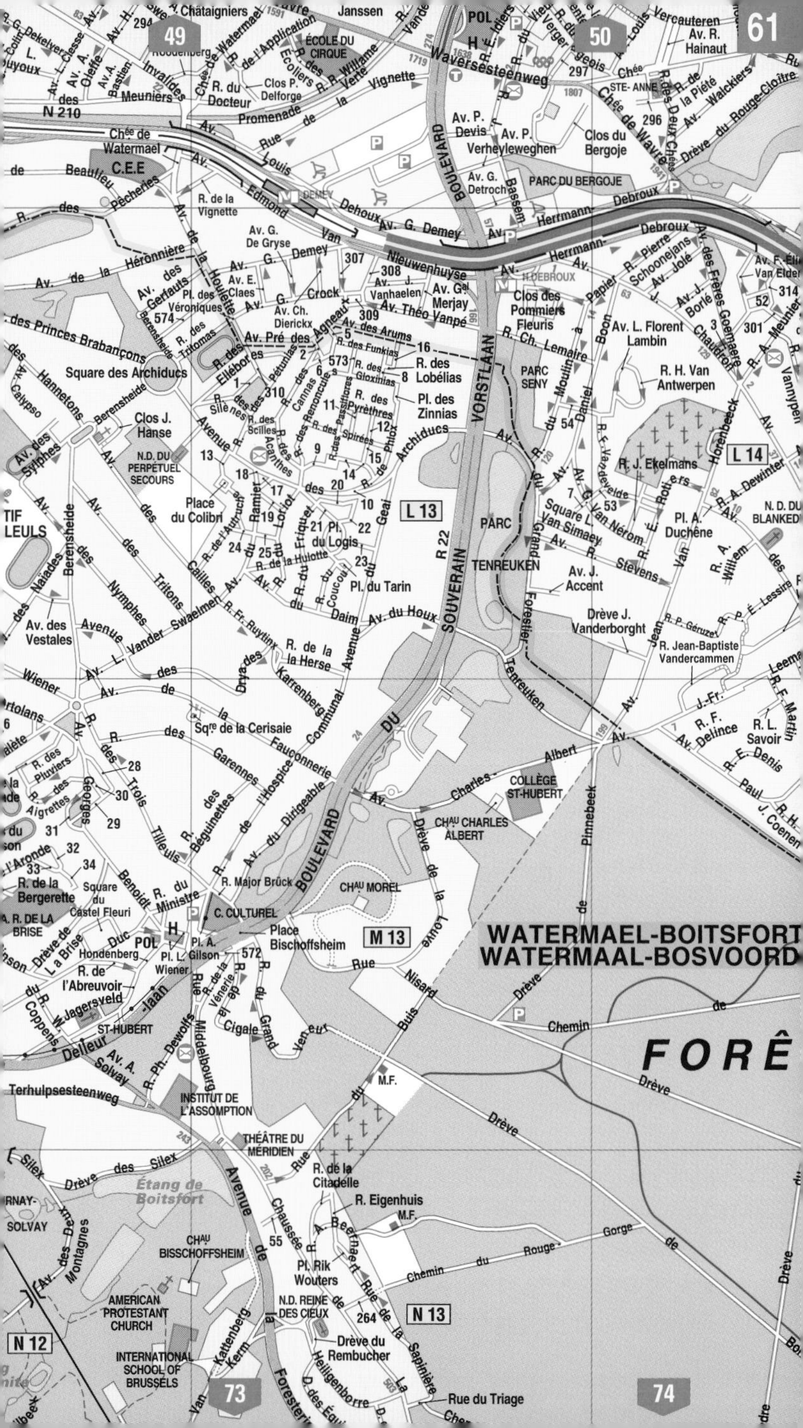
49
50
ÉCOLE DU CIRQUE
Waversesteenweg
Chée de Wavre
Chée de Watermael
C.E.E
DEMEY
PARC DU BERGOJE
Av. G. Demey
Herrmann-Debroux
H. DEBROUX
Clos du Bergoje
Clos des Pommiers Fleuris
Square des Archiducs
Av. Pré des Agneaux
R. des Lobélias
Pl. des Zinnias
PARC SENY
Av. L. Florent Lambin
R. H. Van Antwerpen
R. J. Ekelmans
L 14
L 13
N.D. DU PERPÉTUEL SECOURS
Place du Colibri
Pl. du Logis
Pl. du Tarin
BOULEVARD VORSTLAAN
R 22
SOUVERAIN
PARC TENREUKEN
Square L. Van Simaey
Pl. A. Duchêne
N. D. DU BLANKED
Av. J. Accent
Drève J. Vanderborght
R. Jean-Baptiste Vandercammen
Av. des Vestales
Sq.re de la Cerisaie
Av. Charles Albert
COLLÈGE ST-HUBERT
CH.AU CHARLES ALBERT
CH.AU MOREL
C. CULTUREL
Place Bischoffsheim
M 13
WATERMAEL-BOITSFORT
WATERMAAL-BOSVOORD
FORÊ
Square du Castel Fleuri
R. Major Brück
POL
Pl. A. Gilson
Pl. L. Wiener
ST-HUBERT
Terhulpsesteenweg
INSTITUT DE L'ASSOMPTION
THÉATRE DU MÉRIDIEN
M.F.
Étang de Boitsfort
CH.AU BISSCHOFFSHEIM
AMERICAN PROTESTANT CHURCH
INTERNATIONAL SCHOOL OF BRUSSELS
N.D. REINE DES CIEUX
Pl. Rik Wouters
R. Eigenhuis
R. de la Citadelle
Drève du Rembucher
Rue du Triage
N 13
N 12
N 210
73
74

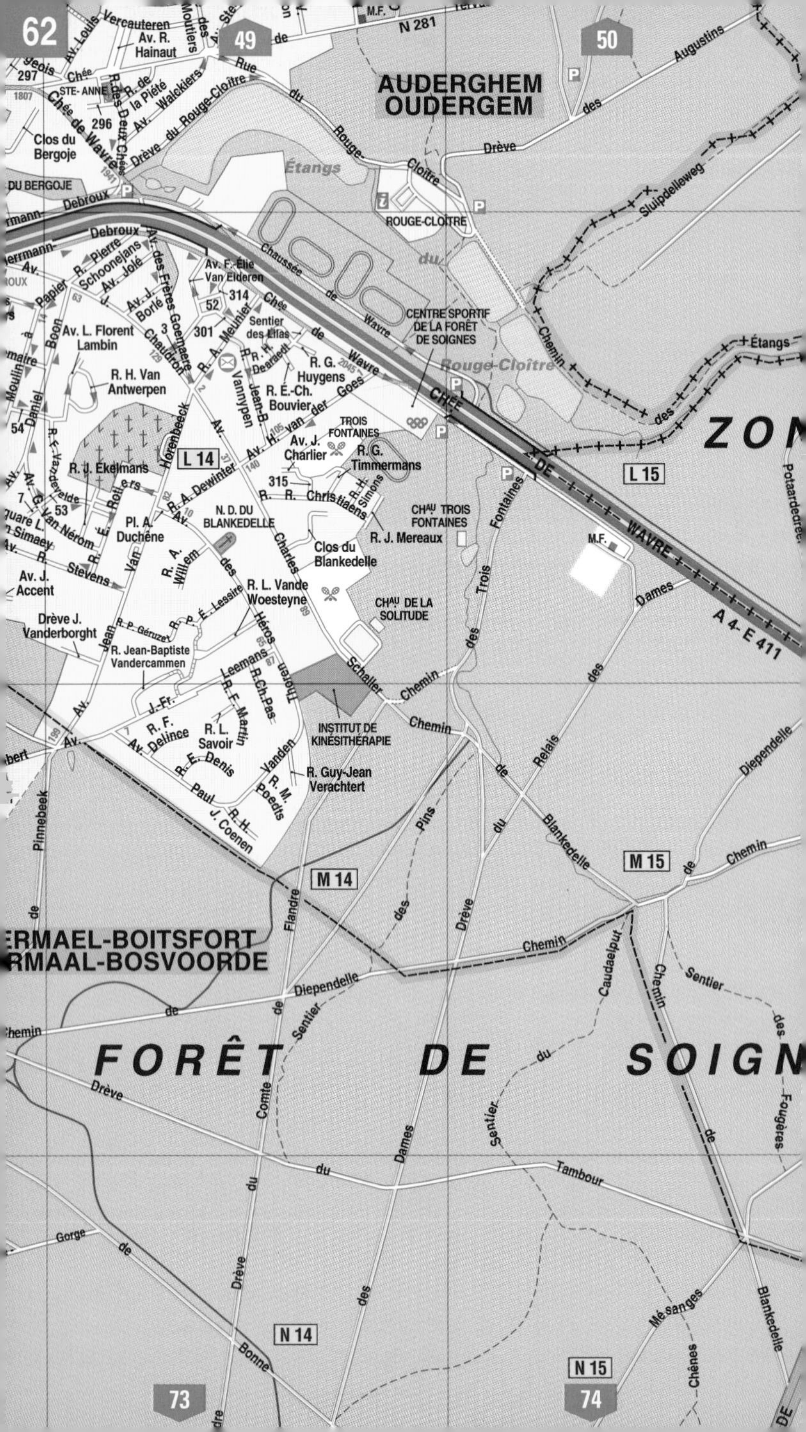
62
49
50
73
74
AUDERGHEM
OUDERGEM
ERMAEL-BOITSFORT
RMAAL-BOSVOORDE
FORÊT DE SOIGN
ZON
Étangs
ROUGE-CLOÎTRE
Rouge-Cloître
CENTRE SPORTIF
DE LA FORÊT
DE SOIGNES
TROIS
FONTAINES
N. D. DU
BLANKEDELLE
CHAU TROIS
FONTAINES
CHAU DE LA
SOLITUDE
INSTITUT DE
KINÉSITHÉRAPIE
STE- ANNE
M.F.
N 281
A 4- E 411
L 14
L 15
M 14
M 15
N 14
N 15
Av. Louis Vercauteren
Av. R. Hainaut
R. de la Piété
R. des Deux Chées
Av. Walckiers
Drève du Rouge-Cloître
Rue du Rouge-Cloître
Chée de Wavre
Clos du Bergoje
DU BERGOJE
Debroux
Av. Pierre Schoonejans
Av. Jolé
Av. F.-Élie Van Elderen
Av. des Frères Goemaere
Av. J. Borlé
Chaudron
Sentier des Lilas
R. H. Dearaedt
R. G. Huygens
R. É.-Ch. Bouvier
Av. H. van der Goes
Av. L. Florent Lambin
R. H. Van Antwerpen
Av. Horenbeek
R. A. Meunier
Av. Vannypen
R. Jean-B.
Av. J. Charlier
R. G. Timmermans
R. J. Ekelmans
R. A. Dewinter
R. R. Christiaens
R. H. Simons
R. J. Mereaux
Pl. A. Duchêne
R. A. Willem
Av. Charles
Clos du Blankedelle
R. L. Vande Woesteyne
Av. des Héros
Av. J. Accent
Drève J. Vanderborght
R. P. Géruzet
R. P. É. Lessire
R. Jean-Baptiste Vandercammen
Leemans
R. Ch. Pas
Thoren
R. J.-Fr.
R. F. Martin
R. F. Delince
R. L. Savoir
R. E. Denis
Av. Paul
R. H. J. Coenen
Vanden
R. M. Poedts
R. Guy-Jean Verachtert
Schaller
Chemin
Chemin des Trois Fontaines
Drève des Augustins
Sluipdelleweg
Chemin des Étangs
Potaardedreef
Chée de Wavre
Dames
Chemin du Relais
Chemin de Blankedelle
Chemin des Pins
Drève du
Chemin de Diependelle
Chemin de Caudaelput
Sentier des Fougères
Pinnebeek
Drève de Flandre
Drève du Comte
Sentier du
Drève des Dames
Drève du Tambour
Gorge
Drève de Bonne
Sentier du
Mésanges
Chênes
Blankedelle

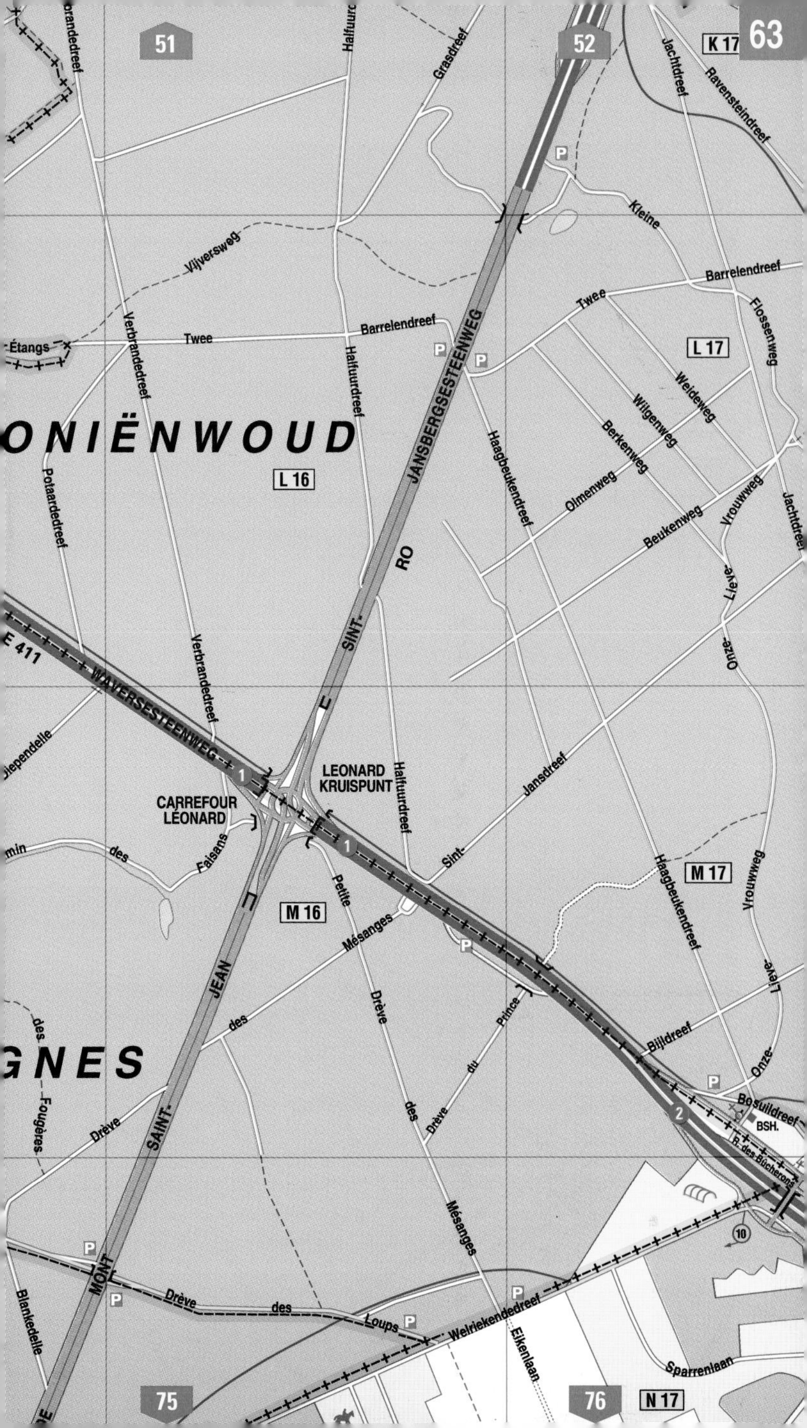
51
52
K 17
Halfuurd
Grasdreef
Jachtdreef
Ravensteindreef
Kleine
Barrelendreef
Vijversweg
Twee
Barrelendreef
Étangs
Verbrandedreef
Halfuurdreef
JANSBERGSESTEENWEG
Flossenweg
L 17
Weideweg
Wilgenweg
Berkenweg
Haagbeukendreef
Olmenweg
Vrouwweg
Beukenweg
Jachtdreef
ONIËNWOUD
L 16
Potaardedreef
RO
SINT-
Lieve-
Onze-
E 411
WAVERSESTEENWEG
Verbrandedreef
LEONARD KRUISPUNT
Halfuurdreef
Jansdreef
CARREFOUR LÉONARD
Faisans
des
Sint-
Petite
M 16
M 17
Haagbeukendreef
Vrouwweg
Mésanges
Lieve-
JEAN
Drève
des
Prince
du
Bijldreef
Onze-
GNES
des
Fougères
Dreve
SAINT-
des
Drève
Bosuildreef
BSH.
R. des Bûcherons
Mésanges
10
MONT
Drève
des
Loups
Welriekendedreef
Eikenlaan
Blankedelle
Sparrenlaan
75
76
N 17

K 17
51
52
ROYAL GOLF CLUB
DE BELGIQUE
RAVENSTEINKASTEEL
Jachtdreef
Ravensteindreef
Kleine
Barrelendreef
Twee
Koninklijke
Wandeling
Flossenweg
L 17
Weideweg
Wilgenweg
Berkenweg
Olmenweg
Beukenweg
Vrouwweg
Jansdreef
Sint-
Verrassingsweg
Verrassingsdr
BSH.
Jezus-
Eiklaan
Thuyaslaan
Cypressenlaan
Arboretum
L 18
Vlaktedreef
Dikke-
Eikweg
Arboretumwandeling
Woudmeesterdreef
Lieve-
Onze-
Lijsterweg
Grasperkweg
ARBORE
Middendreef
Kapucijnendreef
M 17
Haagbeukendreef
Dronkemansdreef
M 18
Bijldreef
Narcissenlaan
Tulpenlaan
Dahlialaan
Hortensialaan
Rozenlaan
Begonialaan
Leeuwerikendreef
Bosuildreef
R. des Bûcherons
Witherendreef
Eeuwstraat
Jezus-Eik
Brusselsesteenweg N 4
Graaf J. De Meeusstr.
Irma
Vandermottenlaan
Reebokweg
Gunsstraat
Louis
Vuurgetstraat
Lijsterbessenlaan
Kersenbomenlaan
Treurwilgenlaan
Sparrenlaan
Esdoornenlaan
Acacialaan
N 17
75
76
TE
Maas

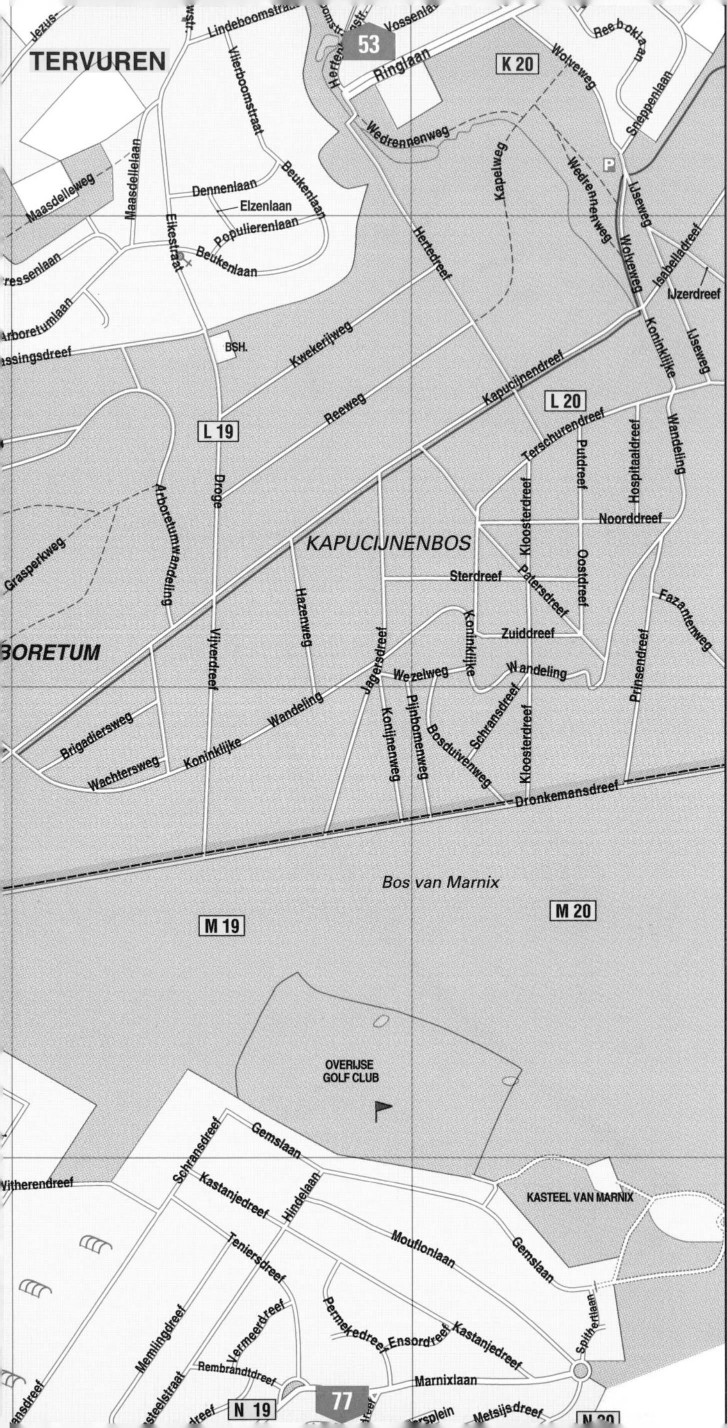

TERVUREN

53

K 20

L 19

L 20

KAPUCIJNENBOS

BORETUM

Bos van Marnix

M 19

M 20

OVERIJSE
GOLF CLUB

KASTEEL VAN MARNIX

77

N 19

Lindeboomstraat
Vossenlaan
Reebokalaan
Ringlaan
Wolveweg
Sneppenlaan
Vlierboomstraat
Wedrennenweg
Kapelweg
Maasdellelaan
Maasdelleweg
Dennenlaan
Elzenlaan
Beukenlaan
Populierenlaan
Eikestraat
IJseweg
Isabelladreef
IJzerdreef
Hertedreef
Arboretumlaan
Kwekerijweg
Koninklijke
Kapucijnendreef
Reeweg
Terschurendreef
Putdreef
Hospitaaldreef
Wandeling
Droge
Arboretumwandeling
Grasperkweg
Noorddreef
Kloosterdreef
Sterdreef
Oostdreef
Patersdreef
Hazenweg
Zuiddreef
Fazantenweg
Vijverdreef
Jagersdreef
Wezelweg
Prinsendreef
Brigadiersweg
Wachtersweg
Konijnenweg
Pijlbomenweg
Bosduivenweg
Schransdreef
Dronkemansdreef
Gemslaan
Hindelaan
Kastanjedreef
Mouflonlaan
Teniersdreef
Spitshertlaan
Permekedreef
Ensordreef
Memlingdreef
Vermeerdreef
Rembrandtdreef
Marnixlaan
Metsijsdreef

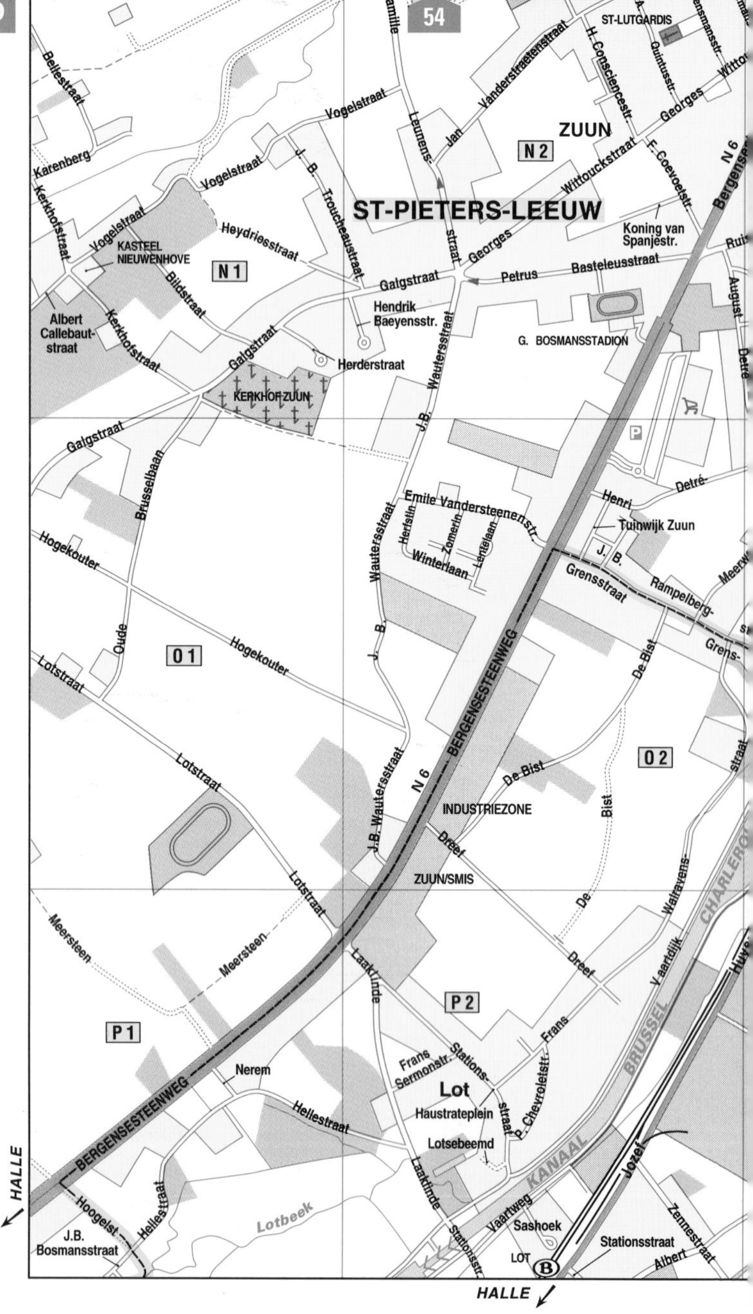
54
ST-PIETERS-LEEUW
ZUUN
N 1
N 2
O 1
O 2
P 1
P 2
N 6
ST-LUTGARDIS
Bellestraat
Karenberg
Kerkhofstraat
Vogelstraat
Camille
Leunensstraat
Jan Vanderstraetenstraat
H. Consciencestr.
A. Quintusstr.
Hensmansstr.
Georges Wittouckstraat
Wittouckstraat
F. Coevoetstr.
Koning van Spanjestr.
J. B. Troucheaustraat
Heydriesstraat
KASTEEL NIEUWENHOVE
Bildstraat
Albert Callebaut-straat
Kerkhofstraat
Galgstraat
Petrus Basteleusstraat
Hendrik Baeyensstr.
Herderstraat
G. BOSMANSSTADION
KERKHOF ZUUN
J.B. Wautersstraat
Bergensesteenweg
August Detré
Detré
Henri Detré
Tuinwijk Zuun
Emile Vandersteenenstr.
Herfstln
Zomerln
Lentelaan
Winterlaan
J. B. Rampelberg-
Grensstraat
Grens-
Meerw
Brusselbaan
Hogekouter
Oude
De Bist
Bist
Lotstraat
BERGENSESTEENWEG
INDUSTRIEZONE
ZUUN/SMIS
De Dreef
Walravens
Meersteen
Laaklinde
V aartdijk
BRUSSEL CHARLEROI KANAAL
Frans Sermonstr.
Stationsstraat
Frans Chevroletstr.
Lot
Haustrateplein
Lotsebeemd
Nerem
Hellestraat
Lotbeek
Hoogeist
J.B. Bosmansstraat
Vaartweg
Sashoek
LOT
Stationsstraat
Jozef
Zennestraat
Albert
Huysmans
HALLE
HALLE

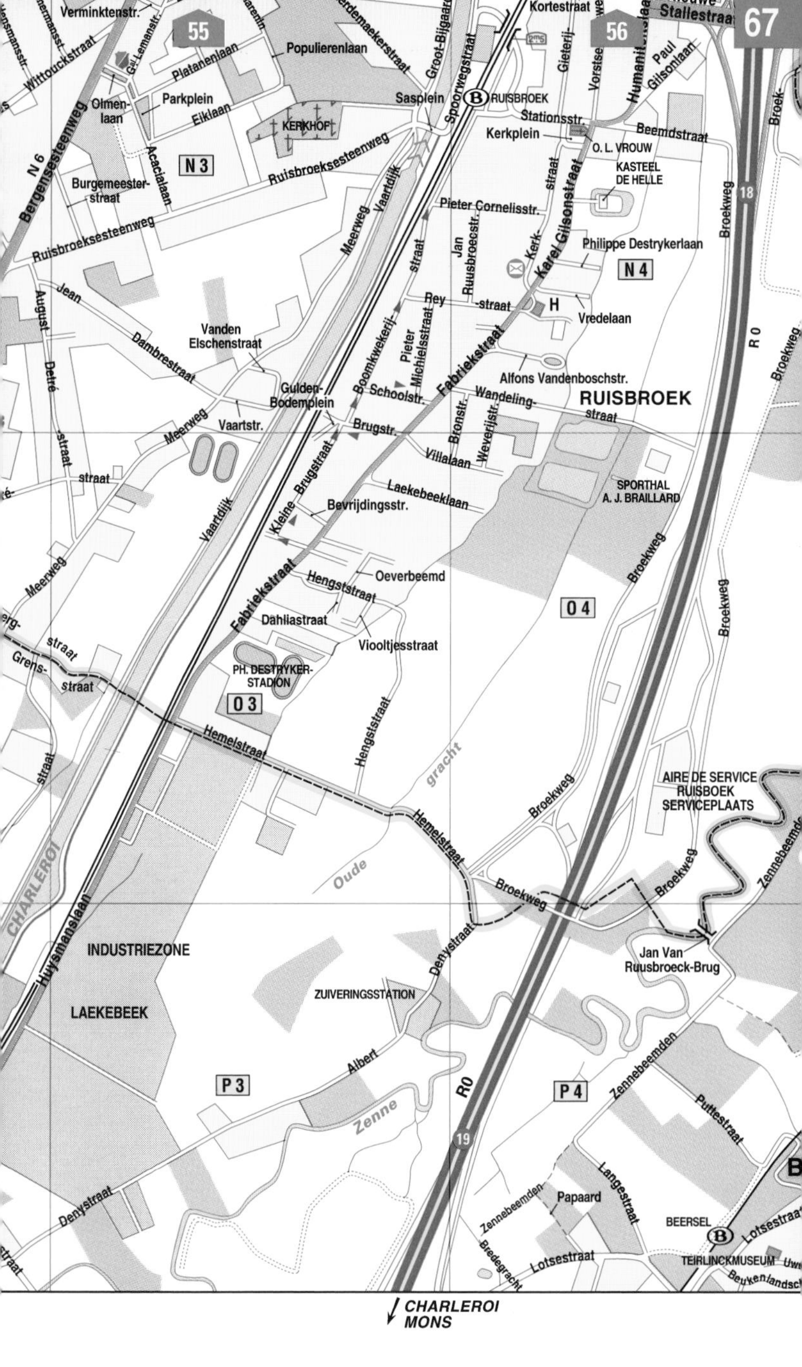
67
55
56
Verminktenstr.
Wittouckstraat
Populierenlaan
Platanenlaan
Parkplein
Olmen-
laan
Eiklaan
KERKHOF
Acacialaan
N 3
N 6
Bergensesteenweg
Burgemeester-
straat
Ruisbroeksesteenweg
Ruisbroeksesteenweg
Groot-Bijgaarden
Sasplein
Spoorwegstraat
RUISBROEK
Kortestraat
Gieterij-
Vorstse
Humanitéslaan
Nieuwe
Stallestraat
Paul
Gilsonlaan
Stationsstr.
Kerkplein
Beemdstraat
O. L. VROUW
KASTEEL
DE HELLE
Vaartdijk
Meerweg
Pieter Cornelisstr.
Jan
Ruusbroecstr.
Kerk-
straat
Karel Gilsonstraat
Philippe Destrykerlaan
N 4
Broekweg
18
Rey
-straat
H
Vredelaan
Boomkwekerij-
straat
Pieter
Michielsstraat
Fabriekstraat
Alfons Vandenboschstr.
Schoolstr.
Wandeling-
straat
RUISBROEK
R 0
Broekweg
Jean
Dambrestraat
August
Detré
-straat
Vanden
Elschenstraat
Gulden-
Bodemplein
Vaartstr.
Meerweg
Brugstr.
Bronstr.
Weverijstr.
Villalaan
Brugstraat
Kleine
Bevrijdingsstr.
Laekebeeklaan
SPORTHAL
A. J. BRAILLARD
straat
Vaartdijk
Meerweg
Broekweg
Oeverbeemd
Hengststraat
Fabriekstraat
O 4
Dahliastraat
Viooltjesstraat
Broekweg
Grens-
straat
PH. DESTRYKER-
STADION
O 3
Hemelstraat
Hengststraat
gracht
AIRE DE SERVICE
RUISBOEK
SERVICEPLAATS
Broekweg
Hemelstraat
Oude
Broekweg
Broekweg
Zennebeemden
CHARLEROI
Huysmanslaan
INDUSTRIEZONE
LAEKEBEEK
Denystraat
ZUIVERINGSSTATION
Jan Van
Ruusbroeck-Brug
Albert
P 3
Zenne
R0
19
P 4
Zennebeemden
Puttestraat
Langestraat
Denystraat
Zennebeemden
Papaard
BEERSEL
Lotsestraat
Bredegracht
Lotsestraat
TEIRLINCKMUSEUM
Beukenlandsch
CHARLEROI
MONS

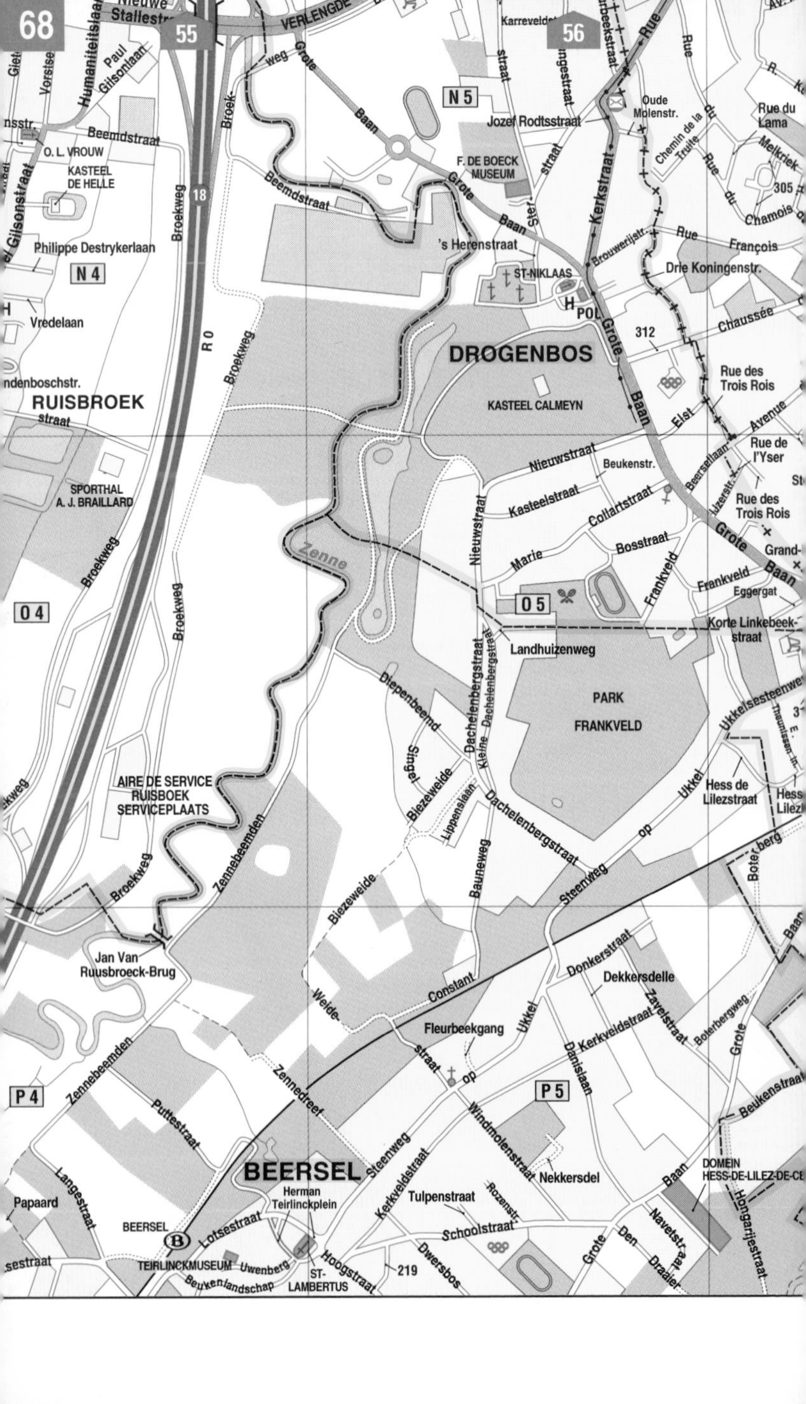
55
56
Nieuwe
Stallestr.
VERLENGDE
Humaniteitslaan
Paul
Gilsonlaan
Vorstse
Broek-
weg
Grote
Baan
Karreveldstr.
straat
N 5
Jozef Rodtsstraat
Oude
Molenstr.
Rue du
Lama
Chemin de la
Truite
Melkriek
Beemdstraat
O. L. VROUW
KASTEEL
DE HELLE
18
Broekweg
Beemdstraat
F. DE BOECK
MUSEUM
Kerkstraat
305
Chamois
Philippe Destrykerlaan
N 4
's Herenstraat
Brouwerijstr.
Rue
François
Drie Koningenstr.
ST-NIKLAAS
POL
Grote
Baan
Chaussée
312
Vredelaan
R 0
Broekweg
DROGENBOS
KASTEEL CALMEYN
Rue des
Trois Rois
ndenboschstr.
RUISBROEK
straat
Elst
Avenue
Rue de
l'Yser
Nieuwstraat
Beukenstr.
Beersellaan
SPORTHAL
A. J. BRAILLARD
Kasteelstraat
Collartstraat
Rue des
Trois Rois
Nieuwstraat
Grote
Baan
Grand-
Zenne
Marie
Bosstraat
Frankveld
Broekweg
Frankveld
Eggergat
O 4
Broekweg
O 5
Korte Linkebeek-
straat
Landhuizenweg
Diepenbeemd
PARK
FRANKVELD
Ukkelsesteenweg
Dachelenbergstraat
Kleine Dachelenbergstraat
Singel
Hess de
Lilezstraat
AIRE DE SERVICE
RUISBOEK
SERVICEPLAATS
Biezeweide
Lippenslaan
Dachelenbergstraat
Ukkel
op
Boterberg
Zennebeemden
Bauneweg
Steenweg
Broekweg
Biezeweide
Donkerstraat
Jan Van
Ruusbroeck-Brug
Dekkersdelle
Constant
Weide-
Zavelstraat
Fleurbeekgang
Ukkel
Kerkveldstraat
Boterbergweg
Grote
straat
op
Danislaan
Zennebeemden
Zennedreef
P 4
P 5
Puttestraat
Windmolenstraat
Beukenstraat
Steenweg
Kerkveldstraat
Baan
DOMEIN
HESS-DE-LILEZ-DE-CE
BEERSEL
Nekkersdel
Herman
Teirlinckplein
Langestraat
Papaard
Tulpenstraat
Rozenstr.
Hongarijestraat
Navetstraat
BEERSEL
Lotsestraat
Schoolstraat
Den
Draaier
Grote
sestraat
TEIRLINCKMUSEUM
Uwenberg
Hoogstraat
219
Dwersbos
Beukenlandschap
ST-
LAMBERTUS

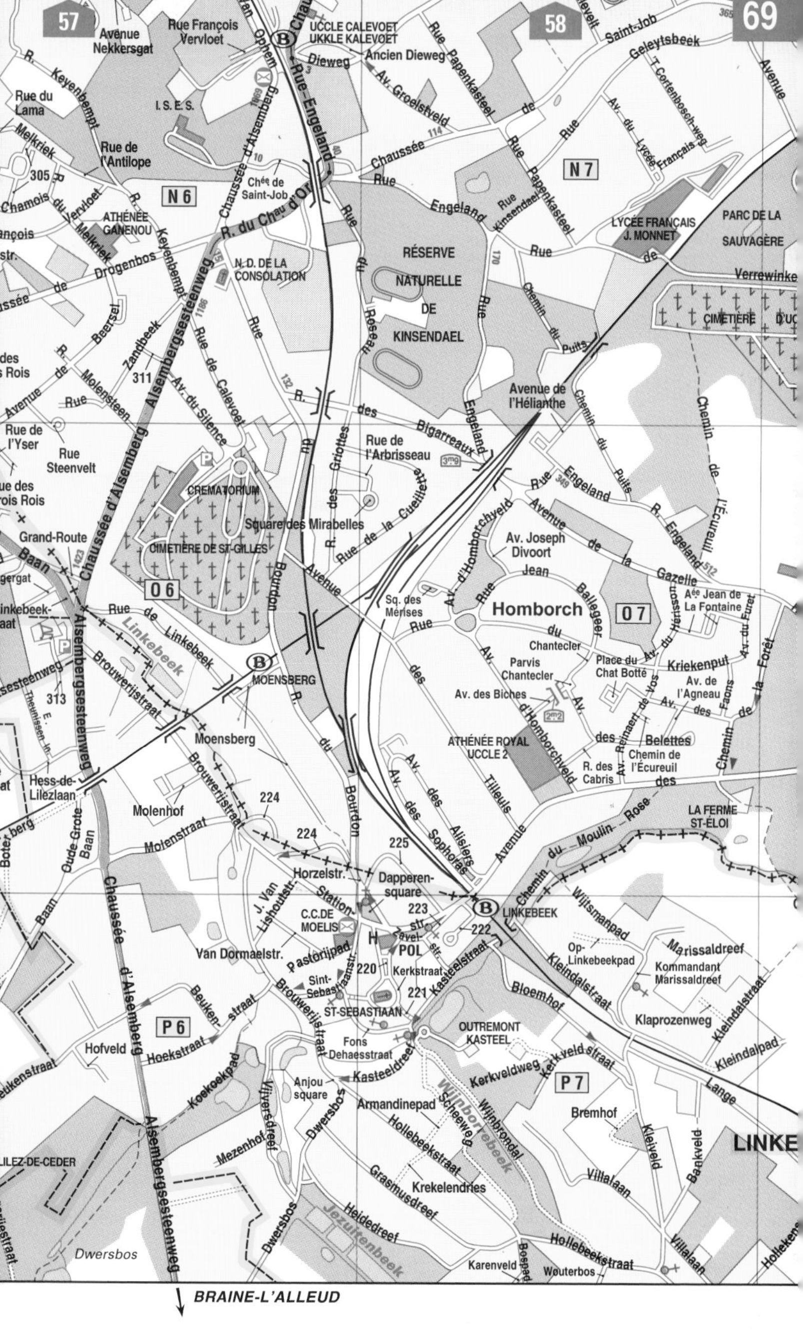

57
58
69
UCCLE CALEVOET
UKKLE KALEVOET
Ancien Dieweg
Dieweg
Av. Groelstveld
Rue Papenkasteel
Saint-Job
Geleytsbeek
'T Cortenbosch-weg
Av. du Lycée Français
Avenue
Rue François Vervloet
Avenue Nekkersgat
Rue du Lama
R. Keyenbempt
I. S. E. S.
Rue de l'Antilope
Melkriek
305
Chamois
R. du Vervloet
ATHÉNÉE GANENOU
N 6
N 7
Chée de Saint-Job
Chaussée d'Alsemberg
Rue Engeland
Van Ophem
Chaussée de Saint-Job
R. du Chau d'Or
Rue Engeland
Rue Kinsendael
Rue Papenkasteel
LYCÉE FRANÇAIS J. MONNET
PARC DE LA SAUVAGÈRE
Rue de Verrewinkel
CIMETIÈRE
Drogenbos
Chaussée de
N. D. DE LA CONSOLATION
RÉSERVE NATURELLE DE KINSENDAEL
Rue du Roseau
Rue Engeland
Chemin du Puits
Avenue de l'Hélianthe
Beersel
Zandbeek
Rue de Calevoet
Alsembergsesteenweg
311
Av. du Silence
R. de Molensteen
Avenue
Rue de l'Yser
Rue Steenvelt
R. des Bigarreaux
Rue de l'Arbrisseau
R. des Griottes
Rue de la Cueillette
Square des Mirabelles
CREMATORIUM
CIMETIÈRE DE ST-GILLES
Chemin du Puits
Chemin de l'Écureuil
Rue Engeland
Avenue de la Gazelle
R. Engeland
Av. d'Homborchveld
Av. Joseph Divoort
Rue Jean Ballegeer
Homborch
O 6
O 7
Grand-Route
Baan
Rue de Linkebeek
Linkebeek
Avenue
Sq. des Merises
Rue du Chantecler
Parvis Chantecler
Av. des Biches
Place du Chat Botté
Kriekenput
Av. de l'Agneau
Av. des Faons
Av. du Furet
Ae Jean de La Fontaine
Chemin de la Forêt
MOENSBERG
R. du Bourdon
Brouwerijstraat
313
Moensberg
ATHÉNÉE ROYAL UCCLE 2
Av. d'Homborchveld
Av. des Tilleuls
Av. des Belettes
Chemin de l'Écureuil
R. des Cabris
Av. Reinaert de Vos
Hess-de-Lilezlaan
Molenhof
224
225
Molenstraat
Oude Grote Baan
Av. des Alisiers
Av. des Sophoras
Avenue
Chemin du Moulin Rose
LA FERME ST-ÉLOI
Horzelstr.
Dapperen-square
Station
J. Van Lishoutstr.
C.C.DE MOELIS
223
222
LINKEBEEK
Wijtsmanpad
Op-Linkebeekpad
Marissaldreef
Kommandant Marissaldreef
Van Dormaelstr.
Pastorijpad
POL
220
Kerkstraat
221
Kasteelstraat
Kleindalstraat
Bloemhof
Sint-Sebastiaanstr.
ST-SEBASTIAAN
Brouwerijstraat
Beukenstraat
Chaussée d'Alsemberg
P 6
P 7
Hofveld
Hoekstraat
Fons Dehaesstraat
OUTREMONT KASTEEL
Klaprozenweg
Kleindalstraat
Kleindalpad
Lange
Kasteeldreef
Anjou square
Kerkveldweg
Kerkveldstraat
Koekoekpad
Vijversdreef
Dwersbos
Armandinepad
Scheeweg
Wijnborrebeek
Wijnbrondal
Bremhof
Kleiveld
Bankveld
LINKE
Mezenhof
Hollebeekstraat
Krekelendries
Villalaan
Alsembergsesteenweg
LILEZ-DE-CEDER
Grasmusdreef
Heidedreef
Jezuïtenbeek
Hollebeekstraat
Dwersbos
Karenveld
Bospad
Wouterbos
Villalaan
BRAINE-L'ALLEUD

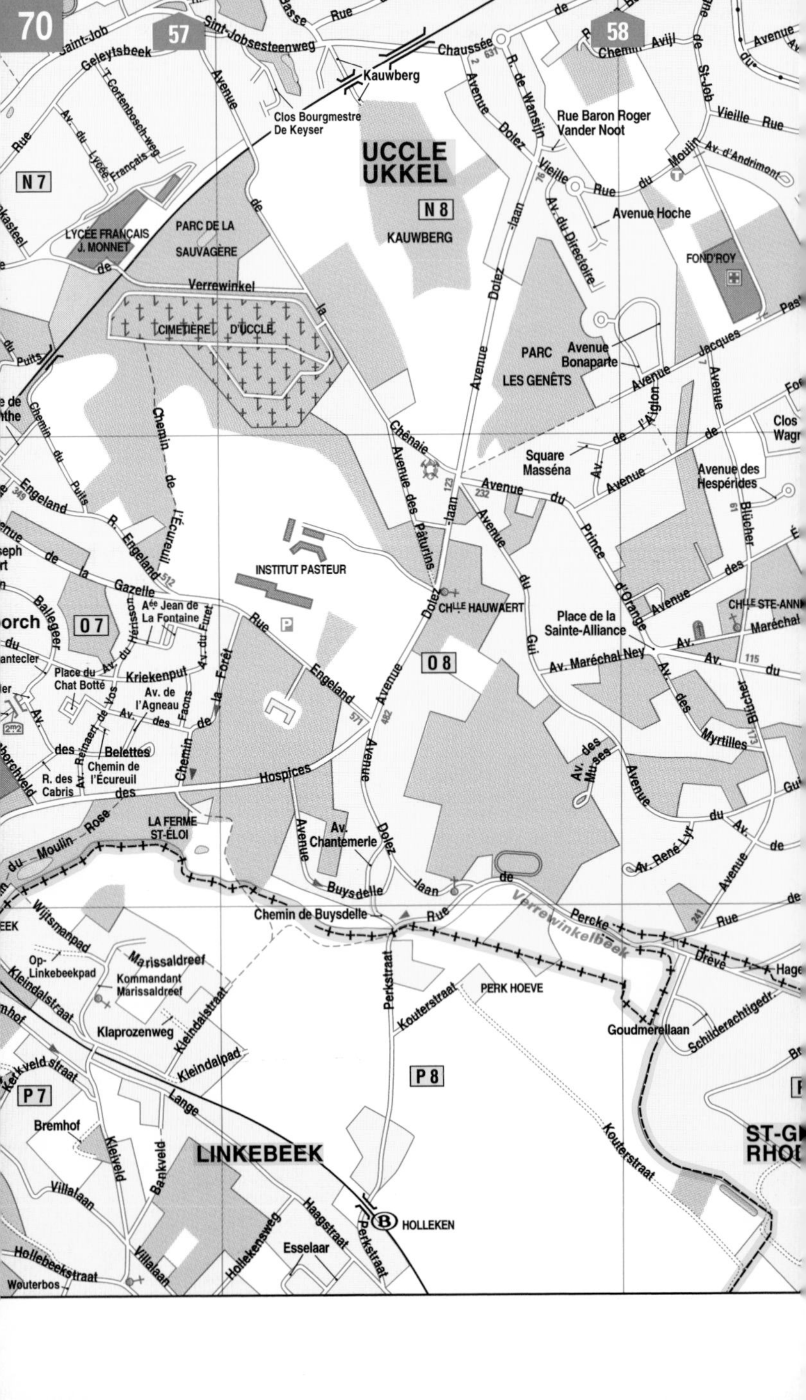
70
57
58
UCCLE
UKKEL
LINKEBEEK
N 7
N 8
O 7
O 8
P 7
P 8
Saint-Job
Geleytsbeek
Sint-Jobsesteenweg
Basse Rue
Chaussée de
Kauwberg
Clos Bourgmestre De Keyser
Chemin Avijl
Vieille Rue
Rue Baron Roger Vander Noot
Avenue Dolez
R. de Wansijn
Av. d'Andrimont
Vieille Rue du Moulin
Avenue Hoche
Av. du Directoire
FOND'ROY
KAUWBERG
'T Cortenbosch-weg
Av. du Lycée Français
LYCÉE FRANÇAIS J. MONNET
PARC DE LA SAUVAGÈRE
Avenue de la Chênaie
Verrewinkel
CIMETIÈRE D'UCCLE
Puits
Chemin du Puits
Chemin de l'Écureuil
PARC LES GENÊTS
Avenue Bonaparte
Avenue Jacques
Avenue de l'Aiglon
Square Masséna
Avenue des Hespérides
Avenue Blücher
Avenue du Prince d'Orange
Avenue des Pâturins
Dolez-laan
INSTITUT PASTEUR
Engeland
R. Engeland
Avenue de la Gazelle
Ballegeer
Aée Jean de La Fontaine
Av. du Furet
Av. du Hérisson
Place du Chat Botté
Kriekenput
Av. de l'Agneau
Av. des Faons
Chemin de la Forêt
Av. Reinaert de Vos
Av. des Belettes
Chemin de l'Écureuil
R. des Cabris
Rue Engeland
Rue des Hospices
CH^{LLE} HAUWAERT
Place de la Sainte-Alliance
Av. Maréchal Ney
Avenue des
Av. du Maréchal
CH^{LLE} STE-ANNE
Clos Wagr
Av. des Myrtilles
Av. des Muses
Avenue du Gui
Av. René Lyr
Rose
du Moulin
LA FERME ST-ÉLOI
Avenue Chantemerle
Buysdelle
Chemin de Buysdelle
Rue de Percke
Verrewinkelbeek
Wijtsmanpad
Op-Linkebeekpad
Marissaldreef
Kommandant Marissaldreef
Kleindalstraat
Klaprozenweg
Kleindalpad
Perkstraat
Kouterstraat
PERK HOEVE
Goudmerellaan
Schilderachtigedr.
Dreve
Kerkveld straat
Lange
Bremhof
Kleiveld
Bankveld
Villalaan
Hollekensweg
Haagstraat
Esselaar
HOLLEKEN
Hollebeekstraat
Wouterbos
ST-GE
RHOD
Engeland
Avenue Dolez

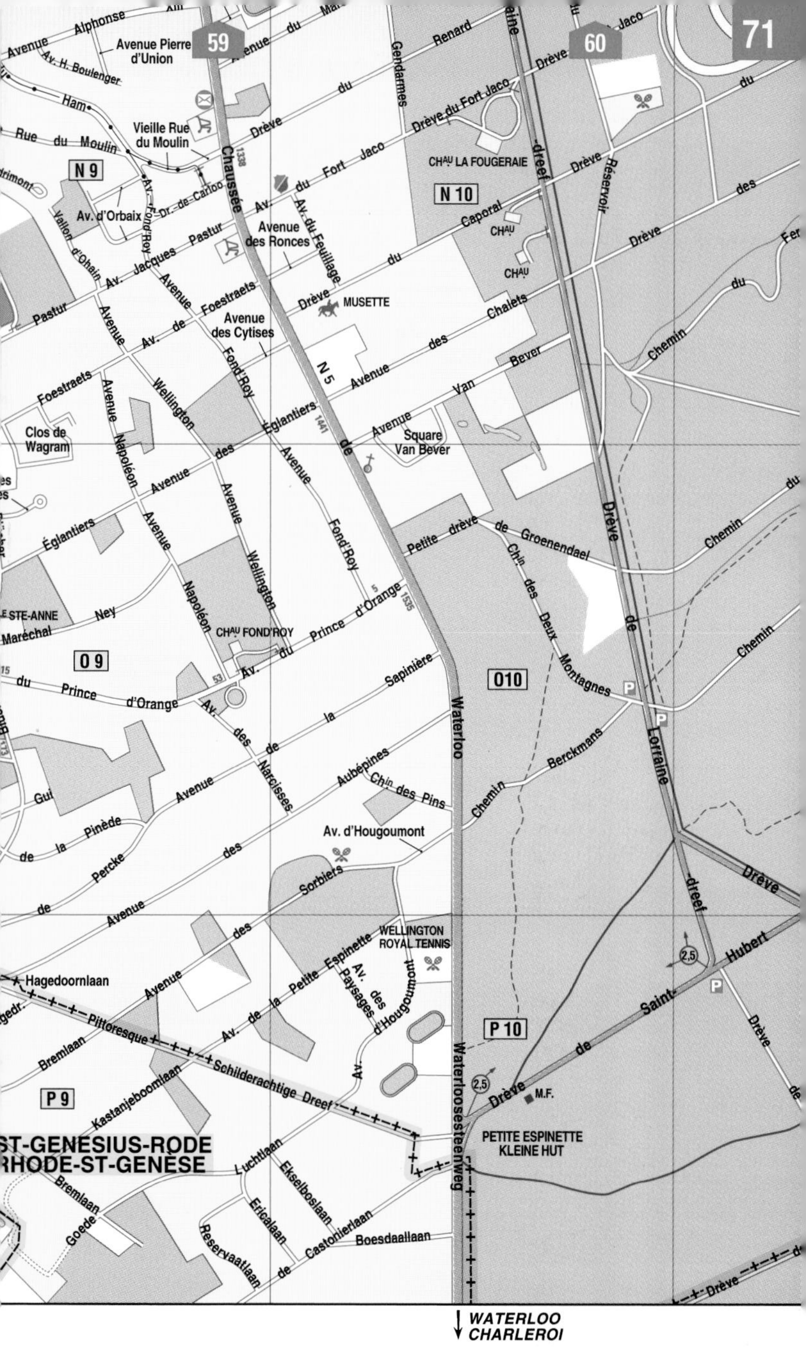
59
60
Avenue Alphonse
Avenue Pierre d'Union
Av. H. Boulenger
Ham
Rue du Moulin
Vieille Rue du Moulin
N 9
Av. d'Orbaix
Vallon d'Ohain
Av. Fond'Roy
Dr. de Carloo
Chaussée
Drève du Renard
Gendarmes
Drève du Fort Jaco
Av. du Fort Jaco
CHAU LA FOUGERAIE
N 10
Av. Jacques Pastur
Avenue des Ronces
Av. du Feuillage
Drève du Caporal
CHAU
Avenue de Foestraets
Drève MUSETTE
Avenue des Cytises
Avenue des Chalets
Avenue Van Bever
N 5
Foestraets
Avenue Wellington
Fond'Roy
Avenue Napoléon
Clos de Wagram
Avenue des Églantiers
Square Van Bever
Réservoir
Drève des
Chemin du
Petite drève de Groenendael
Chin des Deux Montagnes
Avenue Fond'Roy
Av. du Prince d'Orange
STE-ANNE
Maréchal Ney
CHAU FOND'ROY
O 9
O10
du Prince d'Orange
Av. de la Sapinière
Av. des Narcisses
Waterloo
Chemin Berckmans
Drève de Lorraine
-dreef
Aubépines
Chin des Pins
Avenue de la Pinède
Avenue de Percke
Av. d'Hougoumont
Avenue des Sorbiers
WELLINGTON ROYAL TENNIS
Av. de la Petite Espinette
Av. des Paysages
d'Hougoumont
Hagedoornlaan
Pittoresque
Schilderachtige Dreef
Bremlaan
Kastanjeboomlaan
P 9
P 10
Waterloosesteenweg
Drève de Saint-Hubert
2,5
M.F.
PETITE ESPINETTE
KLEINE HUT
ST-GENESIUS-RODE
RHODE-ST-GENÈSE
Luchtlaan
Ekselboslaan
Ericalaan
Goede
Reservaatlaan
de Castonierlaan
Boesdaallaan
Drève
WATERLOO
CHARLEROI

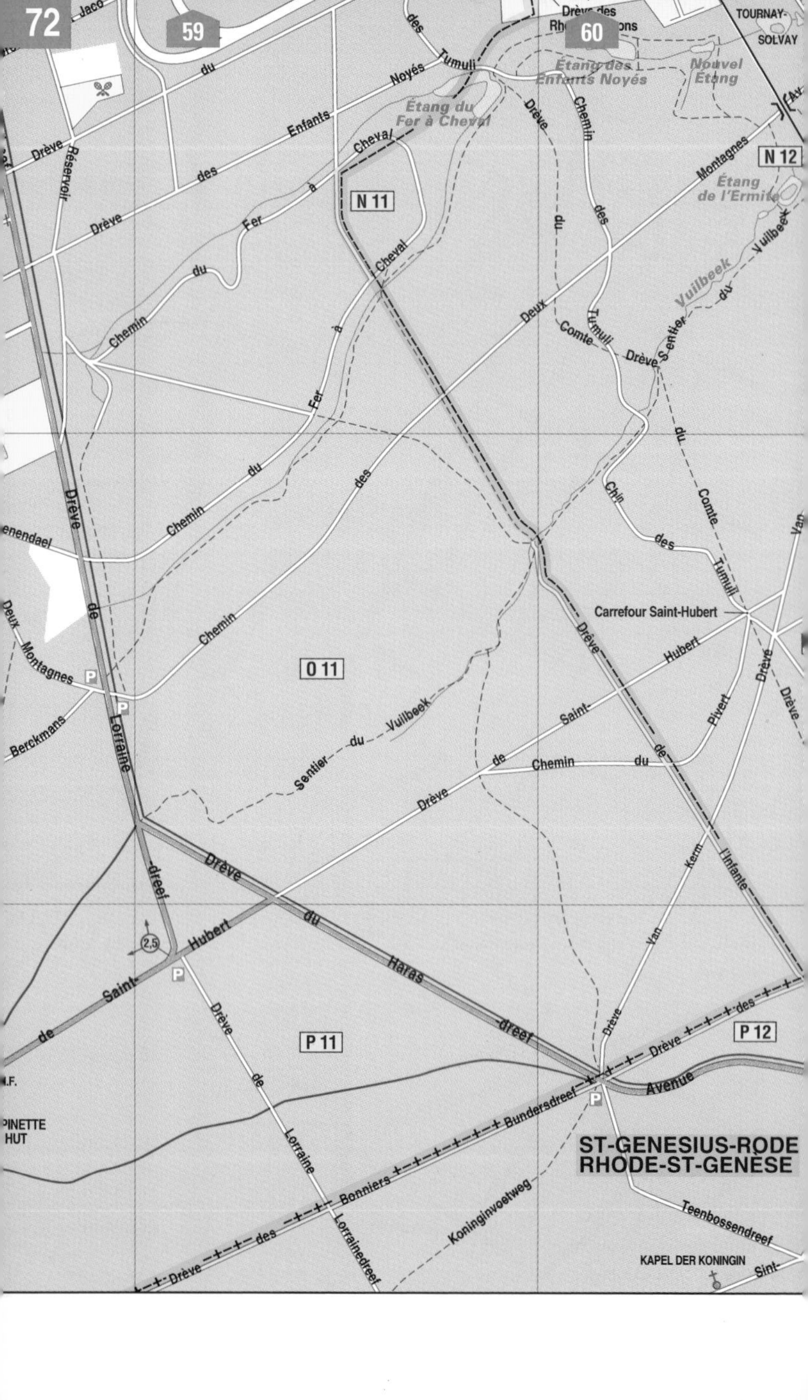
59
60
Drève des Rh…ons
TOURNAY-SOLVAY
Étang des Enfants Noyés
Nouvel Étang
Étang du Fer à Cheval
Étang de l'Ermite
N 11
N 12
O 11
P 11
P 12
Drève des Enfants Noyés
Drève du Réservoir
Chemin du Fer à Cheval
Chemin du Fer à Cheval
Chemin des Deux Montagnes
Drève du Comte
Chemin des Tumuli
Drève des Tumuli
Sentier du Vuilbeek
Vuilbeek
Drève du Comte
Chin des Tumuli
Carrefour Saint-Hubert
Drève de Lorraine
Deux Montagnes
Berckmans
Sentier du Vuilbeek
Drève de Saint-Hubert
Chemin du Pivert
Drève de l'Infante
Drève du Haras dreef
Lorraine dreef
Saint-Hubert
Drève de Lorraine
Van Kerm Drève
Drève des Bonniers Bundersdreef
Avenue
Lorrainedreef
Koninginvoetweg
Teenbossendreef
KAPEL DER KONINGIN
Sint-
ST-GENESIUS-RODE
RHODE-ST-GENÈSE
2,5
P

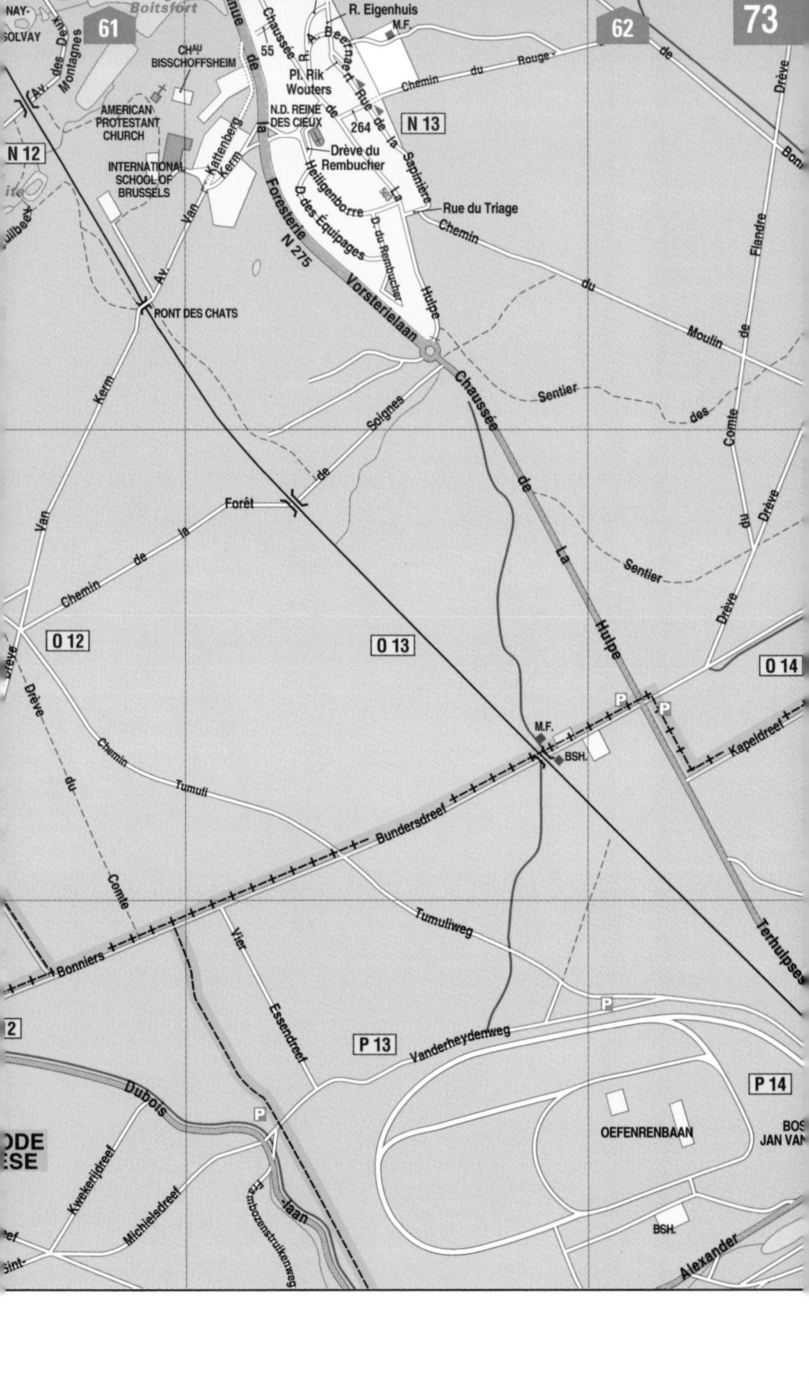
61
62
Etang de Boitsfort
Citadelle
R. Eigenhuis
M.F.
Chaussée
55
R. A. Beernaert
Pl. Rik Wouters
Rue de la Sapinière
Chemin du Rouge
CHAU BISSCHOFFSHEIM
AMERICAN PROTESTANT CHURCH
INTERNATIONAL SCHOOL OF BRUSSELS
N.D. REINE DES CIEUX
264
N 13
N 12
Drève du Rembucher
Heiligenborre
D. des Équipages
D. du Rembucher
Rue du Triage
Chemin du Moulin
Av. des Deux Montagnes
Av. Van Kerm
Kattenberg
RONT DES CHATS
Avenue de la Foresterie
N 275
Vorsterielaan
Chaussée de La Hulpe
Drève de Bonne
Drève de Flandre
Drève du Comte
Sentier des
Sentier
Soignes
Chemin de la Forêt
O 12
O 13
O 14
Chemin Tumuli
Tumuliweg
Bundersdreef
Bonniers
M.F.
BSH.
Kapeldreef
Terhulpsesteenweg
Vier Essendreef
Vanderheydenweg
P 13
P 14
Dubois
-laan
Frambozenstruikenweg
Kwekerijdreef
Michielsdreef
OEFENRENBAAN
BSH.
Alexander
BOS JAN VAN

61
62
N 14
N 15
O 14
O 15
P 14
P 15
KAPEL O.L.V. VAN WELRIEKENDE
St. Jansbergdreef
KASTEEL TE
DRAGS RIDING SCHOOL
LORD NEWCASTLE STABLES
MUSETTE
OEFENRENBAAN
BOSMUSEUM JAN VAN RUUSBROEC
Keizer Karel vijver
GROENENDAAL
RELAIS ÉQUESTRE DE GROENENDAAL
Vandammestraat
Kapeldreef
Brusselsesteenweg
Terhulpsesteenweg
Groenendaalse-steenweg
Duboislaan
Alexander
ROUTE DE
RO LEOPOLD II LAAN
Netelenweg
Berenweg
Molenweg
Verkensgatweg
Karrenbergweg
Hertenlaan
Blankedelle
WATERLOO
GENVAL

63
64
Mésanges
Dréve des Loups
Blankedelle
DE MONT
Welriekendedreef
Eikenlaan
Sparrenlaan
N 17
N 16
Sint-Hubertusdreef
Zoniënboslaan
Barbizonlaan
Barbizon
Esdoorn
Schutters
Prins
Koedalstraat
KASTEEL TER BLOK
bergdreef
Vuurgatstraat
O 16
J. B. Blommaertstraat
Kortestraat
Klein Vuurgatstr.
Jezuseiksesteenweg
G. De Kleermaekerstraat
O 17
Terblokstraat
MUSETTE
Jan Lindtstraat
Watertorenstraat
W. Degreefstraat
Brusselsesteenweg
Edmond Vandervaerenstraat
Steenbergstraat
Wagebak
Keizerstraat
de Quirinilaan
Sparrebosstraat
Blokveldstraat
Zonienbosstraat
Josse Biesmansstraat
Wijndaalstr.
Ernest Claeslaan
Stijn Streuvelslaan
H. Teirlinckiaan
Sohiestraat
Bergstraat
Edgard
Felix Sohiestr.
P 17
KASTE QUIR
Felix Timmermanslaan
HOEILAART
Karrenbergstraat
Druivenlaan
J. Delcordestraat
P 16
Panoramalaan
Jozef Dayerstr.
V. Mertensstr.
Overijsesteenweg
Koldamstr.
Dumberg
RUSTHUIS
M. Felicestr.
Henri
C.CENTRUM
F.SOHIE CENTRUM
A. Biesmanslaan
Kapelstraat
Groenendaalsesteenweg
226
Koldamstr.
Raymond
Vredestraat
W. Vandenputstraat
Kerkstraat
ST-CLEMENS
E. Vandenbroeckstr.
enweg
Charlierlaan
Caronstr.
233
Willem Matstraat
Jean-Baptiste
Engelselaan
Amerikalaan
227
Kasteelstraat
Rode Kruisstr.
POL
W. Eggerickstr.
231
232
Weems

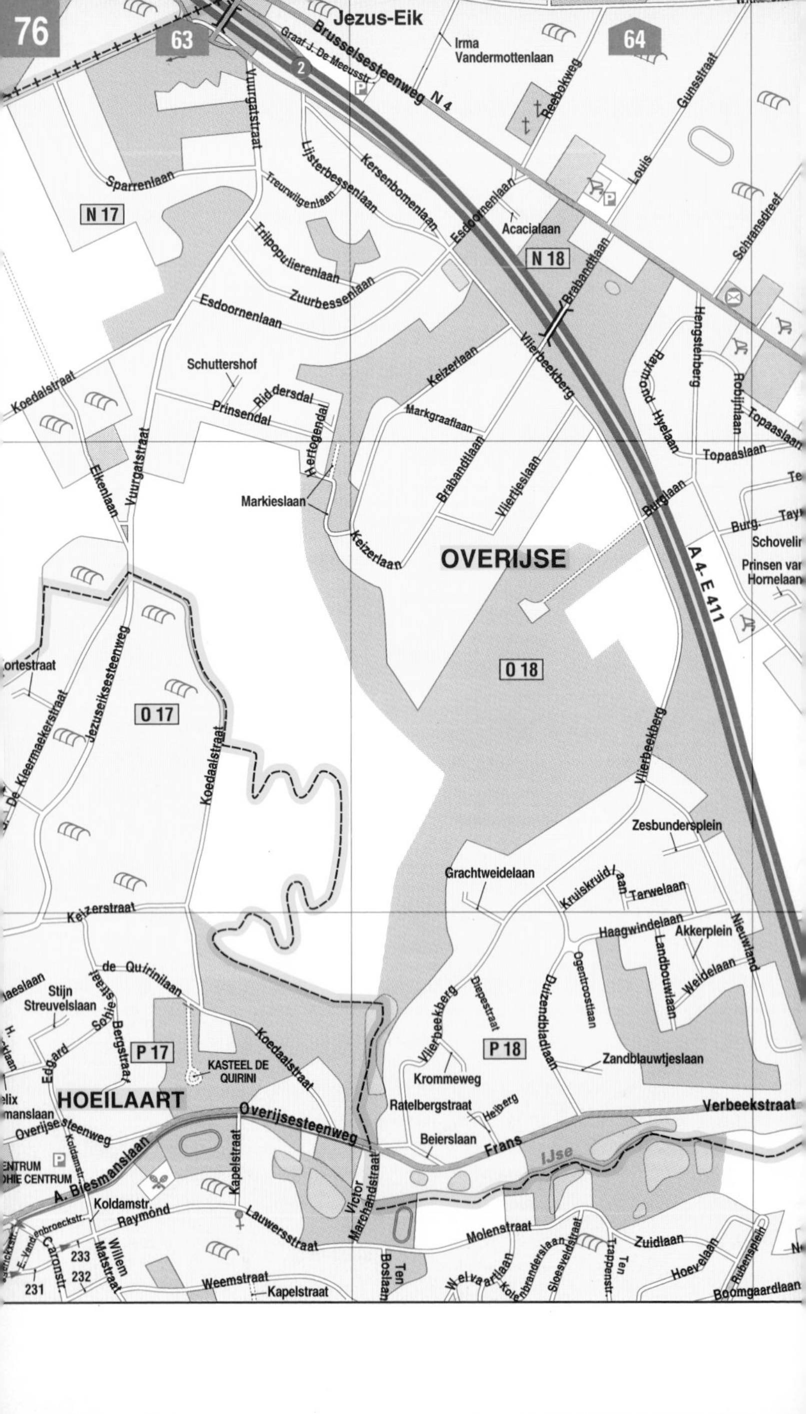
63
64
Jezus-Eik
Brusselsesteenweg N 4
Graaf J. De Meeusstr.
Irma Vandermottenlaan
Reebokweg
Gunsstraat
Vuurgatstraat
Lijsterbessenlaan
Kersenbomenlaan
Sparrenlaan
N 17
Treurwilgenlaan
Louis
Esdoornenlaan
Acacialaan
Schransdreef
Tripopulierenlaan
N 18
Brabantlaan
Zuurbessenlaan
Esdoornenlaan
Hengstenberg
Vlierbeekberg
Raymond Hyelaan
Robijnlaan
Schuttershof
Keizerlaan
Koedalstraat
Riddersdal
Prinsendal
Markgraaflaan
Topaaslaan
Hertogendal
Brabantlaan
Vlierijeslaan
Eikenlaan
Vuurgatstraat
Markieslaan
Burglaan
Burg.
Schovelin
Prinsen van Hornelaan
Keizerlaan
OVERIJSE
A 4-E 411
O 18
Kortestraat
Jezuseiksesteenweg
O 17
De Kleermaekerstraat
Koedaalstraat
Vlierbeekberg
Zesbundersplein
Grachtweidelaan
Kruiskruidlaan
Tarwelaan
Keizerstraat
Haagwindelaan
Akkerplein
Nieuwland
de Quirinilaan
Stijn Streuvelslaan
Sohiestraat
Bergstraat
Ogentroostlaan
Landbouwlaan
Weidelaan
Vlierbeekberg
Diepestraat
Duizendbladlaan
Koedaalstraat
Edgard
P 17
KASTEEL DE QUIRINI
P 18
Zandblauwtjeslaan
Krommeweg
HOEILAART
Ratelbergstraat
Helberg
Verbeekstraat
Overijsesteenweg
Overijsesteenweg
Beierslaan
Frans
IJse
A. Biesmanslaan
Koldamstr.
CENTRUM
SOHIE CENTRUM
Kapelstraat
Victor Marchandstraat
Koldamstr.
Raymond
Lauwersstraat
Molenstraat
Zuidlaan
Willem Matsstraat
Caronstr.
233
232
231
Ten Boslaan
Welvaartlaan
Kolenbranderslaan
Sloesveldstraat
Trappenstr.
Ten
Hoevelaan
Rubensplein
Weemstraat
Kapelstraat
Boomgaardlaan

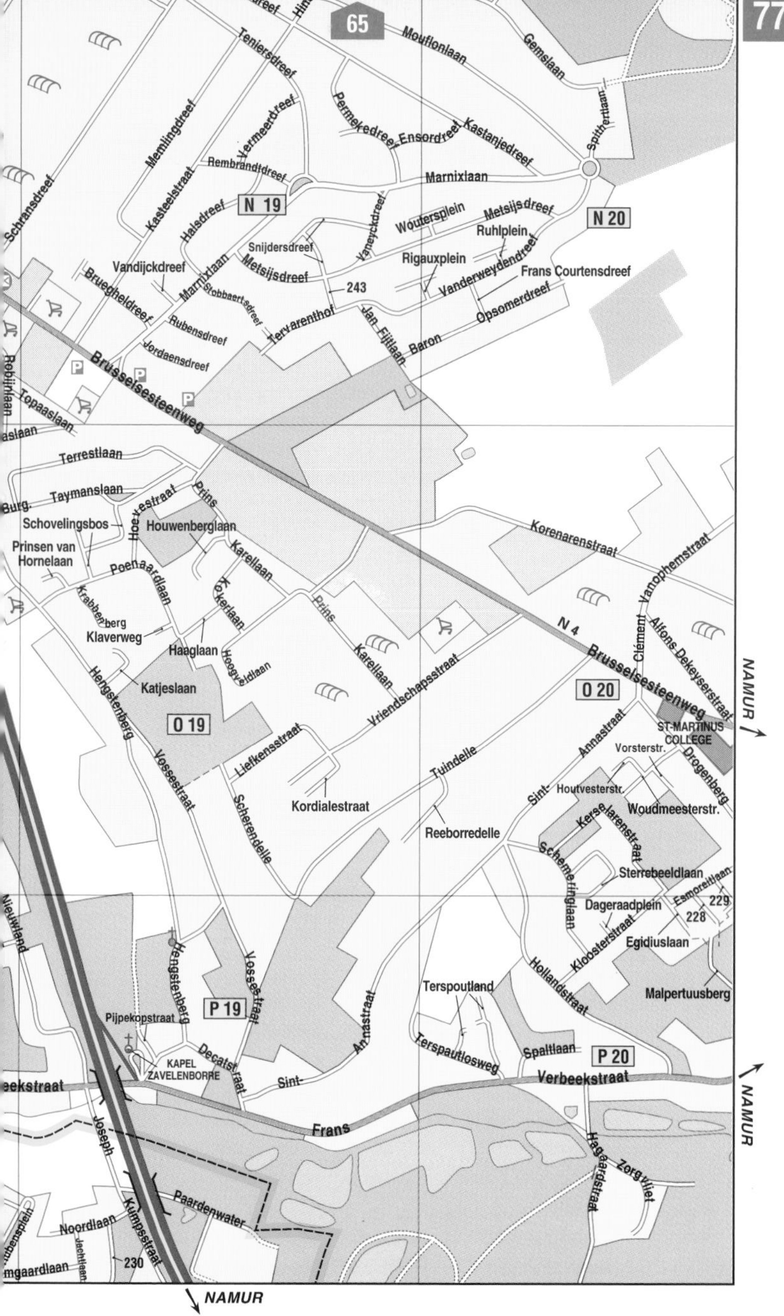
KASTEEL VAN MARNIX
65
Mouflonlaan
Gemslaan
Teniersdreef
Permekedreef
Ensordreef
Kastanjedreef
Spithertlaan
Memlingdreef
Vermeerdreef
Rembrandtdreef
Marnixlaan
Schransdreef
Kasteelstraat
Halsdreef
N 19
Vaneyckdreef
Woutersplein
Metsijsdreef
N 20
Ruhlplein
Snijdersdreef
Rigauxplein
Vanderweydendreef
Frans Courtensdreef
Vandijckdreef
Bruegheldreef
Marnixlaan
Stobbaertsdreef
Metsijsdreef
243
Opsomerdreef
Rubensdreef
Tervarenthof
Jan Fijtlaan
Baron
Jordaensdreef
Brusselsesteenweg
Robijnlaan
Topaaslaan
aslaan
Terrestlaan
Taymanslaan
Burg.
Prins
Hoevestraat
Schovelingsbos
Houwenberglaan
Korenarenstraat
Prinsen van Hornelaan
Karellaan
Vanophemstraat
Poenaardlaan
Krabbenberg
Kokerlaan
Prins
Klaverweg
Karellaan
N 4
Clément
Alfons Dekeyserstraat
Haaglaan
Hoogveldlaan
Brusselsesteenweg
NAMUR
Hengstenberg
Katjeslaan
Vriendschapsstraat
O 20
ST-MARTINUS COLLEGE
O 19
Liefkensstraat
Annastraat
Vorsterstr.
Tuindelle
Drogenberg
Vossestraat
Houtvesterstr.
Sint-
Woudmeesterstr.
Kordialestraat
Scherendelle
Reeborredelle
Kerselarenstraat
Schemeringlaan
Sterrebeeldlaan
Esmoreitlaan
229
Nieuwland
Dageraadplein
228
Egidiuslaan
Kloosterstraat
Hengstenberg
Vossestraat
Hollandstraat
Malpertuusberg
Terspoutland
P 19
Annastraat
Pijpekopstraat
Terspautlosweg
Spaltlaan
P 20
KAPEL ZAVELENBORRE
Decatstraat
Sint-
Verbeekstraat
eekstraat
NAMUR
Joseph
Frans
Hagaardstraat
Zorgvliet
Paardenwater
Kumpsstraat
Noordlaan
ubensplein
Jachtlaan
230
mgaardlaan
NAMUR

LÉGENDE		VERKLARING VAN DE TEKENS
Voirie		**Wegen**
Autoroute et sortie numérotée	2	Autosnelweg en afritnummers
Double chaussée de type autoroutier		Gescheiden rijbanen van het type autosnelweg
Chaussées séparées		Gescheiden rijbanen
Principaux itinéraires		Hoofdstraten
Voie en construction (le cas échéant : date de mise en service prévue)		Weg in aanleg (indien van toepassing : datum openstelling)
Voie de viabilité incertaine		Onzekere berijdbaarheid
Rue à sens unique - Voie piétonne		Eenrichtingsverkeer- Voetgangersgebied
Rue interdite ou impraticable		Verboden weg of voetgangersgebied
Rue réglementée		Beperkt opengestelde weg
Escalier - Sentier - Piste cyclable		Trapsgewijs aangelegde straat-Voetpad-Fietspad
Passage sous voûte - Tunnel		Onderdoorgang - Tunnel
Passerelle Passage piétonnier souterrain		Voetgangersbrug Ondergrondse doorgang voor voetgangers
Hauteur limitée (indiquée au-dessous de 4,5m)	2m7	Vrije hoogte (onder 4,50m)
Limite de charge (indiquée au-dessous de 19T)	3,5	Maximum draagvermogen (onder 19T)
Bâtiments		**Gebouwen**
Édifice remarquable		Bijzonder gebouw
Principaux bâtiments publics		Belangrijkste openbare gebouwen
Église , chapelle		Kerk , kapel
Temple - Synagogue - Mosquée		Protestantse kerk - synagoge - Moskee
Police - Gendarmerie	POL	Politie - Rijkswacht
Office de tourisme - Sapeurs-Pompiers		Informatie voor toeristen - Brandweer
Hôpital,clinique - Bureau de poste		Ziekenhuis, kliniek - Postkantoor
Centre commercial - Marché couvert		Winkelcentrum - Overdekte markt
Zone d'activités - Usine		Industriezone - Fabriek
Hôtel de Ville - Musée - Théâtre	H M T	Stadhuis - Museum - Schouwburg
Transports		**Transport**
Voie ferrée, gare voyageurs - Tramway	B	Spoorweg, station - Tramweg
Gare routière - Station de métro	M	Busstation - Metrostation
Principales stations de taxi	T	Belangrijkste taxistandplaatsen
Principaux parcs de stationnement	P	Belangrijkste parkeerterreinen
Sports et Loisirs		**Sport en vrije tijd**
Stade - Tennis - Gymnase		Stadion - Tennis - Sporthal
Piscine - Patinoire - Golf		Zwembad - IJsbaan - Golf
Hippodrome - Centre équestre		Renbaan - Ruiterclub
Signes divers		**Overige tekens**
Monument - Fontaine - Ruines - Serres		Gedenkteken - Fontein - Ruïnes - Serres
Limites administratives		Administratieve grenzen
Repère du carroyage	F 20	Letters die het graadnet aanduiden
Numéro d'immeuble	36	Huisnummer
Voie dénommée dans l'index	5	Straat opgenomen in register

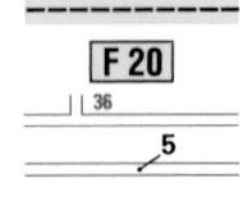

ZEICHENERKLÄRUNG		KEY
Verkehrswege		**Roads**
Autobahn und Nr. der Ausfahrt	2	Motorway with numbered junctions
Schnellstraße		Dual carriageway motorway-style
Straße mit getrennten Fahrbahnen		Dual carriageway
Hauptverkehrsstraßen		Main traffic artery
Straße im Bau (ggf. voraussichtliches Datum der Verkehrsfreigabe)		Road under construction (when available : with scheduled opening date)
Straße nur bedingt befahrbar		Road may not be suitable for traffic
Einbahnstraße - Fußgängerzone		One-way street - Pedestrian street
Straße gesperrt oder nicht befahrbar		No entry or unsuitable for traffic
mit Verkehrsbeschränkungen		Street subject to restrictions
Treppenstraße - Pfad - Radweg		Steps - Footpath - Cycle track
Gewölbedurchgang - Tunnel		Arch - Tunnel
Steg - Fußgängerunterführung		Footbridge - Pedestrian subway
Zulässige Gesamthöhe (angegeben bis 4,50m)	2m7	Headroom (given when less than 4,50m)
Höchstbelastung (angegeben bis 19T)	3,5	Load limit (given when less than 19T)
Gebäude		**Buildings**
Bemerkenswertes Gebäude		Interesting building
Öffentliche Gebäude		Main public buildings
Kirche, Kapelle		Church, chapel
Evangelische Kirche - Synagoge - Moschee		Protestant church - Synagogue - Mosque
Polizeirevier - Gendarmerie	POL	Police - Gendarmerie
Stadtinformation - Feuerwehr		Tourist information centre - Fire station
Krankenhaus, Klinik - Postamt		Hospital, clinic - Post office
Einkaufszentrum - Markthalle		Shopping centre - Indoor market
Industrie- oder Gewerbegebiet - Fabrik		Industrial site - Factory
Rathaus - Museum - Theater	H M T	Town hall - Museum - Theatre
Verkehrsmittel		**Transport**
Bahnlinie, Bahnhof: Reiseverkehr - Straßenbahn	B	Railway, station - Tramway
Autobusbahnhof - Metrostation	M	Bus station - Metro station
Haupttaxistand	T	Main taxi ranks
Größerer Parkplatz	P	Main car parks
Sport - Freizeit		**Sports and Recreation**
Stadion - Tennisplatz - Turn-, Sporthalle		Stadium - Tennis courts - Gymnasium
Schwimmbad - Eisbahn - Golfplatz		Swimming pool - Skating rink - Golf course
Pferderennbahn - Reitclub		Racecourse - Riding
Verschiedene Zeichen		**Other symbols**
Denkmal - Brunnen - Ruine - Gewächshaus		Monument - Fountain - Ruins - Greenhouses
Verwaltungsgrenzen		Administrative boundaries
Nr. des Planquadrats	F 20	Map grid references
Hausnummer	36	House number in street
Straßenreferenz-Nr.(s. Straßenverzeichnis)	5	Street listed in index

LEGENDA	SIGNOS CONVENCIONALES
Viabilità	**Vías de circulación**
Autostrada e svincolo numerato	Autopista y número de salida
Doppia carreggiata di tipo autostradale	Autovía
Carreggiate separate	Calle con calzadas separadas
Principali itinerari	Arterias principales
Strada in costruzione (Presunta data di apertura)	Calle en construcción (en su caso: fecha prevista de entrada en servicio)
Strada dissestata	Calle con circulación restringida
Strada a senso unico - Strada pedonale	Calle de sentido único - Calle peatonal
Strada ad accesso vietato o impraticabile	Circulación prohibida, impracticable
Strada a circolazione regolamentata	Carretera reglamentada
Scalinata - Sentiero - Pista ciclabile	Escalera - Sendero - Pista ciclista
Sottopassaggio - Galleria	Pasaje cubierto - Túnel
Passerella	Pasarela
Passaggio pedonale sotterraneo	Paso peatonal subterráneo
Limite di altezza (indicato al di sotto di m. 4,50)	Altura limitada (si inferior a 4,50m)
Limite di carico (indicato al di sotto di T. 19)	Límite de carga (si inferior a 19T)

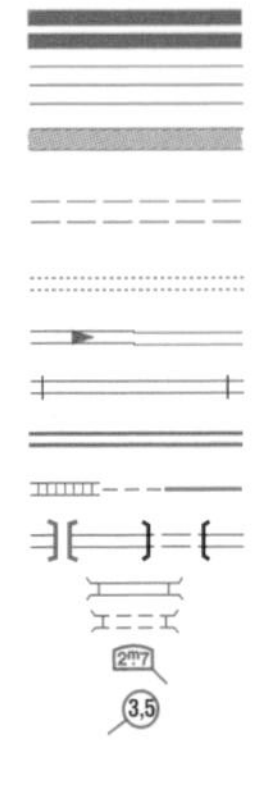

Edifici	**Edificios**
Edificio di un certo interesse	Edificio relevante
Principali edifici pubblici	Principales edificios públicos
Chiesa, cappella	Iglesia, capilla
Tempio - Sinagoga - Moschea	Culto prostestante - Sinagoga - Mezquita
Polizia - Gendarmeria	Policía - Gendarmería
Ufficio Turistico - Pompieri, Vigili del Fuoco	Oficina de información de Turismo Parque de Bomberos
Ospedale, clinica - Ufficio postale	Hospital, clínica - Oficina de Correos
Centro commerciale - Mercato coperto	Centro comercial - Mercado cubierto
Zona industriale - Fabbrica	Zona industrial - Fábrica
Municipio - Museo - Teatro	Ayuntamiento - Museo - Teatro

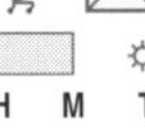
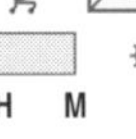

Trasporti	**Transportes**
Ferrovia, stazione passeggeri - Tranvia	Ferrocarril, estación pasajeros - Tranvía
Stazione per autobus - Stazione metro	Estación de autobuses - Estación de metro
Principale posteggio di taxi	Principales paradas de taxis
Parcheggio principale	Principales aparcamientos

Sport e Tempo libero	**Deportes y ocio**
Stadio - Tennis - Palestra	Estadio - Tenis - Gimnasio
Piscina - Pista di pattinaggio - Golf	Piscina - Pista de patinaje - Golf
Ippodromo - Centro d'equitazione	Hipódromo - Centro hipico

Simboli vari	**Otros signos**
Monumento - Fontana - Ruderi - Serre	Monumento - Fuente - Ruinas Cultivos en invernadero
Limiti amministrativi	Límites administrativos
Riferimento alla pianta	Coordenadas del plano
Numero civico	Número del edificio
strada citata nell' indice delle vie	Calle citada en el índice

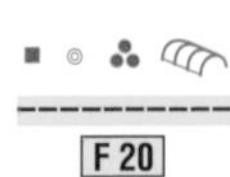
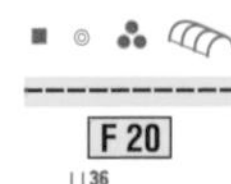
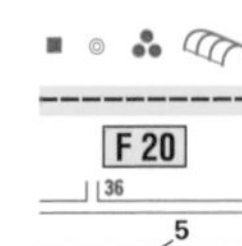

Abréviations utilisées dans l'index
In het register gebruikte afkortingen
Abkürzungen, die im Straßenverzeichnis verwendet werden
Abbreviations used in the index
Abbreviazioni utilizzate nell'indice
Abreviaturas

Abréviations usuelles / *Gangbare afkortingen* / Gebräuchliche Abkürzungen / *Standard Abbreviations* / Abbreviazioni usuali / *Abreviaturas*

av. . . . . . . **avenue**
bd. . . . . . **boulevard**
Bourg . . **Bourgmestre**
Burg. . . . **Burgemeester**
Capt. . . . **Capitaine**
Card. . . . **Cardinal**
carr. . . . . **carrefour**
chaus. . . **chaussée**
ch. . . . . . **chemin**
Ct. . . . . . . **Commandant**
Dr. . . . . . . **Docteur, Doctor, Dokter**
dr. . . . . . . **drève, dreef**
gal. . . . . . **galerie, galerij**
Gén. . . . . **Général**
Gen. . . . . **Generaal**
imp. . . . . **impasse**
Kapt. . . . **Kapitein**
Kard. . . . **Kardinaal**
kr. . . . . . . **kruispunt**
Kt. . . . . . . **Kommandant**
Kon. . . . . **Koning, Koningin**
Lt. . . . . . . **Lieutenant, Luitenant**
Mar. . . . . **Maréchal**
Maar. . . . **Maarschalk**
Min. . . . . **Ministre, Minister**
pass. . . . **passage**
pet. . . . . . **petit, petite**
pl. . . . . . . **place, plaats, plein**
Pr. . . . . . . **Princesse, Prinses, Prince, Prins**
prom. . . . **promenade**
rd.-pt. . . . **rond-point**
sent. . . . . **sentier**
sq. . . . . . **square**
str. . . . . . **straat**
stwg. . . . **steenweg**

Abréviations des noms de communes / *Afkortingen van namen van gemeenten* / Abkürzungen der Gemeindenamen / *Abbreviations for communes* / Abbreviazioni dei nomi dei comuni / *Abreviaturas de los municipios*

AND	Anderlecht
AS	Asse
AUD	Auderghem/ Oudergem
BE	Beersel
BER	Berchem-Sainte-Agathe / Sint-Agatha-Berchem
BR	Bruxelles / Brussel
DIL	Dilbeek
DRO	Drogenbos
ETT	Etterbeek
EV	Evere
FO	Forest / Vorst
GAN	Ganshoren
GRI	Grimbergen
HOE	Hoeilaart
J	Jette
K	Koekelberg
KR	Kraainem
LIN	Linkebeek
MA	Machelen
MER	Merchtem
MSJ	Molenbeek-Saint-Jean / Sint-Jans-Molenbeek
OV	Overijse
SCH	Schaerbeek / Schaarbeek
SG	Saint-Gilles / Sint-Gillis
SGR	Sint-Genesius-Rode / Rhode-Saint-Genèse
SJ	Saint-Josse-Ten-Noode / Sint-Joost-Ten-Node
SPL	Sint-Pieters-Leeuw
STE	Steenokkerzeel
TER	Tervuren
UC	Uccle / Ukkel
VIL	Vilvoorde
WB	Watermael-Boitsfort / Watermaal-Bosvoorde
WEM	Wemmel
WO	Wezembeek-Oppem
WSL	Woluwe-Saint-Lambert / Sint-Lambrechts-Woluwe
WSP	Woluwe-Saint-Pierre / Sint-Pieters-Woluwe
XL	Ixelles / Elsene
ZAV	Zaventem

Nom de la rue ***Street*** **Nome della via**	Orban (av.-laan)	*Straatnaam* **Straßenname** ***Nombre de la calle***
Abreviation du nom de la commune ***Abbreviated commune name*** **Abbreviazione del nome del comune**	WSP	*Afkorting van de naam van de gemeente* **Abkürzung des Gemeindenamens** ***Abreviatura del municipio***
Renvoi au carroyage sur le plan, sur l'agrandissement (N = Nord, S = Sud) ***Map grid reference, enlarged section grid reference (N = North, S = South)*** **Rinvio alle coordinate sulla pianta, sul settore ingrandito (N = Nord, S = Sud)**	D11, K9 *S*	*Verwijzing naar het vak op de plattegrond, op de uitvergrote plattegrond, (N=Noorden, S=Zuiden)* **Koordinatenangabe auf dem Plan, auf der Ausschnittsvergrößerung (N = Nord, S = Süd)** ***Coordenadas en el plano, en el sector ampliado (N = Norte, S = Sur)***
Rue indiquée par un numéro sur le plan (voir index spécifique sur le plan) ***Street indicated by a number on the plan (see index on plan)*** **Strade contraddistinte da un numero sulla pianta (vedere l'indice relativo alla pianta)**	= 25	Genummerde straat op de plattegrond (zie de aparte lijst op de plattegrond) **Straße, die im Plan durch eine Nummer bezeichnet ist (siehe spezielles Straßenverzeichnis auf dem Stadtplan)** ***Calle localizada por un número en el plano (ver índice específico en el plano)***

A

Nom / Naam	Communes Gemeenten	Plan n° Plattegrond	Repère Plaatsaanduiding
Aa (quai d'-kaai)	**AND**	43	**K4-L4**
Aa (rue d'-str.)	**AND**	44	**J4-K4**
Aalbessengang			
Groseilles (imp. des)	**BR**	8	**I7S-I8S**
Aalststraat			
Alost (rue d')	**BR**	2	**H7N**
Aanaardingsstraat			
Remblai (rue du)	**BR**	6	**I7S**
Aanbeeldstraat			
Enclume (rue de l')	**SJ**	5	**H9N**
Aardbeienstraat			
Fraises (rue des)	**AND**	43	**K3-K4**
Aardbeienstraat	**DIL**	30	**H2**
Aardebergstraat	**VIL**	14	**B10**
Aardkrekellaan			
Courtilières (av. des) = 355	**WB**	60	**M11**
Aarlenstraat			
Arlon (rue d')	**BR**	9	**H9S-I9N**
–	**XL**	9	**I9N**
Aarschotstraat			
Aerschot (rue d')	**SCH**	34	**G8-F9**
–	**SJ**	5	**G8**
Aartshertogenlaan			
Archiducs (av. des)	**WB**	61	**L12-L13**
Aartshertogensquare			
Archiducs (sq. des)	**WB**	61	**L12**
Abattoir (bd. de l')			
Slachthuislaan	**BR**	2	**H7S**
Abattoir (rue de l')			
Slachthuisstraat	**BR**	2	**H7S**
Abbaye (rue de l')			
Abdijstraat	**BR**	47	**K9**
–	**XL**	46	**K9**
Abbaye de Dieleghem (rue de l')			
Abdij van Dieleghemstraat	**J**	22	**D6**
Abbesses (rue des)			
Abdissenstraat	**FO**	56	**L5**
Abdication (rue de l')			
Troonsafstandsstraat	**BR**	35	**H10**
Abdij van Dieleghemstraat			
Abbaye de Dieleghem (rue de l')	**J**	22	**D6**
Abdijstraat			
Abbaye (rue de l')	**BR**	47	**K9**
–	**XL**	46	**K9**
Abdissenstraat			
Abbesses (rue des)	**FO**	56	**L5**
Abeels (rue Roger-str.) = 408	**GAN**	22	**F5**
Abeilles (av. des)			
Bijenlaan = 479	**BR**	59	**L10**
–	**XL**	59	**L10**
Abelenlaan			
Trembles (av. des)	**BR**	23	**C8-D8**
Abelenlaan	**ZAV**	28	**F17**
Abeloos (av. Guillaume-laan)	**WSL**	49	**I13**
Abelooslaan (Gebroeders Paters) = 154	**ZAV**	29	**F18**
Ablettes (av. des)			
Witvissenlaan	**AUD**	60	**K12**
Abondance (rue de l')			
Overvloedstraat	**SJ**	5	**G9S**
Abreuvoir (rue de l')			
Hondenwedstraat	**WB**	61	**M12**
Abricotier (rue de l')			
Abrikozeboomstraat	**BR**	7	**I7S**
Abrikozeboomstraat			
Abricotier (rue de l')	**BR**	7	**I7S**
Absil (sq. Jean-sq.)	**ETT**	48	**J11**
Acacialaan	**GRI**	13	**B8**
Acacialaan	**OV**	64	**N18**
Acacialaan	**SPL**	67	**N3**
Acacialaan	**ZAV**	38	**G15**
Acacias (clos des-gaarde)	**WSP**	50	**I14**
Acacias (pl. des-pl.)	**ETT**	48	**J11**
Acacias (rue des-str.)	**KR**	39	**H16**
Acanthes (rue des)			
Acanthussenstraat	**WB**	61	**L13**
Acanthussenstraat			
Acanthes (rue des)	**WB**	61	**L13**
Accent (av. Jean-laan)	**AUD**	61	**L13**
Accès (ch. d')			
Toegangsweg	**FO**	56	**L5**
Accolay (rue d'-str.)	**BR**	8	**H8S-I8N**
Accord (rue de l')			
Akkoordstraat = 577	**MSJ**	32	**G5**
Accueil (sq. de l')			
Onthaalsquare	**EV**	25	**F11**
Achtbundersstraat	**GRI**	14	**A8-A9**
Achthoekplein			
Octogone (pl. de l')	**WB**	60	**M12**
Achturenstraat			
Huit Heures (rue des)	**AND**	43	**K4**
Aconits (rue des)			
Monnikskapstraat = 5	**WB**	61	**L13**
Activité (rue de l')			
Werkzaamheidstraat	**WSL**	37	**H13**
Adant (rue Jules-str.)	**KR**	39	**G16-H16**
Adenauer (av. Konrad-laan)	**WSL**	38	**H15**
Adriaens (rue Doyen)			
Adriensstraat (Deken) = 552	**MSJ**	2	**G7S**
Adriensstraat (Deken)			
Adriaens (rue Doyen) = 552	**MSJ**	2	**G7S**
Aduatiekersstraat			
Aduatiques (rue des)	**ETT**	48	**I11-I12**
Aduatiques (rue des)			
Aduatiekersstraat	**ETT**	48	**I11-I12**
Aernaut (rue Joseph-str.)	**WSL**	38	**H15**
Aérodrome (rue de l')			
Vliegveldstraat	**BR**	26	**D13**
Aéronef (rue de l')			
Luchtschipstraat = 120	**EV**	26	**E12**
Aéroplane (av. de l')			
Vliegtuiglaan	**WSP**	50	**I14-I15**

Nom / Naam	Communes Gemeenten	Plan n° Plattegrond	Repère Plaatsaanduiding
Aerschot (rue d')			
Aarschotstraat	**SCH**	34	**G8-F9**
–	**SJ**	5	**G8**
Africaine (rue)			
Afrikastraat	**SG**	46	**J8-K8**
Africaine (rue)			
Afrikaanse Straat	**XL**	46	**K8**
Afrikaanse Straat			
Africaine (rue)	**XL**	46	**K8**
Afrikastraat			
Africaine (rue)	**SG**	46	**J8-K8**
Agavendreef			
Agaves (dr. des)	**AND**	43	**I3**
Agaves (dr. des)			
Agavendreef	**AND**	43	**I3**
Agneau (av. de l')			
Lamlaan	**UC**	69	**O7**
Agnello (av. Père)			
Agnellolaan (Pater)	**WSP**	49	**J13**
Agnellolaan (Pater)			
Agnello (av. Père)	**WSP**	49	**J13**
Agora (gal. de l'-gal.)	**BR**	4	**H8***S*
Agrafe (rue de l')			
Gespstraat	**AND**	32	**H5-I5**
Agrément (rue de l')			
Vermaakstraat	**AND**	44	**I4**
Agriculture (rue de l')			
Landbouwstraat	**SCH**	25	**E10-F11**
Agronome (rue de l')			
Agronoomstraat	**AND**	31	**H3-I3**
Agronoomstraat			
Agronome (rue de l')	**AND**	31	**H3-I3**
Ahornbomenlaan			
Erables (av. des)	**WO**	39	**H17**
Ahornbomenstraat			
Erables (rue des)	**ETT**	48	**J11**
Aigle (av. de l')			
Arendlaan	**WSP**	49	**J13**
Aiglon			
(av. de l'-laan)	**UC**	70	**O8-N9**
Aigrettes (rue des)			
Zilverreigersstraat	**WB**	61	**M12**
Aiguille (rue de l')			
Naaldstraat	**AND**	44	**I5**
Ailes (rue des)			
Vleugelsstraat	**SCH**	24	**F9-F10**
Airelles (av. des)			
Bosbessenlaan	**WB**	60	**M11**
Ajoncs (av. des)			
Stekelbremlaan	**WSP**	50	**J14-J15**
Akenkaai			
Péniches (quai des)	**BR**	34	**G7-F8**
Akkermuntstraat	**ZAV**	28	**E16**
Akkerplein	**OV**	76	**P18**
Akkervoor	**AS**	21	**D3**
Akkerwindeweg = 260	**ZAV**	41	**G19**
Akkoordstraat			
Accord (rue de l') = 577	**MSJ**	32	**G5**
Albanie (rue d'-str.)	**SG**	46	**J7-J8**
Albatros (av. des-laan)	**WSP**	49	**J13**
Albert (av. du Roi)			
Albertlaan (Kon.)	**BER**	31	**F3-F4**
Albert (av. du Roi)			
Albertlaan (Kon.)	**BR**	14	**C9-C10**
Albert (av.-laan)	**FO**	45	**K7**
–	**UC**	45	**K7**
Albert (av.-laan)	**WO**	53	**I19-J19**
Albert (pl.-pl.)	**FO**	45	**K7**
Albert (rue du Pr.)			
Albertstraat (Pr.)	**XL**	9	**I8***S***-I9***S*
Albert (rue-str.)	**BR**	24	**E8**
Albert et Elisabeth			
(av.-laan)	**WSL**	48	**I11-I12**
Albert I laan	**VIL**	15	**A10-A12**
Albert I laan (Kon.)			
Albert Ier (av. du Roi)	**WEM**	12	**C5**
Albert I plein (Kon.)	**SPL**	55	**L3**
Albert I square			
Albert Ier (sq.)	**AND**	44	**I6**
Albert Ier (av. du Roi)			
Albert I laan (Kon.)	**WEM**	12	**C5**
Albert Ier (sq.)			
Albert I square	**AND**	44	**I6**
Albertinaplein			
Albertine (pl. de l')	**BR**	4	**H8***S*
Albertine (pl. de l')			
Albertinaplein	**BR**	4	**H8***S*
Albertlaan	**TER**	52	**K18-J19**
Albertlaan (Kon.)			
Albert (av. du Roi)	**BER**	31	**F3-F4**
Albertlaan (Kon.)			
Albert (av. du Roi)	**BR**	14	**C9-C10**
Albertlaan (Kon.)	**MA**	17	**B14**
Albertstraat (Kon.)	**SPL**	55	**M3**
Albertstraat (Pr.)			
Albert (rue du Pr.)	**XL**	9	**I8***S***-I9***S*
Albertyn (av.-laan)	**WSL**	36	**H12**
Alboom	**WEM**	12	**C5**
Alcyons (rue des-str.)	**BER**	31	**F3**
Alderson (rue Pierre-str.)	**EV**	25	**E11**
Alenaborre	**DIL**	42	**I2**
Alexandersquare			
Alexandre (sq.)	**WSP**	50	**J14**
Alexandre (sq.)			
Alexandersquare	**WSP**	50	**J14**
Alexiens (rue des)			
Cellebroersstraat	**BR**	7	**H8***S*
Aleyde de Brabant (dr.)			
Aleyde van Brabantdreef	**WSP**	50	**J14-K14**
Aleyde van Brabantdreef			
Aleyde de Brabant (dr.)	**WSP**	50	**J14-K14**
Alezans (av. des)			
Vossenlaan	**WSP**	51	**I16**
Algemeen Stemrechtlaan			
Suffrage Universel (av. du)	**SCH**	35	**F10**
Algoet (sq. Jules-sq.)	**AND**	43	**I4**
Alisiers (av. des)			
Meelbessenlaan	**UC**	69	**P7**
Allard (rue Ernest-str.)	**BR**	8	**I8***N*
Allard (rue-str.)	**SCH**	5	**G8***N*
Allard (rue Victor-str.)	**UC**	57	**M6-M7**
Allée Verte (rue de l')			
Groendreefstraat	**BER**	31	**G3-G4**
Allein (sq. Robert-sq.)	**J**	12	**C6**

Nom / Naam	Communes Gemeenten	Plan nº Plattegrond	Repère Plaatsaanduiding
Alliance (rue de l')			
Verbondstraat	**SJ**	5	**H9**N
Alliés (rue des)			
Bondgenotenstraat	**FO**	45	**J6-K6**
Alma (pl. de l'-pl.)	**WSL**	38	**H15**
Alma (prom. de l'-wandeling)	**WSL**	38	**H15**
Alost (rue d')			
Aalststraat	**BR**	2	**H7**N
Alouettes (av. des)			
Leeuwerikenlaan	**KR**	39	**G16**
Alouettes (av. des)			
Leeuwerikenlaan	**WSP**	49	**J12**
Alouettes (champ des)			
Leeuwerikenveld	**WO**	41	**H19**
Alouettes (rue des)			
Leeuwerikenstraat	**AND**	43	**J4**
Alpenklokjeshoek			
Soldanelles (clos des) = 340	**AND**	43	**K3**
Alphonse XIII (av.-laan)	**UC**	59	**N9**
Alsace-Lorraine (rue d')			
Elzas-Lotharingenstraat	**XL**	9	**I9**N
Alsemberg (chaus. d')			
Alsembergsesteenweg	**DRO**	69	**O6**
–	**FO**	45	**K7**
–	**SG**	45	**J7-K7**
–	**UC**	45	**O6-K7**
Alsemberg (chaus. d')			
Alsembergsesteenweg	**LIN**	69	**O6-P6**
Alsembergsesteenweg	**BE**	69	**P6**
Alsembergsesteenweg			
Alsemberg (chaus. d')	**DRO**	69	**O6**
–	**FO**	45	**K7**
–	**SG**	45	**J7-K7**
–	**UC**	45	**O6-K7**
Alsembergsesteenweg			
Alsemberg (chaus. d')	**LIN**	69	**O6-P6**
Altitude Cent (pl. de l')			
Hoogte Honderdplein	**FO**	45	**K7**
Amandelbomenlaan			
Amandiers (av. des)	**BR**	12	**C6**
Amandelbomenlaan			
Amandiers (av. des)	**MSJ**	31	**G4**
Amandiers (av. des)			
Amandelbomenlaan	**BR**	12	**C6**
Amandiers (av. des)			
Amandelbomenlaan	**MSJ**	31	**G4**
Amarante (av. de l')			
Amarantlaan	**BR**	14	**C8-C9**
Amarante (cours)			
Amarantenhof	**WSP**	50	**I14**
Amarantenhof			
Amarante (cours)	**WSP**	50	**I14**
Amarantlaan			
Amarante (av. de l')	**BR**	14	**C8-C9**
Amaryllis (rue des)			
Amaryllissenstraat = 404	**GAN**	22	**F5**
Amaryllissenstraat			
Amaryllis (rue des) = 404	**GAN**	22	**F5**
Amazone (rue de l'-str.) = 258	**SG**	46	**J8**
–	**XL**	46	**J8**
Amazonendreef			
Amazones (allée des)	**BR**	59	**L9**
Amazonenlaan	**VIL**	14	**B9**
Amazones (allée des)			
Amazonendreef	**BR**	59	**L9**
Ambachtengang			
Métiers (imp. des) (gel. rue Marché aux Herbes)	**BR**	4	**H8**S
Ambachtsliedenstraat			
Artisans (rue des)	**XL**	47	**J10**
Ambiorix (av.-laan)	**WEM**	12	**B5-C5**
Ambiorix (sq.-sq.)	**BR**	35	**H10**
Amblève (rue de l'-str.)	**AUD**	48	**J11-J12**
Américaine (rue)			
Amerikastraat	**SG**	46	**J8**
Américaine (rue)			
Amerikaanse Straat	**XL**	46	**J8-K9**
Amerikaanse Straat			
Américaine (rue)	**XL**	46	**J8-K9**
Amerikalaan	**HOE**	75	**P15**
Amerikastraat			
Américaine (rue)	**SG**	46	**J8**
Amethistdreef			
Améthyste (allée de l')	**BR**	12	**C6**
Amethistpad			
Améthyste (sent. de l') = 607	**BR**	12	**C6**
Amethistplein			
Améthyste (pl. de l') = 608	**BR**	12	**C6**
Amethistsquare			
Améthyste (sq. de l') = 598	**BR**	12	**C6**
Amethiststraat			
Améthyste (rue de l')	**BR**	12	**C6**
Améthyste (allée de l')			
Amethistdreef	**BR**	12	**C6**
Améthyste (pl. de l')			
Amethistplein = 608	**BR**	12	**C6**
Améthyste (rue de l')			
Amethiststraat	**BR**	12	**C6**
Améthyste (sent. de l')			
Amethistpad = 607	**BR**	12	**C6**
Améthyste (sq. de l')			
Amethistsquare = 598	**BR**	12	**C6**
Amforalaan			
Amphore (av. de l')	**BR**	13	**C8**
Amigo (rue de l')			
Vruntstraat = 417	**BR**	4	**H8**S
Amitié (pl. de l')			
Vriendschapsplein	**AUD**	48	**J11**
Amphore (av. de l')			
Amforalaan	**BR**	13	**C8**
Ancien Hôtel des Postes (gal. de l')			
Oud Postgebouw Galerijen = 522	**BR**	4	**H8**N
Ancien Presbytère (rue de l')			
Oude Pastoriestraat = 407	**GAN**	22	**F5**
Ancienne Barrière (pl. de l')			
Oude-Afspanningsplein	**J**	22	**D5**
Ancienne Cure (rue de l')			
Oude Pastoriestraat = 293	**FO**	56	**L5**

Nom / Naam	Communes Gemeenten	Plan n° Plattegrond	Repère Plaatsaanduiding
Anciens Combattants (av. des)			
Oud-Strijderslaan	**EV**	36	**F12-G12**
Anciens Combattants (av. des)			
Oudstrijderslaan	**KR**	39	**F15-G16**
Anciens Etangs (rue des)			
Oude Vijversstraat	**FO**	44	**K5**
Ancre (rue de l')			
Ankerstraat	**BR**	24	**D10**
Andalousie (av. de l')			
Andalusiëlaan	**EV**	36	**F12**
Andalusiëlaan			
Andalousie (av. de l')	**EV**	36	**F12**
Andenne (rue d'-str.)	**SG**	6	**J7**N
Anderlecht (porte d')			
Anderlechtsepoort	**BR**	2	**H7**S
Anderlecht (rue d')			
Anderlechtsesteenweg	**BR**	2	**H7**S
Anderlecht (rue d'-str.)	**DRO**	55	**M4**
Anderlechtse Weggevoerdestraat			
Déportés Anderlechtois (rue des) = 208	**AND**	44	**I5**
Anderlechtsepoort			
Anderlecht (porte d')	**BR**	2	**H7**S
Anderlechtsesteenweg			
Anderlecht (rue d')	**BR**	2	**H7**S
André (rue Arthur-str.)	**WSP**	39	**H15-H16**
Andrimont (av. d'-laan)	**UC**	58	**N9**
Andromedalaan			
Andromède (av.)	**WSL**	37	**G13-H13**
Andromède (av.)			
Andromedalaan	**WSL**	37	**G13-H13**
Anémone (rue de l')			
Anemoonstraat	**UC**	46	**K8**
Anemonenlaan			
Anémones (av. des)	**KR**	39	**G16**
Anemonenweg			
Anémones (ch. des)	**BR**	59	**M10**
Anémones (av. des)			
Anemonenlaan	**KR**	39	**G16**
Anémones (ch. des)			
Anemonenweg	**BR**	59	**M10**
Anemoonlaan	**SPL**	54	**M2**
Anemoonstraat			
Anémone (rue de l')	**UC**	46	**K8**
Anethan (rue d'-str.)	**SCH**	24	**E9-F9**
Angéliques (rue des)			
Engelwortelstraat = 15	**WB**	61	**L13**
Anglaise (rue)			
Engelsestraat = 554	**MSJ**	2	**G7**S
Angle (rue de l')			
Hoekstraat	**BR**	4	**G8**N
Angle Jaune (rue de l')			
Gele Hoekstraat	**WSP**	39	**H16**
Angleterre (rue d')			
Engelandstraat	**SG**	6	**I7**S
Anjelierienstraat			
Œillets (rue des) = 452	**BR**	4	**H8**
Anjou (coteau d'-gaarde)	**WSP**	50	**J15**
Anjou (dr. d'-dr.)	**FO**	57	**L6**
–	**UC**	57	**L6**
Anjou (sq. d'-sq.)	**LIN**	69	**P6**

Nom / Naam	Communes Gemeenten	Plan n° Plattegrond	Repère Plaatsaanduiding
Ankerstraat			
Ancre (rue de l')	**BR**	24	**D10**
Annecy (av. d'-laan)	**KR**	38	**G15**
Anneessens (pl.-pl.)	**BR**	2	**H7**S
Anneessens (rue-str.)	**BR**	2	**H7**S
Anoul (rue-str.)	**XL**	9	**I9**S
Anspach (bd.-laan)	**BR**	4	**H7**S-**H8**N
Antilope (rue de l'-str.)	**UC**	69	**N6**
Antwerpse Poort			
Anvers (porte d')	**BR**	4	**G8**S
Antwerpselaan			
Anvers (bd. d')	**BR**	4	**G8**S
Antwerpselaan	**GRI**	13	**A7-B7**
Antwerpsesteenweg			
Anvers (chaus. d')	**BR**	24	**F8-G8**
Anvers (bd. d')			
Antwerpselaan	**BR**	4	**G8**S
Anvers (chaus. d')			
Antwerpsesteenweg	**BR**	24	**F8-G8**
Anvers (porte d')			
Antwerpse Poort	**BR**	4	**G8**S
Août (av. d')			
Augustuslaan	**WSL**	37	**H12**
Apollo (sq.-sq.)	**SCH**	25	**F11**
Appelbloesemgaarde			
Pommiers Fleuris (clos des)	**AUD**	61	**L13**
Appelboomstraat			
Pommier (rue du)	**AND**	42	**I1-I2**
Appelmanslaan (Dr. Jan)	**DIL**	30	**H1-H2**
Appelpad			
Pommes (sent. des) = 108	**SCH**	25	**E10**
Application (rue de l')			
Vlijtstraat	**AUD**	49	**K13**
Aprillaan			
Avril (av. d')	**WSL**	36	**H12**
Aquaductstraat			
Aqueduc (rue de l')	**SG**	46	**J8**
Aqueduc (rue de l')			
Aquaductstraat	**SG**	46	**J8**
Aqueduc (rue de l')			
Waterleidingsstraat	**XL**	46	**J8**
Aquilon (av. de l'-laan)	**WSL**	38	**H14**
Aragon (rue d'-str.)	**WSL**	38	**G14**
Araucaria (av. de l'-laan)	**BR**	14	**C9**
Arbalète (av. de l')			
Kruisbooglaan	**WB**	60	**M12**
Arbalète (sq. de l')			
Kruisboogsquare	**WB**	60	**M12**
Arbalétriers (rue des)			
Kruisboogschutters-straat = 491	**BR**	8	**I7**N-**I8**N
Arbeidsdoorgang			
Travail (pass. du)	**BR**	6	**I7**N
Arbeidsstraat			
Labeur (rue du)	**AND**	44	**K5**
Arbeidsstraat			
Travail (rue du) = 251	**BR**	34	**F8**
Arboretumlaan	**TER**	64	**L18-L19**
Arboretumwandeling	**TER**	64	**L18-L19**
Arbre (rue de l')			
Boomstraat	**BR**	8	**I8**N

Nom / Naam	Communes / Gemeenten	Plan n° / Plattegrond	Repère / Plaatsaanduiding
Arbre Ballon (av. de l')			
Dikkebeuklaan	BR	22	C5-C6
–	J	22	D5-C6
Arbre Bénit (rue de l')			
Gewijdeboomstraat	BR	9	J9N
–	XL	9	I9S-J9N
Arbre Unique (rue de l')			
Eenboomstraat	EV	26	F12
Arbrisseau (rue de l')			
Heesterstraat	UC	69	O6-O7
Arc (rue de l')			
Boogstraat	BR	4	G8N
Arcadenplein			
Arcades (pl. des)	WB	60	L11
Arcadenstraat			
Arcades (rue des) = 533	WB	60	L11
Arcades (pl. des)			
Arcadenplein	WB	60	L11
Arcades (rue des)			
Arcadenstraat = 533	WB	60	L11
Archères (av. des)			
Boogschutterinnenlaan	UC	58	M8
Archers (rue des)			
Boogschuttersstraat	K	33	F6
Archiducs (av. des)			
Aartshertogenlaan	WB	61	L12-L13
Archiducs (sq. des)			
Aartshertogensquare	WB	61	L12
Archiefstraat			
Archives (rue des)	WB	60	M11-M12
Archimède (rue)			
Archimedesstraat	BR	35	H10
Archimedesstraat			
Archimède (rue)	BR	35	H10
Architecture (rue de l')			
Bouwkunststraat = 215	AND	43	J4-K4
Archives (rue des)			
Archiefstraat	WB	60	M11-M12
Ardenne (rue d'-str.)	BR	9	I9N
Ardense Jagersplein			
Chasseurs Ardennais (pl. des)	SCH	35	H10-H11
Arduinkaai			
Pierres de Taille (quai aux)	BR	4	G7S
Arenberg (rue d'-str.)	BR	4	H8N
Arendlaan	VIL	14	B9
Arendlaan			
Aigle (av. de l')	WSP	49	J13
Argent (rue d')			
Zilverstraat	BR	4	H8N
Argile (rue d')			
Potaardestraat	KR	51	I16-I17
Argilière (clos de l')			
Kleigroeveërf	EV	37	G12
Argilière (clos de l')			
Potaardegaarde	KR	51	I16
Argonne (rue d'-str.)	SG	6	I7N
Argousiers (gal. des)			
Duindoorngalerij	WSL	38	H15
Argus (av. des)			
Argussenlaan	AUD	49	K13

Nom / Naam	Communes / Gemeenten	Plan n° / Plattegrond	Repère / Plaatsaanduiding
Argussenlaan			
Argus (av. des)	AUD	49	K13
Ariane (av.-laan)	WSL	38	G14
Arlon (rue d')			
Aarlenstraat	BR	9	H9S-I9N
–	XL	9	I9N
Armandine (ch. de l'-pad)	LIN	69	P7
Armateurs (pl. des)			
Redersplein	BR	34	F8
Armateurs (quai des)			
Rederskaai	BR	34	F8
Armée (av. de l')			
Legerlaan	ETT	48	I11-I12
Armendijlaan	ZAV	40	G18
Armet (av. de l')			
Stormhelmlaan = 65	EV	36	G12
Armistice (rue de l')			
Wapenstilstandstraat = 578	K	33	F6-G6
Armures (av. des)			
Wapenrustingslaan	FO	45	K7
Aronde (rue de l')			
Zwaluwstraat	WB	60	M12
Aronskelkenlaan			
Arums (av. des)	AUD	61	L13
Arrosoir (rue de l')			
Gieterstraat	BR	6	I7S
Artan (rue-str.)	SCH	35	G10
Artémis (av.-laan)	EV	37	F12
Artesiëstraat			
Artois (rue d')	BR	6	H7S-I7N
Arteveldestraat			
van Artevelde (rue)	BR	2-3	H7S
Artichaut (rue de l')			
Artisjokstraat	SJ	5	H9N
Artisans (rue des)			
Ambachtsliedenstraat	XL	47	J10
Artisjokstraat			
Artichaut (rue de l')	SJ	5	H9N
Artistes (clos des)			
Kunstenaarsgaarde	SCH	36	G11
Artistes (rue des)			
Kunstenaarsstraat	BR	23	E7-E8
Artistes (vallée des)			
Wijnbrondal	LIN	69	P7
Artois (rue d')			
Artesiëstraat	BR	6	H7S-I7N
Arts (av. des)			
Kunstlaan	BR	5	H9N-I9N
–	SJ	5	H9N
Arums (av. des)			
Aronskelkenlaan	AUD	61	L13
Ascension (rue de l')			
Bergopstraat	SJ	5	G9S
Aspérule (av. de l')			
Ruwkruidlaan	WO	41	H19
Asplantenpad			
Cinéraires (sent. des)	BR	59	L9-L10
Assaut (rue d')			
Stormstraat	BR	4	H8N
Asselbergs (rue Alphonse-str.)	UC	57	L6-L7

Nom / Naam	Communes / Gemeenten	Plan n° / Plattegrond	Repère / Plaatsaanduiding
Asselbergslaan (Alfons)	**TER**	53	**K19**
Association (rue de l')			
Verenigingstraat	**BR**	5	**H9**N
Assomption (av. de l')			
Maria-Hemelvaartlaan	**WSL**	38	**H15**
Asstraat			
Cendres (rue des)	**BR**	4	**G8**S
Asterhoek			
Asters (clos des)	**AND**	43	**K2-K3**
Asters (av. des-laan)	**KR**	39	**G16**
Asters (clos des)			
Asterhoek	**AND**	43	**K2-K3**
Astrid (av.-laan)	**WO**	52	**I18-J19**
Astrid (av. Reine)			
Astridlaan (Kon.)	**KR**	39	**G16-I16**
Astrid (av. Reine)			
Astridlaan (Kon.)	**WEM**	12	**C5**
Astrid (pl. Reine)			
Astridplein (Kon.)	**J**	22	**E6**
Astridlaan	**DIL**	30	**H1-H2**
Astridlaan	**ZAV**	28	**D16**
Astridlaan (Kon.)			
Astrid (av. Reine)	**KR**	39	**G16-I16**
Astridlaan (Kon.)	**MA**	17	**A14-A15**
Astridlaan (Kon.)			
Astrid (av. Reine)	**WEM**	12	**C5**
Astridplein (Kon.)			
Astrid (pl. Reine)	**J**	22	**E6**
Astronomes (rue des)			
Sterrenkundigenstraat	**UC**	59	**M9**
Astronomie (av. de l')			
Sterrenkundelaan	**SJ**	5	**H9**N
Ateliers (rue des)			
Werkhuizenstraat	**MSJ**	2	**G7**N
Athénée (rue de l')			
Atheneumstraat	**XL**	9	**I9**S
Athénée Royal (rue de l')			
Koninklijk Atheneumstraat	**WSL**	38	**H14**
Atheneumstraat			
Athénée (rue de l')	**XL**	9	**I9**S
Athlètes (av. des)			
Atletenlaan	**BR**	13	**C6-C7**
Atlantique (av. de l')			
Atlantische Oceaanlaan	**WSP**	49	**J13**
Atlantische Oceaanlaan			
Atlantique (av. de l')	**WSP**	49	**J13**
Atletenlaan			
Athlètes (av. des)	**BR**	13	**C6-C7**
Atomium (av. de l'-laan)	**BR**	13	**C7**
Atomium (sq. de l'-sq.)	**BR**	13	**C7**
Atrebatenstraat			
Atrébates (rue des)	**ETT**	48	**I11-I12**
–	**WSP**	48	**I12**
Atrébates (rue des)			
Atrebatenstraat	**ETT**	48	**I11-I12**
–	**WSP**	48	**I12**
Attelages (carr. des)			
Gespanhoek	**BR**	59	**L10**
Atticastraat			
Attique (rue d')	**WSL**	37	**G13**
Attique (rue d')			
Atticastraat	**WSL**	37	**G13**
Aubade (rue de l'-str.)	**MSJ**	31	**H4**
Aubépines (av. des)			
Haagdoornenlaan = 173	**KR**	39	**G15-G16**
Aubépines (av. des)			
Hagedoornlaan	**SGR**	71	**P9**
–	**UC**	71	**P9-O10**
Aubépines (av. des)			
Haagdoornlaan	**WEM**	12	**A5-B5**
Aubépines (av. des)			
Doornenlaan	**WO**	41	**H19**
Auber (av.-laan) = 252	**AND**	44	**I5**
Aubergines (rue des)			
Eierplantenstraat	**AND**	43	**I3**
Aubinaustraat (Elie)	**ZAV**	27	**E14-F15**
Aucubas (av. des-laan)	**KR**	52	**I17**
Auderghem (av. d')			
Oudergemselaan	**BR**	47	**I10**
–	**ETT**	47	**I10-J10**
Auderghem (ch. d')			
Oudergemseweg	**WO**	41	**I18-H19**
Augustijnendreef			
Augustins (dr. des)	**AUD**	50	**K15**
Augustijnenstraat			
Augustins (rue des)	**BR**	4	**H8**N
Augustijnernonnenstraat			
Augustines (rue des)	**J**	23	**E6**
Augustines (rue des)			
Augustijnernonnenstraat	**J**	23	**E6**
Augustins (dr. des)			
Augustijnendreef	**AUD**	50	**K15**
Augustins (rue des)			
Augustijnenstraat	**BR**	4	**H8**N
Augustuslaan			
Août (av. d')	**WSL**	37	**H12**
Aulne (av. de l')			
Elzeboomlaan	**UC**	57	**L6-M6**
Aumale (rue d'-str.)	**AND**	44	**I5**
Aurore (av. de l')			
Dageraadlaan	**KR**	52	**K17**
Aurore (pl. de l')			
Dageraadplein = 199	**AND**	42	**I2**
Aurore (rue de l')			
Dageraadstraat	**BR**	47	**K9**
Authom (sq. Willy-sq.)	**SCH**	25	**F11**
Automne (rue de l')			
Herfststraat	**XL**	47	**K10**
Autonomie (rue de l')			
Zelfbestuursstraat	**AND**	6	**I7**N
Autrique (rue Léon-str.)	**K**	33	**G6**
Autruche (rue de l')			
Struisvogelstraat	**WB**	61	**L13**
Availles-Limousinelaan	**ZAV**	38	**F14**
Avant-Port (rue de l')			
Voorhavenstraat	**BR**	25	**D10**
Avenir (rue de l')			
Toekomststraat	**KR**	39	**H16**
Avenir (rue de l')			
Toekomststraat	**MSJ**	2	**G7**S
Aviation (av. de l')			
Luchtvaartlaan	**WSP**	50	**I15-J16**

Nom / Naam	Communes Gemeenten	Plan n° Plattegrond	Repère Plaatsaanduiding
Aviation (sq. de l')			
Luchtvaartsquare	AND	6	I7N
Avijl (ch.-weg)	UC	58	N8-N9
Avocette (rue de l')			
Kluitstraat = 26	WB	60	M12
Avondpad			
Soir (sent. du)	BR	26	D12
Avril (av. d')			
Aprillaan	WSL	36	H12

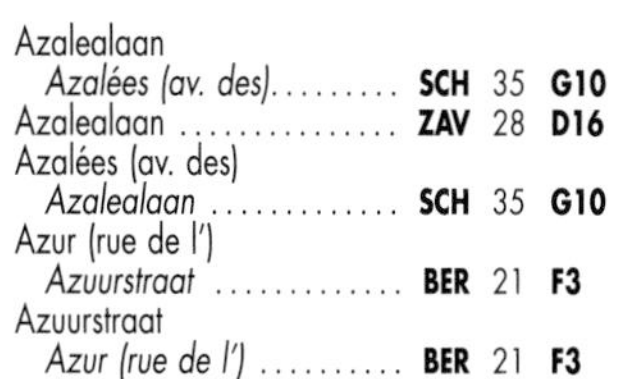

Nom / Naam	Communes Gemeenten	Plan n° Plattegrond	Repère Plaatsaanduiding
Azalealaan			
Azalées (av. des)	SCH	35	G10
Azalealaan	ZAV	28	D16
Azalées (av. des)			
Azalealaan	SCH	35	G10
Azur (rue de l')			
Azuurstraat	BER	21	F3
Azuurstraat			
Azur (rue de l')	BER	21	F3

B

Nom / Naam	Communes Gemeenten	Plan n° Plattegrond	Repère Plaatsaanduiding
Baakveld (ch. du-weg)	BR	26	D12
Baalhoek	GRI	13	B8
Baardgang			
Barbe (imp. de la)	BR	2	H7S
Bacchantensquare			
Bacchantes (sq. des) = 289	FO	57	L6
Bacchantes (sq. des)			
Bacchantensquare = 289	FO	57	L6
Bach			
(av. Jean-Sébastien-laan)	GAN	21	E4
Baden Powell (av.-laan)	WSL	37	H13
Baeck (av. Joseph-laan)	MSJ	32	H5
Baeck (rue Antoine-str.)	J	22	E5-E6
Baeck (rue Jean-Baptiste-str.)	FO	56	M5-L6
Baesstraat (Frans)	SPL	55	M3
Baeyensstraat (Hendrik)	SPL	66	N2
Baie (av. Eugène-laan)	AND	43	J3
Bailli (rue du)			
Baljuwstraat	BR	46	J8-J9
–	XL	46	J8
Baillon (rue André-str.)	FO	56	L5
Baksteenkaai			
Briques (quai aux)	BR	3	H7N
Balance (clos de la)			
Weegschaal-binnenhof = 70	WSL	37	G13
Bâle (av. de)			
Bazellaan	EV	26	E12
Balis (pl. Thomas-pl.)	AUD	48	K12
Balis (rue Alphonse-str.)	WSP	51	K16
Baljuwstraat			
Bailli (rue du)	BR	46	J8-J9
–	XL	46	J8
Balkans (rue des)			
Balkanstraat	UC	57	L7
Balkanstraat			
Balkans (rue des)	UC	57	L7
Ballade			
(clos de la-gaarde) = 63	EV	36	G12
Ballegeer (rue Jean-str.)	UC	69	O7
Ballings (av. Jaak Pieter-laan) = 381	J	22	D5
Ballings (rue Jacques-str.)	EV	25	E11
Balsamienstraat			
Balsamine (rue de la)	BR	24	D9-D10
Balsamine (rue de la)			
Balsamienstraat	BR	24	D9-D10
Bamboestraat			
Bambou (rue du)	FO	57	L6
–	UC	57	L6
Bambou (rue du)			
Bamboestraat	FO	57	L6
–	UC	57	L6
Ban Eik (av. du-laan)	WO	41	H19
Banierenstraat			
Bannières (rue des)	WSL	50	I14
–	WSP	50	I14
Banken (clos Louis-gaarde)	GAN	21	F4
Bankstraat			
Banque (rue de la)	BR	4	H8N
Bankveld	LIN	69	P7
Bannières (rue des)			
Banierenstraat	WSL	50	I14
–	WSP	50	I14
Banning (rue Émile-str.)	XL	47	K10
Banque (rue de la)			
Bankstraat	BR	4	H8N
Bara (pl.-pl.)	AND	6	I7N
–	SG	6	I7N
Bara (rue-str.)	AND	33	I6
Barbe (imp. de la)			
Baardgang	BR	2	H7S
Barbeau (av. du)			
Barbeellaan	AUD	60	L12
Barbeellaan			
Barbeau (av. du)	AUD	60	L12
Barbizonlaan	OV	75	N16
Barcelonastraat			
Barcelone (rue de)	FO	56	L5
Barcelone (rue de)			
Barcelonastraat	FO	56	L5
Barchon (rue de-str.) = 444	BR	2	G7S
Bardanes (av. des)			
Klissenlaan	BER	21	F3
Bareelstraat	ZAV	38	F14-G15
Baron (rue Théodore-str.)	AUD	48	K12
Barques (quai aux)			
Schuitenkaai = 445	BR	2	G7S
Barricadenplein			
Barricades (pl. des)	BR	5	H9N

Nom / Naam	Communes Gemeenten	Plan n° Plattegrond	Repère Plaatsaanduiding
Barricades (pl. des)			
Barricadenplein	**BR**	5	**H9**N
Barthélémy (bd.-laan)	**BR**	2	**H7**N
Bascule (rue de la-str.)	**UC**	46	**K9**
Basilieklaan			
Basilique (av. de la)	**BER**	32	**F4-G4**
–	**K**	32	**F4-F5**
Basilique (av. de la)			
Basilieklaan	**BER**	32	**F4-G4**
–	**K**	32	**F4-F5**
Basse (pl.)			
Laagplein	**BR**	12	**C6**
Basse (rue)			
Diepestraat	**UC**	58	**M8-N8**
Basse			
(rue Frédéric-str.) = 471	**BR**	6	**I7**N
Bassem			
(rue Jacques-str.)	**AUD**	61	**K13**
Basset (sent. du)			
Dashondweg	**BR**	13	**C8**
Bassin Collecteur			
(pet. rue du)			
Spaarbekkenstraat (korte)	**BR**	26	**D13**
Bassin Collecteur (rue du)			
Spaarbekkenstraat	**BR**	26	**D13**
Bassins (rue des)			
Kommenstraat	**AND**	44	**I5-I6**
Basteleusstraat (Petrus)	**SPL**	66	**N2**
Bastenakenplein			
Bastogne (pl. de)	**K**	32	**F5-G5**
Bastien (av. Alfred-laan)	**AUD**	49	**K12**
Bastin (av. Gén.)			
Bastinlaan (Gen.)	**WSL**	49	**I13**
Bastinlaan (Gen.)			
Bastin (av. Gén.)	**WSL**	49	**I13**
Bastion (sq. du)			
Bolwerksquare	**XL**	9	**I8**N
Bastogne (pl. de)			
Bastenakenplein	**K**	32	**F5-G5**
Bataves (rue des)			
Batavierenstraat	**ETT**	48	**I11**
Bataviastraat	**STE**	18	**A16-B16**
Batavierenstraat			
Bataves (rue des)	**ETT**	48	**I11**
Bâteau (rue du)			
Schipstraat	**MSJ**	33	**H6**
Batelage (quai du)			
Schipperijkaai	**BR**	4	**G8**N
Bateliers (rue des)			
Schippersstraat	**AND**	43	**K4**
Baticcelaan	**ZAV**	27	**F14**
Baucq (rue Philippe-str.)	**ETT**	47	**J10**
Baudet (rue du)			
Ezelsstraat	**BR**	8	**I8**N
Baudouin (av. Pr.)			
Boudewijnlaan (Pr.)	**WEM**	12	**B5-C5**
Baudouin (av. Pr.)			
Boudewijnlaan (Pr.)	**WSP**	50	**J15**
Baudouin (bd.)			
Boudewijnlaan	**BR**	4	**G8**S
Baudouin (pl. Roi)			
Boudewijnplein (Kon.)	**BER**	31	**F4**

Nom / Naam	Communes Gemeenten	Plan n° Plattegrond	Repère Plaatsaanduiding
Baudouin (rue Pr.)			
Boudewijnstraat (Pr.)	**GAN**	22	**F5-E6**
–	**J**	22	**F5-E6**
Baudoux (rue Jean-str.)	**J**	22	**D6**
Bauneweg (Constant)	**BE**	68	**O5-P5**
Baus (rue Jozef-str.)	**WO**	52	**I18**
Bauwenberg	**WO**	40	**G18**
Bauwens (rue Jean-Baptiste-str.)	**EV**	25	**E12**
Bayensstraat (Petrus)	**DIL**	30	**F2**
Bayet (av. Adrien-laan)	**BR**	23	**D6**
Bazellaan			
Bâle (av. de)	**EV**	26	**E12**
Béatitude (av. de la)			
Gelukzaligheidslaan	**EV**	36	**G12**
Béatitudes (av. des)			
Zalighedenlaan	**WEM**	12	**B5**
Beau Feuillage (av. du)			
Mooiloverlaan	**KR**	52	**J17**
Beau-Séjour (av. du)			
Schoon Verblijflaan	**UC**	58	**L9**
Beau Site (rue du)			
Welgelegenstraat	**BR**	9	**J9**N
Beaulieustraat	**MA**	16	**B13**
Beauté (pl. de la)			
Schoonheidplein	**AND**	44	**I4**
Bécasse (av. de la)			
Houtsniplaan	**WO**	40	**G17**
Bécasses (av. des)			
Snippenlaan	**KR**	52	**J17**
Bécassines (av. des)			
Watersneppenlaan	**AUD**	49	**K13**
Bechet (av. Albert-laan)	**KR**	52	**J17-K18**
Becker (rue Lt. Jérôme)			
Beckerstraat (Lt. Jerome)	**ETT**	48	**J11**
Beckers (rue-str.)	**ETT**	47	**J10**
Beckerstraat (Lt. Jerome)			
Becker (rue Lt. Jérôme)	**ETT**	48	**J11**
Becqué (av. des Frères)			
Becquélaan (Gebroeders)	**BER**	21	**F3**
Becquélaan (Gebroeders)			
Becqué (av. des Frères)	**BER**	21	**F3**
Beeckman (rue-str.)	**UC**	57	**L6-M6**
Beeckman de Crayloo			
(rue-str.) = 217	**AND**	31	**H4**
Beeckmans			
(rue François-str.)	**GAN**	22	**F5**
Beekgaarde			
Ruisselet (clos du)	**BER**	32	**F4**
Beekstraat			
Ruisseau (rue du)	**MSJ**	2	**G7**S
Beekstraat			
Ruisseau (rue du)	**WO**	40	**H18**
Beekstraat	**ZAV**	41	**G19**
Beeldhouwerslaan			
Statuaires (av. des)	**UC**	57	**M7-M8**
Beeldhouwkunstlaan	**DIL**	42	**I2-I3**
Beemdgracht (rue du-str.)	**BR**	16	**C13**
Beemdgraslaan			
Pâturins (av. des)	**UC**	70	**O8**
Beemdstraat	**SPL**	56	**N4-N5**
Beenhouwersstraat			
Bouchers (rue des)	**BR**	4	**H8**S

Nom / Naam	Communes Gemeenten	Plan n° Plattegrond	Repère Plaatsaanduiding
Beenhouwersstraat (korte) *Bouchers (pet. rue des)*	**BR**	4	**H8**S
Beernaert (rue Auguste-str.)	**WB**	61	**N13**
Beersel (av. de-laan)	**DRO**	68	**O5-O6**
Beersel (av. de-laan)	**UC**	69	**N6**
Beethoven (av.-laan) = 397	**GAN**	22	**E5**
Beffroi (rue du) *Belfortstraat*	**BR**	35	**H10**
Bégault (clos Lt.-Colonel) *Bégaultgaarde (Lt.-Kolonel)*	**XL**	59	**L10**
Bégaultgaarde (Lt.-Kolonel) *Bégault (clos Lt.-Colonel)*	**XL**	59	**L10**
Begeertenlaan *Désirs (av. des)*	**EV**	36	**G12**
Begijnenstraat *Béguines (rue des)*	**MSJ**	32	**G4-G5**
Begijnhof *Béguinage (pl. du) = 441*	**BR**	4	**H8**N
Begijnhofstraat *Béguinage (rue du)*	**BR**	4	**G7**S**-H8**N
Begijnhofstraat *Béguinage (rue du)*	**KR**	38	**G15**
Begoniagaarde	**MA**	17	**A14**
Begonialaan	**GRI**	14	**A9-B9**
Begonialaan	**OV**	64	**M18-N18**
Begonias (av. des-laan)	**KR**	39	**G16**
Bégonias (rue des) *Begoniastraat*	**WB**	60	**L12**
Begoniastraat	**SPL**	54	**L2**
Begoniastraat *Bégonias (rue des)*	**WB**	60	**L12**
Béguinage (pl. du) *Begijnhof = 441*	**BR**	4	**H8**N
Béguinage (rue du) *Begijnhofstraat*	**BR**	4	**G7**S**-H8**N
Béguinage (rue du) *Begijnhofstraat*	**KR**	38	**G15**
Béguines (rue des) *Begijnenstraat*	**MSJ**	32	**G4-G5**
Béguinettes (rue des) *Piepelingenstraat*	**WB**	61	**M13**
Beheerstraat *Gérance (rue de la) = 42*	**BER**	32	**F4**
Behr (rue Jacques-str.)	**BR**	24	**E9**
Beierslaan	**OV**	76	**P18**
Beizegemstraat *Beyseghem (rue de)*	**BR**	14	**C9-C10**
Bekaert (rue François-str.) = 54	**AUD**	61	**L13**
Bekaert (rue Théodore-str.)	**AND**	44	**J4**
Bel-Air (av.) *Schoon Uitzichtlaan*	**UC**	58	**L8-L9**
Bel-Air (av.) *Schone Luchtlaan*	**WO**	40	**H17-I17**
Bel-Air (parc résidence) *Schone Lucht (residentiepark) = 269*	**WO**	52	**I17**
Bel Horizon (clos) *Schoonzichtgaarde*	**WSL**	37	**H13**
Belette (av. de la) *Wezellaan*	**WO**	52	**J18**
Belettes (av. des) *Wezelslaan*	**UC**	69	**O7**
Belfortstraat *Beffroi (rue du)*	**BR**	35	**H10**
Belgica (bd.-laan)	**MSJ**	33	**F7**
Belgicastraat	**ZAV**	28	**E15**
Belgiëlaan	**VIL**	15	**A11-A12**
Belgiëplein *Belgique (pl. de)*	**BR**	13	**C7**
Belgique (pl. de) *Belgiëplein*	**BR**	13	**C7**
Belgische Onafhankelijkheidslaan *Indépendance Belge (av. de l')*	**K**	32	**F5-F6**
Belgrade (rue de) *Belgradostraat*	**FO**	45	**J6**
–	**SG**	45	**J6**
Belgradostraat *Belgrade (rue de)*	**FO**	45	**J6**
–	**SG**	45	**J6**
Belien (rue Guillaume-str.) = 383	**J**	22	**D5**
Bélier (av. du) *Ramlaan*	**WSL**	37	**H13**
Belle Alliance (av. de la-laan)	**BR**	59	**L9**
Belle au Bois Dormant (rue de la) *Schoonslaapsterstraat*	**MSJ**	31	**H4**
Belle-Vue (rue de) *Belle-Vuestraat*	**XL**	47	**K9**
Belle Vue (rue de) *Bellevuestraat*	**BR**	47	**K9**
Belle-Vuestraat *Belle-Vue (rue de)*	**XL**	47	**K9**
Bellestraat	**SPL**	54	**N1**
Bellevuestraat *Belle Vue (rue de)*	**BR**	47	**K9**
Belliard (rue-str.)	**BR**	9	**I9-I10**
–	**ETT**	47	**I10**
Belœil (av. de-laan)	**UC**	59	**M9**
Belvédère (rue du) *Belvederestraat = 121*	**XL**	47	**J9**
Belvederestraat *Belvédère (rue du) = 121*	**XL**	47	**J9**
Bemel (rue du-str.)	**WSP**	49	**J12-I13**
Bempt (av. du-laan)	**FO**	56	**M5**
Bempt (rue du-str.)	**DRO**	56	**M5-N5**
Benaets (rue Jean-str.)	**UC**	58	**N8-N9**
Beneluxlaan	**VIL**	15	**A11-A12**
Bènes (av. Edouard-laan)	**MSJ**	32	**F4-F5**
Bengalis (rue des) *Rijstvogelstraat = 30*	**WB**	61	**M12**
Bennet (cours Gordon-warande)	**XL**	60	**L11**
Benoidt (av. Georges-laan)	**WB**	61	**M12**
Benoit (av. Peter-laan)	**WEM**	11	**B4**
Benoit (pl. Peter-pl.)	**BR**	15	**C10**
Benoit (rue Peter-str.)	**ETT**	47	**J10**
Benoitstraat (Peter)	**DIL**	30	**F1-F2**
Bens (rue Joseph-str.)	**FO**	57	**L6**
–	**UC**	57	**L6-L7**

Nom / Naam	Communes / Gemeenten	Plan n° / Plattegrond	Repère / Plaatsaanduiding
Béranger (rue-str.) = 284	FO	45	K6
Berceau (rue du) *Prieelstraat*	BR	5	H9S
Berchem (rue de-str.)	MSJ	2	G6S
Berchem Sainte-Agathe (av. de) *Sint-Agatha-Berchemlaan*	K	32	F5
Berchemstraat	DIL	30	H2-G3
Berckmans (ch.-weg)	UC	71	O10
Berckmans (rue-str.)	SG	8	J8N
Berensheide	WB	61	L12
Berenweg	HOE	74	O14-O15
Berg van Sint-Job *Montagne de Saint-Job*	UC	58	M9-N9
Bergdal	GRI	13	B8-C8
Bergé (rue Henri-str.)	SCH	35	F9
Bergenblok (rue-str.)	WO	40	G17-H18
Bergense Steenweg *Mons (chaus. de)*	AND	2-55	L3-H7
Bergensesteenweg	BE	66	P1-O2
–	SPL	55	P1-L3
Berger (rue du) *Herdersstraat*	XL	8	I8S
Bergère (av. de la) *Herderinlaan*	BER	22	F5
Bergerette (rue de la) *Kwikstaartjestraat*	WB	61	M12
Bergeronnettes (av. des) *Kwikstaartlaan* = 133	WSP	49	K13
Bergeronnettes (sent. des) *Kwikstaartenpad*	BR	59	L10
Bergestraat	TER	53	K19
Berghaagstraat	DIL	30	G2
Bergmann (av. Georges-laan)	XL	59	L10-L11
Bergoje (clos du) *Bergooiegaarde*	AUD	49	K13
Bergooiegaarde *Bergoje (clos du)*	AUD	49	K13
Bergopstraat *Ascension (rue de l')*	SJ	5	G9S
Bergring	DIL	31	G3
Bergstraat *Montagne (rue de la)*	BR	4	H8S
Bergstraat	HOE	75	P17
Bergstraat	MA	16	B13
Bergstraat *Montagne (rue de la)*	WO	40	G18-H18
Berilpad *Béryl (sent. du)*	BR	12	C6
Berkendaalstraat *Berkendael (rue)*	FO	45	K7-K8
–	XL	46	K8
Berkendael (rue) *Berkendaalstraat*	FO	45	K7-K8
–	XL	46	K8
Berkendallaan	VIL	14	B9-C9
Berkenhof *Bouleaux (clos des)*	WO	40	H18
Berkenhof *Bouleaux (clos des)*	WSL	38	G14-H14
Berkenhof	ZAV	28	F17
Berkenlaan *Bouleaux (av. des)*	KR	51	I16
Berkenlaan	MA	27	D14
Berkenlaan *Bouleaux (av. des)*	WB	60	L12-M12
Berkenlaan *Bouleaux (av. des)*	WEM	12	B5
Berkenweg	TER	63	L17
Berlaimont (av. Louis-laan)	AUD	49	K13
Bernaerts (rue Charles-str.)	UC	57	M7
Bernard (rue Willem-str.) = 364	WEM	11	B4
Bernheim (av. Gén.) *Bernheimlaan (Gen.)*	ETT	47	J10
Bernheimlaan (Gen.) *Bernheim (av. Gén.)*	ETT	47	J10
Bernier (av. Géo-laan)	XL	47	K9-K10
Bernier (rue Fernand-str.)	FO	6	J6-J7
–	SG	6	J7N
Berré (rue-str.)	J	23	E7-F7
Berreveldlaan	ZAV	38	G15
Berrewaerts (av. René-laan)	AND	31	H4-I4
Bertaux (av. Victor et Jules-laan)	AND	43	I4
Berthelot (rue-str.)	FO	45	J6-K6
Bertrand (av. Alexandre-laan)	FO	45	K7
Bertrand (av. Louis-laan)	SCH	35	F9-F10
Bertulot (rue André-str.)	SJ	4	G8S
Bervoets (rue Marguerite-str.)	FO	56	K5-L5
Béryl (sent. du) *Berilpad*	BR	12	C6
Besace (rue de la) *Knapzakstraat*	BR	36	H11
Besme (av.-laan)	FO	45	K6-K7
Besme (rue Jules-str.)	K	32	G5-F6
Bessenlaan	DIL	42	I1
Bessenveldstraat	MA	27	D14-E14
Betbèze (rue Marcel-str.)	MSJ	32	G5-G6
Bethléem (pl. de) *Bethlehemplein*	SG	6	J7N
Bethlehemplein *Bethléem (pl. de)*	SG	6	J7N
Betteraves (rue des) *Bietenstraat*	AND	42	J1-K1
Beudin (rue Dr. Charles) *Beudinstraat (Dr. Charles)*	MSJ	32	G5
Beudinstraat (Dr. Charles) *Beudin (rue Dr. Charles)*	MSJ	32	G5
Beukenberg	FO	56	L6
Beukenhoutstraat	MA	27	C14-D14
Beukenlaan	SPL	55	M3-N3
Beukenlaan	TER	65	K19-L19
Beukenlandschap	BE	68	P4
Beukenootjesstraat *Faînes (rue des)*	BR	25	D10-C11
Beukenstraat	BE	68	P6
Beukenstraat *Hêtres (rue des)*	DRO	68	O5
Beukenstraat *Hêtres (rue des)*	LIN	69	P6
Beukenweg	TER	63	L17

Nom / Naam	Communes Gemeenten	Plan n° Plattegrond	Repère Plaatsaanduiding
Beurre (pet. rue au)			
Boterstraat (korte) = 421 ...	**BR**	4	**H8**N
Beurre (rue au)			
Boterstraat	**BR**	4	**H8**S
Beursplein			
Bourse (pl. de la)..........	**BR**	4	**H8**N
Beursstraat			
Bourse (rue de la) = 425 ...	**BR**	4	**H8**N
Bevergaarde			
Castor (clos du)..........	**WO**	52	**I18**
Beverlindestraat	**GRI**	13	**B7**
Beverstraat	**GRI**	13	**A7**
Bevrijderssquare			
Libérateurs (sq.) = 237....	**MSJ**	33	**F7**
Bevrijdingsgaarde			
Libération (clos de la)	**WSP**	39	**H16**
Bevrijdingslaan	**ZAV**	38	**F14-F15**
Bevrijdingsstraat	**SPL**	67	**O3**
Beyseghem (rue de)			
Beizegemstraat	**BR**	14	**C9-C10**
Beyst (av. Pierre-laan)	**AND**	43	**I3**
Bezemstraat	**SPL**	54	**M1-L3**
Bia Bouquet			
(sq. du-sq.) = 571	**FO**	56	**L5-M5**
Biarritz (sq. de-sq.)	**XL**	47	**J9**
Biches (av. des)			
Hindenlaan	**KR**	52	**I17**
Biches (av. des)			
Hindenlaan	**UC**	69	**O7**
Biddaer (rue Pierre-str.)	**AND**	44	**J5**
Biebuyck (rue Gén.)			
Biebuyckstraat (Gen.)	**BR**	25	**D10**
Biebuyckstraat (Gen.)			
Biebuyck (rue Gén.)	**BR**	25	**D10**
Bien-Faire (rue du)			
Weldoenstraat	**WB**	60	**L11**
Bien-Être (rue du)			
Welzijnstraat	**AND**	32	**H5**
Bienfaisance (rue de la)			
Weldadigheidstraat	**SJ**	4	**G8**N
Bienfaiteurs (pl. des)			
Weldoenersplein	**SCH**	35	**G10**
Bienvenue (rue de la)			
Verwelkomingsstraat	**AND**	55	**K4**
Biernaux (rue Gaston-str.)	**J**	22	**E5-E6**
Biesdreef	**ZAV**	41	**G19**
Bieslookstraat			
Ciboulette (rue de la)	**BR**	13	**C6**
Biesmanslaan (A.)..........	**HOE**	75	**P17**
Biesmansstraat (Josse)	**HOE**	75	**P16**
Biesputstraat			
Jonchaie (rue de la)	**ETT**	48	**I11**
Biestebroeck (quai de)			
Biestebroekkaai	**AND**	44	**K4-I5**
Biestebroeck (rue de)			
Biestebroekstraat	**AND**	44	**I5**
Biestebroekkaai			
Biestebroeck (quai de) ...	**AND**	44	**K4-I5**
Biestebroekstraat			
Biestebroeck (rue de).....	**AND**	44	**I5**
Bietenstraat			
Betteraves (rue des)	**AND**	42	**J1-K1**
Biezenlaan			
Jonc (av. du)..............	**FO**	57	**L6**
–	**UC**	57	**L6**
Biezeweide	**BE**	68	**O5-P5**
Bifurcation (rue de la)			
Vertakkingsstraat	**WB**	60	**K11-K12**
Bigarreaux (rue des)			
Vleeskersenstraat	**UC**	69	**N6-N7**
Bigorne (rue de la)			
Speerhaakstraat = 549.....	**SJ**	5	**H9**N
Bijde Inkomstlaar = 230	**HOE**	77	**P19**
Bijenkorfstraat			
Ruche (rue de la).........	**SCH**	35	**F9-G9**
Bijenlaan			
Abeilles (av. des) = 479....	**BR**	59	**L10**
–	**XL**	59	**L10**
Bijldreef	**TER**	64	**M17**
Bijstandsstraat			
Bon Secours			
(rue de) = 419............	**BR**	3	**H7**S
Bildstraat	**SPL**	66	**N1**
Binjé (rue Frans-str.)	**SCH**	35	**G10**
Binnenweg			
Traverse (ch. de la)........	**BR**	16	**C13**
Biot (rue Gustave-str.)	**XL**	47	**K10**
Biplan (rue du)			
Tweedekkerstraat = 118....	**BR**	26	**E12**
–	**EV**	26	**E12**
Birmingham (rue de-str.)	**AND**	2-44	**I5-H6**
–	**MSJ**	33	**H6**
Bischoffsheim (bd.-laan)	**BR**	5	**G9**S-**H9**N
Bischoffsheim (pl.-pl.)........	**WB**	60	**M12-M13**
Bisschopsstraat			
Evêque (rue de l')	**BR**	4	**H8**N
Bissé (rue-str.)	**AND**	6	**I6**N
Bivakstraat			
Bivouac (rue du).........	**AND**	32	**H5**
Bivouac (rue du)			
Bivakstraat	**AND**	32	**H5**
Bizet (pl.-pl.)	**AND**	43	**J4**
Blaes (rue-str.)...............	**BR**	6	**I7**S-**I8**N
Blaesenberg (rue)			
Blazenbergstraat	**BR**	15	**B11**
Blaesenbergweg	**VIL**	16	**A12**
Blaireaux (allée des)			
Dassendreef	**BR**	59	**M10**
Blaironstraat (Eugène)	**MA**	17	**C14**
Blaivie (av. Arthur-laan)	**KR**	51	**I17**
Blanche (rue-str.)	**BR**	8	**J8**N
–	**SG**	8	**J8**N
–	**XL**	8	**J8**N
Blanchisserie (rue de la)			
Blekerijstraat	**BR**	4	**G8**S
Blankedelle (ch. de-weg)....	**AUD**	62	**M14-N15**
Blankedelle			
(clos du-gaarde)	**AUD**	62	**L14**
Blankenheimlaan	**ZAV**	37	**F13-F14**
Blauw Dreveken			
Bleue (venelle) = 558	**WSP**	50	**I14**
Blauwborstjeslaan			
Gorges Bleues (av. des) ..	**AUD**	49	**K12**
–	**WSP**	48	**J12-K12**

Nom / Naam	Gemeenten Communes	Plattegrond Plan n°	Plaatsaanduiding Repère
Blauwe Bosbessenlaan			
Myrtilles (av. des)	**KR**	52	**K17-K18**
Blauwe Hemelstraat			
Ciel Bleu (rue du) = 176	**WSP**	39	**H16**
Blauwe Vogellaan			
Oiseau Bleu (av. de l')	**WSP**	48	**J12**
Blauweregenlaan			
Glycines (av. des)	**SCH**	35	**F10**
Blauwet (rue Hubert-str.)	**BER**	31	**F3-F4**
Blazenbergstraat			
Blaesenberg (rue)	**BR**	15	**B11**
Blé d'Or (rue du)			
Guldenkoornstraat	**BER**	31	**G4**
Blekerijstraat			
Blanchisserie (rue de la)	**BR**	4	**G8**S
Bleue (venelle)			
Blauw Dreveken = 558	**WSP**	50	**I14**
Bleuet (av. du)			
Roggebloemlaan	**WSL**	50	**I14**
Blijde Inkomstlaan			
Joyeuse Entrée (av. de la)	**BR**	35	**H10-I10**
Blijde Inkomststraat	**MA**	17	**B14**
Blijdschapsstraat			
Gaîté (rue de la)	**AND**	44	**I5-J5**
Blindés (sq. des)			
Pantsertroepensquare	**BR**	2	**G7**S
Blockmans (rue-str.) = 143	**WSP**	51	**I16**
Blockx (rue Jan-str.)	**SCH**	25	**F10**
Bloeistraat			
Floraison (rue de la)	**AND**	42	**J2**
Bloemendal	**DIL**	30	**H2**
Bloemendallaan	**GRI**	14	**B8**
Bloemengaarde			
Fleurs (clos des)	**KR**	51	**I16**
Bloemengaarde			
Fleurs (clos des) = 91	**SCH**	36	**G11**
Bloemenhof	**GRI**	13	**A8**
Bloemenhofplein			
Jardin aux Fleurs (pl. du)	**BR**	2	**H7**N
Bloemenkwekersstraat			
Fleuristes (rue des)	**BER**	31	**F3-G3**
Bloemenlaan			
Fleurs (av. des)	**KR**	51	**I16**
–	**WO**	39	**H16-I16**
Bloemenlaan			
Fleurs (av. des)	**WSP**	50	**J14**
Bloemenlaan	**ZAV**	40	**G18**
Bloemenmeisjesgang			
Bouquetière (imp. de la)	**BR**	6	**I7**N
Bloemenoord			
Fleuri (clos)	**BER**	31	**F3**
Bloemenoord	**STE**	19	**A17**
Bloemenstraat			
Fleurs (rue aux)	**BR**	4	**G8**S-**H8**N
Bloemenveld			
Fleurs (champ des)	**WO**	41	**H19**
Bloemenveld	**ZAV**	28	**E16**
Bloemhof			
Jardin des Fleurs (rue)	**LIN**	69	**P7**
Bloemistenstraat	**AS**	10	**C2-C3**
Bloemistenstraat			
Fleuristes (rue des)	**BR**	6	**I7**S
Bloemtuilstraat			
Bouquet (rue du)	**AND**	43	**J3-K3**
Bloemtuinenlaan			
Jardins (av. des)	**SCH**	36	**G11**
Bloemweidelaan			
Pré fleuri (av. du)	**KR**	39	**H16**
Blokveldstraat	**HOE**	75	**P16**
Blommaertstraat (J. B.)	**HOE**	75	**O16**
Blücher (av.-laan)	**UC**	69	**N9-P9**
Bluets (rue des)			
Korenbloemenstraat	**KR**	51	**I16**
Bluets (rue des)			
Korenbloemstraat	**WSL**	37	**H13**
Blyckaerts			
(pl. Raymond-pl.)	**XL**	9	**J9**N
Bobijngang			
Bobine (imp. de la)	**BR**	5	**H9**N
Bobine (imp. de la)			
Bobijngang	**BR**	5	**H9**N
Bockstael (bd. Émile-laan)	**BR**	23	**D7-F7**
Bockstael (pl. Émile-pl.)	**BR**	23	**E7**
Bocq (rue du-str.)	**AUD**	48	**J11**
Bodegemstraat			
Bodeghem (rue)	**BR**	6	**H7**S
Bodeghem (rue)			
Bodegemstraat	**BR**	6	**H7**S
Bodenbroek (rue-str.)	**BR**	8	**I8**N
Boduognat (rue)			
Boduognatusstraat	**BR**	35	**H10**
Boduognatusstraat			
Boduognat (rue)	**BR**	35	**H10**
Boechoutlaan			
Bouchout (av. de)	**BR**	23	**C7-D7**
Boechoutlaan	**GRI**	13	**A7-B7**
Boekweitveld			
Sarrasin (champ du) = 265	**WO**	41	**H19**
Boerderijstraat			
Métairie (rue de la)	**BER**	22	**F5**
–	**GAN**	22	**F5**
Boereboomlaan (Léon)	**ZAV**	29	**E18**
Boerenbrugweg			
Pont Rustique (ch. du)	**BR**	59	**L9**
Boerenstraat			
Boers (rue des)	**ETT**	48	**I11**
Boergondiëstraat			
Bourgogne (rue de)	**FO**	57	**K6-L6**
Boerkozenstraat			
Maraîchers (rue des)	**AND**	43	**I4**
Boers (rue des)			
Boerenstraat	**ETT**	48	**I11**
Boesdaal (av.-laan)	**SGR**	71	**P10**
Boetendael (av. de laan)	**UC**	57	**L7**
Boetendael (rue de-str.)	**UC**	57	**L7**
Bœufs (imp. des)			
Ossengang			
(située rue de la Fourche)	**BR**	4	**HBN**
Bogaardenstraat			
Bogards (rue des)	**BR**	3	**H7**S
Bogaerd (rue Karel-str.)	**BR**	23	**E7-E8**
Bogards (rue des)			
Bogaardenstraat	**BR**	3	**H7**S
Bogemans (rue J.-str.)	**WEM**	12	**B5-B6**

Nom / Naam	Communes / Gemeenten	Plan n° / Plattegrond	Repère / Plaatsaanduiding
Boghemans (rue-str.) = 39	**J**	22	**E6**
Boileau (av.-laan)	**ETT**	48	**J12**
Bois (chem. au)			
Boesweg	**WO**	40	**I17-H18**
Bois (grande rue au)			
Bostraat (grote)	**SCH**	35	**G10**
Bois (rue au)			
Bosstraat	**DRO**	68	**O5**
Bois (rue au)			
Bosstraat	**GAN**	21	**E4**
–	**J**	21	**D4-E4**
Bois (rue au)			
Bosstraat	**KR**	39	**G15-G16**
Bois (rue au)			
Bosstraat	**WSL**	50	**I14**
–	**WSP**	50	**I14-K16**
Bois (sent. du)			
Bospad	**LIN**	69	**P7**
Bois (venelle au)			
Boswarande	**WSP**	50	**I14**
Bois à Brûler (quai au)			
Brandhoutkaai	**BR**	4	**G7**S-**H7**N
Bois de Construction (quai au)			
Timmerhoutkaai = 447	**BR**	2	**G7**S
Bois de la Cambre (av. du)			
Ter Kamerenboslaan	**WB**	60	**L11**
–	**XL**	59	**L10-L11**
Bois de Linthout (rue du)			
Linthoutbosstraat	**WSL**	36	**H12**
Bois de Sapins (av. du)			
Dennenboslaan	**WSL**	38	**H14**
Bois des Îles (rue)			
Eilandenhoutstraat	**BER**	21	**E3-F3**
Bois d'Houthulst (av. du)			
Bos van Houthulstlaan	**WO**	40	**H18**
Bois d'Oppem (ch. du)			
Bos van Oppemweg	**KR**	52	**I17**
Bois du Dimanche (av.)			
Zondagboslaan	**WSP**	50	**J14-K14**
Bois Jean (av. du)			
Jansboslaan	**WSL**	38	**H15**
Bois Planté (clos du)			
Geplante Bosgaarde	**WSP**	49	**J13**
Bois Sauvage (rue du)			
Wildewoudstraat = 454	**BR**	4	**H8**N
Bois Soleil (av. du)			
Zonneboslaan	**KR**	52	**I17**
Boîteux (rue des)			
Kreupelenstraat	**BR**	4	**H8**N
Boitsfort (av. de)			
Bosvoordselaan	**BR**	59	**M10**
Boitsfort (chaus. de)			
Bosvoordsesteenweg	**WB**	60	**M11**
–	**XL**	60	**L11-M11**
Bolderiklaan			
Nielle (av. de la)	**WSL**	37	**H13**
Bolivar (bd. Simon-laan)	**BR**	34	**G8**
–	**SCH**	34	**G8**
Bollandistenstraat			
Bollandistes (rue des)	**ETT**	48	**I11-I12**
Bollandistes (rue des)			
Bollandistenstraat	**ETT**	48	**I11-I12**
Bollen (rue Jan-str.)	**BR**	23	**E7-E8**
Bollinckx (rue-str.)	**AND**	44	**K4-L4**
–	**FO**	56	**L4-L5**
Bols (av. Prudent-laan)	**BR**	23	**E7**
Bolwerklaan			
Boulevard (av. du)	**SJ**	4	**G8**S
Bolwerksquare			
Bastion (sq. du)	**XL**	9	**I8**N
Bommaert (av.-laan)	**KR**	39	**H16-I16**
Bon Accueil (rue du)			
Goede			
Bejegeningstraat = 46	**BER**	32	**F4**
Bon Air (av.)			
Goede Luchtlaan	**SGR**	71	**P9-P10**
Bon Pasteur (rue du)			
Goede Herderstraat	**EV**	25	**E11**
Bon Pasteur (rue du)			
Goede Herderstraat	**MSJ**	31	**G4**
Bon Secours (rue de)			
Bijstandsstraat = 419	**BR**	3	**H7**S
Bonaparte (av.-laan)	**UC**	70	**N8-N9**
Bonaventure (rue-str.)	**J**	22	**D5-D6**
Bondgenotenstraat			
Alliés (rue des)	**FO**	45	**J6-K6**
Bonehill			
(rue Edmond-str.)	**MSJ**	33	**H6**
Bonekruidlaan			
Sarriette (av. de la)	**BR**	14	**C9**
Bonheur (dr. du)			
Geluksdreef	**KR**	39	**H16**
–	**WSP**	39	**H16-I16**
Bonheur (rue du)			
Geluksstraat	**AND**	42	**I2**
Bonne Odeur (dr. de)			
Willeriekendreef	**WB**	61	**M13-O15**
Bonne Reine (rue de la)			
Goede Koningin-			
straat = 136	**WSL**	37	**H13**
Bonneels (rue-str.)	**SJ**	35	**H10**
Bonnes Mères (rue des)			
Goede Moedersstraat	**FO**	56	**L5**
Bonnevie (rue-str.)	**MSJ**	2	**G7**S
Bonniers (dr. des)			
Bundersdreef	**SGR**	72	**P11-P12**
–	**UC**	72	**P11-P12**
–	**WB**	72	**P12-O14**
Bons Enfants (rue des)			
Bravekinderenstraat	**BR**	15	**C10**
Bonté (rue de la)			
Goedheidsstraat	**BR**	8	**J8**N
–	**SG**	8	**J8**N
Boogschutterinnenlaan			
Archères (av. des)	**UC**	58	**M8**
Boogschuttersstraat			
Archers (rue des)	**K**	33	**F6**
Boogstraat			
Arc (rue de l')	**BR**	4	**G8**N
Boomgaardlaan	**HOE**	76	**P18-P19**
Boomgaardoord			
Verger (clos du)	**KR**	40	**G17**
Boomgaardpad			
Verger (sent. du)	**BR**	25	**D10**

Nom / Naam	Gemeenten Communes	Plattegrond Plan n°	Plaatsaanduiding Repère
Boomgaardstraat			
Verger (rue du)	**AUD**	49	**K13**
Boomgaardstraat			
Verger (rue du)	**DRO**	56	**M5**
Boomgaardstraat			
Verger (rue du)	**KR**	40	**G17**
Boomgaardstraat			
Verger (rue du) = 363	**WEM**	12	**B5**
Boomkleverlaan			
Sittelles (av. des)	**WSP**	50	**I15**
Boomkwekerijstraat			
Pépinière (rue de la)	**BR**	9	**I8**N
Boomkwekerijstraat	**SPL**	67	**N3-N4**
Boomstraat			
Arbre (rue de l')	**BR**	8	**I8**N
Boomvalkenlaan			
Hobereaux (av. des) = 574	**WB**	61	**L12-L13**
Boon (av. Daniel-laan)	**AUD**	61	**L13-L14**
Boon (rue Jacques-str.)	**AND**	43	**K4**
Boondaalse Square			
Boondael (sq. de)	**XL**	60	**L11**
Boondaalse Steenweg			
Boondael (chaus. de)	**XL**	47	**J9-L11**
Boondael (chaus. de)			
Boondaalse Steenweg	**XL**	47	**J9-L11**
Boondael (sq. de)			
Boondaalse Square	**XL**	60	**L11**
Boone (rue Doyen)			
Boonestraat (Deken) = 123.	**ETT**	48	**I11**
Boonestraat (Deken)			
Boone (rue Doyen) = 123	**ETT**	48	**I11**
Bordeaux (rue de-str.)	**SG**	8	**J8**N
Bordet (av. Jules-laan)	**BR**	26	**E12**
–	**EV**	26	**E12-F13**
Bordiau (rue-str.)	**BR**	35	**H10**
Borduurdersstraat			
Brodeurs (rue des) = 526	**BR**	6	**I7**S
Borgendaalgang			
Borgendael			
(imp. du) = 501	**BR**	8	**I8**N
Borgendael (imp. du)			
Borgendaalgang = 501	**BR**	8	**I8**N
Borgval			
Borgwal = 427	**BR**	3	**H7**S
Borgwal			
Borgval = 427	**BR**	3	**H7**S
Borlé (av. Joseph-laan)	**AUD**	62	**L14**
Borne (rue de la)			
Paalstraat	**MSJ**	2	**G6**S**-G7**S
Borrekensveld	**GRI**	13	**B7-B8**
Borrens (rue-str.)	**XL**	47	**J10**
Borrestraat	**ZAV**	27	**F15**
Borreveldlaan	**ZAV**	28	**D17**
Borreweg			
Puits (ch. du)	**UC**	69	**N7-O7**
Bortier (gal.-gal.)	**BR**	4	**H8**S
Bos van Houthulstlaan			
Bois d'Houthulst (av. du)	**WO**	40	**H18**
Bos van Oppemweg			
Bois d'Oppem (ch. du)	**KR**	52	**I17**
Bosbessenlaan			
Airelles (av. des)	**WB**	60	**M11**

Nom / Naam	Gemeenten Communes	Plattegrond Plan n°	Plaatsaanduiding Repère
Bosch	**WEM**	12	**A5-A6**
Bosdallaan			
Val au Bois (av. du)	**KR**	52	**J17**
Bosdaloord			
Val au Bois (clos du)	**KR**	52	**J17**
Bosdreef			
Forêt (clos de la)	**WSP**	51	**K15-K16**
Bosduiflaan			
Ramier (av. du)	**WB**	61	**L13**
Bosduifstraat			
Ramier (rue du)	**BR**	15	**C11**
Bosduivenlaan			
Ramiers (av. des)	**KR**	52	**J17**
Bosduivenweg	**TER**	65	**M20**
Boskantlaan			
Lisière (av. de la)	**BR**	59	**L9**
Boskantweg	**MA**	17	**B14-B15**
Bosmansstraat (J. B.)	**SPL**	66	**P1**
Bosnie (rue de)			
Bosniëstraat	**SG**	6	**J6-J7**
Bosniëstraat			
Bosnie (rue de)	**SG**	6	**J6-J7**
Bosnimfenlaan			
Dryades (av. des)	**WB**	61	**L12-L13**
Bospad			
Bois (sent. du)	**LIN**	69	**P7**
Bospleinlaan			
Clairière (av. de la)	**BR**	59	**L9-L10**
Bosquet (rue-str.)	**SG**	8	**I8**S**-J8**N
Bosrandplein			
Orée (pl. de l')	**WSP**	51	**J15**
Bosrankstraat	**ZAV**	28	**E16**
Bosrechterstraat			
Gruyer (rue du)	**WB**	60	**L12**
Bossaert (av. Émile-laan)	**K**	32	**F5**
Bossaerts			
(rue François-str.)	**SCH**	35	**G10**
Bosstraat	**DIL**	20	**F1**
Bosstraat			
Bois (rue au)	**DRO**	68	**O5**
Bosstraat			
Bois (rue au)	**GAN**	21	**E4**
–	**J**	21	**D4-E4**
Bosstraat			
Bois (rue au)	**KR**	39	**G15-G16**
Bosstraat	**MA**	27	**D14**
Bosstraat			
Bois (rue au)	**WSL**	50	**I14**
–	**WSP**	50	**I14-K16**
Bosstraat			
Forestière (rue)	**XL**	46	**K9**
Bosstraat	**ZAV**	18	**C16**
Bosstraat (grote)			
Bois (grande rue au)	**SCH**	35	**G10**
Bossu (rue Paul-str.)	**WSP**	48	**I12**
Bossuet (pl. François-pl.)	**SJ**	5	**G9**S
Bosuildreef	**OV**	64	**M17**
Bosuilstraat			
Hulotte (rue de la)	**WB**	61	**L13**
Bosveldweg	**UC**	58	**L8-L9**
Bosvoordselaan			
Boitsfort (av. de)	**BR**	59	**M10**

Nom / Naam	Communes / Gemeenten	Plan n° / Plattegrond	Repère / Plaatsaanduiding
Bosvoordsesteenweg			
Boitsfort (chaus. de)	**WB**	60	**M11**
–	**XL**	60	**L11-M11**
Boswarande			
Bois (venelle au)	**WSP**	50	**I14**
Bosweg	**VIL**	15	**B10**
Bosweg			
Bois (chem. au)	**WO**	40	**I17-H18**
Botanique (rue)			
Kruidtuinstraat	**SJ**	5	**G9***S*
Boterberg	**LIN**	69	**O6-P6**
Boterbergweg	**BE**	69	**O6-P6**
Boterbloembinnenhof			
Bouton d'Or (clos du)	**WSL**	50	**I14**
Boterbloemenlaan			
Boutons d'Or (av. des)	**WO**	52	**I17**
Boterbloemenstraat			
Renoncules (rue des)	**WB**	61	**L13**
Boterbloemlaan	**ZAV**	41	**G19**
Boterstraat			
Beurre (rue au)	**BR**	4	**H8***S*
Boterstraat (korte)			
Beurre (pet. rue au) = 421	**BR**	4	**H8***N*
Bouchers (pet. rue des)			
Beenhouwersstraat (korte)	**BR**	4	**H8***S*
Bouchers (rue des)			
Beenhouwersstraat	**BR**	4	**H8***S*
Bouchout (av. de)			
Boechoutlaan	**BR**	23	**C7-D7**
Boucle (venelle en)			
Lussteeg = 559	**WSP**	50	**I14**
Boudewijnlaan			
Baudouin (bd.)	**BR**	4	**G8***S*
Boudewijnlaan	**DIL**	42	**I1**
Boudewijnlaan (Kon.)	**MA**	16	**B13-C13**
Boudewijnlaan (Kon.)	**VIL**	15	**A11**
Boudewijnlaan (Pr.)			
Baudouin (av. Pr.)	**WEM**	12	**B5-C5**
Boudewijnlaan (Pr.)			
Baudouin (av. Pr.)	**WSP**	50	**J15**
Boudewijnplein (Kon.)			
Baudouin (pl. Roi)	**BER**	31	**F4**
Boudewijnstraat (Pr.)			
Baudouin (rue Pr.)	**GAN**	22	**F5-E6**
–	**J**	22	**F5-E6**
Bougainvillea's straat			
Bougainvillées (rue des) = 187	**MSJ**	31	**H4**
Bougainvillées (rue des)			
Bougainvillea's straat = 187	**MSJ**	31	**H4**
Bougie (rue de la)			
Waskaarsstraat	**AND**	2	**H6***S*
Bouillon (rue Godefroid de)			
Bouillonstraat (Godfried van)	**SJ**	5	**G9***S*
Bouillon (rue Jules-str.)	**XL**	9	**I9***S*
Bouillonstraat (Godfried van)			
Bouillon (rue Godefroid de)	**SJ**	5	**G9***S*
Bouillot (rue Emile-str.)	**XL**	46	**K8**
Bouleaux (av. des)			
Berkenlaan	**KR**	51	**I16**
Bouleaux (av. des)			
Berkenlaan	**WB**	60	**L12-M12**
Bouleaux (av. des)			
Berkenlaan	**WEM**	12	**B5**
Bouleaux (clos des)			
Berkenhof	**WO**	40	**H18**
Bouleaux (clos des)			
Berkenhof	**WSL**	38	**G14-H14**
Boulenger			
(av. Hippolyte-laan)	**UC**	59	**N9**
Boulengerlaan (Hippolyte)	**TER**	53	**K19**
Boulet (rue du)			
Kogelstraat	**BR**	2	**H7***N*
Boulevard (av. du)			
Bolwerklaan	**SJ**	4	**G8***S*
Bouquet (rue du)			
Bloemtuilstraat	**AND**	43	**J3-K3**
Bouquetière (imp. de la)			
Bloemenmeisjesgang	**BR**	6	**I7***N*
Bourdon (rue du)			
Horzelstraat	**LIN**	69	**O6-O7**
–	**UC**	69	**N6-O6**
Bouré (rue-str.)	**XL**	9	**I9***S*
Bourg (rue Colonel)			
Bourgstraat (Kolonel)	**EV**	37	**G12-G13**
–	**SCH**	36	**H12**
Bourgeois			
(av. Auguste-laan)	**AND**	42	**I2**
Bourget (av. du-laan)	**BR**	26	**E12-E14**
–	**EV**	26	**E12**
Bourgmestre (rue du)			
Burgemeestersstraat	**XL**	47	**K10**
Bourgogne (rue de)			
Boergondiëstraat	**FO**	57	**K6-L6**
Bourgstraat (Kolonel)			
Bourg (rue Colonel)	**EV**	37	**G12-G13**
–	**SCH**	36	**H12**
Bourse (pl. de la)			
Beursplein	**BR**	4	**H8***N*
Bourse (rue de la)			
Beursstraat = 425	**BR**	4	**H8***N*
Bourvil (ch.-weg) = 591	**J**	22	**D5**
Bouton d'Or (clos du)			
Boterbloembinnenhof	**WSL**	50	**I14**
Boutons d'Or (av. des)			
Boterbloemenlaan	**WO**	52	**I17**
Bouvier (rue du-str.)	**MSJ**	33	**F7-G7**
Bouvier,			
(rue Égide-Charles-str.)	**AUD**	62	**L14**
Bouvier			
(sq. Baron Alfred-sq.)	**SG**	8	**J8***N*
Bouvier-Washer (rue-str.)	**KR**	39	**H16**
Bouvreuils (pl. des)			
Goudvinkenplein	**WSP**	49	**J12-K12**
Bouwerstraat			
Constructeur (rue du)	**AND**	44	**I5-I6**
Bouwkunstlaan	**DIL**	30	**H2**
Bouwkunststraat			
Architecture (rue de l') = 215	**AND**	43	**J4-K4**
Bovenberg	**WSP**	50	**J14**
Bovie (rue Félix-str.)	**XL**	47	**J9**

Nom / Naam	Communes / Gemeenten	Plan n° / Plattegrond	Repère / Plaatsaanduiding
Boxer (sent. du-weg) = 324	BR	13	C8
Braambeziënlaan			
Mûres (av. des) = 225	LIN	69	O7-P7
–	UC	69	O7-P7
Braambosjeslaan			
Buissonnets (av. des)	BR	24	C9-D9
Braambosstraat			
Buisson (rue du)	BR	47	K9
–	XL	47	K9
Braamstruikenlaan			
Ronces (av. des)	UC	71	N10
Brabançonne (av. de la-laan)	BR	35	H10
–	SCH	35	H10
Brabandtlaan	OV	76	N18-O18
Brabant (pl. de la Duchesse de)			
Brabantplaats (Hertogin van)	MSJ	33	H6
Brabant (rue de-str.)	SCH	34	G8-F9
–	SJ	5	G8
Brabantplaats (Hertogin van)			
Brabant (pl. de la Duchesse de)	MSJ	33	H6
Brabants Dal			
Val Brabançon	WEM	12	B5
Brabants Dalplein			
Val Brabançon (sq.)	WEM	12	B5
Brabantse-Prinsenlaan			
Princes Brabançons (av. des)	WB	61	L12
Brachet (av. Albert-laan)	BR	22	C6-D6
–	J	22	D6
Bracke (rue Amédé-str.)	KR	38	F15-G15
Bracops (bd. Joseph-laan)	AND	43	I3-J3
Braemt (rue-str.)	SJ	35	H9-H10
Braffort (rue Bâtonnier)			
Braffortstraat (Stafhouder)	ETT	48	I11-I12
–	WSL	48	I11-I12
Braffortstraat (Stafhouder)			
Braffort (rue Bâtonnier)	ETT	48	I11-I12
–	WSL	48	I11-I12
Braibant (rue Richard-str.)	GAN	22	E5
Braie (rue de la)			
Moutstraat	BR	2	H7N
Braille (rue Louis-str.)	BER	31	G3
Brand (rue Joseph-str.)	SCH	35	F10
Brand Whitlock (bd.-laan)	WSL	36	H12-I12
–	WSP	48	I12
Brandhoutkaai			
Bois à Brûler (quai au)	BR	4	G7S-H7N
Brandstoffenstraat			
Carburants (rue des)	FO	56	K5
Branly (rue Édouard-str.) = 283	FO	45	K7
Brasemlaan			
Brème (av. de la)	AUD	60	K12
Brasserie (av. de la)			
Brouwerijlaan	AND	6	I6N
Brasserie (rue de la)			
Brouwerijstraat	DRO	56	N5
Brasserie (rue de la)			
Brouwerijstraat	LIN	69	O6-P6
Brasserie (rue de la)			
Brouwerijstraat	XL	47	J9-J10
Brasseurs (rue des)			
Brouwersstraat = 414	BR	4	H8S
Brassine (av. Charles-laan) = 543	AUD	48	K12
Bravekinderenstraat			
Bons Enfants (rue des)	BR	15	C10
Braves (rue des)			
Dapperenstraat	K	33	G6
Braves (sq. des)			
Dapperensquare	LIN	69	P7
Bravoure (rue de la)			
Dapperheidsstraat	J	23	E7
Braziliëlaan			
Brésil (av. du)	BR	59	M10
–	XL	59	M10
Bréart (rue Antoine-str.)	FO	45	K7
–	SG	45	K7-J8
Brebis (rue des)			
Ooienstraat	WB	60	L11
–	XL	60	L11
Bredegracht	BE	67	P4
Brederode (rue-str.)	BR	9	I8N-I9N
Breedveld	DIL	30	F1-F2
Breesch (rue-str.)	BR	23	E7
Brel (av. Jacques-laan)	WSL	38	H14
Brème (av. de la)			
Brasemlaan	AUD	60	K12
Bremer (pl. Colonel)			
Bremerplein (Kolonel)	SCH	35	G10
Bremerplein (Kolonel)			
Bremer (pl. Colonel)	SCH	35	G10
Bremgaarde			
Genêt (clos du)	KR	39	H16
Bremhof			
Genêts (clos des)	LIN	69	P7
Bremlaan			
Genêts (av. des)	BR	59	M10
Bremlaan			
Genêts (av.)	SGR	71	P9
Bremlaan			
Genêts (av. des)	WO	52	J18
Brems (rue Jean-Baptiste-str.)	SCH	25	F11
Bremstraat	DIL	30	F1
Bremweg			
Genêts (ch. des)	BR	14	C9
Brentastraat (Louis)	VIL	16	B12
Brésil (av. du)			
Braziliëlaan	BR	59	M10
–	XL	59	M10
Bretagne (rue de-str.)	WSL	37	G13
Breugelpark	AS	20	D2
Breugelweg	DIL	20	E1
Breughel (av.-laan)	WO	40	H18-I19
Breughel (rue-str.)	BR	6	I7S
Breughel de Oudesquare			
Breughel l'Ancien (sq.)	BR	8	I8N
Breughel l'Ancien (sq.)			
Breughel de Oudesquare	BR	8	I8N
Breydel (rue-str.)	BR	47	I10
Brialmont (rue-str.)	SJ	5	G9S

Nom / Naam	Communes Gemeenten	Plan n° Plattegrond	Repère Plaatsaanduiding
Briand (bd. Aristide-laan)	**AND**	43	**J4**
Brichaut (rue-str.)	**SCH**	35	**F9**
Bricout (av. Emile)			
Bricoutstraat (Emiel)	**KR**	28	**F16-G16**
Bricoutstraat (Emiel)			
Bricout (av. Emile)	**KR**	28	**F16-G16**
Briefdragerstraat			
Facteur (rue du)	**MSJ**	2	**G7***S*
Brieslaan			
Brise (av. de la)	**BR**	14	**C8**
Brigadiersweg	**TER**	65	**M19**
Brigittinenstraat			
Brigittines (rue des)	**BR**	8	**I7***N***-I8***N*
Brigittinenstraat (korte)			
Brigittines			
(pet. rue des) = 490	**BR**	7	**I7***N*
Brigittines (pet. rue des)			
Brigittinenstraat			
(korte) = 490	**BR**	7	**I7***N*
Brigittines (rue des)			
Brigittinenstraat	**BR**	8	**I7***N***-I8***N*
Briljantstraat			
Brillant (rue du)	**WB**	60	**K11-L11**
Brillant (rue du)			
Briljantstraat	**WB**	60	**K11-L11**
Brillat-Savarin (av.-laan)	**XL**	47	**K10**
Brillengang			
Lunettes (imp. des) = 434	**BR**	2	**H7***S*
Briques (quai aux)			
Baksteenkaai	**BR**	3	**H7***N*
Briqueterie (rue de la)			
Steenbakkerijstraat	**BR**	23	**E8**
Briqueteries (av. des)			
Steenbakkerijenlaan	**WSL**	38	**G14**
Brise (av. de la)			
Brieslaan	**BR**	14	**C8**
Britse Soldaatlaan			
Soldat Britannique (av. du)	**AND**	43	**K3**
Britse Tweedelegerlaan			
Deuxième Armée Britannique			
(bd. de la)	**FO**	45	**M4-K6**
Britsiers (av.-laan)	**SCH**	25	**F10**
Brixtonlaan	**ZAV**	29	**F18**
Brochet (rue du)			
Snoekstraat	**ETT**	47	**I10**
–	**XL**	47	**I10**
Brodeurs (rue des)			
Borduurdersstraat = 526	**BR**	6	**I7***S*
Broeck (rue du)			
Broekstraat	**AND**	43	**I4**
Broeck (rue du-str.)	**BER**	31	**F3**
Broeck (sent. du-weg)	**BER**	31	**F3**
Broederschapstraat			
Fraternité (rue de la)	**SCH**	5	**G9***N*
Broekaert (rue Valère-str.)	**J**	22	**D6**
Broekooi	**AS**	10	**C1**
Broekstraat			
Broeck (rue du)	**AND**	43	**I4**
Broekstraat			
Marais (rue du)	**BR**	4	**G8***S*
Broekstraat	**DIL**	42	**I1-I3**
Broekstraat	**MA**	16	**C13-C14**
Broekstraat	**TER**	53	**J19**
Broekstraat	**VIL**	16	**A13**
Broekstraat	**ZAV**	27	**F15**
Broekweg	**DRO**	56	**N4**
–	**SPL**	67	**N4-P4**
Broeren (rue Jules-str.)	**AND**	44	**I4-I5**
Brogniez (rue-str.)	**AND**	6	**I6-I7**
Bronsstraat			
Bronze (rue du)	**AND**	44	**I5**
Bronstraat	**AS**	20	**D1-D2**
Bronstraat	**DIL**	42	**I1**
Bronstraat			
Source (rue de la)	**SG**	8	**J8***N*
Bronstraat	**SPL**	67	**N4-O4**
Bronweg			
Source (ch. de la)	**UC**	58	**L8-M8**
Bronze (rue du)			
Bronsstraat	**AND**	44	**I5**
Brounsstraat (H.)	**MA**	16	**B13-B14**
Broustin (av.-laan)	**GAN**	22	**F5-F6**
–	**J**	22	**F6**
Brouwerijlaan			
Brasserie (av. de la)	**AND**	6	**I6***N*
Brouwerijstraat			
Brasserie (rue de la)	**DRO**	56	**N5**
Brouwerijstraat	**GRI**	14	**A8-B8**
Brouwerijstraat			
Brasserie (rue de la)	**LIN**	69	**O6-P6**
Brouwerijstraat			
Brasserie (rue de la)	**XL**	47	**J9-J10**
Brouwersstraat			
Brasseurs (rue des) = 414	**BR**	4	**H8***S*
Broyère (rue-str.)	**AND**	2-6	**H6***S***-H7***S*
Bruant (rue du)			
Gorsstraat = 22	**WB**	61	**L13**
Brück (rue Major)			
Brückstraat (Majoor)	**WB**	61	**M13**
Brückstraat (Majoor)			
Brück (rue Major)	**WB**	61	**M13**
Brueghelldreef	**OV**	77	**N19**
Bruel (rue du)			
Bruulstraat	**BR**	16	**B12**
Bruges (rue de)			
Bruggestraat	**MSJ**	32	**G5**
Bruggestraat			
Bruges (rue de)	**MSJ**	32	**G5**
Brugman de Walzinplein			
(Baron) = 262	**ZAV**	41	**H19**
Brugmann (av.-laan)	**FO**	46	**K8**
–	**SG**	46	**J8-K8**
–	**UC**	57	**L7-M7**
–	**XL**	45	**K7-K8**
Brugmann (pl. Georges-pl.)	**XL**	46	**K8**
Brugstraat	**SPL**	67	**N3**
Brugstraat	**ZAV**	28	**D16**
Bruidsstraat			
Fiancée (rue de la)	**BR**	4	**G8***S*
Bruinstraat			
Brune (rue)	**AND**	44	**I5**
Brûlés (dr. des)			
Verbrandendreef	**WSP**	51	**J15-K15**
Brunard (av.-laan)	**UC**	58	**L8**

Nom / Naam	Communes / Gemeenten	Plan n° / Plattegrond	Repère / Plaatsaanduiding
Brunard (rue-str.) = 38	**J**	22	**E6**
Brune (rue)			
Bruinstraat	**AND**	44	**I5**
Brunel (rue Olivier-str.)	**BR**	23	**F8**
Brunfaut (rue Fernand-str.)	**MSJ**	2	**G7***S***-H7***N*
Brussel (stwg. op)			
Bruxelles (chaus. de)	**WEM**	12	**B4-C5**
Brusselaarsplein			
Bruxellois (sq. des)	**J**	22	**E6**
Brusselbaan	**SPL**	54	**M2-L3**
Brusselmans (av. Jean-laan)	**EV**	26	**E12**
Brusselmansstraat (J. B.)	**DIL**	30	**H2**
Brusselse Steenweg	**AS**	20	**D1-E3**
–	**DIL**	21	**E3**
Brusselsesteenweg			
Bruxelles (chaus. de)	**FO**	45	**L5-K6**
Brusselsesteenweg	**HOE**	74	**O15-P16**
Brusselsesteenweg			
Bruxelles (chaus. de)	**KR**	52	**K17-K18**
Brusselsesteenweg	**OV**	64	**M17-O20**
Brusselsesteenweg	**TER**	52	**K18-J19**
Brusselsesteenweg	**VIL**	16	**A12-A13**
Brusselstraat	**DIL**	20	**F1-F2**
Bruulstraat			
Bruel (rue du)	**BR**	16	**B12**
Bruxelles (chaus. de)			
Brusselsesteenweg	**FO**	45	**L5-K6**
Bruxelles (chaus. de)			
Brusselsesteenweg	**KR**	52	**K17-K18**
Bruxelles (chaus. de)			
Brussel (stwg. op)	**WEM**	12	**B4-C5**
Bruxellois (sq. des)			
Brusselaarsplein	**J**	22	**E6**
Bruyère (rue de la)			
Heidestraat	**SCH**	25	**E10**
Bruyères (av. des)			
Heidekruidlaan	**KR**	51	**J16**
Bruyères (dr. des)			
Heidekruiddreef	**KR**	52	**J17**
Bruyères (dr. des)			
Heidedreef	**LIN**	69	**P6-P7**
Bruyères (sent. des)	**GAN**	22	**E4**
Bruylants (rue-str.)	**ETT**	48	**I11-J11**
Bruyn (rue-str.)	**BR**	15	**C10-B11**
Bruyndonckx (rue J.-str.)	**WEM**	11	**B4**
Buanderie (rue de la)			
Washuisstraat	**BR**	2	**H7***S*
Bûcherons (rue des)			
Houthakkersstraat	**AUD**	64	**M17-N17**
Buchholtz (rue-str.)	**XL**	46	**K9**
Buda (chaus. de)			
Budasteenweg	**BR**	16	**B12**
Buda (pont de-brug van)	**BR**	15	**B12**

Nom / Naam	Communes / Gemeenten	Plan n° / Plattegrond	Repère / Plaatsaanduiding
Budasesteenweg	**MA**	16	**B13-C13**
Budasteenweg			
Buda (chaus. de)	**BR**	16	**B12**
Budasteenweg	**VIL**	16	**B12**
Buedts (rue Joseph-str.)	**ETT**	48	**J11**
Buelenslaan (Louis)	**TER**	53	**K19**
Buffon (rue-str.)	**AND**	43	**I4**
Bugrane (av. de la)			
Stalkruidlaan	**BR**	14	**C9**
Buis (rue du)			
Buksboomstraat	**WB**	61	**M13-N13**
Buisson (rue du)			
Braambosstraat	**BR**	47	**K9**
–	**XL**	47	**K9**
Buissonnets (av. des)			
Braambosjeslaan	**BR**	24	**C9-D9**
Buizerdstraat			
Busard (rue du) = 32	**WB**	61	**M12**
Buksboomstraat			
Buis (rue du)	**WB**	61	**M13-N13**
Bulins (rue-str.)	**J**	23	**F7**
Buls			
(rue Charles-str.) = 416	**BR**	4	**H8***S*
Bunderdreef	**DIL**	30	**G1-H1**
Bundersdreef	**HOE**	73	**O13**
Bundersdreef			
Bonniers (dr. des)	**SGR**	72	**P11-P12**
–	**UC**	72	**P11-P12**
–	**WB**	72	**P12-O14**
Buntincx (rue Mathieu-str.)	**AUD**	49	**K12-K13**
Bunuel (ch. Luis-weg) = 586	**J**	22	**D5**
Burbure (av. de-laan)	**WO**	40	**G17-H17**
Burbure			
(av. Oscar de-laan)	**KR**	39	**H17**
Burchtgaarde			
Manoir (clos du)	**WSP**	50	**J15**
Burgemeestersstraat			
Bourgmestre (rue du)	**XL**	47	**K10**
Burgemeesterstraat	**SPL**	67	**N3**
Burgers (av. Jean-laan)	**UC**	57	**L7**
Burgersstraat			
Citoyens (rue des)	**AND**	43	**K4**
Burglaan	**OV**	76	**O18**
Burvenich (av. A.-laan)	**WEM**	12	**C5-C6**
Busard (rue du)			
Buizerdstraat = 32	**WB**	61	**M12**
Busselenberg (rue du-str.)	**AND**	43	**J4**
Buts (rue Marcel-str.)	**WSP**	49	**I13**
Buyck (rue Robert-str.)	**AND**	43	**J4**
Buyl (av. Adolphe-laan)	**XL**	59	**K10-L10**
Buysdelle (av.-laan)	**UC**	70	**O8**
Buysdelle (ch. de-weg)	**UC**	70	**O8-P8**
Buysse (rue Cyriel-str.)	**AND**	43	**I4**

C

Nom / Naam	Communes / Gemeenten	Plan n° / Plattegrond	Repère / Plaatsaanduiding
Cabris (rue des)			
Geitjesstraat	**UC**	69	**O7**
Cactus (av. des-laan)	**WSP**	50	**J14-J15**
Cadeaux (imp. des)			
Geschenkengang			
(sit. rue Marché aux Herbes)	**BR**	4	**H8***N*
Cadran (rue du)			
Uurplaatstraat	**SJ**	5	**G9***S*
Cafmeyer (rue-str.)	**WO**	52	**I18**
Cail et Halot (rue-str.)	**MSJ**	2	**H6***N*-**H7***N*
Cailles (av. des)			
Kwartellaan	**WB**	61	**L12-L13**
Calabre (av. de)			
Calabriëlaan	**WSL**	38	**G14**
Calabriëlaan			
Calabre (av. de)	**WSL**	38	**G14**
Calenberggaarde = 152	**MA**	27	**D14**
Calenbergstraat	**MA**	27	**D14**
Calevoet (rue de-str.)	**UC**	69	**N6-O6**
Callebautstraat (Albert)	**SPL**	66	**N1**
Calliope (rue-str.) = 235	**MSJ**	32	**G5**
Calvijnstraat			
Calvin (rue)	**BR**	35	**H10**
Calvin (rue)			
Calvijnstraat	**BR**	35	**H10**
Calypso (av.-laan)	**WB**	60	**L12**
Cambier (av. Ernest-laan)	**SCH**	36	**G11**
Cambre (bd. de la)			
Ter Kamerenlaan	**BR**	47	**K9**
–	**XL**	47	**K10**
Cambre (rue de la)			
Ter Kamerenstraat	**WSL**	48	**I12-I13**
–	**WSP**	48	**I12-I13**
Camélias (av. des)			
Kamelialaan	**WSP**	49	**J12**
Cammaert (rue Charles)			
Cammaertstraat (Karel)	**BR**	15	**C10**
Cammaertstraat (Karel)			
Cammaert (rue Charles)	**BR**	15	**C10**
Camp (pet. rue du)			
Kampstraat (korte)	**BR**	26	**D12**
Camp (rue du)			
Kampstraat	**BR**	26	**D12**
Campanile (dédale			
du-doolgang) = 162	**WSL**	38	**H15**
Campanile (pl. du-pl.) = 163	**WSL**	38	**H15**
Campanile (rue du-str.) = 160	**WSL**	38	**H15**
Campanules (av. des)			
Klokjeslaan	**WB**	60	**M11**
Campanules (rue des)			
Klokbloemenstraat	**MSJ**	32	**G5**
Campenhout			
(rue Armand-str.)	**XL**	46	**J8-J9**
Campine (rue de la)			
Kempenstraat	**MSJ**	33	**G6**
Campinestraat (Ferdinand)	**MA**	17	**B15-C15**
Camusel (rue-str.)	**BR**	2	**H7***S*
Canada (rue du-str.)	**FO**	45	**J7**
Canal (digue du)			
Vaartdijk	**AND**	44	**K4-I5**
Canal (digue du)			
Vaartdijk	**BR**	16	**B12-C12**
Canal (rue du)			
Vaartstraat	**BR**	4	**G7***S*-**G8***S*
Canaris (av. des)			
Kanarielaan	**AUD**	49	**K12**
Candries (av. Edmond-laan)	**MSJ**	32	**G4**
Cannas (rue des)			
Cannastraat	**WB**	61	**L13**
Cannastraat			
Cannas (rue des)	**WB**	61	**L13**
Canon (rue du)			
Kanonstraat	**BR**	4	**G8***S*-**H8***N*
Canotiers (sent. des)			
Kanoërspad	**BR**	59	**L10**
Cans (rue-str.)	**XL**	9	**I9***S*-**J9***N*
Canteclaer			
Chantecler	**UC**	69	**O7**
Canteclaervoorplein			
Chantecler (parvis)	**UC**	69	**O7**
Cantersteen			
Kantersteen	**BR**	4	**H8***S*
Cantilène (rue de la)			
Cantilenestraat	**AND**	31	**H3**
Cantilenestraat			
Cantilène (rue de la)	**AND**	31	**H3**
Capart (av.-laan)	**J**	22	**D5**
Capart (pl. Jean-pl.)	**WSP**	50	**I15**
Capiaumont (rue Gén.)			
Capiaumontstraat (Gen.)	**ETT**	47	**J10**
Capiaumontstraat (Gen.)			
Capiaumont (rue Gén.)	**ETT**	47	**J10**
Caporal (dr. du)			
Korporaaldreef	**UC**	60	**N10-M11**
Capouillet			
(carré-blok) = 512	**XL**	48	**K11**
Capouillet (rue-str.)	**SG**	8	**J8***N*
Caprice (rue du)			
Grilstraat	**MSJ**	31	**H3**
Capricorne (av. du)			
Steenboklaan	**WSL**	37	**G13-H13**
Capronnier (rue-str.)	**SCH**	24	**E9**
Capucienenlaan			
Capucines (av. des)	**KR**	39	**G16**
Capucines (av. des)			
Capucienenlaan	**KR**	39	**G16**
Capucines (av. des)			
Kapucijnbloemenlaan	**SCH**	35	**F10**
Capucins (rue des)			
Kapucijnenstraat	**BR**	7	**I7***N*
Carabiniers (pl. des)			
Karabiniersplein	**SCH**	36	**H11**
Caravelle (rue de la)			
Karveelstraat	**AND**	43	**I3**
Carburants (rue des)			
Brandstoffenstraat	**FO**	56	**K5**

Nom / Naam	Communes Gemeenten	Plan n° Plattegrond	Repère Plaatsaanduiding
Cardamines (av. des)			
Veldkerslaan	**AND**	43	**K3**
Cardijn (sq. Card.)			
Cardijnsplantsoen (Kard.)	**BR**	23	**E8**
Cardijnsplantsoen (Kard.)			
Cardijn (sq. Card.)	**BR**	23	**E8**
Cardinal (rue du)			
Kardinaalsstraat	**BR**	35	**H10**
–	**SJ**	35	**H10**
Carème (bd. Maurice-laan)	**AND**	43	**J3-K3**
Carène (clos de la)			
Carinagaarde = 73	**WSL**	37	**G13**
Carinagaarde			
Carène (clos de la) = 73	**WSL**	37	**G13**
Carli (rue-str.)	**EV**	25	**E11**
Carloo (dr. de-dr.)	**UC**	59	**N9**
Carmélites (rue des)			
Karmelietenstraat	**UC**	57	**L7**
Carnoy (pl. J.-B.-pl.)	**WSL**	38	**H15**
Caroly (rue-str.)	**XL**	9	**I9**N
Caron (rue Henri-str.)	**AND**	43	**I4**
Caronstraat (Henri)	**HOE**	75	**P17**
Carpe (rue de la)			
Karperstraat	**MSJ**	2	**G6**S
Carpentier			
(rue Emile-str.)	**AND**	44	**I5-I6**
Carrefour (rue du)			
Kruispuntstraat	**WSL**	37	**H13**
Carrière (rue de la)			
Steengroefstraat	**K**	32	**F5**
Carrousel (rue du)			
Ringsteekstraat = 95	**BR**	35	**H10**
Carsoel			
(av. Jean et Pierre-laan)	**UC**	57	**M7-M9**
Carton de Wiart (av.-laan)	**J**	33	**F6**
Casalta (av.-laan)	**BR**	59	**M10**
–	**UC**	59	**M10**
Caserne (rue de la)			
Kazernestraat	**BR**	6	**I7**N
Casernes (av. des)			
Kazernenlaan	**ETT**	48	**J11**
Cassimans			
(carré-blok) = 276	**UC**	57	**L7**
Cassiopeagaarde			
Cassiopée (clos) = 76	**WSL**	37	**H12**
Cassiopealaan			
Cassiopée (av.) = 75	**WSL**	37	**H12**
Cassiopée (av.)			
Cassiopealaan = 75	**WSL**	37	**H12**
Cassiopée (clos)			
Cassiopeagaarde = 76	**WSL**	37	**H12**
Castel (av. du)			
Slotlaan	**WSL**	48	**I12**
Castel (rue du)			
Kasteelstraat	**DRO**	68	**O5**
Castel Fleuri (sq. du-sq.)	**WB**	61	**M12**
Castor (clos du)			
Bevergaarde	**WO**	52	**I18**
Castrum (sent. du-pad)	**BR**	16	**C12**
Cattleyalaan			
Cattleyas (av. des)	**AUD**	48	**J12**
–	**WSP**	48	**J12**

Nom / Naam	Communes Gemeenten	Plan n° Plattegrond	Repère Plaatsaanduiding
Cattleyas (av. des)			
Cattleyalaan	**AUD**	48	**J12**
–	**WSP**	48	**J12**
Cattoir (rue Eugène-str.)	**XL**	47	**K10**
Caute			
(rue Pierre de-str.)	**UC**	57	**M6**
Cavalerie (av. de la)			
Ruiterijlaan	**ETT**	47	**J10**
Cavaliers (ch. des)			
Ruiterweg	**WEM**	12	**A5**
Cavatine (rue de la-str.)	**AND**	31	**H4**
–	**MSJ**	31	**H4**
Cavell (rue Édith-str.)	**UC**	58	**K8-L8**
Cayershuis (rue-str.)	**WSL**	37	**H13**
Cederslaan			
Cèdres (av. des)	**WO**	52	**I18**
Cedersstraat			
Cèdres (rue des)	**WB**	60	**L12**
Cèdres (av. des)			
Cederslaan	**WO**	52	**I18**
Cèdres (rue des)			
Cedersstraat	**WB**	60	**L12**
Céleri (rue du)			
Selderijstraat	**SG**	6	**J7**N
Célidée (rue de la-str.)	**MSJ**	32	**G5**
Cellebroersstraat			
Alexiens (rue des)	**BR**	7	**H8**S
Celtes (av. des)			
Keltenlaan	**ETT**	48	**I11**
Cendres (rue des)			
Asstraat	**BR**	4	**G8**S
Cens (rue du)			
Cijnsstraat	**GAN**	22	**F5**
Centaure (av. du)			
Centauruslaan	**WSL**	37	**G12-H12**
Centaure (clos du)			
Centaurusgaarde = 74	**WSL**	37	**G12**
Centaurée (rue de la)			
Duizendguldenkruid-			
straat = 261	**WO**	41	**H19**
Centaurusgaarde			
Centaure (clos du) = 74	**WSL**	37	**G12**
Centauruslaan			
Centaure (av. du)	**WSL**	37	**G12-H12**
Centenaire (bd. du)			
Eeuwfeestlaan	**BR**	13	**C7-D7**
Centenaire (escalier de la)			
Honderdjarige			
(trap der) = 221	**LIN**	69	**P7**
Centenaire (pl. du)			
Eeuwfeestplein	**BR**	13	**C7**
Centenaire (sq. du)			
Eeuwfeestsquare	**GAN**	22	**E5**
Centrale (av.)			
Middenlaan	**KR**	52	**J17-K17**
Centre (gal. du-gal.)	**BR**	4	**H8**N
Cèpes (av. des)			
Eekhorentjesbrodenlaan	**XL**	60	**L11**
Cérès (av. de)			
Cereslaan	**BR**	47	**K9**
Cereslaan			
Cérès (av. de)	**BR**	47	**K9**

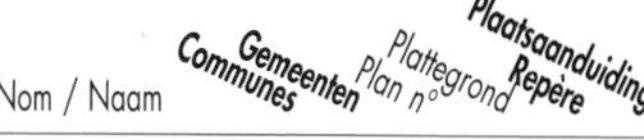

Nom / Naam	Communes / Gemeenten	Plan n° / Plattegrond	Repère / Plaatsaanduiding
Cerf (pet. rue du)			
Hertstraat (korte)	**AND**	44	**K4-K5**
Cerf (pont du)			
Hertbrugge	**WSP**	50	**I15**
Cerf (rue du)			
Hertstraat	**AND**	44	**K5**
–	**FO**	44	**K5**
Cerf-Volant (av. du)			
Vliegerlaan	**WB**	60	**L12-M12**
Cerfs (av. des)			
Hertenlaan	**KR**	51	**I16-I17**
Cerisaie (sq. de la)			
Kerseboomgaardsquare	**WB**	61	**M13**
Cerises (coin des)			
Kersenhoek	**BR**	14	**C10**
Cerisier (rue du)			
Kerseboomstraat	**BER**	31	**G3**
Cerisiers (av. des)			
Kerselarenlaan	**SCH**	36	**H11-H12**
–	**WSL**	36	**H12**
Cervantès (rue)			
Cervantesstraat	**FO**	45	**K7**
Cervantesstraat			
Cervantès (rue)	**FO**	45	**K7**
Cesar (av. Maurice-laan)	**WO**	39	**H17**
Ceusters (av. Louis-laan)	**WSP**	49	**I13**
Chablis (ch. des)			
Windbreukweg	**WB**	60	**L11**
Chair et Pain (rue)			
Vlees-en-Broodstraat = 411	**BR**	4	**H8**S
Chaisiers (rue des)			
Stoelenmakersstraat = 527	**BR**	6	**I7**S
Châlet (rue du-str.)	**SJ**	5	**H9**N
Châlets (av. des)			
Kasteeltjeslaan	**UC**	71	**N10**
Châlets (rue des)			
Lusthuizenstraat	**BER**	21	**F3**
Chalon (rue Renier-str.)	**XL**	46	**K8**
Chaltin (rue Colonel)			
Chaltinstraat (Kolonel)	**UC**	57	**M7**
Chaltinstraat (Kolonel)			
Chaltin (rue Colonel)	**UC**	57	**M7**
Chambéry (rue de-str.)	**ETT**	47	**J10**
Chambon			
(clos Willy-gaarde)	**GAN**	22	**F4**
Chamois (rue du)			
Gemsstraat	**UC**	68	**N6**
Champ de Blé (av. du)			
Korenveldlaan	**WEM**	12	**A5**
Champ de Course (av. du)			
Rijbaanlaan	**BR**	59	**M10**
Champ de la Couronne (rue du)			
Kroonveldstraat	**BR**	23	**E7-E8**
Champ de l'Eglise (rue du)			
Kerkeveldstraat	**BR**	23	**E8**
Champ de Mars (pl. du)			
Marsveldplein	**XL**	9	**I9**N
Champ de Mars (rue du)			
Marsveldstraat	**BR**	9	**I9**N
–	**XL**	9	**I9**N
Champ du Roi (rue)			
Koningsveldstraat	**ETT**	47	**I10-I11**
Champagne			
(dr. de-dr.) = 287	**FO**	57	**L6**
Champion (rue du)			
Kampioenstraat	**AND**	43	**I4**
Championnat (av. du)			
Kampioenschapslaan	**BR**	13	**C6-C7**
Champs (av. des)			
Veldlaan	**ETT**	48	**J11**
Champs (rue des)			
Veldstraat	**ETT**	48	**J11**
Champs (rue des)			
Veldstraat	**EV**	26	**F12**
Champs de Repos (av.)			
Rustplaatslaan	**EV**	26	**E12**
Champs Elysées (rue des)			
Elyzeese Veldenstraat	**XL**	9	**J9**N
Chancellerie (rue de la)			
Kanselarijstraat	**BR**	4	**H8**S
Chandeliers (rue des)			
Kandelaarsstraat	**BR**	8	**I8**N
Chant de l'Alouette (pl. du)			
Leeuwerikskiedplaats	**MSJ**	32	**H5**
Chant des Grenouilles			
(imp. du)			
Vorsenzang	**FO**	57	**L6**
Chant d'Oiseau (av. du)			
Vogelzanglaan	**AUD**	48	**K12**
–	**WSP**	49	**K12-J13**
Chant d'Oiseaux (rue)			
Vogelenzangstraat	**AND**	55	**L2-K3**
Chantecler			
Canteclaer	**UC**	69	**O7**
Chantecler (parvis)			
Canteclaervoorplein	**UC**	69	**O7**
Chantemerle (av.-laan)	**UC**	70	**O8**
Chanterelle (rue de la)			
Lokvogelstraat	**BR**	23	**E7**
Chanterelles (clos des)			
Dooierswammengaarde	**XL**	60	**L11**
Chantier (quai du)			
Werfkaai	**BR**	4	**G7**S-**G8**S
Chantier (rue du)			
Werfstraat	**BR**	4	**G7**S-**G8**S
Chantilly (rue de-str.)	**WB**	60	**L11**
Chapeau (rue du)			
Hoedstraat	**AND**	33	**I6**
Chapelain (rue du)			
Kapelaansstraat	**AND**	44	**I4**
Chapelet (imp. du)			
Paternostergang			
(sit. rue Marché aux Herbes)	**BR**	4	**H8**S
Chapelié (rue Jean-str.)	**XL**	46	**K9**
Chapeliers (rue des)			
Hoedenmakersstraat	**BR**	4	**H8**S
Chapelle (av. de la)			
Kapellelaan	**KR**	39	**G15-H16**
Chapelle (av. de la)			
Kapellaan	**WSL**	38	**H14**
Chapelle (pl. de la)			
Kapellemarkt = 487	**BR**	8	**I8**N
Chapelle (pl. de la)			
Kapelleplein	**KR**	38	**G15**

Nom / Naam			
Chapelle (rue de la) *Kapellestraat*	**BR**	8	**I8**N
Chapelle-aux-Champs (av.) *Veldkapellaan*	**WSL**	38	**H14-H15**
Chapelle-aux-Champs (clos) *Veldkapelgaarde* = 161	**WSL**	38	**H15**
Chapitre (rue du) *Kapittelstraat* = 204	**AND**	44	**I4**
Chaplin (rue Charlie-str.)	**J**	22	**D5**
Char (rue du) *Wagenstraat*	**BR**	2	**H7**N
Charançons (av. des) *Kalanderlaan* = 354	**WB**	60	**M11**
Charbo (av.-laan)	**SCH**	35	**H10-H11**
Charbonnages (quai des) *Koolmijnenkaai*	**MSJ**	2	**G7**S
Charbonniers (rue des) *Koolbrandersstraat*	**SJ**	4	**G8**N
Charcot (rue Ct.-Kt.)	**AND**	44	**H4-I4**
Chardonnerets (av. des) *Distelvinklaan* = 132	**WSP**	49	**J13-K13**
Chardons (rue des) *Distelsstraat*	**SCH**	36	**G11**
Charité (rue de la) *Liefdadigheidstraat*	**SJ**	5	**H9**S
Charlemagne (bd.) *Karel de Grotelaan*	**BR**	35	**H10**
Charlent (rue Maurice-str.)	**AUD**	48	**K12**
Charleroi (chaus. de) *Charleroisesteenweg*	**BR**	8	**I8-J8**
–	**SG**	8	**I8-J8**
Charleroisesteenweg *Charleroi (chaus. de)*	**BR**	8	**I8-J8**
–	**SG**	8	**I8-J8**
Charles (sq. Pr.) *Karelsquare (Pr.)*	**BR**	23	**E8**
Charles-Albert (av.-laan)	**WB**	61	**M13**
Charles Quint (av.) *Karellaan (Keizer)*	**BER**	21	**F3-F4**
–	**GAN**	21	**F4-F5**
Charles Quint (rue) *Karelstraat (Keizer)*	**BR**	35	**H10**
Charles VI (rue) *Karel de VIe straat* = 550	**SJ**	5	**H9**N
Charlier (av. Jean-laan)	**AUD**	62	**L14**
Charlierlaan (Jean-Baptiste)	**HOE**	75	**P16**
Charlotte (av. Impératrice) *Charlottelaan (Keizerin)*	**BR**	12	**C6-C7**
Charlottelaan (Keizerin) *Charlotte (av. Impératrice)*	**BR**	12	**C6-C7**
Charme (rue du) *Steenbeukstraat*	**FO**	45	**K6**
Charmes (clos des) *Haagbeukengaarde*	**WSP**	50	**I14**
Charmille (av. de la) *Haagbeukenlaan*	**WSL**	37	**G13-G14**
Charpentiers (rue des) *Timmerliedenstraat* = 529	**BR**	6	**I7**S
Charrette (rue de la) *Karrestraat*	**WSL**	37	**H13**
Charroi (rue du) *Gerijstraat*	**AND**	44	**J5**
–	**FO**	44	**K5-K6**
Charte (dr. de la) *Keuredreef*	**GAN**	22	**E5**
Chartres (av. de-laan)	**WSP**	50	**J15**
Chartreux (rue des) *Kartuizersstraat*	**BR**	2-3	**H7**N
Chasse (av. de la) *Jachtlaan*	**ETT**	48	**I11-J11**
Chasse Royale (rue de la) *Koninklijke Jachtstraat* = 541	**AUD**	48	**K11**
Chasseur (rue du) *Jagersstraat*	**BR**	6	**I7**N
Chasseurs (av. des) *Jagerslaan*	**KR**	52	**J17-K17**
Chasseurs (ch. des) *Jagersweg*	**WEM**	12	**A5**
Chasseurs (clos des) *Jagersgaarde*	**WSP**	50	**J15**
Chasseurs Ardennais (pl. des) *Ardense Jagersplein*	**SCH**	35	**H10-H11**
Chat Botté (pl. du) *Gelaarsde Katplein*	**UC**	69	**O7**
Châtaignes (av. des) *Kastanjeslaan*	**KR**	52	**J17**
Châtaignes (rue des) *Kastanjestraat*	**FO**	45	**K6**
Châtaigniers (av. des) *Kastanjebomenlaan*	**WSP**	50	**J14**
Châtaigniers (clos des) *Kastanjebomengaarde*	**AUD**	48	**K12-K13**
Château (av. du) *Kasteellaan*	**K**	32	**F5-G5**
–	**MSJ**	32	**F5-G5**
Château (ch. du) *Kasteelweg*	**KR**	39	**G16**
Château (dr. du) *Kasteeldreef*	**GAN**	22	**E5**
Château (dr. du) *Kasteeldreef*	**LIN**	69	**P6-P7**
Château (rue du) *Kasteelstraat*	**EV**	25	**E10-E11**
Château (rue du) *Kasteelstraat* = 223	**LIN**	69	**P7**
Château (rue du) *Kasteelstraat*	**XL**	47	**J10**
Château Beyaerd (rue du) *Kasteel Beyaerdstraat*	**BR**	24	**C10-D10**
Château de Walzin (av.) *Kasteel de Walzinlaan*	**UC**	57	**L7**
Château d'Eau (rue du) *Waterkasteelstraat*	**UC**	57	**M7**
Château d'Or (rue du) *Gulden Kasteelstraat*	**UC**	69	**N6**
Château Kieffelt (rue du) *Kasteel Kieffeltstraat*	**WSL**	38	**H14**
Châtelain (pl. du) *Kasteleinsplein*	**XL**	46	**J8**

Nom / Naam	Gemeenten / Communes	Plattegrond / Plan n°	Plaatsaanduiding / Repère
Châtelain (rue du)			
Kasteleinsstraat	**BR**	46	**J9**
–	**XL**	46	**J8-J9**
Chats (clos des)			
Kattengaarde	**WSP**	50	**I14**
Chats (rue des)			
Kattestraat	**BER**	31	**F3-G3**
Chaudoir (dr. Louisa-dr.)	**AUD**	49	**K13**
Chaudron (av. Joseph-laan)	**AUD**	61	**L13-L14**
Chaudron (rue du)			
Ketelstraat	**AND**	42	**K1-J2**
Chaufferette (rue de la)			
Lollepotstraat = 428	**BR**	3	**H7***S***-H8***S*
Chaumière (rue de la)			
Hutstraat	**SCH**	5	**G9***N*
Chaumontel (rue-str.)	**SCH**	25	**E10-E11**
Chaux (quai à la)			
Kalkkaai	**BR**	4	**G7***S*
Chazal (av.-laan)	**SCH**	35	**G10-G11**
Chemin Creux (clos du)			
Holleweggaarde	**SCH**	36	**F11**
Chemin de Fer (rue du)			
Spoorwegstraat	**SJ**	5	**G9***S*
Chemin d'Oppem (grand)			
Oppemweg (grote)	**WO**	52	**I18-J19**
Chênaie (av. de la)			
Eikenboslaan	**UC**	57	**N7-O8**
Chêne (rue du)			
Eikstraat	**BR**	4	**H8***S*
Chênes (av. des)			
Eikenlaan	**UC**	59	**M10**
Chênes (clos des)			
Eikhove	**WB**	60	**N12**
Cheval (imp. du)			
Paardgang = 523	**BR**	4	**H8***N*
Cheval d'Argent (clos du)			
Zilveren			
Paardgaarde = 508	**XL**	60	**L11**
Cheval Noir (rue du)			
Zwart-Paardstraat	**MSJ**	2	**G7***S***-H7***N*
Chevalerie (av. de la)			
Ridderschapslaan	**BR**	48	**I11**
–	**ETT**	48	**I11**
Chevaliers (rue des)			
Riddersstraat	**XL**	8	**I8***S*
Chevauchée (av. de la)			
Ritlaan = 61	**EV**	36	**G12**
Chèvrefeuille (av. du)			
Geitenbladlaan	**WSL**	50	**I14**
Chevreuil (rue du)			
Reebokstraat	**BR**	6	**I7***S*
Chevroletstraat (Paul)	**BE**	66	**P2**
Chien de Berger (sent. du)			
Herdershondweg = 322	**BR**	13	**C8**
Chien Marin (rue du)			
Zeehondstraat	**BR**	3	**H7***N*
Chien Vert (rue du)			
Groene Hondstraat	**MSJ**	2	**G7***S*
Chili (av. du-laan)	**BR**	60	**M11**
–	**XL**	60	**M11**
Chimiste (rue du)			
Scheikundigestraat	**AND**	2	**H6***S*
Chœur (rue du)			
Koorstraat	**MJS**	2	**G7N**
Chomé (rue Henri-str.)	**SCH**	36	**G11**
Chomé-Wyns (rue-str.)	**AND**	33	**I6**
Chopin (rue-str.)	**AND**	43	**J4**
Choux (rue aux)			
Koolstraat	**BR**	4	**H8***N*
Christiaens (rue René-str.)	**AUD**	62	**L14**
Christine (rue)			
Kristinastraat	**BR**	8	**I8***N*
Christophe (ensemble Jean)	**BER**	32	**F4**
Chrysantenlaan	**ZAV**	29	**D17**
Chrysantenstraat			
Chrysanthèmes (rue des)	**BR**	23	**E8**
Chrysantenstraat	**MA**	17	**A14**
Chrysanthèmes (rue des)			
Chrysantenstraat	**BR**	23	**E8**
Churchill (av. Winston-laan)	**UC**	58	**L8-L9**
Churchill (rond-pt. Winston-rond punt)	**UC**	58	**L8**
Cible (rue de la)			
Schietschijfstraat	**SCH**	35	**H10**
–	**SJ**	35	**H10**
Ciboulette (rue de la)			
Bieslookstraat	**BR**	13	**C6**
Cicerolaan			
Cicéron (av.)	**EV**	37	**F13-G13**
Cicéron (av.)			
Cicerolaan	**EV**	37	**F13-G13**
Cicindèles (sq. des)			
Zandkeverssquare	**WB**	60	**M11-M12**
Ciel Bleu (rue du)			
Blauwe			
Hemelstraat = 176	**WSP**	39	**H16**
Cigale (rue de la)			
Krekelenberg	**WB**	61	**M13**
Cigogne (rue de la)			
Ooievaarsstraat	**BR**	2	**H7***N*
Cigognes (av. des)			
Ooievaarslaan	**WO**	40	**G17**
Cijnsstraat			
Cens (rue du)	**GAN**	22	**F5**
Cimetière (av. du)			
Kerkhoflaan	**GAN**	22	**E5-F5**
Cimetière (av. du)			
Kerkhoflaan	**KR**	40	**G17**
Cimetière (rue du)			
Kerkhofstraat	**WO**	40	**G17-G18**
Cimetière de Bruxelles (av. du)			
Kerkhof van Brussellaan	**EV**	37	**F12-G12**
Cinéma (rue du-str.)	**MSJ**	2	**G7***S*
Cinéraires (sent. des)			
Asplantenpad	**BR**	59	**L9-L10**
Cinq Bonniers (av. des)			
Vijf Bunderslaan	**WSP**	49	**I13**
Cinquantenaire (clos du)			
Jubelgaarden	**ETT**	48	**I11**
Cinquantenaire (gal. du-gal.)	**ETT**	48	**I11**
Cinquantenaire (parc du)			
Jubelpark	**BR**	47	**I10-I11**
Cipresstraat			
Cyprès (rue du) = 438	**BR**	4	**H8***N*

Nom / Naam	Gemeenten Communes	Plattegrond Plan n°	Plaatsaanduiding Repère
Circulaire (av.)			
Ringlaan	**UC**	58	**M8**
Circusstraat			
Cirque (rue du)	**BR**	4	**G8**S
Cirque (rue du)			
Circusstraat	**BR**	4	**G8**S
Citadelle (rue de la)			
Citadelstraat	**WB**	61	**N13**
Citadelstraat			
Citadelle (rue de la)	**WB**	61	**N13**
Cité (rue de la)			
Woonwijkstraat	**XL**	9	**J9**N
Cité Jardin (rond-pt.)			
Tuinwijkplein	**J**	22	**D6**
Cité Modèle (av. de la)			
Modelwijklaan = 601	**BR**	12	**C6**
Cité Modèle (pl. de la)			
Modelwijkplein	**BR**	12	**C6**
Cité Modèle (sq. de la)			
Modelwijksquare = 602	**BR**	12	**C6**
Cité Moderne (rue de la)			
Moderne Wijkstraat	**BER**	32	**F4**
Citoyens (rue des)			
Burgersstraat	**AND**	43	**K4**
Citrinelles (av. des)			
Geelvinkenlaan	**AUD**	49	**K13**
Citroenbomenlaan			
Citronniers (av. des) = 605	**BR**	12	**C6**
Citroenbomenoprit			
Citronniers (rampe des) = 600	**BR**	12	**C6**
Citroenbomenplein			
Citronniers (pl. des)	**BR**	12	**C6**
Citroenkruidstraat			
Mélisses (rue des)	**BR**	14	**C10**
Citronniers (av. des)			
Citroenbomenlaan = 605	**BR**	12	**C6**
Citronniers (pl. des)			
Citroenbomenplein	**BR**	12	**C6**
Citronniers (rampe des)			
Citroenbomenoprit = 600	**BR**	12	**C6**
Claes (av. Ernest-laan)	**AUD**	61	**L13**
Claes (rue Caporal)			
Claesstraat (Korporaal)	**SCH**	25	**F10**
Claes (rue Joseph-str.)	**SG**	6	**I7**S-**J7**N
Claeshof (Pastoor)	**GRI**	14	**B8**
Claeslaan (Ernest)	**HOE**	75	**P17**
Claeslaan (Ernest)	**TER**	52	**J18**
Claessens (rue-str.)	**BR**	23	**E8-F8**
Claesstraat (Korporaal)			
Claes (rue Caporal)	**SCH**	25	**F10**
Claeterbosch (av.)			
Klaterboslaan	**AND**	43	**J3**
Claireau (av. de la-laan) = 158	**WSL**	38	**H15**
Clairière (av. de la)			
Bospleinlaan	**BR**	59	**L9-L10**
Claus (rue Emile-str.)	**BR**	47	**K9**
–	**UC**	47	**K9**
–	**XL**	47	**K9**
Clays (av.-laan)	**SCH**	35	**G10**

Nom / Naam	Gemeenten Communes	Plattegrond Plan n°	Plaatsaanduiding Repère
Clé (rue de la)			
Sleutelstraat	**BR**	2	**H7**N
Clematissenstraat			
Clématites (rue des) = 402	**GAN**	22	**F5**
Clématites (rue des)			
Clematissenstraat = 402	**GAN**	22	**F5**
Clemenceau (av.-laan)	**AND**	6	**I6**N-**I7**N
Clementinalaan			
Clémentine (av.)	**FO**	45	**J7**
–	**SG**	45	**J7**
Clementinasquare			
Clémentine (sq.)	**BR**	23	**D7**
Clementinastraat (Pr.)			
Clémentine (rue Pr.) = 343	**BR**	23	**E8**
Clémentine (av.)			
Clementinalaan	**FO**	45	**J7**
–	**SG**	45	**J7**
Clémentine (rue Pr.)			
Clementinastraat (Pr.) = 343	**BR**	23	**E8**
Clémentine (rue-str.)	**XL**	9	**J9**N
Clémentine (sq.)			
Clementinasquare	**BR**	23	**D7**
Clerckx (rue Dr. Hubert)			
Clerckxstraat (Dr. Hubert) = 311	**UC**	69	**N6**
Clerckxstraat (Dr. Hubert)			
Clerckx (rue Dr. Hubert) = 311	**UC**	69	**N6**
Clesse (av. Louis-laan)	**AUD**	49	**K12**
Clesse (rue Antoine-str.)	**BR**	23	**F7**
Clinique (rue de la)			
Kliniekstraat	**AND**	6	**I6**
Cliquet (rond-pt. René-pl.)	**BR**	8	**I8**S
Clocher (rue du)			
Kloktorenstraat	**ETT**	47	**I10**
Cloetens (rue Frans-str.)	**KR**	39	**G16**
Cloître (allée du)			
Kloosterdreef	**BR**	47	**K9**
Cloître (rue du)			
Kloosterstraat	**BR**	23	**D7**
Clos (av. des)			
Gaardenlaan	**SCH**	36	**G11**
Clovis (bd.-laan)	**BR**	35	**H10**
Cluse (av. de la)			
Kluizemarialaan	**WSL**	38	**H15**
Cluysenaar (rue Alfred-str.)	**SG**	45	**J7**
Coccinelles (av. des)			
Lieveheersbeestjeslaan	**BR**	60	**M11**
–	**WB**	60	**M11**
Cocker (sent. du-weg) = 325	**BR**	13	**C8**
Cockx (av. Jules-laan)	**AUD**	48	**K12**
Cockx (rue Jules-str.)	**AUD**	48	**K12**
Cocq (pl. Fernand-pl.)	**XL**	9	**I9**S-**J9**N
Coenen (rue Hubert Jean-str.)	**AUD**	62	**M14**
Coenen (rue Louis-str.)	**SG**	6	**J7**N
Coenraets (rue-str.)	**SG**	6	**J7**N
Coevoetstraat (Frederijk)	**SPL**	66	**N2**
Coffy (imp. du-gang)	**BR**	4	**H8**S

Nom / Naam	Communes Gemeenten	Plan n° Plattegrond	Repère Plaatsaanduiding
Cogge (rue de l'Éclusier)			
Coggestraat			
(Sluismeester) = 348	**BR**	34	**F8**
Coggestraat (Sluismeester)			
Cogge			
(rue de l'Éclusier) = 348	**BR**	34	**F8**
Coghen (av.-laan)	**UC**	57	**L7**
Coghen (sq.-sq.)	**UC**	57	**L7**
Cognassier (av. du)			
Kweepereboomlaan	**BER**	31	**G3**
Coin de Terre (rue du)			
't Hoekje Grondstraat	**J**	23	**F7**
Coins de Terre (venelle aux)			
Moestuinsteeg = 560	**WSP**	50	**I14**
Col-Vert (av. du)			
Groenkraaglaan	**WB**	60	**L11**
Colibri (pl. du)			
Kolibrieplein	**WB**	61	**L13**
Colignon (pl.-pl.)	**SCH**	24	**F9**
Colin (av. Jean-laan)	**AUD**	48	**K12**
Collart (rue Marie-str.)	**DRO**	68	**O5**
Collecteur (rue du)			
Hoofdrioolstraat	**AND**	44	**I5-I6**
Collège (rue du)			
Collegestraat	**XL**	9	**J9**N
Collège Saint-Michel (rue du)			
Sint-Michielskollege-			
straat	**WSP**	48	**I12**
Collegestraat			
Collège (rue du)	**XL**	9	**J9**N
Collégiale (rue de la)			
Collegialestraat = 457	**BR**	4	**H8**N
Collegialestraat			
Collégiale (rue de la) = 457	**BR**	4	**H8**N
Colline (rue de la)			
Heuvelstraat	**BR**	4	**H8**S
Collon (av. J.-R.-laan)	**WSL**	49	**I13**
Colombialaan			
Colombie (av. de la)	**BR**	60	**M11**
Colombie (av. de la)			
Colombialaan	**BR**	60	**M11**
Colombier (rue du)			
Duivenkotstraat = 450	**BR**	4	**H8**N
Colombophiles (rue des)			
Duivenmelkersstraat	**AND**	43	**K4**
Coloniale (av.)			
Kolonialelaan	**WB**	60	**L12**
Colonies (rue des)			
Koloniënstraat	**BR**	4	**H8**S
Colonne (rue de la)			
Kolomstraat	**MSJ**	2	**G6**S-**G7**S
Colyns			
(rue Jean-Baptiste-str.)	**XL**	46	**K8**
Colzas (allée des)			
Sloordelle	**AUD**	49	**K12**
Combattants (imp. des)			
Strijdersgang	**K**	2	**G7**N
Combattants (rue des)			
Strijdersstraat	**BER**	21	**F4**
Combattants (sq. des)			
Strijderssquare = 344	**BR**	23	**E7-E8**
Combaz (rue Gisbert-str.)	**SG**	45	**J7**

Nom / Naam	Communes Gemeenten	Plan n° Plattegrond	Repère Plaatsaanduiding
Comédiens (rue des)			
Komediantenstraat	**BR**	4	**H8**N
Comète (rue de la)			
Staartsterstraat	**SJ**	5	**G9**S
Comhaire (av. René-laan)	**BER**	31	**G4**
Commerçants (rue des)			
Koopliedenstraat	**BR**	4	**G8**S
Commerce (gal. du)			
Handelsgalerij	**BR**	4	**H8**N
Commerce (quai du)			
Handelskaai	**BR**	4	**G7**S
Commerce (rue du)			
Handelsstraat	**BR**	5	**H9S-I9N**
Communale (pl.)			
Gemeenteplein = 220	**LIN**	69	**P7**
Communale (pl.)			
Gemeenteplaats	**MSJ**	2	**G7**S
Communale (rue)			
Gemeentestraat	**GAN**	22	**E5**
Communautés (av. des)			
Gemeenschappenlaan	**EV**	37	**G13**
–	**WSL**	37	**G13**
Commune (rue de la)			
Gemeentestraat	**SJ**	5	**H9**N
Compagnons (rue des)			
Gezellenstraat	**SCH**	36	**G11**
Compas (rue du)			
Passerstraat	**AND**	33	**H6**
Compétition (rue de la)			
Mededingingstraat	**AND**	43	**I4**
Comptoir (rue du)			
Handelskantoor-			
straat = 48	**K**	32	**F5**
Comte (dr. du)			
Gravendreef	**WB**	72	**N11-O12**
Comté de Jette (av. du)			
Graafschap Jettelaan	**J**	23	**D6-D7**
Conciliation (rue de la)			
Verzoeningsstraat	**AND**	44	**I5**
Concorde (rue de la)			
Eendrachtsstraat	**BR**	8	**J8**N
–	**XL**	8	**I8**S-**J8**N
Concours (rue du)			
Prijskampstraat = 572	**WB**	61	**M13**
Condor (av. du-laan)	**MSJ**	32	**H4**
Confédérés (rue des)			
Eedgenotenstraat	**BR**	35	**H10-H11**
Confiance (rue de la)			
Vertrouwenstraat	**ETT**	47	**I10**
Confort (pl. du)			
Komfortplein = 327	**AND**	43	**K4**
Congo (av. du)			
Kongolaan = 514	**BR**	47	**K10**
–	**XL**	47	**K10**
Congrès (pl. du)			
Congresplein	**BR**	5	**H9**N
Congrès (rue du)			
Congresstraat	**BR**	5	**H9**N
Congresplein			
Congrès (pl. du)	**BR**	5	**H9**N
Congresstraat			
Congrès (rue du)	**BR**	5	**H9**N

Nom / Naam	Communes Gemeenten	Plan n° Plattegrond	Repère Plaatsaanduiding
Coningham (av. Air-Marshal-laan) = 478	BR	59	L10
–	XL	59	L10
Conscience (av. Henri) *Consciencelaan (Hendrik)*	EV	25	E11-F11
Conscience (av. Henri) *Consciencelaan (Hendrik)*	WEM	11	B4
Conscience (pl. Henri) *Conscienceplein (Hendrik)*	XL	9	J9N
Consciencelaan (Hendrik) *Conscience (av. Henri)*	EV	25	E11-F11
Consciencelaan (Hendrik) *Conscience (av. Henri)*	WEM	11	B4
Conscienceplein (Hendrik) *Conscience (pl. Henri)*	XL	9	J9N
Consciencestraat (Hendrik)	SPL	54	N2
Conseil (pl. du) *Raadsplein*	AND	33	I6
Conseil (rue du) *Raadstraat*	XL	9	I9S
Consolation (rue de la) *Trooststraat*	SCH	5	G9-G10
Constellations (av. des) *Sterrebeeldenlaan*	WSL	37	H12
Constitution (av. de la) *Grondwetlaan*	GAN	32	F6
–	J	22	F6
Constitution (pl. de la) *Grondwetplein*	SG	6	I7S
Constitution (rue de la) *Grondwetstraat*	SCH	5	G9N
Constructeur (rue du) *Bouwerstraat*	AND	44	I5-I6
Coopérateurs (pl. des) *Samenwerkersplein* = 43	BER	32	F4
Coopman (rue Théo-str.) = 105	SCH	25	F11
Cooremansstraat (Pastoor)	DIL	21	E3
Coosemans (rue Joseph-str.)	SCH	35	G10-G11
Coosemansstraat (Joseph)	TER	53	K19
Copernic (rue) *Copernicusstraat*	UC	58	M8-M9
Copernicusstraat *Copernic (rue)*	UC	58	M8-M9
Coppens (clos Edmond-oord)	KR	39	H16
Coppens (rue-str.)	BR	8	I8N
Coppens (rue Willy-str.)	WB	60	M12
Coppenstraat (Theodoor)	AS	20	D1-D2
Coq (imp. du) *Hanegang*	BR	4	G8S
Coq (rue du) *Haanstraat*	UC	57	N6-M7
Coquelicots (av. des) *Klaprozenlaan*	KR	39	G16
Coquelicots (av. des) *Kollebloemenlaan*	WO	40	H17
Coquelicots (ch. des) *Klaprozenweg*	LIN	69	P7
Coquelicots (rue des) *Kollebloemenstraat*	ETT	48	I11
Coquilhat (rue Camille-str.)	ETT	48	J11

Nom / Naam	Communes Gemeenten	Plan n° Plattegrond	Repère Plaatsaanduiding
Cor de Chasse (av. du) *Jachthoornlaan*	WB	60	M11
Corail (rue du) *Koraalstraat* = 200	AND	43	I3
Corbeau (rue du) *Raafstraat*	SCH	25	E10-E11
Cordialité (rue de la) *Hartelijkheidsstraat* = 194	AND	32	H5
Cordier (av. Dr. Edmond) *Cordierlaan (Dr. Edmond)*	AUD	48	K12
Cordierlaan (Dr. Edmond) *Cordier (av. Dr. Edmond)*	AUD	48	K12
Corée (sq. de) *Koreasquare*	WSP	49	J13
Corhay (rue Louis-str.)	MSJ	32	G4-G5
Cormorans (av. des) *Waterraaflaan*	WSP	49	J13
Cornaline (sent. de la) *Kornalijnpad* = 609	BR	12	C6
Corneille (rue-str.)	AND	31	H3-I3
Corneilles (ch. des) *Kraaienweg*	KR	39	G16
Cornelisstraat (Pieter)	SPL	67	N3-N4
Cornet (rue du) *Hoornstraat*	ETT	47	I10-I11
Cornet de Grez (rue-str.)	SCH	5	G9S
–	SJ	5	G9S
Correggiostraat *Le Corrège (rue)*	BR	35	H10
Cortenbach (rue de) *Kortenbachstraat* = 201	BR	26	C12-D13
Cortenbach (sent. du-pad)	BR	16	C12
Cortenbergh (av. de) *Kortenberglaan*	BR	35	H10-H11
Corvette (rue de la) *Korvetstraat*	AND	43	I3
Cosmonaute (av. du) *Kosmonautlaan*	WSP	50	I14
Cosyn (rue Arthur-str.) = 341	BR	24	E8
Coteaux (rue des) *Wijnheuvelenstraat*	SCH	5	G9-G10
–	SJ	5	G9S
Cottages (av. des) *Landhuizenlaan*	BER	32	F4-G4
Cottages (rue des) *Landhuisjesstraat*	UC	57	L7
Coucou (rue du) *Koekoekstraat*	WB	61	L13
Coucou (sent. du) *Koekoekpad*	LIN	69	P6
Coudenberg *Koudenberg* = 500	BR	7	H8S
Coudriers (av. des) *Hazelaarslaan*	BR	13	C8
Coudyser (rue Gaston-str.) = 196	AND	42	I2
Coulbaut (av. René-laan) = 296	AUD	50	K14
Couloir (rue du) *Gangstraat*	XL	9	J9N
Countrylaan	ZAV	38	G14

Nom / Naam	Communes Gemeenten	Plan nº Plattegrond	Repère Plaatsaanduiding
Cour d'Espagne (ch. de la)			
Hof van Spanjeweg	**BR**	26	**D12-D13**
Courbe (rue)			
Krommestraat	**WO**	40	**H18**
Courlis (rue des)			
Wulpenstraat = 31	**WB**	61	**M12**
Couronne (av. de la)			
Kroonlaan	**XL**	9	**J9-K11**
Couronnement (av. du)			
Kroninglaan	**WSL**	37	**H12-I12**
Couroublé (rue Léopold-str.) ..	**SCH**	24	**F10**
Courses (av. des)			
Wedrennenlaan	**BR**	47	**K10**
–	**XL**	47	**K10**
Coursiers (allée des)			
Renpaardendreef	**BR**	59	**M10**
Court (rue Antoine-str.)	**K**	33	**G6**
Courte (rue)			
Kortestraat	**BER**	31	**F4**
Courtens (av. Frans-laan)	**SCH**	36	**G11-G12**
Courtens (rue Frans-str.)	**EV**	36	**G12**
Courtensdreef (Frans)	**OV**	77	**N20**
Courtilières (av. des)			
Aardkrekellaan = 355	**WB**	60	**M11**
Courtois (pet. rue)			
Courtoisstraat (korte)	**MSJ**	2	**G7**N
Courtois (rue-str.)	**MSJ**	2	**G7**N
Courtoisie (rue de la)			
Hoffelijkheidstraat	**AND**	31	**H4**
–	**MSJ**	31	**H4**
Courtoisstraat (korte)			
Courtois (pet. rue)	**MSJ**	2	**G7**N
Courtrai (rue de)			
Kortrijkstraat	**MSJ**	33	**G6**
Couteaux (rue François-str.)	**J**	23	**E6**
Couvent (av. du)			
Kloosterlaan = 268	**WO**	40	**H18**
Couvent (rue du)			
Kloosterstraat	**XL**	9	**J9**N
Crabbe (rue André-str.)	**WSL**	50	**I14**
Crabbegat (ch. du-weg)	**UC**	57	**M7-M8**
Craetveld (rue du)			
Kraatveldstraat	**BR**	15	**C10**
Craps (rue Ferdinand-str.) ...	**AND**	31	**H3**
Crêche (rue de la)			
Kribbestraat	**XL**	9	**I9**S
Créneaux (av. des)			
Kantelenlaan	**WSL**	38	**H14**
Crespel (rue Capt.)			
Crespelstraat (Kapt.)	**XL**	8	**I8**S
Crespelstraat (Kapt.)			
Crespel (rue Capt.)	**XL**	8	**I8**S
Cresson (rue du)			
Waterkersstraat	**BR**	12	**C6**
Crête (ch. de la)			
Kimweg	**WSL**	39	**H16**
Creuse (rue)			
Hollestraat	**SCH**	34	**F9**
Cricketspelweg			
Jeu de Criquet (allée du) ...	**BR**	59	**L9**
Crickx (rue Lambert-str.)	**AND**	6	**I7**N
Crickx (rue-str.)	**SG**	6	**J7**N
Criquets (av. des)			
Sprinkhanenlaan	**WB**	60	**M11**
Crock (av. Guillaume-laan) ..	**AUD**	61	**L13**
Crockaertstraat (Isidoor)	**AS**	10	**B1-D1**
Crocq (av. Jean-Jacques-laan) ..	**J**	22	**D6**
Crocq (av. Jean Joseph-laan) ..	**BR**	22	**D6**
Crocq (rue-str.)	**WSL**	37	**H13**
Crocus (av. des)			
Krokussenlaan	**AND**	43	**I4**
Crocus (av. des)			
Crocussenlaan	**KR**	52	**I17**
–	**WO**	52	**I17**
Crocussenlaan			
Crocus (av. des)	**KR**	52	**I17**
–	**WO**	52	**I17**
Croisades (rue des)			
Kruisvaartenstraat	**SJ**	5	**G9**S
Croissant (rue du)			
Halvemaanstraat	**FO**	45	**J6**
–	**SG**	45	**J6**
Croix (champ de la)			
Kruisveld	**KR**	38	**G15**
Croix (rue de la)			
Kruisstraat	**BR**	9	**J9**N
–	**XL**	9	**J9**N
Croix de Fer (rue de la)			
IJzerenkruisstraat	**BR**	5	**H9**N
Croix de Guerre (av. des)			
Oorlogskruisenlaan	**BR**	24	**D10-C11**
Croix de l'Yser (av. des)			
IJzerkruisenlaan	**BR**	15	**C10**
Croix de Pierre (rue de la)			
Stenen Kruisstraat	**SG**	8	**J8**N
Croix du Feu (av. des)			
Vuurkruisenlaan	**BR**	24	**C8-D10**
Croix du Sud (av. de la)			
Zuiderkruislaan	**WSL**	37	**H12-H13**
Croix-Rouge (av. de la)			
Rode Kruislaan	**BR**	13	**C8**
Croix-Rouge (pl. de la)			
Rode Kruisplein = 198 ...	**AND**	42	**I2**
Croix-Rouge (sq. de la)			
Rode-Kruissquare = 517	**XL**	47	**K9**
Crokaert (av.-laan)	**WSP**	51	**J15-J16**
Croquet (ch. du-weg)	**BR**	59	**K9-L9**
Croydon (av. de-laan)	**BR**	26	**E13**
–	**EV**	26	**E12**
Cubisme (rue du)			
Kubismestraat = 245	**K**	33	**G6**
Cueillette (rue de la)			
Plukstraat	**UC**	69	**O6-O7**
Cuerens (rue-str.)	**BR**	2	**H7**S
Cuissez (rue Léon-str.)	**XL**	47	**J10-K10**
Culliganlaan	**MA**	27	**D15**
Cultes (rue des)			
Eredienststraat	**BR**	5	**H9**N
Cultivateurs (rue des)			
Landbouwersstraat	**ETT**	48	**J11**
Curé (rue du)			
Pastoorsstraat	**FO**	56	**L5**
Cureghem (rue de)			
Kuregemsestraat	**BR**	2	**H7**S

Nom / Naam	Gemeenten Communes	Plattegrond Plan n°	Plaatsaanduiding Repère
Curés (ch. des)			
Pastoorkensweg	**KR**	39	**G16**
Curie (av. Pierre-laan)	**WEM**	13	**A6**
Curie (av. Pierre-laan)	**XL**	59	**L10-L11**
Cuve (imp. de la)			
Kuipgang			
(sit. r. Marché			
aux Fromages)	**BR**	4	**H8***S*
Cuve (rue de la)			
Kuipstraat	**XL**	47	**J9**
Cuylits (rue Abbé)			
Cuylitsstraat (Pastoor)	**AND**	2	**H6***S*
Cuylits			
(rue Joseph-str.) = 281	**UC**	58	**K8-L8**
Cuylitsstraat (Pastoor)			
Cuylits (rue Abbé)	**AND**	2	**H6***S*
Cuypers (rue Abbé)			
Cuypersstraat (Priester)	**ETT**	48	**I11**

Nom / Naam	Gemeenten Communes	Plattegrond Plan n°	Plaatsaanduiding Repère
Cuypersstraat (Priester)			
Cuypers (rue Abbé)	**ETT**	48	**I11**
Cyclamenlaan			
Cyclamens (av. des)	**KR**	39	**G16-H16**
Cyclamens (av. des)			
Cyclamenlaan	**KR**	39	**G16-H16**
Cyclamens (rue des-str.) = 14	**WB**	61	**L13**
Cyclistes (av. des)			
Wielrijderslaan	**WSP**	51	**I16**
Cygnes (rue des)			
Zwanenstraat	**XL**	9	**J9***N*
Cygnes Sauvages (av. des)			
Wilde Zwanenlaan	**WO**	40	**G17**
Cyprès (rue du)			
Cipresstraat = 438	**BR**	4	**H8***N*
Cypressenlaan	**TER**	64	**L18-L19**
Cytises (av. des)			
Goudenregenlaan	**UC**	71	**N9-N10**

D

Nom / Naam	Gemeenten Communes	Plattegrond Plan n°	Plaatsaanduiding Repère
da Vincistraat (Leonardo)			
de Vinci (rue Léonard)	**BR**	36	**H11**
Dachelenbergstraat	**BE**	68	**O5**
Dageraaddreef	**ZAV**	29	**F18**
Dageraadlaan			
Aurore (av. de l')	**KR**	52	**K17**
Dageraadplein			
Aurore (pl. de l') = 199	**AND**	42	**I2**
Dageraadplein	**OV**	77	**P20**
Dageraadstraat			
Aurore (rue de l')	**BR**	47	**K9**
Dahlia (rue du-str.)	**SCH**	25	**E10**
Dahlialaan	**OV**	64	**M18**
Dahlias (clos des-gaarde)	**KR**	39	**H16**
Dahliastraat	**SPL**	67	**O3**
Dailly (av.-laan)	**SCH**	35	**G10**
Dailly (pl.-pl.)	**SCH**	35	**H10**
Daim (av. du)			
Damhertlaan	**WB**	61	**L13**
Daims (av. des)			
Damhertenlaan	**KR**	52	**I17-J17**
Dalechamp			
(av. Robert-laan)	**WSL**	36	**H12**
Dallaan	**ZAV**	40	**G18-G19**
Dallaan (Maria)	**ZAV**	28	**E17**
Dalstraat			
Vallée (rue de la)	**BR**	47	**J9-K9**
–	**XL**	47	**J9**
Dam (rue du)	**BR**	6	**H7***S*
Dambordstraat			
Damier (rue du)	**BR**	4	**G8***S***-H8***N*
Dambrestraat (Jean)	**SPL**	67	**N2-N3**
Dames Blanches (av. des)			
Witte Damenlaan	**KR**	51	**J16-J17**
Dames Blanches (av. des)			
Wittevrouwenlaan	**WSP**	51	**J16**

Nom / Naam	Gemeenten Communes	Plattegrond Plan n°	Plaatsaanduiding Repère
Dames Blanches (dr. des)			
Witte Vrouwendreef	**AUD**	50	**K14**
Dames Nobles (pl. des)			
Edelvrouwenplein = 566	**FO**	56	**L5**
Damesrustdreef			
Relais des Dames (dr. du)	**AUD**	62	**L15-M15**
–	**WB**	62	**M14-O14**
Damhertenlaan			
Daims (av. des)	**KR**	52	**I17-J17**
Damhertlaan			
Daim (av. du)	**WB**	61	**L13**
Damiaanlaan (Pater)	**SPL**	54	**M2-M3**
Damiaanlaan (Pater)			
Damien (av. Père)	**WSP**	49	**I13**
Damiaanstraat (Pater)			
Damien (rue Père)	**EV**	25	**F11**
Damiaanstraat (Pater)	**MA**	27	**D14**
Damien (av. Père)			
Damiaanlaan (Pater)	**WSP**	49	**I13**
Damien (rue Père)			
Damiaanstraat (Pater)	**EV**	25	**F11**
Damier (rue du)			
Dambordstraat	**BR**	4	**G8***S***-H8***N*
Damstraat			
Digue (rue de la)	**XL**	9	**J9***N*
Danco (pl. Emile-pl.)	**UC**	57	**M7**
Dandoy (clos-gaarde)	**UC**	58	**L8**
Dandoy (pl. Aimé-pl.)	**ETT**	48	**J11**
Danemark (rue de)			
Denemarkenstraat	**SG**	6	**J6***N***-J7***N*
Danislaan	**BE**	68	**P5**
Dansaert (rue Antoine-str.)	**BR**	2-3	**H7***N*
Dansaertlaan (Robert)	**DIL**	30	**F1-F2**
Danse (rue Auguste-str.)	**UC**	57	**L6-M6**
Dansette (rue-str.)	**J**	23	**E6-E7**
Dante (rue-str.)	**AND**	44	**I5-J5**

Nom / Naam	Communes Gemeenten	Plan n° Plattegrond	Repère Plaatsaanduiding
Dapperenlaan			
Vaillants (av. des)	**WSL**	37	**H13**
Dapperensquare			
Braves (sq. des)	**LIN**	69	**P7**
Dapperenstraat			
Braves (rue des)	**K**	33	**G6**
Dapperheidsplein			
Vaillance (pl. de la) = 206	**AND**	44	**I4**
Dapperheidsstraat			
Bravoure (rue de la)	**J**	23	**E7**
d'Arconatistraat	**DIL**	30	**H1**
d'Ardenne (rue Jean-str.)	**XL**	9	**J8***N*-**J9***N*
d'Arezzo (pl. Guy)			
Guido van Arezzoplein	**UC**	46	**K8**
Darimon (rue-str.)	**MSJ**	2	**G7***S*
Daring (av. du-laan)	**MSJ**	32	**G5**
Darwin (rue-str.)	**FO**	46	**K8**
–	**XL**	46	**K8**
Dashondweg			
Basset (sent. du)	**BR**	13	**C8**
Dassendreef			
Blaireaux (allée des)	**BR**	59	**M10**
Daumerie (av. Colonel)			
Daumerielaan (Kolonel)	**AUD**	50	**K14-K15**
–	**WSP**	50	**K14-K15**
Daumerie (rue Léon-str.)	**BR**	15	**C11**
Daumerielaan (Kolonel)			
Daumerie (av. Colonel)	**AUD**	50	**K14-K15**
–	**WSP**	50	**K14-K15**
Dauphin (clos du)			
Dolfijngaarde	**WSL**	37	**H13**
Dauphinelles (av. des)			
Ridderspoorlaan = 337	**AND**	43	**K3**
Dauphins (rue des)			
Dolfijnenstraat	**MSJ**	32	**H5**
Dautzenberg (rue-str.)	**BR**	46	**J9**
–	**XL**	47	**J9**
Dauw-Defossezlaan	**SPL**	54	**L2**
Dauwstraat			
Rosée (rue de la)	**AND**	2	**H7***S*
–	**BR**	2	**H7***S*
de Baerdemaekerstraat			
(Edward)	**SPL**	55	**M3-N3**
De Baisieux (rue Théophile-str.)	**BR**	23	**D7**
–	**J**	22	**D6-D7**
De Bast (rue Albert-str.)	**GAN**	22	**F5**
de Beaulieu (av.-laan)	**AUD**	48	**K12**
de Beco (av. Emile-laan)	**XL**	47	**K10**
De Béjar (av.-laan)	**BR**	15	**B11**
De Belder			
(rue François-str.)	**WSL**	37	**H13**
De Bergen	**DIL**	30	**G2-G3**
De Bériot (rue-str.)	**SJ**	5	**H9***N*
de Berlaimont (bd.-laan)	**BR**	4	**H8***N*
de Beughem (rue-str.)	**SCH**	5	**G9***N*
de Biolley (av.-laan)	**WSP**	51	**J16**
De Bist	**BE**	66	**O2-P2**
De Block (pl. Ct. J.)			
De Blockplein (Kt. J.)	**WEM**	12	**C5**
De Blockplein (Kt. J.)			
De Block (pl. Ct. J.)	**WEM**	12	**C5**
De Blutslaan (Emile)	**DIL**	30	**F1-F2**
De Boeck (av. A.-laan)	**WEM**	11	**B4**
De Boeck (rue Auguste-str.)	**EV**	25	**F11**
De Boeck (rue-str.)	**J**	23	**E7**
de Boisschotlaan (Baron)	**ZAV**	29	**E17**
de Bologne (av. Jean-laan)	**BR**	14	**C8**
De Bondtstraat (Louis)	**AS**	20	**D1**
de Bonne (rue-str.)	**MSJ**	33	**H6**
de Bornival (av.-laan)	**WSP**	39	**H15-H16**
De Braeckeleer			
(rue Henri-str.) = 130	**ETT**	48	**I11**
De Brandt (rue Adolphe-str.)	**EV**	25	**F11**
De Breuker			
(rue Pierre-str.) = 388	**J**	23	**E6**
de Broqueville (av.-laan)	**WSL**	48	**I12-I13**
–	**WSP**	48	**I12**
de Brouchoven de Bergeyck			
(rue Jean-str.) = 460	**BR**	4	**H8***N*
de Brouckère (av. Henri-laan)	**AUD**	49	**K13**
De Brouckère (av. Louis-laan)	**GAN**	22	**E5**
De Brouckère (pl.-pl.)	**BR**	4	**H8***N*
De Broyer (rue-str.)	**UC**	57	**M6-M7**
De Bruycker (ch.-weg)	**DRO**	55	**M4**
de Bruyn (rue-str.)	**SJ**	35	**H9-H10**
De Bruyne (rue Sergent)			
De Bruynestraat (Sergeant)	**AND**	6	**I6**
De Bruynestraat (Sergeant)			
De Bruyne (rue Sergent)	**AND**	6	**I6**
De Buck (rue Charles-str.)	**ETT**	48	**I12-J12**
De Bue (rue Xavier-str.)	**UC**	57	**L6-M7**
De Burlet (sq. Jules-pl.)	**ETT**	36	**H11-I11**
De Burtinstraat	**GRI**	13	**B8**
de Busleyden (av.-laan)	**BR**	14	**C8**
de Castonier (av.-laan)	**SGR**	71	**P9-P10**
–	**UC**	71	**P10**
De Castro (rue Baron-str.)	**ETT**	48	**J12**
de Ceuninck (av. du Gén.)			
de Ceuninckklaan (Gen.)	**BR**	12	**C6**
de Ceuninckklaan (Gen.)			
de Ceuninck (av. du Gén.)	**BR**	12	**C6**
De Ceusterstraat	**MA**	17	**C14**
de Champagne			
(rue Philippe-str.)	**BR**	8	**H7***S*
de Ciplet (rue-str.)	**BR**	24	**E8**
De Clercq (rue Corneille-str.)	**J**	23	**F6**
De Cléty (rue Clément-str.)	**AND**	43	**J4**
De Cock (rue Auguste-str.)	**GAN**	22	**F5**
De Cock (rue Pierre-str.)	**WSP**	50	**I14**
De Cockplein	**MA**	17	**C14**
De Coninckaan (G.)	**MA**	17	**D14-C15**
De Coster			
(av. Albert-laan) = 211	**AND**	43	**I3**
De Craen (rue Jan Franz-str.)	**EV**	25	**E11**
De Craene			
(rue Alexandre-str.)	**SCH**	25	**F11**
De Crayer (rue-str.)	**BR**	47	**K9**
De Cuyper			
(clos Théodore-gaarde)	**WSL**	38	**G14**
De Cuyper (rue Félix-str.)	**AND**	43	**J4**
De Cuyper (rue Théodore-str.)	**WSL**	38	**G14-H14**
De Deckerstraat (Alouis)	**AS**	20	**D2**
De Deken (rue Père)			
De Dekenstraat (Pater)	**ETT**	48	**I11**

Nom / Naam	Communes Gemeenten	Plan n° Plattegrond	Repère Plaatsaanduiding
De Dekenstraat (Pater)			
De Deken (rue Père)	**ETT**	48	**I11**
de Fiennes (rue-str.)	**AND**	6	**I6-I7**
de Fierlant (rue-str.)	**FO**	45	**J6**
de Fierlantstraat	**ZAV**	41	**H19**
de Foestraets (av.-laan)	**UC**	70	**O8-N9**
de Formanoir (rue-str.) = 205	**AND**	44	**I4-I5**
De Fré (av.-laan)	**UC**	57	**M7-L9**
De Fré (sq.-sq.)	**UC**	57	**L7**
de Gaulle (av. du Gén.)			
de Gaullelaan (Gen.)	**XL**	47	**J9-K9**
de Gaullelaan (Gen.)			
de Gaulle (av. du Gén.)	**XL**	47	**J9-K9**
de Geneffe (rue-str.)	**MSJ**	2	**G7**S
de Gerlache (rue-str.)	**ETT**	47	**J10**
De Geyndt Gaarde	**MA**	17	**C14**
de Ghelderode			
(av. Michel-laan) = 336	**AND**	43	**K3**
de Gomrée (av.-laan)	**WSP**	50	**J15**
De Greef (av. Guillaume-laan)	**J**	23	**D6-D7**
De Greef (rue Jean-str.)	**GAN**	22	**E5**
De Greef (sq. Jean-			
Baptiste-sq.) = 545	**AUD**	48	**K12**
De Greeflaan (Jan Baptist)	**AS**	20	**D1**
De Greefstraat	**MA**	17	**C15**
De Grijse (rue Édouard-str.)	**J**	22	**D6**
de Grimberghe			
(rue Edmond-str.)	**MSJ**	2	**G6**S
De Gronckel (rue Charles-str.)	**MSJ**	31	**G3-G4**
De Groux (rue Charles-str.)	**ETT**	36	**H11-I11**
de Grunne (av.-laan)	**WO**	52	**I17-I18**
De Gryse (av. Gaston-laan)	**AUD**	61	**L13**
de Guise (sq.-pl.)	**WSP**	50	**J15**
De Gunst (rue Louis-str.)	**MSJ**	33	**H6**
De Haak	**AS**	21	**E4**
de Haerne (rue-str.)	**ETT**	47	**J10**
de Haveskercke (av.-laan)	**FO**	56	**L5-L6**
De Heetveldelaan	**DIL**	30	**H1**
De Hene	**WEM**	12	**B5**
de Hennin (rue-str.)	**XL**	9	**J9**N
De Heyn (av. Joseph-laan)	**J**	22	**C5-D6**
de Hinnisdael (av.-laan)	**WSP**	39	**H16-I16**
de Hornes (rue)			
Hoornestraat	**BR**	9	**I9**N
de Huldenberg (rue-str.) = 303	**UC**	57	**M6**
de Jonge (av. Mathieu-laan).	**GAN**	22	**E5**
De Jonghe			
(rue Dominique-str.)	**WSP**	51	**I16**
De Keersmaeckerstraat (Jan)	**AS**	20	**D1**
De Keersmaeker			
(av. H.-laan)	**WEM**	11	**A4**
De Keersmaeker (rue-str.)	**J**	22	**E6-F6**
De Keuster (rue Félix-str.)	**WSP**	51	**I16**
De Keyser (clos Bourg.)			
De Keysergaarde (Burg.)	**UC**	58	**N8**
De Keysergaarde (Burg.)			
De Keyser (clos Bourg.)	**UC**	58	**N8**
De Keyzer			
(rue Jan Baptist-str.)	**WO**	40	**G17-H18**
De Keyzer (rue Joseph)			
De Keyzerstraat			
(Josef) = 267	**WO**	40	**H18**

Nom / Naam	Communes Gemeenten	Plan n° Plattegrond	Repère Plaatsaanduiding
De Keyzerstraat (Josef)			
De Keyzer			
(rue Joseph) = 267	**WO**	40	**H18**
De Kleermaekerstraat (G.)	**HOE**	75	**O17**
De Kleermaekerstraat (P.)	**MA**	18	**C15**
De Kleetlaan	**MA**	27	**D15**
De Koninck (rue-str.)	**MSJ**	32	**G5**
De Kosterlaan (Hendrik)	**AS**	21	**E3**
de Lalaing (rue Jacques-str.)	**BR**	35	**H9-I10**
de Lantsheere (rue Léon-str.)	**ETT**	36	**H11-I11**
de Latour (rue Albert-str.)	**SCH**	35	**G10**
de Laubespin (rue-str.)	**BR**	23	**D7**
–	**J**	23	**D7**
de Laveleye (rue Baron-str.)	**J**	23	**E6**
De Leeuwstraat (J.)	**MA**	17	**A15**
De Lenglentier (rue-str.)	**BR**	6	**I7**N
de l'Epée (rue Abbé)			
de l'Epéestraat (Priester)	**WSL**	36	**H12-I12**
de l'Epéestraat (Priester)			
de l'Epée (rue Abbé)	**WSL**	36	**H12-I12**
de Levis Mirepoix (av.-laan)	**J**	22	**E6-F6**
de Liedekerke (rue-str.)	**SJ**	5	**H9-H10**
de Ligne (av. du Pr.)			
de Lignelaan (Pr.)	**UC**	58	**M9**
de Ligne (rue-str.)	**BR**	5	**H8**N-**H9**N
de Lignelaan (Pr.)			
de Ligne (av. du Pr.)	**UC**	58	**M9**
De Limburg Stirum (av.-laan)	**WEM**	12	**B5-C6**
De Linde (pl.-pl.)	**AND**	43	**I4**
de Locht (rue-str.)	**SCH**	35	**F9**
De Lombaerde			
(rue Georges-str.)	**EV**	37	**G13**
de Longueville (av. Gén.)			
de Longuevillelaan (Gen.)	**WSP**	49	**J12**
de Longuevillelaan (Gen.)			
de Longueville (av. Gén.)	**WSP**	49	**J12**
De Meersman			
(av. Evariste-laan)	**BER**	31	**G4**
De Meersman (rue Dr.)			
De Meersmanstraat (Dr.)	**AND**	6	**H6**S-**I7**N
De Meersmanstraat (Dr.)			
De Meersman (rue Dr.)	**AND**	6	**H6**S-**I7**N
De Meester			
(av. Raymond-laan)	**WSL**	37	**H13**
de Meeûs (sq.-sq.)	**BR**	9	**I9**N
–	**XL**	9	**I9**N
De Meeusstraat (Graaf J.)	**OV**	64	**N17-N18**
De Mentockplein			
(Otto) = 318	**GRI**	14	**B8**
de Mérode (rue-str.)	**FO**	45	**J6**
–	**SG**	46	**J6-I7**
De Mérode (sq. Pr. Jean)			
De Merodeplein (Pr. Jean)	**ETT**	48	**I11**
De Merodeplein (Pr. Jean)			
De Mérode (sq. Pr. Jean)	**ETT**	48	**I11**
De Merten (av. Paul-laan)	**J**	22	**F6**
de Meurers			
(av. Jacques-laan)	**WSP**	51	**J16**
De Meyer			
(rue Albert-str.) = 347	**BR**	23	**E7**
de Moerkerke (rue-str.)	**SCH**	24	**F9**
De Mol (rue H.-str.)	**WEM**	12	**C5**

Nom / Naam	Communes Gemeenten	Plan n° Plattegrond	Repère Plaatsaanduiding
De Mol (rue Willem-str.)	**BR**	34	**F8-G8**
De Moor (pl. Maurice-pl.)	**BR**	23	**F7**
De Moor (pl.-pl.)	**J**	33	**F7**
De Moor (rue Maurice-str.)	**BR**	23	**E7-F7**
de Moranville (rue-str.)	**J**	23	**F6**
De Mot (av. Emile-laan)	**BR**	47	**K9**
De Mot (rue Jean-André-str.)	**ETT**	47	**I10**
de Muncklaan (Emiel)	**ZAV**	29	**E17**
De Nayerstraat	**AS**	20	**D2**
De Neck (rue-str.)	**K**	33	**F6**
De Neufforgeplein	**MA**	17	**A14**
De Neufforgestraat	**MA**	17	**A14**
De Neuter (rue Armand-str.)	**BER**	31	**G4**
de Nieuwenhove (rue-str.)	**UC**	57	**M7**
De Paduwa (pl. Jean-pl.)	**EV**	37	**G12**
de Paepe (rue César-str.)	**SG**	6	**I7***S*
De Pascale (rue-str.)	**BR**	47	**I9-I10**
De Pauw (rue Florimond-str.)	**AND**	43	**J3-J4**
de Percke (rue-str.)	**UC**	70	**P8-O9**
De Pomp	**VIL**	15	**B10**
de Potter (rue-str.)	**SCH**	34	**F9**
De Praetere (rue-str.)	**BR**	47	**K9**
–	**UC**	47	**K9**
de Praetere (rue-str.)	**XL**	47	**K9**
de Puysselaer (rue Pierre-str.)	**UC**	57	**M6**
de Quirinilaan	**HOE**	76	**P17**
De Raedemaeker (av. K. en H.-laan) = 352	**WEM**	11	**B4**
De Reinelaan = 171	**MA**	17	**C14**
de Renessestraat (René)	**SPL**	55	**L3**
de Ribaucourt (rue-str.)	**MSJ**	33	**F7-G7**
De Ridder (av. J.-laan)	**WEM**	12	**C5**
de Rivieren (dr.-dr.)	**GAN**	22	**E5**
–	**J**	22	**E5-E6**
de Robiano (rue-str.)	**SCH**	5	**G9**
de Robianostraat	**TER**	53	**J19**
de Roo (rue Armand-str.)	**SCH**	25	**F10**
De Roovere (av.-laan)	**MSJ**	32	**H5**
de Rudder (rue-str.)	**MSJ**	32	**G5**
de Saegher (rue Henri-str.)	**MSJ**	33	**G6-H6**
de Saint-Exupéry (av. Antoine-laan)	**WSP**	50	**I14-I15**
de Saulnier (rue Armand-str.) = 584	**MSJ**	32	**G4-G5**
de Selliers de Moranville (av.-laan)	**BER**	31	**F3**
De Selliersstraat	**ZAV**	28	**D16**
de Sélys Longchamps (carr.-kr.)	**BR**	47	**K9**
de Sévigné (rue-str.)	**AND**	31	**H3**
De Smedtstraat (Aug.)	**DIL**	30	**F2**
De Smet (pl. Henri-pl.)	**AND**	32	**H5**
De Smet (rue Eugène-str.) = 384	**J**	22	**D5**
De Smet (rue Louis-str.)	**BER**	31	**G3**
de Smet de Naeyer (bd.-laan)	**BR**	23	**D7**
–	**J**	22	**F6-D7**
De Spoelberchplein	**MA**	17	**A14**
De Spoelberchstraat	**MA**	17	**A14**
de Stassart (rue-str.)	**XL**	8	**I8***S*
de Stolberglaan	**TER**	53	**K20**
De Swaef (rue Léopold-str.)	**AND**	32	**H5**
de Theux (rue-str.)	**ETT**	47	**I10-J10**
–	**XL**	47	**J10**

Nom / Naam	Communes Gemeenten	Plan n° Plattegrond	Repère Plaatsaanduiding
de Thibault (av. Edouard-laan)	**ETT**	48	**I11**
de Thiennes (av. Charles-laan)	**WSL**	38	**H14**
de Thirimontlaan	**DIL**	30	**H1**
de Tière (rue Nestor-str.)	**SCH**	25	**E10-F10**
De Tollenaere (av. Charles-laan)	**AND**	43	**J3**
De Tollenaere (rond-pt. Pierre-pl.)	**AND**	43	**I3**
de Trooz (av. Jules-laan)	**WSP**	49	**I13**
De Trooz (sq. Jules-sq.)	**BR**	24	**E8**
de Tyras (av.-laan)	**BR**	15	**B11**
de Vergnies (rue-str.)	**XL**	9	**J9***N*
de Villalobar (av. Marquis) *de Villalobarlaan (Markies)*	**WSP**	50	**J14**
de Villalobarlaan (Markies) *de Villalobar (av. Marquis)*	**WSP**	50	**J14**
de Villegas (av.-laan) = 401	**GAN**	22	**F5**
de Villegas de Clercampstraat	**GRI**	13	**B7-B8**
de Villers (rue-str.)	**BR**	7	**H8***S*
De Villierslaan (Ghislaine) = 188	**DIL**	31	**H3**
de Vinci (rue Léonard) *da Vincistraat (Leonardo)*	**BR**	36	**H11**
de Vironlaan (Baron Robert)	**DIL**	30	**H1-H2**
De Vleminckstraat (Jozef)	**GRI**	13	**A7-A8**
de Vrière (rue-str.)	**BR**	23	**D8-E8**
De Waet (rue P.-str.) = 362	**WEM**	12	**B5**
de Waha (av.-laan)	**AUD**	49	**K13-K14**
De Wand (rue-str.)	**BR**	14	**C8**
de Wansijn (rue-str.)	**UC**	58	**N8**
De Wantlaan	**ZAV**	29	**F17**
De Warande	**MA**	16	**B13**
de Wautier (rue-str.)	**BR**	23	**E8**
de Wavrans (av. Iweins-laan)	**WSP**	50	**I15**
de Windestraat (Jozef)	**DIL**	30	**G1**
De Witte (rue Alphonse-str.)	**XL**	47	**J9**
de Witte de Haelen (rue-str.)	**BR**	2	**G7***S*
de Witthem (av.-laan)	**WSP**	39	**H15-H16**
de Woelmont (rue-str.)	**BR**	15	**A11-A12**
de Wynants (rue -str.)	**BR**	8	**I8***S*
Dean (sq. James-pl.) = 587	**J**	22	**D5**
Debackerstraat	**VIL**	16	**A13**
Debatty (av. Léon-laan)	**AND**	32	**H5**
Debecker (av. Jean-François) *Debeckerlaan (Jan Frans)*	**WSL**	38	**H14-H15**
Debecker (rue Jules-str.)	**K**	33	**G6**
Debeckerlaan (Jan Frans) *Debecker (av. Jean-François)*	**WSL**	38	**H14-H15**
Deblockstraat	**MA**	17	**B14**
Deboeckstraat (Petrus)	**SPL**	55	**M3**
Debroyerstraat (Albert)	**SPL**	55	**L3**
Debussy (rue Claude-str.)	**AND**	43	**J4**
Decatstraat	**OV**	77	**P19**
Decemberstraat *Décembre (rue de) = 83*	**WSL**	37	**H12**

Nom / Naam	Communes Gemeenten	Plan n° Plattegrond	Repère Plaatsaanduiding
Décembre (rue de)			
Decemberstraat = 83	**WSL**	37	**H12**
Declercq (rue René-str.)	**WSP**	49	**I13-I14**
Decock (rue Jean-Baptiste-str.)	**MSJ**	33	**G6-H6**
Decoster (rue Charles-str.)	**XL**	9	**J9***N*
Decoster (rue Pierre-str.)	**FO**	45	**J6-K6**
Decrée (rue-str.)	**J**	22	**D5**
Decroly (av. Dr.)			
Decrolylaan (Dr.)	**UC**	57	**L6**
Decroly (sq. Dr.)			
Decrolysquare (Dr.)	**MSJ**	31	**H4**
Decrolylaan (Dr.)			
Decroly (av. Dr.)	**UC**	57	**L6**
Decrolysquare (Dr.)			
Decroly (sq. Dr.)	**MSJ**	31	**H4**
Defacqz (rue-str.)	**BR**	46	**J8***N*
–	**SG**	46	**J8**
–	**XL**	46	**J8**
Defnet (rue Gustave-str.)	**SG**	45	**J7**
Defrêcheaux (rue Nicolas-str.)	**SCH**	24	**E10**
Degas (rue Edgar-str.)	**EV**	26	**F12**
d'Egmont (rue-str.)	**BR**	9	**I9***N*
Degorge (rue Eugène-str.)	**MSJ**	32	**G5**
Degouve de Nuncques			
(rue William-str.) = 94	**SCH**	36	**H12**
Degreef			
(rue François-str.) = 110	**SCH**	34	**F9**
Degreefstraat (W.)	**HOE**	75	**O16**
Degrooff (pl. J.-B.-pl.)	**WSL**	36	**H12**
Dehaes (rue Fons-str.)	**LIN**	69	**P6-P7**
Dehem (rue Arthur-str.)	**AND**	43	**K4**
Dehoux (av. Louis-laan)	**AUD**	61	**K13-L13**
Dejaer (av. Paul-laan)	**SG**	45	**J7**
Dejase (av. Dr.)			
Dejaselaan (Dr.) = 109	**SCH**	25	**F10**
Dejaselaan (Dr.)			
Dejase (av. Dr.) = 109	**SCH**	25	**F10**
Dejoncker (rue-str.)	**SG**	8	**I8***S*
Dekelver (rue Guillaume-str.)	**AUD**	48	**K12**
Dekenijstraat			
Doyenné (rue du)	**UC**	57	**L7-M7**
Dekens (rue-str.)	**ETT**	47	**I10**
Dekeyn (rue Joseph-str.)	**SJ**	35	**H10**
Dekeyser (av. Maurice-laan)	**J**	22	**C6-D6**
Dekeyserstraat (Alfons)	**OV**	77	**O20**
Dekinderstraat (Jan)	**AS**	21	**E3**
Dekkersdelle	**BE**	68	**P5**
Deknoop (rue Édouard-str.)	**EV**	25	**F11**
Dekoster (rue Édouard-str.)	**EV**	25	**E11-E12**
Delacroix (rue Léon-str.)	**AND**	33	**H6**
Delacroix (rue Pierre-str.)	**WSP**	50	**J14**
Delathouwer			
(rue Gustave-str.) = 50	**J**	23	**E6**
Delaunoy (rue-str.)	**MSJ**	33	**G6-H6**
Delbove			
(rue Léopold-str.) = 509	**XL**	60	**L11**
Delcoigne (rue François-str.)	**K**	2	**G6***N*
Delcordestraat (J.)	**HOE**	75	**P16**
Delcourt (rue Edmond-str.)	**AND**	44	**I4**
Deleers (rue Henri-str.)	**AND**	43	**J4**
Delforge (clos Paul-gaarde)	**AUD**	49	**K13**
Delhaize (rue Jules-str.)	**MSJ**	32	**G6**
Delhasse (rue Félix-str.)	**SG**	46	**K8**
Delhaye			
(rue Joseph-str.) = 51	**AUD**	48	**K12**
Delhaye (sq. Félix-sq.)	**SJ**	35	**H10**
Delhove (rue Louis-str.)	**GAN**	22	**F5**
Delince (rue Félicien-str.)	**AUD**	62	**M14**
Délivrance (rue de la)			
Verlossingsstraat	**AND**	42	**I1-J1**
Délivrance (sq. de la)			
Verlossingssquare	**FO**	45	**K7**
Delleur (av.-laan)	**WB**	60	**M12**
Delporte (pl. Antoine-pl.)	**SG**	45	**K7**
Delporte (rue Augustin-str.)	**XL**	47	**J10**
Delstanche (rue Mignot-str.)	**XL**	46	**K8**
Delta (rue du-str.)	**FO**	45	**K6**
Delva (rue Émile-str.)	**BR**	23	**D7-E7**
Delvaux (av. Arnold-laan)	**UC**	57	**M7**
Delwart (rue-str.)	**AND**	43	**J3-K3**
Demanet (rue Gustave-str.)	**BR**	14	**C8**
Demany (pont Fernand-Brug)	**ETT**	48	**J11**
Demeer (rue Charles-str.)	**BR**	23	**E7-F7**
Déménageurs (rue des)			
Verhuizersstraat	**MSJ**	2	**G7***S*
Demesmaeker			
(rue Léopold-str.)	**GAN**	22	**E4-F4**
Demessemaeker			
(rue Pierre-Jean-str.) = 241	**MSJ**	32	**G5**
Demets (quai Fernand-kaai)	**AND**	44	**I5-H6**
Demeur (av. Adolf-laan)	**SG**	45	**J7**
Demey (av. Gustave-laan)	**AUD**	61	**L13**
Demi-Cercle (rue du)			
Halve Cirkelstraat	**BR**	14	**C10**
Demi-Heure (dr. de la)			
Halfuurdreef	**WSP**	51	**K16**
Demi-Lune (pl. de la)			
Halvemaanplein = 177	**WSP**	39	**H16**
Démineurs (av. des)			
Ontmijnerslaan = 391	**J**	23	**E6**
Démocratie (rue de la)			
Democratiestraat	**AND**	44	**I4-J5**
Democratiestraat			
Démocratie (rue de la)	**AND**	44	**I4-J5**
Demolder (av. Eugène-laan)	**SCH**	24	**E10-F10**
Demolstraat (Frans)	**SPL**	55	**L3**
Démosthène (rue)			
Demosthenesstraat	**AND**	44	**I4-H5**
Demosthenesstraat			
Démosthène (rue)	**AND**	44	**I4-H5**
Demunter			
(av. du Bourg. Étienne)			
Demunterlaan (Burg. Étienne)	**J**	22	**C5-D5**
Demunter			
(rue Alphonse-str.)	**AND**	43	**I4**
Demunterlaan (Burg. Etienne)			
Demunter			
(av. du Bourg. Étienne)	**J**	22	**C5-D5**
Demuylder			
(rue Guillaume-str.)	**AUD**	48	**K12**
Den Doorn (av.-laan)	**UC**	58	**M8-N8**
Den Draaier	**BE**	68	**P5**
Denayer (av.-laan)	**FO**	56	**L5**
Denayer (rue-str.)	**KR**	38	**F15-G15**

Nom / Naam — Gemeenten Communes — Plattegrond Plan n° — Plaatsaanduiding Repère

Denayer (rue Sylvain-str.) ... **AND** 32 **H5**
Denayerstraat (Jozef) .... **HOE** 75 **P16**
Dendermondestraat .... **AS** 20 **D1-D2**
Dendermondestraat
Termonde (rue de) .... **BER** 21 **F4-F5**
– .... **GAN** 21 **F4**
Denemarkenstraat
Danemark (rue de) .... **SG** 6 **J6**N-**J7**N
Denie (rue Auguste-str.)...... **BER** 31 **G3**
Denis (rue Eugène-str.) ...... **AUD** 62 **M14**
Denis (rue Hector-str.) .... **XL** 46 **K9**
Denis (sq. Omer-sq.) = 567... **FO** 56 **L5**
Denneboslaan
Sapinière (av. de la)....... **UC** 71 **O9-O10**
Dennebosstraat
Sapinière (rue de la) ...... **WB** 61 **N13**
Dennenboslaan
Sapinière (av. de la)....... **BR** 59 **L10-M10**
Dennenboslaan
Bois de Sapins (av. du) ... **WSL** 38 **H14**
Dennenlaan .... **DIL** 42 **I1**
Dennenlaan
Pins (av. des) .... **KR** 52 **J17-K17**
Dennenlaan .... **SPL** 55 **M3**
Dennenlaan .... **TER** 65 **K19**
Dennenlaan
Sapins (av. des) .... **WSP** 51 **J16**
Dennenlaan .... **ZAV** 28 **F16-F17**
Dennenoord
Sapins (clos des) .... **KR** 51 **I17**
Denonstraat .... **MA** 27 **D14**
Denys (rue Jean-Baptiste
François-st .... **AND** 43 **J3**
Denystraat (Albert).......... **BE** 66 **P2-O4**
Depage (av. Antoine-laan).... **BR** 59 **L10**
– .... **XL** 59 **L10**
Depage (rue Marie-str.) ...... **UC** 58 **K8-L8**
Depaire
(av. Jean-Baptiste-laan) ..... **BR** 22 **D6-D7**
– .... **J** 22 **D6**
Depauwstraat (Ortar)........ **TER** 53 **K19**
Déportés (rue des)
Weggevoerdenstraat .... **WSL** 50 **I14**
Déportés Anderlechtois
(rue des)
Anderlechtse Weggevoerde-
straat = 208 .... **AND** 44 **I5**
Derache (av. Gén. Médecin)
Derachelaan
(Gen. Geneesheer) .... **XL** 59 **K10**
Derachelaan (Gen. Geneesheer)
Derache
(av. Gén. Médecin)........ **XL** 59 **K10**
Deraeck (rue Jean-str.)...... **WSP** 50 **I14**
Deraedt (rue Henri-str.) ..... **AUD** 62 **L14**
Derby (allée du-dr.).......... **BR** 59 **L10**
Derby (av. du-laan) .... **BR** 59 **L10-M11**
– .... **XL** 59 **L10-M11**
Dernier Repos (av. du)
Laatste Rustlaan .... **WSL** 37 **H13-I13**
Deroover (rue Emile-str.) .... **K** 32 **F5**
Deruyverstraat (Gaston) ..... **SPL** 54 **M2-L3**

des Grées du Loû
(sq. Emile-sq.)............. **FO** 56 **L5**
des Ombiaux
(rue Maurice-str.) = 106... **SCH** 24 **E10**
Deschampheleer (rue-str.) ...... **K** 2 **G7**N
– .... **MSJ** 2 **G7**N
Deschanel (av. Paul-laan).... **SCH** 35 **G10**
– .... **SJ** 35 **G10**
Deschuyffeleer (dr. J.-dr.) ... **WEM** 11 **A4-B4**
Desenfans
(av. Albert-laan) = 597.... **SCH** 25 **F10**
Désirs (av. des)
Begeertenlaan .... **EV** 36 **G12**
Desloover (rue Abbé Victor)
Deslooverstraat
(Priester Victor) .... **J** 22 **E6**
Deslooverstraat (Priester Victor)
Desloover (rue Abbé Victor).. **J** 22 **E6**
Desmaré (rue Mathieu-str.) .... **BR** 24 **E8**
Desmedt (rue François-str.) .. **WSP** 39 **H16**
Desmedtstraat .... **ZAV** 28 **D16**
Desmet (rue Désiré-str.)...... **SCH** 36 **F11**
Desmeth
(rue Jean-Baptiste-str.) ...... **EV** 25 **E11-F11**
Despretlaan (Maurice) ...... **ZAV** 29 **F18**
Destouvelles (rue-str.)......... **BR** 34 **F8**
– .... **SCH** 34 **F8-F9**
Destrée (rue Jules-str.) .... **SCH** 25 **F11**
Destrier (av. du)
Strijdroslaan .... **EV** 36 **G12**
Destrykerlaan (Philippe) ..... **SPL** 67 **N4**
Dethy (rue-str.) .... **SG** 6 **J7**N
Detienne (rue Achille-str.).... **SCH** 25 **F10**
Detréstraat (August) .... **SPL** 67 **N2-O3**
Detréstraat (Henri) .... **SPL** 66 **O2-O3**
Detroch (av. Guillaume-laan) **AUD** 61 **K13**
Deux-Aubépines (clos des)
Tweedorenkesgaarde ..... **BR** 14 **C10**
Deux Chaussées (rue des)
Tweesteenwegenstraat ... **AUD** 50 **K14**
Deux Eglises (rue des)
Tweekerkenstraat .... **BR** 5 **H9**S
– .... **SJ** 5 **H9**N
Deux Gares (rue des)
Tweestationsstraat .... **AND** 45 **J6**
Deux Maisons (ch. des)
Tweehuizenweg .... **WSL** 37 **G13-H13**
Deux Maisons (rue des)
Twee Huizenstraat .... **EV** 37 **G12-G13**
Deux Montagnes (av. des)
Twee Bergenlaan .... **WB** 61 **N12**
Deux Montagnes (ch. des)
Twee Bergenweg .... **UC** 60 **O10-N11**
– .... **WB** 72 **N11-N12**
Deux Moutiers (dr. des)
Tweekloostersdreef ...... **AUD** 50 **K14**
Deux Ponts (rue des)
Tweebruggenstraat .... **XL** 47 **J10**
Deux Saules (clos des)
Tweewilgengaarde .... **BR** 14 **C10**
Deux Tilleuls (av. des)
Tweelindenlaan = 134 ... **WSL** 48 **I12**

Nom / Naam	Gemeenten Communes	Plattegrond Plan n°	Plaatsaanduiding Repère
Deux Tilleuls (clos des)			
Tweelindengaarde	**BR**	14	**C10**
Deux-Tours (rue des)			
Twee Torensstraat	**SJ**	35	**H10**
Deuxième Armée Britannique			
(bd. de la)			
Britse Tweedelegerlaan	**FO**	45	**M4-K6**
Deuxième Régiment de Lanciers			
(av. du)			
Tweede Lansiers			
Regimentlaan	**ETT**	48	**J11**
Devaux (rue Paul-str.)	**BR**	4	**H8***N*
Développement (rue du)			
Ontwikkelingsstraat	**AND**	44	**J5**
Devèze (sq. Albert-sq.) = 513	**XL**	47	**K10**
Devienne (av. Marcel-laan)	**WSL**	38	**H15**
Devigne (rue Paul-str.)	**SCH**	35	**G10**
Devillers (rue René-str.)	**WSP**	51	**J16-K16**
Devis (av. Pierre-laan)	**AUD**	49	**K13**
Devlemincklaan (Jan Baptist)	**ZAV**	28	**E17-F17**
Devoerlaan	**VIL**	14	**A9**
Devoir (rue du)			
Plichtstraat = 203	**AND**	44	**I5**
Devos (rue Jef-str.)	**FO**	45	**J6-K6**
Devosstraat (Prosper Henri)	**DIL**	31	**H3**
Devreese (rue Godefroid-str.)	**SCH**	35	**G10**
Devroye (rue Père Eudore)			
Devroyestraat			
(Pater Eudore)	**ETT**	48	**I12**
–	**WSP**	48	**J12**
Devroyestraat (Pater Eudore)			
Devroye (rue Père Eudore)	**ETT**	48	**I12**
–	**WSP**	48	**J12**
Dewandeleer (carré-blok)	**UC**	58	**M8**
Dewandeleerstraat (E.)	**MA**	17	**B14**
Dewandre (pl.-pl.)	**WSP**	51	**J16**
Dewinter (rue Antonius-str.)	**AUD**	62	**L14**
Dewolfs (rue Philippe-str.)	**WB**	61	**M12**
Dezangre (av. Arthur-laan)	**KR**	39	**G16-G17**
Dhanis (rue Baron-str.)	**ETT**	48	**J11**
d'Hannetaire (rue-str.)	**BR**	16	**C13**
d'Hoevestraat	**AS**	21	**D3**
d'Hoogvorst (rue-str.)	**SCH**	35	**F9**
d'Huart			
(av. Baron Albert-laan)	**KR**	51	**I16-K17**
–	**WSP**	51	**I16**
D'Huart (rue-str.)	**FO**	57	**L6**
Diablotins (clos des)			
Duiveltjesgaarde	**EV**	37	**F13**
Diamant (av. du-laan)	**SCH**	36	**H11**
Dianalaan			
Diane (av. de)	**BR**	59	**K9-L9**
Diane (av. de)			
Dianalaan	**BR**	59	**K9-L9**
Dichtersgaarde			
Poètes (clos des) = 90	**SCH**	36	**G11**
Dichtkunstlaan			
Poésie (av. de la)	**AND**	31	**H4**
Diderich (rue Arthur-str.)	**FO**	45	**K7**
–	**SG**	45	**J7-K7**
Diegemstraat	**MA**	17	**B14**
Diegemstraat	**VIL**	16	**B12**
Diegemstraat	**ZAV**	28	**D16**
Diegemvoetweg	**EV**	26	**E12**
Dieleghem (chaus. de-stwg.)	**J**	22	**D5-D6**
Dieleghem (dr. de-dr.)	**J**	22	**D5**
Diepenbeemd	**BE**	68	**O5**
Diependelle (ch. de-weg)	**AUD**	62	**M15**
–	**WB**	61	**M13-M14**
Diepestraat			
Profonde (rue)	**BR**	12	**C5**
–	**WEM**	12	**C5**
Diepestraat	**OV**	76	**P18**
Diepestraat	**TER**	52	**J18**
Diepestraat			
Basse (rue)	**UC**	58	**M8-N8**
Diepestraat			
Profonde (rue)	**WO**	52	**I18-J18**
Dierenriemstraat			
Zodiaque (rue du)	**FO**	45	**K7**
Dierickx (av. Charles-laan)	**AUD**	61	**L13**
Diesdellelaan			
Vivier d'Oie (av. du)	**BR**	59	**L10-M10**
–	**UC**	59	**M10**
Dietrich (av. Henri-laan)	**ETT**	48	**I12**
–	**WSL**	48	**I12**
Dieweg	**UC**	57	**N6-M8**
Dieweg (ancien-oude)	**UC**	69	**N6**
Dieweg	**WO**	53	**I19**
Digitales (rue des)			
Vingerhoedskruidstraat = 2	**WB**	61	**L13**
Dignité (rue de la)			
Waardigheidsstraat	**AND**	42	**I2**
Digue (rue de la)			
Damstraat	**XL**	9	**J9***N*
Dijk	**WEM**	11	**C4**
Dijlestraat			
Dyle (rue de la)	**BR**	34	**F8-G8**
Dikke-Eikweg	**TER**	64	**L18-L19**
Dikkebeuklaan			
Arbre Ballon (av. de l')	**BR**	22	**C5-C6**
–	**J**	22	**D5-C6**
Dikkelindelaan			
Gros Tilleul (av. du)	**BR**	13	**C7-C8**
Diksmuidelaan			
Dixmude (bd. de)	**BR**	2-3	**G7***S*
Dilbeek (rue de)			
Dilbeekse Straat	**AND**	32	**H5**
Dilbeek (rue de-str.)	**BER**	31	**G3**
Dilbeek (rue de-str.)	**MSJ**	32	**H5**
Dilbeekse Straat			
Dilbeek (rue de)	**AND**	32	**H5**
Diligence (sq. de la)			
Postkoetssquare	**GAN**	22	**E5**
Dillen (sq. Jef-sq.)	**AND**	44	**I4-I5**
Dillens (pl. Julien-pl.)	**SG**	6	**J7***N***-J8***N*
Dillens (rue-str.)	**XL**	9	**J9***N*
Dillie			
(rue Albert-str.) = 249	**K**	33	**G6**
Dilsstraat (J.)	**MA**	17	**C14**
Dinant (pl. de-pl.)	**BR**	7	**H8***S***-I8***N*
Dinant (rue de-str.)	**BR**	7	**H8***S*
Diongre (rue Joseph-str.)	**MSJ**	32	**G5**
Directoire (av. du-laan)	**UC**	70	**N8**

Nom / Naam	Communes / Gemeenten	Plan n° / Plattegrond	Repère / Plaatsaanduiding
Dirigeable (av. du)			
Luchtschiplaan	**WB**	61	**M13**
Discailles			
(rue Ernest-str.) = 85	**SCH**	35	**F9-F10**
Disque (rue du)			
Schijfstraat	**BR**	12	**C6**
Disselstraat			
Timon (rue du)	**BR**	24	**E8**
Distelsstraat			
Chardons (rue des)	**SCH**	36	**G11**
Distelvinklaan			
Chardonnerets			
(av. des) = 132	**WSP**	49	**J13-K13**
Divoort (av. Joseph-laan)	**UC**	69	**O7**
Dix Arpents (av. des)*			
Tiendagwandlaan	**WSL**	38	**G14**
Dix-Sept Avril (rue du)			
Zeventien Aprilstraat	**EV**	37	**G12**
Dixmude (bd. de)			
Diksmuidelaan	**BR**	2-3	**G7***S*
Dobbelenberg (rue du-str.)	**BR**	16	**B13-C13**
Dobbelenbergstraat	**MA**	16	**B12-B13**
Docteur (rue du)			
Dokterstraat	**AUD**	49	**K13**
Dodonée (rue-str.)	**UC**	58	**K8-L8**
Doel	**AS**	20	**D1**
Doggeweg	**ZAV**	28	**D16**
Dokterstraat			
Docteur (rue du)	**AUD**	49	**K13**
Dolez (av.-laan)	**UC**	70	**N8-O8**
Dolfijnenstraat			
Dauphins (rue des)	**MSJ**	32	**H5**
Dolfijngaarde			
Dauphin (clos du)	**WSL**	37	**H13**
Dolle Kervellaan			
Petite Ciguë (av. de la)	**WO**	41	**H19**
Domaine (av. du)			
Domeinlaan	**FO**	57	**L6**
Domeinlaan			
Domaine (av. du)	**FO**	57	**L6**
Dominicaines (av. des)			
Dominicanessenlaan	**KR**	52	**J17**
Dominicains (rue des)			
Predikherenstraat	**BR**	4	**H8***N*
Dominicanessenlaan			
Dominicaines (av. des)	**KR**	52	**J17**
Domstraat	**SPL**	54	**L1**
Don Bosco (av.-laan)	**WSP**	49	**I13**
Donderberg	**BR**	14	**C9**
Donjon (rue du)			
Wachttorenstraat	**BR**	16	**C12-C13**
Donkerstraat	**BE**	68	**P5**
Donkerstraat			
Sombre (rue)	**WSL**	50	**I14**
–	**WSP**	49	**I13**
Dons (rue François-str.)	**XL**	59	**L10**
Dooierswammengaarde			
Chanterelles (clos des)	**XL**	60	**L11**
Doolegt (rue du-str.)	**EV**	25	**E11**
Doorgang 44			
Passage 44	**BR**	5	**G8***S*
Doornbaan	**GRI**	13	**A8**
Doorndal			
Val des Épinettes	**WSP**	50	**J15**
Doornenlaan			
Aubépines (av. des)	**WO**	41	**H19**
Doornikstraat			
Tournai (rue de)	**BR**	6	**H7***S*
Doornstraat	**DIL**	42	**I1**
Doornveld	**AS**	20	**D1-D2**
Dopéré (rue Léon-str.)	**J**	22	**E6**
d'Orbaix (av.-laan)	**UC**	59	**N9**
Dorekensveld	**WEM**	11	**C4**
Dorekesveld	**GRI**	13	**A8**
Dorent	**DRO**	55	**M4**
–	**SPL**	55	**M4**
d'Orjo de Marchovelette			
(av. Charles-laan) = 540	**AUD**	48	**K11**
Dorpelingstraat			
Villageois (rue du)	**AUD**	49	**K13-K14**
Dorpsplein	**MA**	17	**A14**
Dorpsstraat			
Village (rue du)	**AND**	44	**I5**
Dorpstraat	**AS**	11	**C2-C3**
Dorpstraat	**MA**	17	**A14**
Dorserhof	**ZAV**	27	**F15**
Dossin de Saint-Georges			
(av. Gén.)			
Dossin de Saint-Georgeslaan			
(Gen.)	**XL**	59	**L10**
Dossin de Saint-Georgeslaan			
(Gen.)			
Dossin de Saint-Georges			
(av. Gén.)	**XL**	59	**L10**
Doulceron			
(rue Alfred-str.) = 405	**GAN**	22	**F5**
d'Oultremont (rue-str.)	**ETT**	48	**I11**
Douvres (rue de)			
Doverstraat	**AND**	44	**I5**
Douze Apôtres (rue des)			
Twaalfapostelenstraat	**BR**	4	**H8***S*
Doverstraat			
Douvres (rue de)	**AND**	44	**I5**
Doyen (rue Nicolas-str.)	**MSJ**	32	**H6**
Doyenné (rue du)			
Dekenijstraat	**UC**	57	**L7-M7**
Dragon (clos du)			
Drakehof = 77	**WSL**	37	**H12**
Drakehof			
Dragon (clos du) = 77	**WSL**	37	**H12**
Drapeau (rue du)			
Vaandelstraat	**AND**	44	**I5**
Drapiers (rue des)			
Lakenweversstraat	**XL**	8	**I8***S*
Draps-Dom (rue-str.)	**BR**	23	**D8-E8**
Drapsstraat (Hendrik)	**GRI**	13	**B8**
Dravershoekje			
Trotteurs (clos des)	**WO**	40	**G18**
Dreef	**BE**	66	**O2-P2**
Dreefpad			
Drève (sent. de la)	**AND**	55	**K3-L4**
Dreststraat	**MA**	18	**C15**
Drève (sent. de la)			
Dreefpad	**AND**	55	**K3-L4**

Nom / Naam	Communes Gemeenten	Plan n° Plattegrond	Repère Plaatsaanduiding
Drie Aardbeziënstraat	ZAV	28	F16
Drie Bomenstraat			
Trois Arbres (rue des)	UC	57	M6
Drie Fonteinenstraat			
Trois Fontaines (rue)	DRO	55	L4
Drie Fonteinenstraat	SPL	55	L4
Drie Kleurengaarde			
Trois Couleurs (clos des) = 141	WSP	50	I15
Drie Koningenstraat			
Trois Rois (rue des)	DRO	68	N5
–	UC	68	N5-O6
Drie Lindenstraat	MA	27	D14
Drie Lindenstraat			
Trois Tilleuls (rue des)	WB	61	M12
Driebruggenstraat			
Trois Ponts (rue des)	AUD	48	K12
Driebunderweg			
Trois Bonniers (ch. des)	WO	52	I18
Driegatenstraat			
Trois Pertuis (rue des)	BR	25	C11-D11
Driehoekplein			
Triangle (pl. du)	MSJ	2	H6N
Driekleurenweg			
Trois Couleurs (ch. des)	AUD	50	K14-K15
Driekoningenlaan = 360	AS	20	D2
Driepatrijzenstraat			
Trois Perdrix (rue des)	WO	52	I18
Driepikkel	AS	20	D2
Dries	WB	60	L11-M11
Dries	WEM	12	A5-B5
Dries (pet. rue)			
Driesstraat (kleine)	WSL	37	H13
Dries (rue du-str.)	FO	56	L5
Dries (rue-str.)	WSL	37	H13
Drieshof	WO	40	H18-I18
Driesstraat (kleine)			
Dries (pet. rue)	WSL	37	H13
Drievuldigheidsvoorplein			
Trinité (parvis de la)	SG	46	J8
–	XL	46	J8
Drijbronnenweg			
Trois Fontaines (ch. des)	AUD	62	M14-L15
Drijfstraat	GRI	14	A10
Drijpikkelstraat	GRI	13	A6-A7
Drijversweg			
Traqueurs (ch. des)	BR	59	L9
Droge Vijverdreef	TER	65	L19-M19
Drogenberg	OV	77	O20
Drogenbos (chaus. de)			
Drogenbos (stwg. op) = 312	DRO	68	N5
Drogenbos (chaus. de)			
Drogenbossesteenweg	UC	68	N5-N6
Drogenbos (stwg. op)			
Drogenbos (chaus. de) = 312	DRO	68	N5
Drogenbossesteenweg			
Drogenbos (chaus. de)	UC	68	N5-N6
Drogenbosstraat	SPL	55	M3
Droit (pl. du)			
Rechtsplein	AND	44	I5
Droits de l'Homme (av. des)			
Mensenrechtenlaan	AND	43	K4
Dronkemansdreef	OV	64	M18-M20
–	TER	64	M18-M20
Droomlaan			
Rêve (av. du) = 159	WSL	38	H15
Drootbeek (rue-str.)	BR	23	F7-F8
Drossaardgaarde			
Drossart (clos du)	UC	58	N8
Drossart (clos du)			
Drossaardgaarde	UC	58	N8
Drouart			
(av. André-laan)	AUD	48	K12
Druez (rue Joseph-str.)	GAN	22	F5
Druifhyacintenplein			
Muscaris (pl. des) = 10	WB	61	L13
Druivenallee			
Raisins (allée des) = 551	SJ	5	H9N
Druivenlaan	HOE	75	P16
Drukkerijstraat			
Imprimerie (rue de l')	FO	45	J6
–	SG	45	J6
Drukpersstraat			
Presse (rue de la)	BR	5	H9N
Dryades (av. des)			
Bosnimfenlaan	WB	61	L12-L13
Dryepondt (rue Dr.)			
Dryepondtstraat (Dr.)	ETT	48	J11
Dryepondtstraat (Dr.)			
Dryepondt (rue Dr.)	ETT	48	J11
Du Jardin (av. Jules-laan)	WSP	50	J15
du Roy de Blicquylaan	ZAV	41	H19-H20
Dublin (rue de-str.)	XL	9	I9S
Dubois (av.-laan)	SGR	72	P12-P13
Dubois (rue Alfred-str.)	MSJ	32	H5
Dubois Thorn (rue-str.)	MSJ	32	H5-G6
Duboislaan			
(Alexander)	HOE	74	P14
Dubreucq (rue Major René)			
Dubreucqstraat (Majoor René)	XL	9	I9S
Dubreucqstraat			
(Majoor René)			
Dubreucq (rue Major René)	XL	9	I9S
Dubrucq (av. Jean-laan)	MSJ	33	F6-F7
Duc (dr. du)			
Hertogendreef	WB	61	M12
Duc (rue du)			
Hertogstraat	WSL	48	I12
–	WSP	49	I12
Ducal (ch.)			
Hertogweg	WO	52	J18-J19
Ducale (rue)			
Hertogstraat	BR	5	H9S-I9N
Duchêne (pl. André-pl.)	AUD	62	L14
Duchesse (rue de la)			
Hertoginstraat	ETT	48	I12
–	WSL	48	I12
–	WSP	48	I12
Ducpétiaux (av.-laan)	FO	45	K7
–	SG	46	K7-J8

Nom / Naam	Gemeenten Communes	Plattegrond Plan n°	Plaatsaanduiding Repère
Ducs (av. des)			
Hertogenlaan	**WO**	52	**I17-I18**
Ducs (rue des)			
Hertogenstraat	**KR**	52	**I17**
Duikerstraat			
Siphon (rue du)	**BR**	23	**E7**
Duindoorngalerij			
Argousiers (gal. des)	**WSL**	38	**H15**
Duingrasgaarde			
Oyats (clos des)	**WSP**	50	**J15**
Duisburgsesteenweg	**TER**	53	**K20**
Duiveltjesgaarde			
Diablotins (clos des)	**EV**	37	**F13**
Duivenkotstraat			
Colombier (rue du) = 450	**BR**	4	**H8***N*
Duivenmelkersstraat			
Colombophiles			
(rue des)	**AND**	43	**K4**
Duivenschieting			
Tir aux Pigeons	**WSP**	51	**J16-K16**
Duivenstraat			
Pigeons (rue des) = 483	**BR**	8	**I8***N*
Duivenstraat	**OV**	77	**P19**
Duizend Meterlaan			
Mille Mètres (av. des)	**WSP**	51	**J15-I16**
Duizendbladlaan	**OV**	76	**O18-P18**
Duizendbladstraat			
Millefeuille (rue du)	**BR**	15	**C10**
Duizendguldenkruidstraat			
Centaurée			
(rue de la) = 261	**WO**	41	**H19**
Dujardin			
(rue Joseph-str.) = 254	**AND**	33	**I6**
Dumon (pl.-pl.)	**WSP**	51	**I16**
Dumonceau (av. Gén.)			
Dumonceaulaan (Gen.)	**FO**	56	**L5**
Dumonceau (rue-str.)	**BR**	8	**I8***S*
Dumonceaulaan (Gen.)			
Dumonceau (av. Gén.)	**FO**	56	**L5**
Dumont (av. Albert-laan)	**WSL**	38	**H15**
Dumont (pl. Herman-pl.)	**SG**	8	**J8***N*
Dumoulin			
(rue Jean-Baptiste-str.)	**WSP**	51	**J16-K16**
Dunant (av. Henry-laan)	**EV**	26	**F12-G12**
d'Union (av. Pierre-laan)	**UC**	59	**N9**
Duployé (sq. Émile-sq.)	**SCH**	35	**G10**
Dupont (rue Joseph-str.)	**BR**	8	**I8***N*
Dupont (rue Pierre-str.)	**EV**	36	**F12**
Dupont (rue-str.)	**SCH**	5	**G9***N*
Dupré (rue-str.)	**J**	22	**E6**
Dupuich (av. Adolphe-laan)	**UC**	58	**L8**
Dupuis (bd. Sylvain-laan)	**AND**	43	**I3-I4**
Duquesnoy (rue-str.)	**BR**	4	**H8***S*
Duray (av. Émile-laan)	**BR**	47	**K9**
–	**XL**	47	**K9-K10**
Duydelle (rue-str.) = 239	**MSJ**	32	**G5**
Duysburgh (rue-str.)	**BR**	23	**D7**
–	**J**	23	**D7**
Dwarsstraat			
Traversière (rue)	**SJ**	5	**G9***S*
Dwersbos	**BE**	68	**P5**
Dwersbos	**LIN**	69	**P6**
Dyle (rue de la)			
Dijlestraat	**BR**	34	**F8-G8**
Dynastie (av. de la)			
Vorstenhuislaan	**BR**	23	**D8**
Dynastie (pl. de la)			
Vorstenhuisplein	**BR**	23	**D8**

E

Nom / Naam	Gemeenten Communes	Plattegrond Plan n°	Plaatsaanduiding Repère
Eau (rue de l')			
Waterstraat	**FO**	56	**L5**
Ébats (rue des)			
Ravotterijstraat = 44	**BER**	32	**F4**
Ebbebomenlaan			
Ébéniers (av. des)	**BR**	23	**D7**
Ébéniers (av. des)			
Ebbebomenlaan	**BR**	23	**D7**
Ebrant			
(rue Raymond-str.)	**AND**	43	**K3**
Eburonenlaan			
Éburons (av. des)	**WEM**	12	**C5**
Eburonenstraat			
Éburons (rue des)	**BR**	35	**H10**
–	**SJ**	35	**H10**
Éburons (av. des)			
Eburonenlaan	**WEM**	12	**C5**
Éburons (rue des)			
Eburonenstraat	**BR**	35	**H10**
–	**SJ**	35	**H10**
Échelles (rue des)			
Laddersstraat = 448	**BR**	4	**G8***S*
Échevinage (av. de l')			
Schepenijlaan	**UC**	57	**L7**
Échevins (rue des)			
Schepenenstraat	**XL**	47	**K10**
Ecksteinlaan (Serge)	**AS**	20	**D2-D3**
Éclipse (rue de l')			
Eclipsstraat = 433	**BR**	3	**H7***S*
Eclipsstraat			
Éclipse (rue de l') = 433	**BR**	3	**H7***S*
Écluse (rue de l')			
Sasstraat	**WSL**	38	**G14-G15**
École (rue de l')			
Schoolstraat	**MSJ**	2	**G7***S*
École (rue de l')			
Schoolstraat	**WEM**	11	**B4**
École Moderne			
(rue de l')			
Moderne-Schoolstraat	**AND**	33	**I6**

Nom / Naam	Communes / Gemeenten	Plan n° / Plattegrond	Repère / Plaatsaanduiding
Écoliers (rue des)			
Scholierenstraat	AUD	49	K13
Économie (rue de l')			
Zuinigheidsstraat	BR	6	I7*S*
Écosse (rue d')			
Schotlandstraat	SG	8	I8*S*-J8*N*
Écu (av. de l')			
Schildlaan = 58	EV	36	G12
Écuelle (rue de l')			
Napstraat	BR	36	H11
Écureuil (av. de l')			
Eekhoornlaan	WO	52	I18
Écureuil (ch. de l')			
Eekhoornweg	UC	69	N7-O7
Écureuils (av. des)			
Eekhoorntjeslaan	KR	52	J17
Écuyer (rue de l')			
Schildknaapsstraat	BR	4	H8*N*
Edelknaapstraat			
Page (rue du)	XL	46	J8-K8
Edelvrouwenplein			
Dames Nobles (pl. des) = 566	FO	56	L5
Edelweiss (av. des-laan)	AND	43	K3
Eden City	FO	45	K6
Édimbourg (rue d')			
Edinburgstraat	XL	9	I9*N*
Edinburgstraat			
Édimbourg (rue d')	XL	9	I9*N*
Edingenstraat			
Enghien (rue d')	MSJ	33	H6
Edison (rue-str.)	FO	45	J6
Éducation (rue de l')			
Opvoedingstraat = 398	GAN	22	E5
Eeckelaers (rue-str.)	SJ	35	H10
Eedgenotenstraat			
Confédérés (rue des)	BR	35	H10-H11
Eedstraat			
Serment (rue du)	AND	44	I4
Eekhoornlaan	TER	53	K20
Eekhoornlaan			
Écureuil (av. de l')	WO	52	I18
Eekhoorntjeslaan			
Écureuils (av. des)	KR	52	J17
Eekhoornweg			
Écureuil (ch. de l')	UC	69	N7-O7
Eekhorentjesbrodenlaan			
Cèpes (av. des)	XL	60	L11
Eekhoud (av. Georges-laan)	SCH	25	E10
Eenboomstraat			
Arbre Unique (rue de l')	EV	26	F12
Eendekkerlaan			
Monoplan (av. du)	WSP	50	I15-J15
Eendrachtsstraat			
Concorde (rue de la)	BR	8	J8*N*
–	XL	8	I8*S*-J8*N*
Eenenboomlaan	ZAV	38	F14
Eenens (rue Gén.)			
Eenensstraat (Gen.)	SCH	24	F9-F10
Eenensstraat (Gen.)			
Eenens (rue Gén.)	SCH	24	F9-F10
Eenhoorngaarde			
Licorne (clos de la) = 79	WSL	37	H12
Eenhoornlaan			
Licorne (av. de la) = 78	WSL	37	G12-H12
Eenmansstraatje			
Une Personne (rue d') = 505	BR	4	H8*S*
Eerlijkheidsstraat			
Probité (rue de la)	XL	60	K11-L11
Eeuwfeestlaan			
Centenaire (bd. du)	BR	13	C7-D7
Eeuwfeestplein			
Centenaire (pl. du)	BR	13	C7
Eeuwfeestsquare			
Centenaire (sq. du)	GAN	22	E5
Eeuwigheidslaan			
Éternité (av. de l')	AND	44	I5
Eeuwstraat	OV	64	N17
Égalité (rue de l')			
Gelijkheidstraat	ETT	48	J11
Egeldreef			
Hérisson (allée du)	AND	43	J3
Egellaan			
Hérisson (av. du)	UC	69	O7
Eggergat	DRO	68	O6
Eggerickxstraat (Willem)	HOE	75	P17
Eggericx (rue Jean Gérard-str.)	WSP	49	I13
Eggestraat			
Herse (rue de la)	WB	61	L13
Egidiuslaan	OV	77	P20
Eglantierenlaan			
Églantines (av. des)	WSP	49	J12
Églantiers (av. des)			
Wilderozelaarslaan	UC	70	O9-N10
Églantiers (ch. des)			
Wilde Rozenweg	KR	39	H16
Églantines (av. des)			
Wilde Rozenlaan	WO	52	I17
Églantines (av. des)			
Eglantierenlaan	WSP	49	J12
Église (pet. rue de l')			
Kerkstraat (kleine)	WSP	50	I14
Église (pl. de l')			
Kerkplein	BER	31	G3
Église (rue de l')			
Kerkstraat	BER	31	G3-F4
Église (rue de l')			
Kerkstraat	DRO	56	N5
Église (rue de l')			
Kerkstraat	LIN	69	P7
Église (rue de l')			
Kerkstraat	WEM	11	B4
Église (rue de l')			
Kerkstraat	WSP	51	I16
Église Saint-Gilles (rue de l')			
Sint-Gillis-Kerkstraat	SG	6	J7*N*
Église Saint-Julien (av. de l')			
Sint-Juliaanskerklaan	AUD	48	K12
Église Saint-Lambert (rue de l')			
Sint-Lambertuskerkstraat = 139	WSL	50	I14

Nom / Naam	Communes Gemeenten	Plan n° Plattegrond	Repère Plaatsaanduiding
Église Saint-Martin (rue de l')			
Sint-Martinuskerkstraat ...	**GAN**	22	**E5-F5**
Église Saint-Pierre (rue de l')			
Sint-Pieterskerkstraat	**J**	22	**E6**
Église Sainte-Anne (rue de l')			
Sint-Annakerkstraat	**K**	33	**G6**
Egyptenarenstraat			
Égyptiens (rue des)	**XL**	59	**K10**
Égyptiens (rue des)			
Egyptenarenstraat	**XL**	59	**K10**
Eider (rue de l')			
Eidergansstraat = 33	**WB**	60	**M12**
Eidergansstraat			
Eider (rue de l') = 33	**WB**	60	**M12**
Eierplantenstraat			
Aubergines (rue des).....	**AND**	43	**I3**
Eigenhuis (rue-str.)	**WB**	61	**N13**
Eikelenbergstraat	**DIL**	30	**H2**
Eikelstraat			
Glands (rue des)	**FO**	45	**K6**
Eikenbergstraat			
Mont du Chêne (rue)	**ETT**	48	**J11**
Eikenboslaan			
Chênaie (av. de la)........	**UC**	57	**N7-O8**
Eikendallaan	**VIL**	14	**B9**
Eikenhof	**ZAV**	28	**F17**
Eikenlaan	**OV**	75	**N17-O17**
Eikenlaan			
Chênes (av. des)	**UC**	59	**M10**
Eikestraat	**TER**	65	**K19-L19**
Eikhove			
Chênes (clos des).........	**WB**	60	**N12**
Eiklaan	**SPL**	67	**N3**
Eikstraat			
Chêne (rue du)............	**BR**	4	**H8***S*
Eiland Sint-Helenastraat			
Île Sainte-Hélène (rue de l')	**AND**	44	**K5**
Eilandenhoutstraat			
Bois des Îles (rue)	**BER**	21	**E3-F3**
Eisenhower (av. Gén.)			
Eisenhowerlaan (Gen.)....	**SCH**	35	**G10**
Eisenhowerlaan (Gen.)			
Eisenhower (av. Gén.)	**SCH**	35	**G10**
Ekelmans (rue Jean-str.)	**AUD**	62	**L14**
Ekselbos (av. d'-laan)	**SGR**	71	**P10**
Eksterstraat	**VIL**	14	**A9**
Élan (rue de l')			
Elandstraat	**WB**	60	**M11**
Elandstraat			
Élan (rue de l')...........	**WB**	60	**M11**
Elbers (rue Ferdinand-str.)....	**BER**	31	**G4**
–	**MSJ**	31	**G3-G4**
Elcerlyclaan = 228..........	**OV**	77	**P20**
Électricité (rue de l')			
Elektriciteitsstraat	**AND**	44	**I5**
Elegemstraat	**DIL**	30	**G1-G2**
Élégie (rue de l'-str.)	**MSJ**	32	**G5**
Elektriciteitsstraat			
Electricité (rue de l')......	**AND**	44	**I5**
Éléonore (av.-laan).........	**WSP**	48	**J12**
Éléphant (rue de l')			
Olifantstraat	**MSJ**	2	**G6***S*-**H6***N*
Elf-Novemberlaan			
Onze Novembre (av. du) ..	**ETT**	48	**J11**
Elf Novemberpark			
Onze Novembre (parc du) .	**EV**	36	**F12-G12**
Élisabeth (av.-laan)	**WO**	53	**I19**
Élisabeth (av. Pr.)			
Elisabethlaan (Pr.)........	**SCH**	24	**E10**
Élisabeth (av. Reine)			
Elisabethlaan (Kon.)	**WEM**	12	**C6**
Élisabeth (pl. Pr.)			
Elisabethplein (Pr.).........	**BR**	24	**E10**
–	**SCH**	24	**E10**
Elisabethlaan	**TER**	53	**I19-J19**
Elisabethlaan (Kon.)	**DIL**	31	**H3**
Elisabethlaan (Kon.)			
Élisabeth (av. Reine)	**WEM**	12	**C6**
Elisabethlaan (Pr.)			
Élisabeth (av. Pr.).........	**SCH**	24	**E10**
Elisabethparkstraat			
Parc Elisabeth			
(rue du) = 246.............	**K**	33	**F6-G6**
Elisabethplein (Pr.)			
Élisabeth (pl. Pr.)	**BR**	24	**E10**
–	**SCH**	24	**E10**
Élise (rue)			
Elizastraat	**XL**	47	**K10**
Elizastraat			
Élise (rue)	**XL**	47	**K10**
Ellébores (rue des)			
Kerstrozenstraat	**WB**	61	**L13**
Elleboudt (av. Henri-laan).....	**UC**	57	**L7**
Eloy (rue-str.)	**AND**	33	**I6**
Elsenegalerij			
Ixelles (gal. d')............	**XL**	9	**I9***S*
Elsense Steenweg			
Ixelles (chaus. d')..........	**XL**	9	**I8***S*-**J9***N*
Elskamp (rue-str.)	**AND**	43	**I3**
Elst	**DRO**	68	**N5**
Elyzeese Veldenstraat			
Champs Elysées (rue des)...	**XL**	9	**J9***N*
Elzas-Lotharingenstraat			
Alsace-Lorraine (rue d').....	**XL**	9	**I9***N*
Elzeboomlaan			
Aulne (av. de l')	**UC**	57	**L6-M6**
Elzendreef	**DIL**	30	**H2**
Elzenlaan	**TER**	65	**K19-L19**
Elzenstraat	**DIL**	20	**F1**
Émancipation (rue de l')			
Ontvoogdingsstraat = 330	**AND**	43	**K4**
Embarcadère (sent. de l')			
Steigerpad	**BR**	59	**L10**
Émeraude (av. de l')			
Smaragdlaan	**SCH**	36	**G11-H11**
Émerillons (rue des)			
Smellekensstraat = 29.....	**WB**	61	**M12**
Emmanuellaan	**MA**	16	**B12-B13**
Emmerechtsplein			
(Lt. Louis) = 317..........	**GRI**	14	**B8**
Empain (av. Gén. Baron)			
Empainlaan (Gen. Baron).	**WSP**	50	**J14**
Empainlaan (Gen. Baron)			
Empain (av. Gén. Baron) .	**WSP**	50	**J14**

Nom / Naam	Communes / Gemeenten	Plan n° / Plattegrond	Repère / Plaatsaanduiding
Empereur (bd. de l') *Keizerslaan*	**BR**	8	**H8S-I8N**
Émulation (rue de l') *Wedijverstraat*	**AND**	32	**H5**
Enclume (rue de l') *Aanbeeldstraat*	**SJ**	5	**H9N**
Énergie (rue de l') *Wilskrachtstraat*	**AND**	43	**K4**
Enfants (paradis des) *Kinderparadijs*	**ETT**	48	**J12**
Enfants Noyés (dr. des) *Verdronken Kinderendreef*	**UC**	59	**N10-N11**
Engeland (rue-str.)	**UC**	69	**N6-O8**
Engelandlaan	**VIL**	15	**A12**
Engelandstraat *Angleterre (rue d')*	**SG**	6	**I7S**
Engelenbergstraat *Montagne aux Anges (rue)*	**K**	2	**G7N**
–	**MSJ**	2	**G7N**
Engelselaan	**HOE**	75	**P16**
Engelsestraat *Anglaise (rue)* = 554	**MSJ**	2	**G7S**
Engelwortelstraat *Angéliques (rue des)* = 15	**WB**	61	**L13**
Enghien (rue d') *Edingenstraat*	**MSJ**	33	**H6**
Engoulevent (rue de l') *Nachtzwaluwstraat* = 34	**WB**	61	**M12**
Ennepetalplein	**VIL**	16	**A12**
Enseignement (rue de l') *Onderrichtsstraat*	**BR**	5	**H9N**
Ensor (rue James-str.)	**AND**	44	**I5**
Ensordreef	**OV**	65	**N19-N20**
Ensorlaan (James) = 582	**VIL**	16	**A12**
Enthousiasme (rue de l') *Geestdriftstraat*	**AND**	42	**I2**
Entr'Aide (av. de l') *Onderlinge Hulplaan* = 47	**BER**	32	**F4**
Entrepôt (rue de l') *Stapelhuisstraat*	**BR**	23	**F8**
Éoliennes (av. des) *Staartmolenslaan*	**WSL**	38	**G14**
Épargne (rue de l') *Spaarstraat*	**BR**	4	**G8S**
Épeautre (champ de l') *Speltveld*	**WO**	41	**H19**
Épée (rue de l') *Zwaardstraat*	**BR**	8	**I8N**
Éperonniers (imp. des) *Spoormakersgang* (située rue des Éperonniers)	**BR**	4	**H8S**
Éperonniers (rue des) *Spoormakersstraat*	**BR**	4	**H8S**
Éperons d'Or (av. des) *Gulden Sporenlaan*	**XL**	47	**J9**
Éperviers (av. des) *Sperwerlaan*	**WSP**	49	**J12**
Épicéas (rue des) *Epiceastraat*	**WB**	60	**L12**
Epiceastraat *Épicéas (rue des)*	**WB**	60	**L12**
Équateur (rue de l') *Evenaarstraat*	**UC**	58	**M8-M9**
Équerre (rue de l') *Winkelhaakstraat*	**EV**	26	**E12**
Équinoxe (av. de l') *Eveninglaan*	**WSL**	37	**H13**
Équipages (dr. des) *Jachtstoetdreef*	**WB**	73	**N13**
Équité (rue de l') *Gerechtigheidstraat*	**J**	23	**E6**
Érables (av. des) *Ahornbomenlaan*	**WO**	39	**H17**
Érables (clos des) *Esdoornhof*	**KR**	39	**H16**
Érables (rue des) *Ahornbomenstraat*	**ETT**	48	**J11**
Érasme (rue) *Erasmusstraat*	**AND**	44	**I4-I5**
Erasmusstraat *Érasme (rue)*	**AND**	44	**I4-I5**
Eredienststraat *Cultes (rue des)*	**BR**	5	**H9N**
Erfprinslaan *Prince Héritier (av. du)*	**WSL**	36	**H12-I12**
Ericalaan *Ericas (av. des)*	**SGR**	71	**P9-P10**
Ericas (av. des) *Ericalaan*	**SGR**	71	**P9-P10**
Ermitage (rue de l') *Kluisstraat*	**XL**	9	**J9N**
Ernestine (av.-laan)	**XL**	47	**K10**
Ernotte (rue Louis-str.)	**WB**	60	**L11-M11**
–	**XL**	60	**L11-M11**
Errera (av. Léo-laan)	**UC**	58	**L8**
Escadron (rue de l') *Eskadronstraat*	**ETT**	48	**I11-J12**
Escalier (rue de l') *Trapstraat*	**BR**	7	**H8S**
Escaut (rue de l') *Scheldestraat*	**MSJ**	33	**F7**
Escrime (av. de l') *Schermlaan*	**WSP**	51	**I15-I16**
Escrime (rue de l') *Schermstraat*	**FO**	45	**K7**
Escrimeurs (rue des) *Schermersstraat* = 492	**BR**	8	**I8N**
Esdoornenlaan	**OV**	76	**N17-N18**
Esdoornhof *Érables (clos des)*	**KR**	39	**H16**
Esdoornlaan	**SPL**	55	**N3**
Eskadronstraat *Escadron (rue de l')*	**ETT**	48	**I11-J12**
Eslaan *Frêne (av. du)*	**BR**	14	**C9**
Esmoreitlaan	**OV**	77	**O20**
Espace Vert (rue de l') *Groene Zonestraat*	**BR**	26	**D13**
Espagne (pl.) *Spanjeplein*	**BR**	4	**H8S**
Espagne (rue d') *Spanjestraat*	**SG**	46	**J8**

Nom / Naam	Communes Gemeenten	Plan n° Plattegrond	Repère Plaatsaanduiding
Espérance (rue de l')			
Hoopstraat	MSJ	2	**G7**N
Esplanade	BR	13	**C7**
Esplanade (av. de l')			
Pleinlaan	WO	40	**H17-I17**
Esplanade (clos de l')			
Pleinhoekje	WO	52	**I17**
Esplanade (rue de l'-str.)	BR	9	**I9**N
–	XL	9	**I9**N
Essarts (clos des)			
Rooilandgaarde	WSP	51	**I16-J16**
Esseghem (rue-str.)	J	23	**E7**
Esselaar	LIN	70	**P8**
Esselveld (rue-str.)	KR	39	**G16-G17**
Essendallaan	VIL	14	**B9**
Essenlaan			
Frênes (av. des)	KR	51	**I16**
Esstraat	ZAV	38	**F14-F15**
Est (rue de l')			
Ooststraat	SCH	5	**G9**
Étang (rue de l')			
Vijverstraat	ETT	47	**I10**
Étangs (av. des)			
Vijverslaan	WEM	11	**C4-B5**
Étangs (ch. des)			
Vijversweg	AUD	62	**L15**
Étangs (clos des)			
Vijversgaarde	ETT	47	**I10**
Étangs (dr. des)			
Vijversdreef	LIN	69	**P6**
Étangs Noirs (pl. des)			
Zwarte Vijverplein	MSJ	2	**G6**S
Étangs Noirs (rue des)			
Zwarte Vijverstraat	MSJ	33	**G6**
Été (rue de l')			
Zomerstraat	XL	47	**K10-K11**
Étendard			
(rue de l')			
Standaardstraat = 103	BR	35	**H10**
Éternité (av. de l')			
Eeuwigheidslaan	AND	44	**I5**
Étoile (rond-pt. de l')			
Sterreplein	XL	47	**K10**
Étoile (rue de l')			
Sterstraat	DRO	56	**N5**
–	UC	56	**M5-N5**
Étoile Polaire (rue de l')			
Poolsterstraat	BER	31	**F3**
Étoiles (champ des)			
Sterrenveld	WO	41	**H19**
Étourneau (rue de l')			
Spreeuwstraat = 20	WB	61	**L13**
Étriers (av. des)			
Stijgbeugellaan	WSP	51	**I16**
Etterbeek (chaus. d')			
Etterbeeksesteenweg	BR	35	**H10-I10**
–	ETT	47	**I10**
Etterbeeksesteenweg			
Etterbeek (chaus. d')	BR	35	**H10-I10**
–	ETT	47	**I10**
Étudiants (rue des)			
Studentenstraat	SG	6	**J7**N

Nom / Naam	Communes Gemeenten	Plan n° Plattegrond	Repère Plaatsaanduiding
Étuve (rue de l')			
Stoofstraat	BR	4	**H8**S
Europadorpstraat			
Village Européen			
(rue du)	BER	31	**G3**
Europakruispunt			
Europe (carr. de l')	BR	4	**H8**S
Europalaan			
Europe (bd. de l')	SG	6	**I7**N
Europalaan			
Europe (av. de l')	WO	40	**H18**
Europalaan	ZAV	37	**F13-F14**
Europaplein	VIL	16	**A12**
Europaplein			
Europe (sq. de l')	WSP	48	**J12**
Europe (av. de l')			
Europalaan	WO	40	**H18**
Europe (bd. de l')			
Europalaan	SG	6	**I7**N
Europe (carr. de l')			
Europakruispunt	BR	4	**H8**S
Europe (sq. de l')			
Europaplein	WSP	48	**J12**
Euterpe (rue-str.)	MSJ	32	**G5**
Evenaarstraat			
Équateur (rue de l')	UC	58	**M8-M9**
Evenepoel			
(rue Henri-str.)	SCH	36	**G11-G12**
Eveninglaan			
Équinoxe (av. de l')	WSL	37	**H13**
Éventail (rue de l')			
Waaierstraat	BR	8	**I8**S
Évêque (rue de l')			
Bisschopsstraat	BR	4	**H8**N
Everard (av.-laan)	FO	45	**K7**
Evere (rue d'-str.)	EV	26	**F13**
Evers (rue-str.)	BR	7	**I7**S
Eversestraat	ZAV	26	**F13-F15**
Everseweg			
(kleine)	ZAV	26	**F13-F14**
Everzwijnenstraat			
Sangliers (rue des)	WB	60	**M12**
Everzwijntjesstraat			
Marcassins (rue des)	WB	60	**M12**
Évolution (rue de l')			
Ontwikkelingstraat	BER	32	**F4**
Excelsiorlaan	ZAV	28	**D15-E15**
Excursion (av. de l')			
Uitstaplaan	WSL	38	**H15**
Expansion (rue de l')			
Uitbreidingsstraat = 214	AND	44	**I4**
Exposition (av. de l')			
Tentoonstellingslaan	J	12	**C5-E5**
Exposition Universelle			
(av. de l')			
Wereldtentoon-			
stellingslaan	GAN	22	**E5**
Expressionnisme			
(av. de l'-laan)	EV	26	**E12**
Eyckenveld (rue-str.)	KR	39	**H16**
Ezelsstraat			
Baudet (rue du)	BR	8	**I8**N

F

Nom / Naam	Communes / Gemeenten	Plan n° / Plattegrond	Repère / Plaatsaanduiding
Fabiola (av. Reine)			
Fabiolalaan (Kon.)	WEM	12	B6
Fabiola (pl. Reine)			
Fabiolaplein (Kon.)	GAN	22	E5
Fabiolalaan (Kon.)	MA	17	A14-B15
Fabiolalaan (Kon.)			
Fabiola (av. Reine)	WEM	12	B6
Fabiolalaan (Kon.)	ZAV	41	G19-H19
Fabiolaplein (Kon.)			
Fabiola (pl. Reine)	GAN	22	E5
Fabrieksstraat			
Fabriques (rue des)	BR	2	H7N
Fabrieksstraat	ZAV	28	D16
Fabriekstraat	SPL	67	O3-N4
Fabriques (rue des)			
Fabrieksstraat	BR	2	H7N
Fabry (rue-str.)	WSL	50	I14
Facteur (rue du)			
Briefdragerstraat	MSJ	2	G7S
Faes (rue Édouard-str.)	J	23	E6-F6
Faider (rue-str.)	SG	8	J8N
–	XL	46	J8
Faînes (rue des)			
Beukenootjesstraat	BR	25	D10-C11
Faisanderie (av. de la)			
Fazantenparklaan	AUD	50	K15
–	WSP	50	J15-K15
Faisans (av. des)			
Fazantenlaan	KR	52	I17-J17
Faisans (ch. des)			
Fazantenweg	AUD	62	M15-M16
Faisans (clos des)			
Fazantenheem	WEM	12	A5
Faisans (rue des)			
Fazantenstraat	BR	6	I7S
Fakkelloopstraat			
Relais Sacré (rue du)	K	2	G6N
Familielaan			
Familles (av. des)	FO	56	L5
Familles (av. des)			
Familielaan	FO	56	L5
Faons (av. des)			
Reebokjeslaan	UC	69	O7
Faubourg (rue du)			
Voorstadsstraat	BR	4	G8N
Fauchille (rue André-str.)	WSP	48	I12
Faucille (imp. de la)			
Sikkelgang	BR	3	H7N
Faucille (rue de la)			
Zikkelstraat	WO	52	I18-J18
Faucon (rue du)			
Valkstraat	BR	8	I7S-I8S
Fauconnerie (av. de la)			
Valkerijlaan	WB	61	M12-M13
Fauré (av. Gabriel-laan)	FO	45	K6
Fauvette (rue de la)			
Grasmusstraat	UC	57	M7
Fauvettes (av. des)			
Grasmussenlaan	KR	39	G16
Fauvettes (dr. des)			
Grasmusdreef	LIN	69	P6-P7
Fazantenheem			
Faisans (clos des)	WEM	12	A5
Fazantenlaan			
Faisans (av. des)	KR	52	I17-J17
Fazantenlaan = 244	TER	53	K20
Fazantenlaan	VIL	14	B10
Fazantenlaan	ZAV	28	E17
Fazantenparklaan			
Faisanderie (av. de la)	AUD	50	K15
–	WSP	50	J15-K15
Fazantenstraat			
Faisans (rue des)	BR	6	I7S
Fazantenweg			
Faisans (ch. des)	AUD	62	M15-M16
Fazantenweg	TER	65	L20
Februarilaan			
Février (av. de)	WSL	36	H12
Fécondité (av. de la)			
Vruchtbaarheidslaan	AND	42	I2-I3
Feldheimstraat (Alex)	ZAV	28	D16
Felicestraat (M.)	HOE	75	P16
Fenaison (rue de la)			
Hooitijdstraat	GAN	22	E5
Fénelon (rue-str.)	AND	31	H3
Fer à Cheval (ch. du)			
Hoefijzerweg	UC	72	N10-O11
–	WB	60	N11
Fer à Cheval (rue du)			
Hoefijzerstraat	WO	40	H17-H18
Ferdauci (av.-laan)	BR	14	C9
Ferme (dr. de la)			
Pachthofdreef	WO	40	H17-H18
Ferme (rue de la)			
Pachthoevestraat = 150	KR	51	I16
Ferme (rue de la)			
Hoevestraat	SJ	35	H9-H10
Ferme Rose (av. de la)			
Roze Hoevelaan	UC	57	L7
Fermerijgang			
Infirmerie (imp. de l') = 521	BR	4	H8N
Fermerijstraat			
Infirmerie (rue de l') = 439	BR	4	G8S
Féron (rue Émile-str.)	SG	6	J6N-I7S
Ferraille (imp. de la)			
Oudijzergang = 435	BR	2	H7S
Ferraris (clos Comte de)			
Ferrarisgaarde (Graaf de)	WSP	50	I15
Ferrarisgaarde (Graaf de)			
Ferraris (clos Comte de)	WSP	50	I15
Ferrestraat (G.)	MA	17	A14-B14
Fétis (rue-str.)	ETT	47	I10
Feu (rue du)			
Vuurstraat	FO	44	K6

Nom / Naam	Communes / Gemeenten	Plan n° / Plattegrond	Repère / Plaatsaanduiding
Feuillage (av. du)			
Gebladertelaan	**UC**	71	**N10**
Feuillien (av. Henri-laan)	**GAN**	22	**E5**
Février (av. de)			
Februarilaan	**WSL**	36	**H12**
Fiancée (rue de la)			
Bruidsstraat	**BR**	4	**G8**S
Fidèles (rue des)			
Gelovigenstraat	**UC**	57	**M7**
Fidélité (imp. de la)			
Getrouwheidsgang = 426	**BR**	4	**H8**N
Fierens (rue Doyen)			
Fierensstraat (Deken)	**MSJ**	2	**G7**S
Fierensstraat (Deken)			
Fierens (rue Doyen)	**MSJ**	2	**G7**S
Fiers (rue Édouard-str.)	**SCH**	35	**F10**
Fijtlaan (Jan)	**OV**	77	**N19**
Filature (rue de la)			
Spinnerijstraat	**SG**	6	**J7**N
Filips de Goedestraat			
Philippe le Bon (rue)	**BR**	35	**H9-H10**
Filleul (rue du)			
Petekindstraat = 286	**FO**	45	**K7**
Fin (rue-str.)	**MSJ**	2	**H7**N
Fineau (rue-str.)	**BR**	23	**E7**
Finistère (rue du)			
Finisterraestraat = 449	**BR**	4	**G8**S**-H8**N
Finisterraestraat			
Finistère (rue du) = 449	**BR**	4	**G8**S**-H8**N
Fivé (rue Gén.)			
Fivéstraat (Gen.)	**ETT**	48	**J11**
Fivéstraat (Gen.)			
Fivé (rue Gén.)	**ETT**	48	**J11**
Flagey			
(pl. Eugène-pl.)	**XL**	9	**J9**N
Flamands (rue des)			
Vlamingenstraat	**J**	22	**E6**
Flandre (dr. du Comte de)			
Vlaanderendreef			
(Graaf van)	**AUD**	62	**M14**
–	**WB**	62	**M14-O14**
Flandre (porte de)			
Vlaamse Poort	**BR**	2	**G7**S
Flandre (rue de)			
Vlaamsesteenweg	**BR**	2	**G7**S**-H7**N
Flandre			
(rue de la Comtesse de)			
Vlaanderenstraat			
(Gravin van) = 345	**BR**	23	**E8**
Flandre (rue du Comte de)			
Vlaanderenstraat			
(Graaf van)	**MSJ**	2	**G7**S
Fléau d'Armes (av. du)			
Strijdvlegellaan = 64	**EV**	36	**G12**
Flèche (rue de la)			
Pijlstraat	**BR**	4	**G8**N
Fléron (av. de-laan)	**FO**	56	**L5**
Flessingue (rue de)			
Vlissingenstraat	**MSJ**	33	**F6-F7**
Flettestraat	**DIL**	30	**H1-I1**
Fleur de Blé (av. de la)			
Korenbloemlaan = 157	**WSL**	39	**H15**
Fleur de Blé (pl. de la)			
Korenbloemplein	**WSL**	39	**H15**
Fleur d'Oranger (rue de la)			
Oranjebloesem-			
straat = 178	**WSP**	39	**H16**
Fleurbeek (rue-str.)	**DRO**	56	**N5**
Fleurbeekgang	**BE**	68	**P5**
Fleuri (clos)			
Bloemenoord	**BER**	31	**F3**
Fleuristes (rue des)			
Bloemenkwekersstraat	**BER**	31	**F3-G3**
Fleuristes (rue des)			
Bloemistenstraat	**BR**	6	**I7**S
Fleurs (av. des)			
Bloemenlaan	**KR**	51	**I16**
–	**WO**	39	**H16-I16**
Fleurs (av. des)			
Bloemenlaan	**WSP**	50	**J14**
Fleurs (champ des)			
Bloemenveld	**WO**	41	**H19**
Fleurs (clos des)			
Bloemengaarde	**KR**	51	**I16**
Fleurs (clos des)			
Bloemengaarde = 91	**SCH**	36	**G11**
Fleurs (rue aux)			
Bloemenstraat	**BR**	4	**G8**S**-H8**N
Fleurus (rue de-str.)	**XL**	9	**I9**N
Flins (allée de-dr.)	**AND**	33	**I6**
Flodorp (rue de-str.)	**BR**	26	**D12**
Floraison (rue de la)			
Bloeistraat	**AND**	42	**J2**
Floralaan			
Flore (av. de)	**BR**	59	**K9-L10**
Floraliënstraat			
Floralies (rue des)	**WSL**	37	**H13-H14**
Floralies (rue des)			
Floraliënstraat	**WSL**	37	**H13-H14**
Flore (av. de)			
Floralaan	**BR**	59	**K9-L10**
Floréal (av. de-laan)	**UC**	57	**L7**
Florence (rue de-str.)	**BR**	8	**J8**N
–	**SG**	8	**J8**
–	**XL**	8	**J8**N
Floridalaan			
Floride (av. de la)	**UC**	58	**L9**
Floride (av. de la)			
Floridalaan	**UC**	58	**L9**
Floris (rue-str.)	**SCH**	24	**F9**
Floxenstraat			
Phlox (rue de)	**WB**	61	**L13**
Flûte Enchantée (rue de la)			
Toverfluitstraat	**MSJ**	31	**H4**
Foch (av. Mar.)			
Fochlaan (Maar.)	**SCH**	24	**F9**
Fochlaan (Maar.)			
Foch (av. Mar.)	**SCH**	24	**F9**
Foin (quai au)			
Hooikaai	**BR**	4	**G7**S**-G8**S
Fokkersdreef	**ZAV**	41	**H19-H20**
Foliant (clos-gaarde)	**WSL**	38	**H14**
Folie			
(av. François-laan)	**UC**	58	**M8**

Nom / Naam	Communes Gemeenten	Plan n° Plattegrond	Repère Plaatsaanduiding
Folle Chanson (av. de la)			
Lied van			
Sotternieënlaan = 515	XL	47	K10
Follet (av. Dr. H.)			
Folletlaan (Dr. H.)	WEM	11	B4
Folletlaan (Dr. H.)			
Follet (av. Dr. H.)	WEM	11	B4
Fondation (rue de la)			
Stichtingstraat	BER	32	F4
Fonderie (rue de la)			
Gieterijstraat	MSJ	2	G7S
Fond'Roy (av.)			
Vronerodelaan	UC	71	N9-O10
Fonsny (av.-laan)	SG	6	J6-I7
Fonson (rue-str.)	EV	25	E12
Fontainas (cité-wijk)	SG	6	I7S
Fontainas (pl.-pl.)	BR	2	H7S
Fontainas (rue-str.)	SG	6	I7S-J7N
Fontaine (rue de la)			
Fonteinstraat	BR	6	I7N
Fontaine d'Amour (rue)			
Minnebronstraat	SCH	35	G10
Fontaine Vanderstraeten			
(av.-laan) = 288	FO	57	L6
Fonteinstraat			
Fontaine (rue de la)	BR	6	I7N
Fontenay-sous-Bois			
(jardins de)			
Fontenay-sous-Bois			
(tuinen van)	ETT	48	J11
Fontenay-sous-Bois			
(tuinen van)			
Fontenay-sous-Bois			
(jardins de)	ETT	48	J11
Football (av. du)			
Voetballaan	BR	13	C7
Football (av. du)			
Voetballaan	WSP	50	I15
Foppens (rue-str.)	AND	2	H7S
Force Aérienne (av. de la)			
Luchtmachtlaan	ETT	48	J11
Forelweg			
Truite (ch. de la)	UC	56	N5
Forest (chaus. de)			
Vorstsesteenweg	FO	45	J7
–	SG	45	J7
Foresterie (av. de la)			
Vorsterielaan	WB	61	N13
Forestière (rue)			
Bosstraat	XL	46	K9
Forêt (av. de la)			
Woudlaan	BR	60	M11
–	XL	60	M11
Forêt (av. de la)			
Woudlaan	KR	51	I16
–	WO	40	I16-H17
Forêt (ch. de la)			
Woudweg	UC	69	O7-O8
Forêt (clos de la)			
Bosdreef	WSP	51	K15-K16
Forêt de Soignes (ch. de la)			
Zoniënwoudweg	WB	73	O12-N13
Forêt d'Houthulst (rue de la)			
Houthulstbosstraat	BR	2	G7S
Forge (rue de la)			
Smidsestraat	SG	6	J7N
Forgeron (ch. du)			
Smidsweg	SCH	36	F11
Fort (rue du-str.)	SG	45	J7
Fort de Boncelles (rue du)			
Fort van Boncellesstraat	ETT	48	I11
Fort Jaco (av. du-laan)	UC	59	N9-N10
Fort Jaco (dr. du-dr.)	UC	59	N10
Fort van Boncellesstraat			
Fort de Boncelles (rue du)	ETT	48	I11
Forte dei Marmi (sq.)	ETT	47	I10
Fortifications (rue des)			
Vestingstraat	SG	6	J7N
Fortin (av.-laan)	SCH	36	G11
Forton (av. Armand-laan)	KR	39	G16
Forum (av. du-laan)	BR	13	C8
Fossé (rue du)			
Grachtstraat	UC	57	L7
Fossé aux Loups (rue du)			
Wolvengracht	BR	4	H8N
Fossoul (av. Capt.)			
Fossoullaan (Kapt.)	AND	43	I3-J3
Fossoullaan (Kapt.)			
Fossoul (av. Capt.)	AND	43	I3-J3
Foucart (av. Raymond-laan)	SCH	25	F11
Fougères (av. des)			
Varenslaan	KR	52	J17
–	WO	52	I17
Fougères (av. des)			
Varenlaan	WSP	50	J14-J15
Foulons (rue des)			
Voldersstraat	BR	6	H7S-I7N
Four à Briques (av. du)			
Kareelovenlaan	EV	37	F12
Fourche (rue de la)			
Greepstraat	BR	4	H8N
Fourez (rue Léon-str.)	K	33	F6
Fourmois (rue-str.)	XL	46	K8
Fourragère (rue de la-str.)	UC	57	M7
Foyer des Orphelins (rue du)			
Tehuis voor Wezenstraat	MSJ	31	G4
Foyer Schaerbeekois (rue du)			
Schaarbeekse Haardstraat	SCH	25	F10
Fraeyman (rue Rémi-str.)	WSP	50	I14
Fraîcheur (rue de la)			
Frisheidstraat	MSJ	32	G5
Fraikin (rue-str.)	SCH	24	F9
Fraises (rue des)			
Aardbeienstraat	AND	43	K3-K4
Fraiteur			
(av. Arnaud-laan)	XL	48	K11
Framboisier (rue du)			
Frambozenstruikstraat	UC	59	L9
Framboisiers (ch. des)			
Frambozenstruikenweg	SGR	73	P13
Frambozenstruikenweg			
Framboisiers (ch. des)	SGR	73	P13
Frambozenstruikstraat			
Framboisier (rue du)	UC	59	L9

Nom / Naam	Communes / Gemeenten	Plan n° / Plattegrond	Repère / Plaatsaanduiding
Francart (rue-str.)	**XL**	9	**I9**S
France (rue Anatole-str.).....	**SCH**	25	**E10**
France (rue de)			
Frankrijkstraat	**AND**	6	**I6**
–	**SG**	6	**I6**S-**I7**S
Franchises (rue des)			
Vrijdommenstraat = 399 .	**GAN**	22	**F5**
Franciscains (av. des)			
Franciskanenlaan	**WSP**	49	**J13**
Franciscains (parvis des)			
Franciskanenvoorplein ...	**WSP**	49	**J13**
Franciskanenlaan			
Franciscains (av. des)	**WSP**	49	**J13**
Franciskanenvoorplein			
Franciscains (parvis des) ..	**WSP**	49	**J13**
Franck (rue César-str.)........	**XL**	47	**K10-K11**
Franck (sq. Jacques-sq.)......	**SG**	6	**J7**N
Françoisstraat (C.)	**MA**	17	**A14**
Francs (rue des)			
Frankenstraat	**ETT**	48	**I11**
Frankenstraat			
Francs (rue des)	**ETT**	48	**I11**
Franklin (rue-str.)	**BR**	35	**H10**
Frankrijklaan	**VIL**	15	**A11-A12**
Frankrijkstraat			
France (rue de)..........	**AND**	6	**I6**
–	**SG**	6	**I6**S-**I7**S
Frankveld	**DRO**	68	**O5-O6**
Franqui (rue Jules-str.)........	**FO**	45	**J7**
Frans Gasthuislaan			
Hôpital Français (av. de l')	**BER**	22	**F5**
–	**GAN**	22	**F5**
–	**K**	22	**F5**
Frans Halslaan	**STE**	19	**A18**
Frans Lyceumlaan			
Lycée Français (av. du).....	**UC**	57	**N7**
Fransman (rue-str.)...........	**BR**	23	**E7**
Fraternité (rue de la)			
Broederschapstraat	**SCH**	5	**G9**N
Frédéric (rue Léon-str.)	**SCH**	36	**H11**
Freesiadreef			
Freesias (allée des).......	**SCH**	35	**F10-F11**
Freesias (allée des)			
Freesiadreef	**SCH**	35	**F10-F11**
Frégate (sq. de la)			
Fregatvogelsquare = 17...	**WB**	61	**L13**
Fregatvogelsquare			
Frégate (sq. de la) = 17...	**WB**	61	**L13**
Frémineur (rue-str.)	**WB**	60	**L12**
Frêne (av. du)			
Eslaan	**BR**	14	**C9**
Frênes (av. des)			
Essenlaan	**KR**	51	**I16**
Frère-Orban (rue-str.).........	**BR**	4	**G8**S
Frère-Orban (sq.-sq.).........	**BR**	9	**H9**S
Fretlaan			
Furet (av. du).............	**UC**	69	**O7**
Frick (sq. Henri-sq.)	**SJ**	5	**H9**N
Friesland	**DIL**	20	**E1**
Frioul (av. du)			
Friulilaan	**EV**	26	**G11-F12**
Fripiers (rue des)			
Kleerkopersstraat	**BR**	4	**H8**N
Friquet (rue du)			
Ringmusstraat	**WB**	61	**L13**
Frisheidstraat			
Fraîcheur (rue de la)......	**MSJ**	32	**G5**
Frison (sq. Elsa-sq.)	**AND**	44	**J5**
Frissen (av. Thomas-laan) ...	**AUD**	48	**J12-K12**
Friulilaan			
Frioul (av. du).............	**EV**	26	**G11-F12**
Froebel (rue-str.).............	**BR**	2	**H7**S
Froidure (clos Abbé)			
Froiduregaarde (Priester)...	**UC**	57	**M6-N6**
Froiduregaarde (Priester)			
Froidure (clos Abbé).......	**UC**	57	**M6-N6**
Froissart (rue-str.)	**BR**	47	**I10**
–	**ETT**	47	**I10**
Froment (rue du)			
Tarwestraat	**AND**	42	**J1**
Front (av. du-laan)...........	**ETT**	48	**J11**
Frontispice (rue du)			
Frontispiesstraat	**BR**	4	**G8**N
Frontispiesstraat			
Frontispice (rue du)........	**BR**	4	**G8**N
Fruits (rue des-str.)	**AND**	43	**I3**
Fuchsias (clos des-str.)........	**FO**	56	**M5**
Fuchsias			
(rue des-str.)	**MSJ**	32	**G5-G6**
Fuji (domaine-domein)	**WO**	52	**J18**
Fulton (rue-str.)	**BR**	36	**H11**
Funkias (rue des-str.)	**WB**	61	**L13**
Furet (av. du)			
Fretlaan	**UC**	69	**O7**
Fusain (av. du)			
Papenhoutlaan	**BR**	14	**C9**
Fusée (rue de la)			
Raketstraat	**BR**	26	**E12-E14**
–	**EV**	26	**E12**
Fuss (rue Gustave-str.).......	**SCH**	35	**G10**
Fustendreef			
Futailles (dr. des)..........	**FO**	57	**L6**
Futailles (dr. des)			
Fustendreef	**FO**	57	**L6**
Futenstraat			
Grèbes (rue des) = 27	**WB**	60	**M12**

Nom / Naam	Communes Gemeenten	Plan n° Plattegrond	Repère Plaatsaanduiding
Gaailaan			
Geai (av. du)	**WB**	61	**L13**
Gaardenlaan			
Clos (av. des)	**SCH**	36	**G11**
Gabin (pl. Jean-pl.)	**J**	22	**D5**
Gabrielle (rue-str.)	**UC**	58	**K8-L8**
Gachard (rue-str.)	**BR**	47	**J9**
–	**XL**	47	**J9**
Gailliard (rue Franz-str.)	**SG**	6	**J7**N
Gaîté (rue de la)			
Blijdschapsstraat	**AND**	44	**I5-J5**
Galgelaan			
Gibet (av. du)	**EV**	37	**F13**
–	**WSL**	37	**G13**
Galgenveld	**WO**	52	**J18**
Galgstraat	**SPL**	66	**O1-N2**
Galilée (av.-laan)	**SJ**	5	**G9**S-**H9**N
Gallait (rue-str.)	**SCH**	35	**F9**
Galliërslaan			
Gaulois (av. des)	**ETT**	48	**I11**
Gallischeoprit			
Gauloise (rampe) = 379	**BR**	12	**C6**
Galopin			
(av. Alexandre-laan)	**ETT**	48	**J11**
Gambier (rue Victor-str.)	**UC**	57	**M6**
Gand (chaus. de)			
Gentsesteenweg	**BER**	21	**E3-G4**
–	**K**	34	**G6**
–	**MSJ**	32	**G4-G7**
Gandhi (av. Mahatma-laan)	**MSJ**	33	**G6**
Gangstraat			
Couloir (rue du)	**XL**	9	**J9**N
Ganshoren (rue de-str.)	**BER**	22	**F5**
Ganshoren (rue de-str.)	**K**	33	**G6**
Ganzenweidestraat			
Pré aux Oies (rue du)	**BR**	16	**D12-B13**
Gardénias (rue des)			
Gardeniastraat = 9	**WB**	61	**L13**
Gardeniastraat			
Gardénias (rue des) = 9	**WB**	61	**L13**
Gardon (av. du)			
Voornlaan	**AUD**	60	**K12-L12**
Gare (pl. de la)			
Stationsplein	**BER**	21	**E3**
Gare (pl. de la)			
Stationsplein	**WSP**	50	**I14**
Gare (rue de la)			
Stationstraat	**ETT**	48	**I11**
Gare du Witloof (rue de la)			
Witloofstationstraat	**BR**	26	**D13**
Garennes (rue des)			
Konijnenwarandestraat	**WB**	61	**M12-M13**
Garibaldi (rue-str.)	**FO**	45	**K7**
–	**SG**	45	**K7-J7**
Garnaalkreeftenlaan			
Mantes (av. des) = 356	**WB**	60	**M11**
Garnir (rue George-str.)	**SCH**	24	**E10**
Gassée (rue Pierre-str.)	**MSJ**	33	**F7**

Nom / Naam	Communes Gemeenten	Plan n° Plattegrond	Repère Plaatsaanduiding
Gasstraat			
Gaz (rue du)	**BR**	23	**E7**
Gastendelle			
(ch. du-weg)	**EV**	25	**E11**
Gasthuisstraat			
Hôpital (rue de l')	**BR**	7	**H8**S
Gasthuisstraat (kleine)			
Hôpital (pet. rue de l')	**WSP**	38	**H15-I15**
Gatti de Gamond			
(rue-str.)	**UC**	57	**M6-L6**
Gaucheret (pl.-pl.)	**SCH**	34	**F8**
Gaucheret (rue-str.)	**SCH**	34	**F8-F9**
Gauguin (rue Paul-str.)	**EV**	26	**E12**
Gaulois (av. des)			
Galliërslaan	**ETT**	48	**I11**
Gauloise (rampe)			
Gallischeoprit = 379	**BR**	12	**C6**
Gautier			
(rue Antoine-str.)	**ETT**	47	**I10-I11**
Gay (rue François-str.)	**WSP**	49	**I12-I13**
Gaystraat	**TER**	53	**K19**
Gaz (rue du)			
Gasstraat	**BR**	23	**E7**
Gazelle (av. de la-laan)	**UC**	69	**O7**
Gazouillis (rue du)			
Gekweelstraat	**AND**	31	**H4**
–	**MSJ**	31	**H4**
Geai (av. du)			
Gaailaan	**WB**	61	**L13**
Gebladertelaan			
Feuillage (av. du)	**UC**	71	**N10**
Gebrokenhofstraat			
Jardin Rompu			
(rue du) = 493	**BR**	7	**I7**N
Geburenstraat			
Voisins (rue des)	**WO**	40	**H17**
Gedachtenissquare			
Souvenir (sq. du)	**XL**	47	**J9**
Gedachtenisstraat			
Souvenir (rue du)	**AND**	44	**I4-I5**
Geefs (rue-str.)	**SCH**	5	**G9**S
Geelvinkenlaan			
Citrinelles (av. des)	**AUD**	49	**K13**
Geerensstraat	**STE**	19	**A17**
Geestdriftstraat			
Enthousiasme (rue de l')	**AND**	42	**I2**
Geitenbladlaan			
Chèvrefeuille (av. du)	**WSL**	50	**I14**
Geitjesstraat			
Cabris (rue des)	**UC**	69	**O7**
Gekweelstraat			
Gazouillis (rue du)	**AND**	31	**H4**
–	**MSJ**	31	**H4**
Gelaarsde Katplein			
Chat Botté (pl. du)	**UC**	69	**O7**
Gele Hoekstraat			
Angle Jaune (rue de l')	**WSP**	39	**H16**
Geleytsbeek (rue-str.)	**UC**	57	**N7**

Nom / Naam	Gemeenten Communes	Plattegrond Plan n°	Plaatsaanduiding Repère
Gelijkheidstraat			
Egalité (rue de l')	**ETT**	48	**J11**
Gélinotte (rue de la)			
Hazelhoenstraat = 13	**WB**	61	**L13**
Gelovigenstraat			
Fidèles (rue des)	**UC**	57	**M7**
Gelukkige Grijsheidstraat			
Vieillesse Heureuse (rue de la)	**MSJ**	31	**G4**
Geluksdreef			
Bonheur (dr. du)	**KR**	39	**H16**
–	**WSP**	39	**H16-I16**
Geluksstraat			
Bonheur (rue du)	**AND**	42	**I2**
Gelukzaligheidslaan			
Béatitude (av. de la)	**EV**	36	**G12**
Gémeaux (av. des)			
Tweelingenlaan = 80	**WSL**	37	**H12-H13**
Gemeenschappenlaan			
Communautés (av. des)	**EV**	37	**G13**
–	**WSL**	37	**G13**
Gemeentelijk Godshuisstraat			
Hospice Communal (rue de l')	**WB**	61	**M13**
Gemeenteplaats			
Communale (pl.)	**MSJ**	2	**G7***S*
Gemeenteplein	**DIL**	20	**F1**
Gemeenteplein	**DIL**	30	**H1**
Gemeenteplein	**GRI**	13	**B8**
Gemeenteplein			
Communale (pl.) = 220	**LIN**	69	**P7**
Gemeentestraat			
Communale (rue)	**GAN**	22	**E5**
Gemeentestraat			
Commune (rue de la)	**SJ**	5	**H9***N*
Gemeentestraat	**TER**	53	**J19**
Gemenebeemdenstraat			
Prés Communs (rue des)	**BR**	25	**D10**
Gemoedsrustlaan			
Quiétude (av. de la) = 56	**EV**	36	**G12**
Gemslaan	**OV**	65	**M19-N20**
Gemsstraat			
Chamois (rue du)	**UC**	68	**N6**
Genard (rue Hector-str.)	**AND**	43	**K4**
Gendarmendreef			
Gendarmes (dr. des)	**UC**	59	**M10-N10**
Gendarmes (dr. des)			
Gendarmendreef	**UC**	59	**M10-N10**
Gendebien (rue-str.)	**SCH**	34	**F8**
Gênes (rue de)			
Genuastraat = 613	**FO**	6	**J6***N*
Genesse (rue Henri-Joseph-str.)	**AND**	44	**J5-K5**
Genêt (clos du)			
Bremgaarde	**KR**	39	**H16**
Genêts (av.)			
Bremlaan	**SGR**	71	**P9**
Genêts (av. des)			
Bremlaan	**BR**	59	**M10**
Genêts (av. des)			
Bremlaan	**WO**	52	**J18**
Genêts (ch. des)			
Bremweg	**BR**	14	**C9**
Genêts (clos des)			
Bremhof	**LIN**	69	**P7**
Genève (rue de-str.)	**EV**	36	**F11-G11**
–	**SCH**	36	**G12**
Genévriers (rue des)			
Jeneverbomenstraat	**BR**	13	**C6**
Génicot (av. Jules-laan)	**AUD**	49	**K13**
Genin (cité-wijk)	**SG**	6	**J7***N*
Genot (rue Joseph-str.)	**BER**	32	**G4**
–	**MSJ**	32	**G4**
Gentianenstraat			
Gentianes (rue des)	**WB**	61	**L13**
Gentianes (rue des)			
Gentianenstraat	**WB**	61	**L13**
Gentilhomme (rue du)			
Jonkersstraat	**BR**	4	**H8***S*
Gentsesteenweg			
Gand (chaus. de)	**BER**	21	**E3-G4**
–	**K**	34	**G6**
–	**MSJ**	32	**G4-G7**
Gentsesteenweg (nieuwe)	**DIL**	21	**E3**
Gentsestraat	**GRI**	13	**B7**
Genuastraat			
Gênes (rue de) = 613	**FO**	6	**J6***N*
Géomètre (rue du)			
Landmeterstraat	**MSJ**	32	**G5-H5**
George-dit-Marchal (rue-str.) = 248	**K**	33	**G6**
Georges Henri (av.-laan)	**WSL**	37	**I11-H13**
Georgin (av. Jacques-laan)	**SCH**	36	**G12**
Geplante Bosgaarde			
Bois Planté (clos du)	**WSP**	49	**J13**
Gérance (rue de la)			
Beheerstraat = 42	**BER**	32	**F4**
Geraniumlaan			
Géraniums (av. des)	**WSP**	49	**J12**
Géraniums (av. des)			
Geraniumlaan	**WSP**	49	**J12**
Gérard (av. Isidore-laan)	**AUD**	50	**K14-K15**
Gérard (jardin A. A.-tuin)	**ETT**	48	**I11**
Gérard (rue François-str.)	**AND**	44	**J5**
Gérard (rue-str.)	**ETT**	36	**H11-I11**
Gerechtigheidstraat			
Equité (rue de l')	**J**	23	**E6**
Gerechtsplein			
Justice (pl. de la)	**BR**	7	**H8***S*
Gerechtsstraat			
Justice (rue de la)	**AND**	44	**I5**
Gerfauts (av. des)			
Giervalkenlaan	**WB**	61	**L12**
Gergel (rue-str.)	**WO**	40	**H17-H18**
Gerijstraat			
Charroi (rue du)	**AND**	44	**J5**
–	**FO**	44	**K5-K6**
Germoir (rue du)			
Mouterijstraat	**XL**	47	**J10**
Gersis (rue Edouard-str.)	**WSP**	51	**I15-I16**
Gerustheidsplein			
Quiétude (sq. de la)	**WSP**	48	**J12**

Nom / Naam	Communes Gemeenten	Plan n° Plattegrond	Repère Plaatsaanduiding
Gerustheidsstraat			
Tranquillité (rue de la)	**AND**	43	**K4**
Géruzet (rue Pierre-str.)	**AUD**	62	**L14**
Geschenkengang			
Cadeaux (imp. des)			
(gel. rue Marché aux Herbes)	**BR**	4	**H8**N
Geslachtendreef			
Lignages (dr. des)	**GAN**	22	**E5**
Gespanhoek			
Attelages (carr. des)	**BR**	59	**L10**
Gespstraat			
Agrafe (rue de l')	**AND**	32	**H5-I5**
Getrouwheidsgang			
Fidélité (imp. de la) = 426	**BR**	4	**H8**N
Geurstraat			
Parfums (rue)	**AND**	44	**I4-I5**
Geuzenplein			
Gueux (pl. des)	**BR**	36	**H11**
Gevaert (rue Auguste-str.)	**AND**	33	**I6**
Gewijdeboomstraat			
Arbre Bénit (rue de l')	**BR**	9	**J9**N
–	**XL**	9	**I9**S-**J9**N
Geyskens (av. Isidore-laan)	**AUD**	49	**K13**
Gezelle			
(pl. Guido-pl.) = 610	**GAN**	22	**E5**
Gezelle (rue Guido-str.)	**SCH**	25	**E11**
Gezelle			
(rue Guido-str.) = 365	**WEM**	11	**B4**
Gezellelaan (Guido)	**ZAV**	29	**F18**
Gezellenstraat			
Compagnons (rue des)	**SCH**	36	**G11**
Gezellestraat (Guido)	**DIL**	20	**F2**
Gezondheidsstraat			
Santé (rue de la)	**AND**	42	**I2**
Gheude (rue-str.)	**AND**	6	**H6**S-**I7**N
Ghijsstraat (Eugène)	**SPL**	55	**M3**
Gibet (av. du)			
Galgelaan	**EV**	37	**F13**
–	**WSL**	37	**G13**
Gibonstraat (Gustave)	**SPL**	54	**L2-L3**
Giele (av.-laan)	**J**	22	**F6**
Gierstraat			
Vautour (rue du)	**BR**	2-6	**H7**S
Giervalkenlaan			
Gerfauts (av. des)	**WB**	61	**L12**
Gieterijstraat			
Fonderie (rue de la)	**MSJ**	2	**G7**S
Gieterijstraat	**SPL**	55	**M4-N4**
Gieterstraat			
Arrosoir (rue de l')	**BR**	6	**I7**S
Gilbert (av. Guillaume-laan)	**XL**	59	**L10-L11**
Gildenstraat			
Guildes (rue des)	**BR**	35	**H10**
–	**SJ**	35	**H10**
Gilisquet			
(av. Charles-laan)	**SCH**	36	**F11**
Gilkin (rue Iwan-str.)	**SCH**	24	**E10**
Gillardlaan (Leon)	**AS**	21	**E3**
Gille (av. Norbert-laan)	**AND**	32	**H5**
Gillebertus (rue-str.)	**J**	22	**E6**
Gillekensstraat	**VIL**	16	**A12-A13**
Gillijnsstraat	**STE**	19	**A17**
Gillon (rue-str.)	**SJ**	5	**G9**S
Gilson			
(av. Maître Paul-laan)	**FO**	56	**M5**
Gilson (av. Paul-laan)	**DRO**	56	**M4-M5**
Gilson (pl. Antoine-pl.)	**WB**	61	**M13**
Gilson (rue Gustave-str.)	**BR**	23	**D7**
–	**J**	23	**D6-D7**
Gilsonlaan (Paul)	**SPL**	55	**N4**
Gilsonstraat (Karel)	**SPL**	67	**N4**
Gilsoul (av. Victor-laan)	**WSL**	49	**I12-I13**
Gilsoul			
(clos Victor-gaarde)	**WSL**	49	**I12**
Gineste (rue-str.)	**SJ**	4	**G8**S
Giraud (av. Albert-laan)	**SCH**	24	**E10**
Giroflée (imp. de la)			
Violiergang = 612	**BR**	4	**H8**N
Giron (rue Alfred-str.)	**XL**	47	**J10**
Gisseleire Versé (av.-laan)	**BER**	31	**G4**
Giststraat			
Levure (rue de la)	**XL**	47	**J9-J10**
Glacière (rue de la)			
IJskelderstraat	**SG**	46	**K8**
Gladiolenlaan	**SPL**	54	**L2-M2**
Glaïeuls (rue des)			
Lisbloemenstraat	**UC**	57	**L7**
Glaisière (sent. de la)			
Kleemputpad	**BR**	26	**C13-D13**
Glands (rue des)			
Eikelstraat	**FO**	45	**K6**
Glasblazerijlaan			
Verrerie (av. de la)	**FO**	56	**L5**
Glasgow (rue de-str.)	**AND**	32	**H5**
Glazenmakersgang			
Vitriers (imp. des)	**BR**	6	**I7**S
Glibert (rue-str.) = 250	**BR**	34	**F8**
Glimwormenlaan			
Lucioles			
(av. des) = 537	**WB**	60	**M11**
Glineur (allée Jean-			
wandelweg)	**ETT**	47	**J10**
Globe (av. du-laan)	**FO**	57	**L6**
–	**UC**	57	**L6**
Gloires Nationales (av. des)			
Landsroemlaan	**GAN**	32	**F5-F6**
–	**K**	33	**F6**
Gloxinias (rue des-str.)	**WB**	61	**L13**
Glycienenlaan			
Glycines (av. des)	**KR**	39	**G16**
Glycines (av. des)			
Glycienenlaan	**KR**	39	**G16**
Glycines (av. des)			
Blauweregenlaan	**SCH**	35	**F10**
Gobelet d'Or (av. du)			
Gouden Bekerlaan	**WSL**	38	**H15**
Gobert (av. Hector-laan)	**AUD**	49	**K13**
Gobert (av. René-laan)	**UC**	59	**L9**
Godaux (av. Eugéne-laan)	**ETT**	48	**J12**
–	**WSP**	48	**J12**
Godecharle (rue-str.)	**XL**	9	**I9**S
Godetialaan	**DIL**	30	**F1**
Godshuizenlaan			
Hospices (av. des)	**UC**	69	**O7-O8**

Nom / Naam	Gemeenten Communes	Plattegrond Plan n°	Plaatsaanduiding Repère
Godsvruchtstraat			
Piété (rue de la)	**AUD**	50	**K14**
Goede Bejegeningstraat			
Bon Accueil (rue du) = 46	**BER**	32	**F4**
Goede Herderstraat			
Bon Pasteur (rue du)	**EV**	25	**E11**
Goede Herderstraat			
Bon Pasteur (rue du)	**MSJ**	31	**G4**
Goede Koninginstraat			
Bonne Reine (rue de la) = 136	**WSL**	37	**H13**
Goede Luchtlaan			
Bon Air (av.)	**SGR**	71	**P9-P10**
Goede Luchtwijk	**AS**	10	**C1**
Goede Moedersstraat			
Bonnes Mères (rue des)	**FO**	56	**L5**
Goedefroy (av. Pieter-laan)	**GAN**	22	**E5-F5**
Goederenstraat			
Marchandises (rue des)	**AND**	45	**J6**
Goedheidsstraat			
Bonté (rue de la)	**BR**	8	**J8***N*
–	**SG**	8	**J8***N*
Goedtsberge	**AS**	20	**D1**
Goëlands (av. des)			
Zeemeeuwenlaan	**WSP**	49	**J13**
Goemaere (av. des Frères)			
Goemaerelaan (Gebroeders)	**AUD**	62	**L14**
Goemaerelaan (Gebroeders)			
Goemaere (av. des Frères)	**AUD**	62	**L14**
Goffart (rue-str.)	**XL**	9	**I9***S*
Goffin (av. Josse-laan)	**BER**	31	**F4-F5**
Golden Hope (rue-str.)	**DRO**	55	**M3**
Goldschmidt (sq. Robert-sq.)	**XL**	59	**K10**
Golf (av. du-laan)	**EV**	26	**E12**
Golinvaux (sq. Georges-sq.) = 7	**AUD**	62	**L14**
Gomand (rue Amélie-str.)	**J**	23	**E7**
Goossens (pl. Homère-pl.)	**UC**	57	**L7**
Goossens (rue-str.)	**SCH**	24	**F9**
Gootstraat			
Gouttière (rue de la) = 420	**BR**	3	**H7***S*
Gorges Bleues (av. des)			
Blauwborstjeslaan	**AUD**	49	**K12**
–	**WSP**	48	**J12-K12**
Gorsstraat			
Bruant (rue du) = 22	**WB**	61	**L13**
Gossart (rue Ernest-str.)	**UC**	58	**L9**
Gosselies (rue de-str.) = 581	**MSJ**	2	**H6***S*
Gossetlaan (Alfons)	**DIL**	20	**F1-E3**
Gossiaux (av. Joseph Jean-laan) = 295	**AUD**	48	**K12**
Gouden Bekerlaan			
Gobelet d'Or (av. du)	**WSL**	38	**H15**
Goudeneilandenlaan			
Îles d'Or (av. des)	**WSL**	37	**H13-H14**
Goudenregenlaan			
Cytises (av. des)	**UC**	71	**N9-N10**
Goudmerellaan			
Loriot (av. du)	**SGR**	70	**P9**

Nom / Naam	Gemeenten Communes	Plattegrond Plan n°	Plaatsaanduiding Repère
Goudsmedenstraat			
Orfèvres (rue des) = 525	**BR**	6	**I7***S*
Goudstraat	**MA**	17	**A14**
Goudvinkenplein			
Bouvreuils (pl. des)	**WSP**	49	**J12-K12**
Goujons (rue des)			
Grondelsstraat	**AND**	6	**J5-I6**
Gounod (av.-laan)	**AND**	43	**J4**
Gouttière (rue de la)			
Gootstraat = 420	**BR**	3	**H7***S*
Gouvernement Provisoire (rue du)			
Voorlopig Bewindstraat	**BR**	5	**H9***N*
Gouvernementale (route)			
Gouvernementsweg	**KR**	51	**I16-J17**
–	**WSP**	51	**I16-J17**
Gouvernementsweg			
Gouvernementale (route)	**KR**	51	**I16-J17**
–	**WSP**	51	**I16-J17**
Govaert (pl. Félix-pl.)	**AUD**	49	**K13**
Graafschap Jettelaan			
Comté de Jette (av. du)	**J**	23	**D6-D7**
Grachtstraat			
Fossé (rue du)	**UC**	57	**L7**
Grachtweidelaan	**OV**	76	**O18**
Graff (pl. Lt.)			
Graffplein (Lt.)	**WEM**	12	**B5**
Graffplein (Lt.)			
Graff (pl. Lt.)	**WEM**	12	**B5**
Graindor (bd. Jules-laan)	**AND**	32	**H5**
Gramme (av. Zénobe-laan)	**SCH**	25	**E10**
Granaatsquare			
Grenat (sq. du)	**BR**	12	**C6**
Granaatstraat			
Grenat (rue du)	**BR**	12	**C6**
Grand-Air (rue du)			
Openluchtstraat	**BER**	22	**F4-F5**
Grand-Bigard (rue de)			
Groot-Bijgaardenstraat	**BER**	31	**F3-G4**
Grand Bigard (rue du)			
Groot Bijgaardenstraat	**DRO**	55	**M3**
Grand Cerf (rue du)			
Grotehertstraat	**BR**	8	**I8***S*
Grand Duc (rue du)			
Groothertogstraat	**ETT**	47	**I10-J10**
Grand Forestier (av. du)			
Woudmeesterlaan	**AUD**	61	**L13**
–	**WB**	61	**L13**
Grand-Halleux (rue de-str.)	**BER**	31	**F4**
Grand Hospice (rue du)			
Grootgodshuisstraat	**BR**	4	**G7***S***-G8***S*
Grand-Place			
Grote Markt	**BR**	4	**H8***S*
Grand-Pré (rue du)			
Weilandstraat	**BER**	31	**G4**
Grand-Route			
Grote Baan	**UC**	69	**O6**
Grand Sablon (pl. du)			
Grote Zavel	**BR**	8	**I8***N*
Grand-Serment (rue du)			
Grootsermentstraat	**BR**	2	**H7***N*
Grand Veneur (rue du)			
Opperjachtmeesterstraat	**WB**	61	**M13**

Nom / Naam	Communes / Gemeenten	Plan n° / Plattegrond	Repère / Plaatsaanduiding
Grandchamp (av.)			
Grootveldlaan	**WSP**	50	**I15-I16**
Grande Ceinture (bd. de)			
Grote-Ringlaan	**AND**	31	**H4**
Grande Haie (rue de la)			
Grote Haagstraat	**ETT**	48	**I11**
Grande-Route			
Grote Baan	**LIN**	69	**O6-P6**
Grande-Route (vieille)			
Grote Baan (oude)	**LIN**	69	**O6**
Grande Île (rue de la)			
Groot Eilandstraat = 432	**BR**	3	**H7***S*
Grand'Route			
Grote Baan	**DRO**	55	**M4-O6**
Grands Carmes (rue des)			
Lievevrouwbroersstraat	**BR**	4	**H7***S***-H8***S*
Grands Prix (av. des)			
Grote Prijzenlaan	**KR**	51	**I16**
–	**WSP**	51	**J15-I16**
Grange aux Dîmes (dr.)			
Tiendenschuur-dreef = 138	**WSL**	50	**I14**
Grappe (dr. de la)			
Trosdreef	**FO**	57	**L6**
Grasdreef	**TER**	51	**K16-K17**
Grasmarkt			
Marché aux Herbes (rue du)	**BR**	4	**H8***S*
Grasmusdreef			
Fauvettes (dr. des)	**LIN**	69	**P6-P7**
Grasmussenlaan			
Fauvettes (av. des)	**KR**	39	**G16**
Grasmusstraat			
Fauvette (rue de la)	**UC**	57	**M7**
Grasperkenweg			
Pelouses (ch. des)	**BR**	59	**M10**
Grasperklaan			
Pelouse (av. de la)	**WSP**	51	**J15**
Grasperkweg	**TER**	64	**L18-L19**
Gratès (rue-str.)	**WB**	60	**L11**
Gratry (rue Gén.)			
Gratrystraat (Gen.)	**SCH**	36	**H11**
Gratrystraat (Gen.)			
Gratry (rue Gén.)	**SCH**	36	**H11**
Graux (pl. Charles-pl.)	**XL**	46	**K9**
Gravelines (rue de)			
Grevelingenstraat	**BR**	35	**H10**
Gravendreef			
Comte (dr. du)	**WB**	72	**N11-O12**
Gray (rue-str.)	**ETT**	47	**I10**
–	**XL**	47	**J9-I10**
Grèbes (rue des)			
Futenstraat = 27	**WB**	60	**M12**
Greepstraat			
Fourche (rue de la)	**BR**	4	**H8***N*
Greffe (rue du)			
Griffiestraat	**AND**	44	**I5**
Greindelaan (Jean)	**AS**	20	**D2**
Grenadiers (av. des-laan)	**XL**	60	**L11**
Grenat (rue du)			
Granaatstraat	**BR**	12	**C6**
Grenat (sq. du)			
Granaatsquare	**BR**	12	**C6**
Grenouillette (rue de la)			
Waterranonkelstraat	**BR**	26	**D12**
Grensstraat	**BE**	66	**O2-O3**
Grensstraat			
Limite (rue de la)	**KR**	39	**H16**
–	**WSP**	39	**H16**
Grensstraat	**MA**	27	**D15-E15**
Grensstraat			
Limite (rue de la)	**SJ**	5	**G9***S*
Grensstraat	**TER**	53	**J20**
Grensstraat			
Limite (rue de la)	**WO**	53	**I19-J20**
Grensstraat	**ZAV**	18	**C16**
Grétry (rue-str.)	**BR**	4	**H8***N*
Grevelingenstraat			
Gravelines (rue de)	**BR**	35	**H10**
Greyson (rue Victor-str.)	**XL**	47	**J10-K10**
Gribaumont (av. Louis-laan)	**WSL**	49	**I12-I13**
–	**WSP**	49	**I12**
Griffiestraat			
Greffe (rue du)	**AND**	44	**I5**
Grijze Stenenplein			
Pierres Grises (sq. des)	**WSP**	50	**J14**
Gril (imp. du)			
Roostergang	**BR**	2	**H7***N*
Grilstraat			
Caprice (rue du)	**MSJ**	31	**H3**
Grimbergsesteenweg	**GRI**	14	**B8-A9**
Griottes (rue des)			
Noordkriekenstraat	**UC**	69	**N6-O6**
Grisar (rue-str.)	**AND**	6	**I6***N*
Grives (av. des)			
Lijsterslaan	**KR**	39	**G16**
Grives (rue des)			
Lijstersstraat	**AND**	43	**K4**
Groebbe	**WO**	52	**I18**
Groelstveld (av.-laan)	**UC**	57	**N7**
Groendallaan	**VIL**	14	**B9**
Groendreef			
Verte (allée)	**BR**	34	**F8-G8**
Groendreefstraat			
Allée Verte (rue de l')	**BER**	31	**G3-G4**
Groene Corniche			
Verte (corniche)	**WSP**	51	**J16**
Groene Hondstraat			
Chien Vert (rue du)	**MSJ**	2	**G7***S*
Groene Jagerslaan			
Vert Chasseur (av. du)	**UC**	59	**M9**
Groene Jagersveld			
Vert-Chasseur (champ du)	**BR**	59	**M9-M10**
–	**UC**	59	**M9**
Groene Jagerswijk			
Vert Chasseur (cité du)	**UC**	59	**M9**
Groene Spechtstraat			
Pic-Vert (rue du) = 23	**WB**	61	**L13**
Groene Zonestraat			
Espace Vert (rue de l')	**BR**	26	**D13**
Groenenberg	**WSL**	38	**H15**
Groenendaalsedreef (kleine)			
Groenendael (pet. dr. de)	**BR**	59	**M10**
Groenendaalselaan			
Groenendael (av. de)	**BR**	59	**M10**

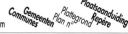

Nom / Naam	Communes / Gemeenten	Plan n° / Plattegrond	Repère / Plaatsaanduiding
Groenendaalsesteenweg ...	**HOE**	74	**P15-P16**
Groenendael (av. de)			
Groenendaalselaan	**BR**	59	**M10**
Groenendael (pet. dr. de)			
Groenendaalsedreef			
(kleine)..................	**BR**	59	**M10**
Groenhof	**WO**	41	**H19**
Groeninckx-De May			
(bd. Maria-laan).........	**AND**	31	**H4-I4**
Groeninghe (rue de-str.).....	**MSJ**	33	**G6**
Groenkraaglaan			
Col-Vert (av. du)..........	**WB**	60	**L11**
Groenspechtlaan			
Pic Vert (av. du)..........	**SGR**	71	**P9**
Groenspechtweg			
Pivert (ch. du)............	**UC**	72	**O11-O12**
–	**WB**	72	**O12**
Groenstraat	**DIL**	20	**E1**
Groenstraat			
Verte (rue)................	**KR**	39	**H16**
Groenstraat	**MA**	26	**D13-D14**
Groenstraat			
Verte (rue)...............	**SCH**	5	**G9**
–	**SJ**	5	**G9**
Groenstraat	**ZAV**	28	**D16-D17**
Groenteboerstraat			
Maraîcher (rue du)	**BER**	31	**G3**
Groenveld	**ZAV**	28	**D16**
Groenveldlaan	**STE**	19	**A18**
Groenvinkstraat			
Verdier (rue du)	**BR**	23	**E8**
Groenweg			
Vert (ch.).................	**BR**	15	**C11**
Groenweg (korte)			
Vert (pet. ch.).............	**BR**	15	**B11-C11**
Groeselenberg (rue-str.)	**UC**	58	**M8**
Grondelsstraat			
Goujons (rue des)	**AND**	6	**J5-I6**
Grondwetlaan			
Constitution (av. de la) ...	**GAN**	32	**F6**
–	**J**	22	**F6**
Grondwetplein			
Constitution (pl. de la)	**SG**	6	**I7***S*
Grondwetstraat			
Constitution (rue de la)....	**SCH**	5	**G9***N*
Groot-Bijgaardenstraat			
Grand-Bigard (rue de)	**BER**	31	**F3-G4**
Groot Bijgaardenstraat			
Grand Bigard (rue du) ...	**DRO**	55	**M3**
Groot-Bijgaardenstraat	**SPL**	55	**M3-N3**
Groot Eilandstraat			
Grande Île			
(rue de la) = 432..........	**BR**	3	**H7***S*
Grootgodshuisstraat			
Grand Hospice (rue du)....	**BR**	4	**G7***S***-G8***S*
Groothertogstraat			
Grand Duc (rue du)	**ETT**	47	**I10-J10**
Grootsermentstraat			
Grand-Serment (rue du)	**BR**	2	**H7***N*
Grootveld	**WSL**	50	**I14**
Grootveldlaan			
Grandchamp (av.)	**WSP**	50	**I15-I16**
Gros Tilleul (av. du)			
Dikkelindelaan	**BR**	13	**C7-C8**
Groseilles (imp. des)			
Aalbessengang	**BR**	8	**I7***S***-I8***S*
Grosjean (av. Léon-laan)	**EV**	37	**G12**
–	**WSL**	37	**G12**
Grosse Tour (rue de la)			
Wollendriestoren	**BR**	8	**I8***S***-J8***N*
–	**XL**	8	**I8***S***-J8***N*
Grote Baan	**BE**	68	**P5-P6**
Grote Baan			
Grand'Route	**DRO**	55	**M4-O6**
Grote Baan			
Grande-Route	**LIN**	69	**O6-P6**
Grote Baan			
Grand-Route	**UC**	69	**O6**
Grote Baan (oude)			
Grande-Route (vieille)	**LIN**	69	**O6**
Grote Daalstraat	**ZAV**	28	**E16**
Grote Geeststraat	**ZAV**	41	**G19-H19**
Grote Haagstraat			
Grande Haie (rue de la) ...	**ETT**	48	**I11**
Grote Kloosterstraat	**ZAV**	28	**E15-F16**
Grote Markt			
Grand-Place	**BR**	4	**H8***S*
Grote Prijzenlaan			
Grands Prix (av. des)	**KR**	51	**I16**
–	**WSP**	51	**J15-I16**
Grote-Ringlaan			
Grande Ceinture (bd. de).	**AND**	31	**H4**
Grote Zavel			
Grand Sablon (pl. du)	**BR**	8	**I8***N*
Grotehertstraat			
Grand Cerf (rue du)	**BR**	8	**I8***S*
Grotewinkellaan	**GRI**	14	**B8-B9**
Grotplein			
Grotte (pl. de la)	**J**	23	**E7**
Grotstraat			
Grotte (rue de la)	**BR**	24	**E8**
Grotte (pl. de la)			
Grotplein	**J**	23	**E7**
Grotte (rue de la)			
Grotstraat	**BR**	24	**E8**
Grüner (rue Marcel-str.)	**MSJ**	32	**G5**
Gruyer (rue du)			
Bosrechterstraat	**WB**	60	**L12**
Gryson (av. Émile-laan).....	**AND**	43	**K3-K4**
Gueux (pl. des)			
Geuzenplein	**BR**	36	**H11**
Guffens			
(rue Godefroid-str.)	**SCH**	36	**F11**
Gui (av. du)			
Maretaklaan	**UC**	70	**O8-O9**
Guido van Arezzoplein			
d'Arezzo (pl. Guy)	**UC**	46	**K8**
Guidon (rue Fik-str.).........	**BER**	31	**G4**
–	**MSJ**	31	**G4**
Guildes (rue des)			
Gildenstraat	**BR**	35	**H10**
–	**SJ**	35	**H10**
Guillaume (av. Franz-laan)....	**EV**	37	**G12-G13**
Guimard (rue-str.)...........	**BR**	9	**H9***S*

Nom / Naam	Gemeenten Communes	Plattegrond Plan n°	Plaatsaanduiding Repère
Guineagaarde			
Guinées (clos des)	**WSP**	51	**I16**
Guinées (clos des)			
Guineagaarde	**WSP**	51	**I16**
Gulden Bodem			
(rue du-str.)	**MSJ**	32	**G5**
Gulden Bodemplein	**SPL**	67	**N3**
Gulden Kasteelstraat			
Château d'Or (rue du)	**UC**	69	**N6**
Gulden Sporenlaan			
Eperons d'Or (av. des)	**XL**	47	**J9**
Gulden-Vliesgalerij			
Toison d'Or (gal. de la)	**XL**	8	**I8**S
Gulden Vlieslaan			
Toison d'Or (av. de la)	**BR**	8	**I8**S
–	**SG**	8	**I8**S
–	**XL**	8	**I8**S
Guldendallaan			
Val d'Or (av. du)	**WSL**	49	**I13**
–	**WSP**	49	**I13**
Guldenhoofdstraat			
Tête d'Or (rue de la) = 423.	**BR**	4	**H8**S
Guldenkoornstraat			
Blé d'Or (rue du)	**BER**	31	**G4**
Guldenkouter	**AS**	20	**D2**
Gulledelle	**WSL**	37	**G13**
Gunsstraat (Louis)	**OV**	64	**N18**
Gurickxstraat	**MA**	27	**C14-D15**
Gutenberg (sq.-sq.)	**BR**	35	**H10**
Guyot (rue L.-str.)	**WEM**	12	**C5**
Gymnase (ch. du)			
Gymnasiumweg	**BR**	59	**L9**
Gymnasiumweg			
Gymnase (ch. du)	**BR**	59	**L9**

Nom / Naam	Gemeenten Communes	Plattegrond Plan n°	Plaatsaanduiding Repère
Haachtsesteenweg			
Haecht (chaus. de)	**BR**	26	**E12-C13**
–	**EV**	25	**F11-E12**
–	**SCH**	5	**G9-F11**
–	**SJ**	5	**G9**
Haachtsesteenweg	**MA**	17	**C14-B15**
–	**STE**	18	**B16-A18**
Haachtsesteenweg (oude)			
Haecht			
(ancienne chaus. de)	**BR**	16	**C13-C14**
Haachtsesteenweg (oude)....	**MA**	17	**C14**
Haagbeukendreef	**TER**	63	**L16-M17**
Haagbeukengaarde			
Charmes (clos des)	**WSP**	50	**I14**
Haagbeukenlaan			
Charmille (av. de la)	**WSL**	37	**G13-G14**
Haagdoornenlaan			
Aubépines (av. des) = 173 .	**KR**	39	**G15-G16**
Haagdoornlaan			
Aubépines (av. des)	**WEM**	12	**A5-B5**
Haaglaan	**OV**	77	**O19**
Haagwindelaan	**OV**	76	**O18-P18**
Haagwindenlaan			
Liserons (av. des)	**BR**	14	**C9**
Haanstraat			
Coq (rue du)	**UC**	57	**N6-M7**
Haasstraat			
Lièvre (rue du)...........	**AND**	42	**J2**
Haberman (rue-str.)	**AND**	2	**H7**S
Haecht (ancienne chaus. de)			
Haachtsesteenweg (oude) ..	**BR**	16	**C13-C14**
Haecht (chaus. de)			
Haachtsesteenweg	**BR**	26	**E12-C13**
–	**EV**	25	**F11-E12**
–	**SCH**	5	**G9-F11**
–	**SJ**	5	**G9**
Haeck (rue-str.).............	**MSJ**	33	**F6-F7**
Haerenheydelaan	**ZAV**	38	**F14**
Hagaardstraat	**OV**	77	**P20**
Hagedoornlaan			
Aubépines (av. des)	**SGR**	71	**P9**
–	**UC**	71	**P9-O10**
Hainaut (av. Roger-laan)	**AUD**	50	**K14**
Hainaut (quai du)			
Henegouwenkaai	**MSJ**	2	**H7**N
Hainaut (rue Auguste-str.)	**J**	23	**F7**
Hakbosstraat			
Triage (rue du)	**WB**	61	**N13**
Hakhoutlaan			
Taillis (av. des)	**WB**	60	**L11**
Hakkeneidreef			
Haquenée (mail de la)	**EV**	36	**G12**
Hal (porte de)			
Hallepoort	**BR**	6	**J7**N
Hal (rue de)			
Hallestraat	**FO**	56	**L5**
Halfuurdreef	**TER**	51	**K16-M16**
Halfuurdreef			
Demi-Heure (dr. de la)....	**WSP**	51	**K16**
Hallebarde (av. de la)			
Hellebaardlaan	**EV**	36	**G12**
Hallenstraat			
Halles (rue des)	**BR**	4	**H8**N
Hallepoort			
Hal (porte de)	**BR**	6	**J7**N
Hallepoortlaan			
Porte de Hal (av. de la)	**SG**	6	**I7**S
Halles (rue des)			
Hallenstraat	**BR**	4	**H8**N
Hallestraat			
Hal (rue de)	**FO**	56	**L5**
Hallier (av. du)			
Kreupelboslaan	**BR**	13	**C7**
Hals (rue Frans-str.)	**AND**	43	**J3-J4**
Hals (sq. Frans-sq.)	**AND**	43	**J3**
Halsdreef	**OV**	77	**N19**

Nom / Naam	Communes Gemeenten	Plan n° Plattegrond	Repère Plaatsaanduiding
Halve Cirkelstraat			
Demi-Cercle (rue du)	**BR**	14	**C10**
Halvemaanplein			
Demi-Lune			
(pl. de la) = 177	**WSP**	39	**H16**
Halvemaanstraat			
Croissant (rue du)	**FO**	45	**J6**
–	**SG**	45	**J6**
Ham (rue du-str.)	**UC**	59	**M8-N9**
Hamerstraat			
Marteau (rue du)	**BR**	5	**H9S**
–	**SJ**	5	**H9S**
Hamoir (av.-laan)	**UC**	58	**M8-M9**
Hamster (clos du-gaarde)	**WO**	52	**I18**
Hamweg	**BR**	16	**B12**
Hancart (rue-str.) = 111	**SCH**	35	**F9**
Handelsgalerij			
Commerce (gal. du)	**BR**	4	**H8N**
Handelskaai			
Commerce (quai du)	**BR**	4	**G7S**
Handelskantoorstraat			
Comptoir (rue du) = 48	**K**	32	**F5**
Handelsstraat			
Commerce (rue du)	**BR**	5	**H9S-I9N**
Handelsstraat	**ZAV**	28	**D16-D17**
Hanegang			
Coq (imp. du)	**BR**	4	**G8S**
Haneveldlaan	**GRI**	14	**A8-A9**
Hankar (rue Paul-str.)	**UC**	57	**M7**
Hankar (sq. Baron Robert-sq.)	**AUD**	48	**K12**
Hannetons (av. des)			
Meikeverslaan	**WB**	61	**L12**
Hanse (clos Joseph-hof)	**WB**	61	**L12**
Hanse (sq. Joseph-sq.)	**WSL**	38	**H15**
Hansen-Soulie (av.-laan)	**ETT**	48	**J11**
Hansoulstraat (Const.)	**MA**	17	**B14**
Hanssens (av. Julien-laan)	**MSJ**	33	**F7**
Hanssens			
(rue Charles-str.) = 469	**BR**	8	**I8N**
Hap (rue Félix-str.)	**ETT**	48	**I11**
Hap (rue Louis-str.)	**ETT**	47	**I10-I11**
Hap Lemaître			
(rue Pierre-str.)	**ETT**	47	**J10**
Haquenée (mail de la)			
Hakkeneidreef	**EV**	36	**G12**
Haras (av. du)			
Stoeterijlaan	**WSP**	51	**J16**
Haras (dr. du-dr.)	**UC**	72	**O11-P12**
Harbalorifalaan = 229	**OV**	77	**O20-P20**
Hard (rue-str.)	**WO**	52	**I17-I18**
Haren (weg van)	**ZAV**	27	**E14**
Harenberg	**BR**	26	**C12-D12**
Harengs (rue des)			
Haringstraat = 413	**BR**	4	**H8S**
Harenheidestraat			
Harenheyde (rue)	**BR**	26	**D13**
Harenheyde (rue)			
Harenheidestraat	**BR**	26	**D13**
Harensesteenweg	**VIL**	16	**B12-A13**
Harenweg = 119	**EV**	26	**E12**
Haringstraat			
Harengs (rue des) = 413	**BR**	4	**H8S**
Harmonie (rue de l'-str.)	**BR**	4	**G8N**
Harnois (av. du)			
Wapenrustinglaan = 60	**EV**	36	**G12**
Hartelijkheidsstraat			
Cordialité			
(rue de la) = 194	**AND**	32	**H5**
Haubrechts (rue-str.)	**MSJ**	2	**G7S**
Haustrateplein	**BE**	66	**P2**
Haut-Champ (av. du)			
Hoogveldlaan	**BER**	31	**G4**
Haut-Pont (av. du)			
Hogebruggelaan	**SG**	46	**K8**
–	**XL**	46	**K8**
Haute (rue)			
Hoogstraat	**BR**	8	**I7S-I8N**
Hauwaerts (sq. Pieter-sq.)	**EV**	25	**E11**
Havaux (rue Ernest-str.)	**ETT**	47	**J10**
Havenlaan			
Port (av. du)	**BR**	24	**G7-F8**
–	**MSJ**	2	**G7**
Haverveld	**ZAV**	28	**E15**
Hazard (rue Joseph-str.)	**UC**	58	**K9**
Hazelaarlaan	**GRI**	13	**B8**
Hazelaarslaan			
Coudriers (av. des)	**BR**	13	**C8**
Hazelaarslaan			
Noisetiers (av. des)	**WB**	60	**L12**
Hazelaarstraat	**DIL**	20	**F1-F2**
Hazelhoenstraat			
Gélinotte (rue de la) = 13	**WB**	61	**L13**
Hazelnotenlarenweg			
Noisetiers (allée des)	**KR**	51	**I16**
Hazenlaan	**TER**	53	**K20**
Hazenlaan			
Lièvres (av. des)	**WO**	52	**I17**
Hazenlaan	**ZAV**	28	**E17**
Hazenstraat	**GRI**	13	**A7-B7**
Hazenweg	**TER**	65	**L19**
Hazepad	**DIL**	20	**F1**
Hébron (av. d')			
Hebronlaan	**KR**	39	**G15-G16**
Hebronlaan			
Hébron (av. d')	**KR**	39	**G15-G16**
Hebronlaan	**ZAV**	39	**G15**
Hectoliterstraat			
Hectolitre (rue de l')	**BR**	6	**I7S**
Hectolitre (rue de l')			
Hectoliterstraat	**BR**	6	**I7S**
Heembeek (quai de-kaai)	**BR**	24	**D10**
Heembeek (rue de)			
Heembeeksestraat	**BR**	24	**C10-D10**
Heembeeksestraat			
Heembeek (rue de)	**BR**	24	**C10-D10**
Heembeekstraat	**VIL**	14	**B9-C9**
Heerlijkheidsstraat			
Seigneurie (rue de la)	**BR**	16	**C13**
Heesterstraat			
Arbrisseau (rue de l')	**UC**	69	**O6-O7**
Héger (av. Paul-laan)	**BR**	59	**K10-L10**
Héger-Bordet (rue-str.)	**BR**	7	**I7S**
Heiberg	**OV**	76	**P18**
Heide	**WEM**	12	**C5**

Nom / Naam	Communes Gemeenten	Plan n° Plattegrond	Repère Plaatsaanduiding
Heidebloemstraat	**SPL**	54	**M2**
Heidedreef			
Bruyères (dr. des)	**LIN**	69	**P6-P7**
Heideken (rue-str.)	**GAN**	22	**E5-E6**
Heidekruiddreef			
Bruyères (dr. des)	**KR**	52	**J17**
Heidekruidlaan			
Bruyères (av. des)	**KR**	51	**J16**
Heidestraat			
Bruyère (rue de la)	**SCH**	25	**E10**
Heidestraat	**ZAV**	28	**D16-D17**
Heilig-Hartlaan			
Sacré-Cœur (av. du)	**J**	22	**D6-E6**
Heilig-Hartplein			
Sacré-Cœur (pl. du)	**WSL**	50	**I14**
Heilig-Hartsquare			
Sacré-Cœur (sq. du) = 3	**AUD**	62	**L14**
Heilig Kruisdreef	**STE**	18	**A16-A17**
Heilig-Kruisplein			
Sainte-Croix (pl.)	**XL**	47	**J9**
Heilig Verbondplein			
Sainte-Alliance (pl. de la)	**UC**	70	**O9**
Heilige Dominicuslaan			
Saint-Dominique (av.)	**KR**	51	**J16-I17**
Heilige-Familieplein			
Sainte-Famille (pl. de la)	**WSL**	37	**H13**
Heilige Geeststraat			
Saint-Esprit (rue du) = 486	**BR**	8	**I8**N
Heilige Theresialaan	**DIL**	31	**I2-H3**
Heiligenborre	**WB**	61	**N13**
Heilzaamheidslaan			
Salubrité (av. de la)	**AND**	42	**I2**
Heirbaan	**MA**	17	**B14-A15**
Heirbaut			
(rue Laurent-str.) = 45	**GAN**	32	**F4**
Heizelstraat			
Heysel (rue du)	**BR**	23	**D7**
Heizelstraat (korte)			
Heysel (rue courte du)	**BR**	23	**D7**
Heldenlaan			
Héros (av. des)	**AUD**	62	**L14**
Heldenlaan			
Héros (av. des)	**WO**	40	**H18-I18**
Heldenmoedstraat			
Héroïsme			
(rue de l') = 389	**J**	22	**E6**
Heldenplein			
Héros (pl. des)	**SG**	6	**I7**S
Heldenplein	**ZAV**	28	**D16**
Heldensquare			
Héros (sq. des)	**UC**	57	**L7-M7**
Helenalaan			
Hélène (av.)	**BER**	32	**F4**
Hélène (av.)			
Helenalaan	**BER**	32	**F4**
Hélianthe (av. de l')			
Zonnebloemlaan	**UC**	69	**N7-O7**
Hélice (av. de l')			
Schroeflaan	**WSP**	50	**I15**
Helihavenlaan			
Héliport (av. de l')	**BR**	34	**F8-G8**
–	**SCH**	34	**F8**

Nom / Naam	Communes Gemeenten	Plan n° Plattegrond	Repère Plaatsaanduiding
Heliotropenlaan			
Héliotropes (av. des)	**SCH**	35	**F10**
Héliotropes (av. des)			
Heliotropenlaan	**SCH**	35	**F10**
Héliport (av. de l')			
Helihavenlaan	**BR**	34	**F8-G8**
–	**SCH**	34	**F8**
Hellebaardlaan			
Hallebarde (av. de la)	**EV**	36	**G12**
Hellebaut			
(rue Emile-str.)	**AND**	43	**I4**
Hellebeekstraat	**GRI**	14	**A9**
Hellenenstraat			
Hellènes (rue des)	**XL**	47	**K10**
Hellènes (rue des)			
Hellenenstraat	**XL**	47	**K10**
Hellestraat	**BE**	66	**P1-P2**
Hellevelt (av.-laan)	**UC**	57	**M7-N7**
Hellinckx			
(rue Alphonse et Maurice)			
Hellinckxstraat			
(Alphonse en Maurice)	**GAN**	22	**F5**
Hellinckx (rue François-str.)	**K**	33	**G6**
Hellinckxstraat			
(Alphonse en Maurice)			
Hellinckx			
(rue Alphonse et Maurice)	**GAN**	22	**F5**
Hellingstraat			
Pente (rue de la)	**AUD**	49	**K13**
Helmet (chaus. de)			
Helmetsesteenweg	**SCH**	25	**F10-E11**
Helmet (pl. de)			
Helmetseplein	**SCH**	25	**E10**
Helmetseplein			
Helmet (pl. de)	**SCH**	25	**E10**
Helmetsesteenweg			
Helmet (chaus. de)	**SCH**	25	**F10-E11**
Hemelstraat	**BE**	67	**O3**
–	**SPL**	67	**O3-O4**
Hendrickx			
(clos Joseph-gaarde)	**GAN**	21	**F4**
Hendrickx (dr.-dr.)	**WB**	74	**O14-O15**
Hendrickx (rue Professeur)			
Hendrickxstraat (Professor)	**AND**	44	**J5**
Hendrickxstraat (Professor)			
Hendrickx (rue Professeur)	**AND**	44	**J5**
Henegouwenkaai			
Hainaut (quai du)	**MSJ**	2	**H7**N
Hengstenberg	**OV**	76	**N18-P19**
Hengststraat	**SPL**	67	**O3**
Henneaulaan (Hector)	**ZAV**	28	**E15-E16**
Hennebicq (rue André-str.)	**FO**	6	**J7**
–	**SG**	6	**J7**N
Henrard (av. Xavier-laan)	**WSP**	49	**J13**
Henrard (rue Edouard-str.)	**AUD**	48	**J12-K12**
Henrotte (rue-str.)	**WSP**	51	**I16**
Henry (rue Gén.)			
Henrystraat (Gen.)	**ETT**	48	**J11**
Henry (rue René-str.)	**AND**	43	**I4**
Henrystraat (Gen.)			
Henry (rue Gén.)	**ETT**	48	**J11**
Hensmansstraat (Georges)	**SPL**	54	**N2**

Nom / Naam	Gemeenten / Communes	Plattegrond / Plan n°	Plaatsaanduiding / Repère
Hepburn			
(rue Audrey-str.) = 592	**J**	22	**D5**
Herbes Sauvages (carré des)			
Wildehoek = 175	**WSP**	39	**H16**
Herbette (bd. Maurice-laan)	**AND**	32	**H4-H5**
Herderinlaan			
Bergère (av. de la)	**BER**	22	**F5**
Herdershondweg			
Chien de Berger (sent. du) = 322	**BR**	13	**C8**
Herdersliedgaarde			
Pastourelle (clos de la)	**EV**	36	**G12**
Herdersliedstraat			
Pastorale (rue de la)	**AND**	31	**H4**
–	**MSJ**	31	**H4**
Herdersstaflaan			
Houlette (av. de la)	**AUD**	61	**K12-L13**
–	**WB**	61	**L13**
Herdersstraat			
Berger (rue du)	**XL**	8	**I8**S
Herderstraat	**SPL**	66	**N1**
Herdeweg	**SPL**	54	**L1-L2**
Herendal			
Val des Seigneurs	**WSP**	39	**H15-I16**
Herfstlaan	**SPL**	66	**O2**
Herfststraat			
Automne (rue de l')	**XL**	47	**K10**
Herinckx (av. Bourg. Jean)			
Herinckxlaan (Burg. Jean)	**UC**	57	**L7-L8**
Herinckx (av. Guillaume-laan)	**UC**	57	**M6**
Herinckxlaan (Burg. Jean)			
Herinckx (av. Bourg. Jean)	**UC**	57	**L7-L8**
Héris (rue-str.) = 524	**BR**	2	**H7**S
Hérisson (allée du)			
Egeldreef	**AND**	43	**J3**
Hérisson (av. du)			
Egellaan	**UC**	69	**O7**
Herkoliers (rue-str.)	**K**	33	**G6**
Herlevingslaan			
Renouveau (av. du)	**EV**	25	**E12**
Herman (rue-str.)	**SCH**	35	**F10**
Hermelijnlaan			
Hermine (av. de l')	**WB**	60	**M12**
Hermelijnlaan			
Hermine (av. de l')	**WO**	52	**J18**
Hermelijnlaan	**ZAV**	41	**H19**
Hermeslaan	**MA**	27	**E14-E15**
Hermine (av. de l')			
Hermelijnlaan	**WB**	60	**M12**
Hermine (av. de l')			
Hermelijnlaan	**WO**	52	**J18**
Hernalsteen (rue Raymond-str.)	**WO**	52	**I18**
Héroïsme (rue de l')			
Heldenmoedstraat = 389	**J**	22	**E6**
Héron (rue du)			
Reigerstraat = 19	**WB**	61	**L13**
Héronnière (av. de la)			
Reigerboslaan	**AUD**	60	**L12**
–	**WB**	60	**L12**
Héros (av. des)			
Heldenlaan	**AUD**	62	**L14**
Héros (av. des)			
Heldenlaan	**WO**	40	**H18-I18**
Héros (pl. des)			
Heldenplein	**SG**	6	**I7**S
Héros (sq. des)			
Heldensquare	**UC**	57	**L7-M7**
Herreweghe (rue-str.)	**J**	22	**F6**
Herrmann-Debroux (av.-laan)	**AUD**	61	**L13-L14**
Herse (rue de la)			
Eggestraat	**WB**	61	**L13**
Hertbrugge			
Cerf (pont du)	**WSP**	50	**I15**
Hertedreef	**TER**	65	**K19-L20**
Hertenbergstraat	**TER**	53	**K19-K20**
Hertenlaan	**HOE**	74	**O15**
Hertenlaan			
Cerfs (av. des)	**KR**	51	**I16-I17**
Hertogendal			
Valduc (rue)	**AUD**	48	**K12-K13**
Hertogendal	**OV**	76	**N17-O19**
Hertogendreef			
Duc (dr. du)	**WB**	61	**M12**
Hertogenlaan			
Ducs (av. des)	**WO**	52	**I17-I18**
Hertogenstraat			
Ducs (rue des)	**KR**	52	**I17**
Hertogenweg	**TER**	53	**J19**
Hertoginnedal			
Valduchesse (av.)	**AUD**	49	**K13-K14**
Hertoginstraat			
Duchesse (rue de la)	**ETT**	48	**I12**
–	**WSL**	48	**I12**
–	**WSP**	48	**I12**
Hertogstraat			
Ducale (rue)	**BR**	5	**H9**S-**I9**N
Hertogstraat			
Duc (rue du)	**WSL**	48	**I12**
–	**WSP**	49	**I12**
Hertogswegel = 113	**EV**	25	**F11**
Hertogweg			
Ducal (ch.)	**WO**	52	**J18-J19**
Hertstraat			
Cerf (rue du)	**AND**	44	**K5**
–	**FO**	44	**K5**
Hertstraat (korte)			
Cerf (pet. rue du)	**AND**	44	**K4-K5**
Hervormingslaan			
Réforme (av. de la)	**GAN**	22	**E5**
Hervormingsstraat			
Réforme (rue de la)	**XL**	46	**K8**
Herzieningslaan			
Révision (bd. de la)	**AND**	33	**I6**
Hesperidenlaan			
Hespérides (av. des)	**UC**	70	**O9**
Hespérides (av. des)			
Hesperidenlaan	**UC**	70	**O9**
Hess-de-Lilez (av.-laan)	**LIN**	69	**O6**
Hess de Lilezstraat	**BE**	68	**O6**
Het Dreveken			
La Venelle	**WSP**	50	**J15**

Nom / Naam	Communes Gemeenten	Plan n° Plattegrond	Repère Plaatsaanduiding
Het Veroost	GAN	21	E4
Hêtres (rue des) *Beukenstraat*	DRO	68	O5
Hêtres (rue des) *Beukenstraat*	LIN	69	P6
Hêtres Pourpres (av. des) *Purperbeukenlaan*	BR	13	C7-C8
Hêtres Rouges (av. des) *Rode Beukenlaan*	KR	51	I16
–	WO	40	H17-I17
Hêtres Rouges (av. des) *Rode Beukenlaan* = 350	WEM	12	A5
Heuveldal	GRI	13	B8-C8
Heuvellaan	DIL	42	I1
Heuvelstraat *Colline (rue de la)*	BR	4	H8*S*
Heydenberg (av.-laan)	WSL	37	H12
Heydriesstraat	SPL	66	N1-N2
Heylens (rue Emile-str.)	BER	31	G4
Heymans (rue Abbé Jean) *Heymansstraat (Priester Jean)*	WSL	37	H13
Heymans (rue Hubert-str.)	BER	32	F4
Heymans (rue Jean-str.)	BR	23	D7
Heymansstraat (Priester Jean) *Heymans (rue Abbé Jean)*	WSL	37	H13
Heymbosch (av. du-laan)	J	22	C5-D6
Heysel (rue courte du) *Heizelstraat (korte)*	BR	23	D7
Heysel (rue du) *Heizelstraat*	BR	23	D7
Heysellaan	VIL	14	C9
Heyvaert (rue-str.)	AND	33	H6
–	MSJ	33	H6
Hiboux (rue des) *Uilenstraat*	WSP	39	H16-I16
Hiel (rue Emmanuel-str.) = 87	SCH	34	F9
Hilaire (av. Père) *Hilariuslaan (Pater)*	WSP	49	J13
Hilariuslaan (Pater) *Hilaire (av. Père)*	WSP	49	J13
Hindelaan	OV	65	N19
Hindenlaan *Biches (av. des)*	KR	52	I17
Hindenlaan *Biches (av. des)*	UC	69	O7
Hindernislaan *Obstacles (av. des)*	WSP	51	I16
Hippocampes (rue des) *Zeepaardjesstraat*	MSJ	32	G4-G5
Hippocrate (av.) *Hippokrateslaan*	KR	39	H16
–	WSL	38	G15-H16
Hippodrome (av. de l') *Renbaanlaan*	UC	59	M10-M11
Hippodrome (av. de l') *Renbaanlaan*	WO	40	G18-H19
Hippodrome (av. de l') *Renbaanlaan*	XL	47	J9-K10
Hippodroomlaan	ZAV	40	F18-H19

Nom / Naam	Communes Gemeenten	Plan n° Plattegrond	Repère Plaatsaanduiding
Hippokrateslaan *Hippocrate (av.)*	KR	39	H16
–	WSL	38	G15-H16
Hippokrateslaan	ZAV	38	G15-H16
Hirondelles (av. des) *Zwaluwenlaan*	KR	39	G16
Hirondelles (champ des) *Zwaluwenveld*	WO	41	H19
Hirondelles (rue des) *Zwaluwenstraat*	BR	4	H8*N*
Hitchcock (ch. Alfred-weg) = 588	J	22	D5
Hobbema (rue-str.)	BR	36	H11
Hobereaux (av. des) *Boomvalkenlaan* = 574	WB	61	L12-L13
Hoche (av.-laan)	UC	70	N8
Hockey (av. du-laan)	WSP	50	J14-J15
Hockeylaan	DIL	42	I1
Hockeylaan	ZAV	38	F14-G14
Hoddeveld	ZAV	29	D17
Hoedemeckers (sq. Servaas-sq.)	EV	25	F11-F12
Hoedenmakersstraat *Chapeliers (rue des)*	BR	4	H8*S*
Hoedstraat *Chapeau (rue du)*	AND	33	I6
Hoef (av. du-laan)	UC	58	L8
Hoefijzerstraat *Fer à Cheval (rue du)*	WO	40	H17-H18
Hoefijzerweg *Fer à Cheval (ch. du)*	UC	72	N10-O11
–	WB	60	N11
Hoek (rue du-str.)	LIN	69	P6
Hoekplein	ZAV	28	D16
Hoekstraat *Angle (rue de l')*	BR	4	G8*N*
Hoensveld	AS	21	E3
Hoese (av. Jean de la-laan)	MSJ	32	G5
Hoevelaan	HOE	76	P18
Hoevestraat	OV	77	O19
Hoevestraat *Ferme (rue de la)*	SJ	35	H9-H10
Hof te Beverlaan	GRI	13	B6-A7
Hof ten Berg	WSL	38	G14-G15
Hof ten Berg (av.-laan)	WSL	38	G14
Hof-ten-Berglaan	ZAV	38	G14
Hof Ten Bleute = 313	LIN	69	O6
Hof ten Horenlaan *Vieux Cornet (av. du)*	UC	57	M7-M8
Hof ter Musschen (dr.-dr.)	WSL	38	H15
Hof ter Puttelaan	DIL	30	H2
Hof ter Vleest (allée-dr.)	AND	55	L3
Hof van Spanjeweg *Cour d'Espagne (ch. de la)*	BR	26	D12-D13
Hofberg *Montagne de la Cour (rue)* = 495	BR	8	I8*N*
Hoffelijkheidstraat *Courtoisie (rue de la)*	AND	31	H4
–	MSJ	31	H4

Nom / Naam	Communes Gemeenten	Plan n° Plattegrond	Repère Plaatsaanduiding
Hofkensstraat	TER	53	**J19**
Hofveld	LIN	69	**P6**
Hogebomendaal			
Val de la Futaie	BR	60	**M11**
Hogebruggelaan			
Haut-Pont (av. du)	SG	46	**K8**
–	XL	46	**K8**
Hogekouter	SPL	66	**O1**
Hogeleeststraat			
Hoogeleest (rue)	BR	14	**C9**
Hogenbos (rue-str.)	BER	31	**G4**
Hogeschoollaan			
Université (av. de l')	XL	59	**K10**
Holbewonerstraat			
Troglodyte (rue du) = 21	WB	61	**L13**
Holidaystraat	MA	27	**D14**
Holland	WEM	11	**A4-B4**
Hollande (rue de)			
Hollandstraat	SG	6	**I7***S*
Hollandstraat			
Hollande (rue de)	SG	6	**I7***S*
Hollandstraat	OV	77	**O20-P20**
Hollebeek (rue-str.)	LIN	69	**P6-P7**
Hollebeek (sent. du-pad)	BR	16	**C13**
Holleken (ch. de)			
Hollekensweg	LIN	70	**P8**
Hollekensweg			
Holleken (ch. de)	LIN	70	**P8**
Hollestraat			
Creuse (rue)	SCH	34	**F9**
Hollevoet			
(av. Henri-laan) = 395	MSJ	33	**F7**
Holleweggaarde			
Chemin Creux (clos du)	SCH	36	**F11**
Holstraat	MA	16	**B13**
Homborchveld (av. d'-laan)	UC	69	**O7**
Home (pl. du-pl.)	GAN	22	**E5**
Homère (rue)			
Homerusstraat	AND	31	**H3-I3**
Homerusstraat			
Homère (rue)	AND	31	**H3-I3**
Homme Chrétien (rue de l')			
Kerstenmannekensstraat	BR	4	**H8***S*
Hondenberg	WB	60	**M12**
Hondenwedstraat			
Abreuvoir (rue de l')	WB	61	**M12**
Honderdjarige (trap der)			
Centenaire			
(escalier de la) = 221	LIN	69	**P7**
Hongarijestraat	BE	68	**P6**
Hongarijestraat			
Hongrie (rue de)	LIN	69	**P6**
Hongrie (rue de)			
Hongarijestraat	LIN	69	**P6**
Honingklaverstraat			
Mélilots (rue des) = 266	WO	41	**H19**
Honnekinberg	KR	39	**G16**
Hoofdrioolstraat			
Collecteur (rue du)	AND	44	**I5-I6**
Hoogbosch (rue du-str.)	MSJ	31	**G4**
Hoogeleest (rue)			
Hogeleeststraat	BR	14	**C9**
Hoogelst	BE	66	**P1**
–	SPL	66	**P1**
Hooghofkouter	AS	21	**E3**
Hooghofstraat	DIL	42	**I1**
Hoogstraat	BE	68	**P5**
Hoogstraat			
Haute (rue)	BR	8	**I7***S***-I8***N*
Hoogstraat	ZAV	28	**E16-D17**
Hoogte Honderdplein			
Altitude Cent (pl. de l')	FO	45	**K7**
Hoogtepuntstraat	AS	20	**D1-D2**
Hoogveldlaan			
Haut-Champ (av. du)	BER	31	**G4**
Hoogveldlaan	DIL	42	**I2**
Hoogveldlaan	OV	77	**O19**
Hoogveldweg	STE	18	**A16**
Hoogvorst (ch. d'-weg)	KR	52	**J17-J18**
Hoogvorstweg	TER	52	**J18-K18**
Hooikaai			
Foin (quai au)	BR	4	**G7***S***-G8***S*
Hooitijdstraat			
Fenaison (rue de la)	GAN	22	**E5**
Hooiweg	STE	18	**A16**
Hoolantsstraat	STE	18	**A17-B17**
Hoopstraat			
Espérance (rue de l')	MSJ	2	**G7***N*
Hoorickx (rue-str.)	AND	43	**K3-K4**
Hoornaert (rue Corneille-str.)	J	22	**D6**
Hoornestraat			
de Hornes (rue)	BR	9	**I9***N*
Hoornkeversstraat			
Longicornes (rue des)	WB	60	**M11**
Hoornklaversgaarde			
Trigonelles (clos des)	BR	15	**C10**
Hoornstraat			
Cornet (rue du)	ETT	47	**I10-I11**
Hoornzeelstraat	TER	53	**K19**
Hoover (av. Herbert-laan)	SCH	36	**H12**
–	WSL	36	**H12**
Hôpital (pet. rue de l')			
Gasthuisstraat (kleine)	WSP	38	**H15-I15**
Hôpital (rue de l')			
Gasthuisstraat	BR	7	**H8***S*
Hôpital Français (av. de l')			
Frans Gasthuislaan	BER	22	**F5**
–	GAN	22	**F5**
–	K	22	**F5**
Hopstraat			
Houblon (rue du)	BR	2	**H7***N*
Horace (rue)			
Horatiusstraat	AND	31	**H3**
Horatiusstraat			
Horace (rue)	AND	31	**H3**
Horing	AS	21	**E3**
Horizon (av. de l'-laan)	WSP	49	**J12-I13**
Horta (rue Baron-str.)	BR	4	**H8***S*
Hortensia	ZAV	37	**F13**
Hortensialaan	AS	21	**E3**
Hortensialaan	GRI	14	**B9**
Hortensialaan	OV	64	**M18-N18**
Hortensias (av. des-laan)	KR	52	**I17**
Hortensias (av. des-laan)	WO	41	**H19**

Nom / Naam	Communes / Gemeenten	Plan n° / Plattegrond	Repère / Plaatsaanduiding
Hortensias (clos des-gaarde)	**BER**	31	**F3-G3**
Hortensiastraat	**SPL**	54	**M2**
Horticulteurs (rue des)			
Tuinbouwersstraat	**BR**	23	**E7-D8**
Horzelstraat			
Bourdon (rue du)	**LIN**	69	**O6-O7**
–	**UC**	69	**N6-O6**
Hospice Communal (rue de l')			
Gemeentelijk			
Godshuisstraat	**WB**	61	**M13**
Hospices (av. des)			
Godshuizenlaan	**UC**	69	**O7-O8**
Hospitaaldreef	**TER**	65	**L20**
Hoste (rue Julius-str.)	**SCH**	25	**F11**
Hôtel des Monnaies (rue de l')			
Munthofstraat	**SG**	8	**J7**N-**I8**S
Hoton (rue Jacques-str.)	**WSL**	37	**H13**
Hottat (rue Alphonse-str.)	**XL**	47	**J10**
Houba de Strooper (av.-laan)	**BR**	12	**C6-D7**
Houblon (rue du)			
Hopstraat	**BR**	2	**H7**N
Houffalize (pl. de-pl.)	**SCH**	35	**F10**
Hougoumont (av. d'-laan)	**UC**	71	**O10-P10**
Houille (quai à la)			
Steenkoolkaai = 446	**BR**	4	**G7**S
Houilleurs (rue des)			
Koolmijngraversstraat	**MSJ**	2	**G7**S
Houlette (av. de la)			
Herdersstaflaan	**AUD**	61	**K12-L13**
–	**WB**	61	**L13**
Houthakkersstraat			
Bûcherons (rue des)	**AUD**	64	**M17-N17**
Houthulstbosstraat			
Forêt d'Houthulst (rue de la)	**BR**	2	**G7**S
Houtmarkt			
Marché au Bois	**BR**	4	**H8**S
Houtmeyers (rue Jacques-str.)	**EV**	25	**F11**
Houtsniplaan			
Bécasse (av. de la)	**WO**	40	**G17**
Houtvesterstraat	**OV**	77	**O20**
Houtweg	**BR**	26	**E12**
–	**EV**	26	**E12**
Houwaert (pl.-pl.)	**SJ**	5	**G9**S-**H9**N
Houwenberglaan	**OV**	77	**O19**
Houx (av. du)			
Hulstlaan	**WB**	61	**L13**
Houyoux (av. Léon-laan)	**AUD**	48	**K12**
Houzeau (av.-laan)	**UC**	58	**L8-M8**
Houzeau de Lehaie (rue-str.)	**K**	2	**G7**N
–	**MSJ**	2	**G7**N
Hoveniersstraat	**GRI**	13	**A8**
Hovenierstraat			
Jardinier (rue du)	**K**	2	**G7**N
–	**MSJ**	2	**G7**N
Hoyoux (rue du-str.)	**AUD**	48	**J11**
Huart Hamoir (av.-laan)	**SCH**	25	**E10**
Hubert (rue Eugène-str.)	**BR**	23	**D7**
–	**J**	23	**D7**
Huberti (rue Gustave-str.)	**SCH**	25	**E10**
Hubertilaan (Edouard)	**TER**	52	**K18-K19**
Huet (rue Dr.)			
Huetstraat (Dr.)	**AND**	43	**I3**
Huetstraat (Dr.)			
Huet (rue Dr.)	**AND**	43	**I3**
Hugo (rue Victor-str.)	**SCH**	36	**H11**
Huidenmarkt			
Marché aux Peaux			
(rue du) = 506	**BR**	4	**H8**S
Huidevetterijstraat			
Tannerie (rue de la)	**K**	33	**G6**
Huidevettersstraat			
Tanneurs (rue des)	**BR**	6	**I7**N
Huileries (av. des)			
Olieslagerijlaan	**FO**	56	**L5**
Huishoudensstraat			
Ménages (rue des)	**BR**	6	**I7**S
Huit Heures (rue des)			
Achturenstraat	**AND**	43	**K4**
Huîtres (imp. aux)			
Oestergang			
(sit. rue de la Chaufferette)	**BR**	4	**H8**S
Huldergem (av.-laan)	**BR**	14	**C9**
Hullebroecklaan (Emiel)	**ZAV**	29	**E17**
Hulotte (rue de la)			
Bosuilstraat	**WB**	61	**L13**
Hulpstraat			
Secours (rue des)	**SJ**	5	**G9**N
Hulpstraat (korte)			
Secours (pet. rue des)	**SCH**	5	**G9**N
–	**SJ**	5	**G9**N
Hulstlaan			
Houx (av. du)	**WB**	61	**L13**
Humanité (bd. de l')			
Humaniteitslaan	**AND**	44	**K5**
–	**DRO**	55	**L4-M4**
–	**FO**	44	**M4-K5**
Humaniteitslaan			
Humanité (bd. de l')	**AND**	44	**K5**
–	**DRO**	55	**L4-M4**
–	**FO**	44	**M4-K5**
Humaniteitslaan	**SPL**	55	**M4-N4**
Hunderenveld (av. du-laan)	**BER**	21	**F3**
Hutstraat			
Chaumière (rue de la)	**SCH**	5	**G9**N
Huybreghts (rue Henri-str.)	**J**	22	**E5**
Huygens			
(rue Georges-str.)	**AUD**	62	**L14**
Huygens (rue-str.) = 236	**MSJ**	32	**G5-H5**
Huysegomsstraat (Petrus)	**SPL**	54	**M1-M2**
Huysmans			
(av. Armand-laan)	**XL**	59	**K10-L11**
Huysmanslaan (Jozef)	**BE**	66	**P2-O3**
Hyacintenlaan			
Jacinthes (av. des)	**SCH**	35	**F10-G10**
Hydraulique (rue)			
Waterkrachtstraat	**SJ**	5	**H9**N
Hyelaan (Raymond)	**OV**	76	**N18-O18**
Hygiène (rue de l')			
Hygiënestraat	**AND**	42	**I2**
Hygiënestraat			
Hygiène (rue de l')	**AND**	42	**I2**
Hymans (av. Paul-laan)	**WSL**	37	**H13-H14**
Hymans (rue Louis-str.)	**XL**	46	**K8**
Hymans (rue Paul-str.)	**SCH**	36	**G11**

Nom / Naam	Communes / Gemeenten	Plan n° / Plattegrond	Repère / Plaatsaanduiding
Ibis (rue des) *Ibissenstraat* = 28	**WB**	61	**M12**
Ibissenstraat *Ibis (rue des)* = 28	**WB**	61	**M12**
Idalie (rue d'-str.)	**XL**	9	**I9**S
Ideaallaan *Idéal (av. de l')*	**WSL**	38	**H15**
Idéal (av. de l') *Ideaallaan*	**WSL**	38	**H15**
Idiers (rue Émile-str.)	**AUD**	49	**K13**
Idylle (rue de l'-str.)	**MSJ**	31	**H4**
Ieperlaan *Ypres (bd. d')*	**BR**	2	**G7**S
Ierlandstraat *Irlande (rue d')*	**SG**	46	**J8**
IJseweg	**TER**	65	**L20**
IJskelderstraat *Glacière (rue de la)*	**SG**	46	**K8**
IJsvogellaan	**GRI**	14	**A8**
IJsvogellaan *Martin-Pêcheur (av. du)*	**WB**	60	**L11-L12**
IJsvogellaan *Martin Pêcheur (av. du)*	**WO**	40	**G18**
IJsvogellaan	**ZAV**	40	**G18**
IJzerdreef	**TER**	65	**L20**
IJzerenkruisstraat *Croix de Fer (rue de la)*	**BR**	5	**H9**N
IJzerkruisenlaan *Croix de l'Yser (av. des)*	**BR**	15	**C10**
IJzerlaan *Yser (av. de l')*	**ETT**	48	**I11**
IJzerplein *Yser (pl. de l')*	**BR**	4	**G8**N
IJzerstraat *Yser (rue de l')*	**DRO**	68	**O6**
–	**UC**	68	**O6**
Ikaroslaan	**ZAV**	29	**E18**
Île Sainte-Hélène (rue de l') *Eiland Sint-Helenastraat*	**AND**	44	**K5**
Îles d'Or (av. des) *Goudeneilandenlaan*	**WSL**	37	**H13-H14**
Imbroekstraat	**ZAV**	29	**D17-E17**
Immortelles (av. des) *Strobloemenlaan* = 338	**AND**	43	**K3**
Impens (rue Josse-str.)	**SCH**	35	**G10**
Impératrice (bd. de l') *Keizerinlaan*	**BR**	4	**H8**S
Imperiastraat	**ZAV**	28	**E15**
Impressionnisme (av. de l'-laan) = 115	**EV**	26	**E12**
Imprimerie (rue de l') *Drukkerijstraat*	**FO**	45	**J6**
–	**SG**	45	**J6**
In de Poort	**WO**	40	**H18**
Indépendance (rue de l') *Onafhankelijkheidstraat*	**MSJ**	33	**G6-H6**
Indépendance Belge (av. de l') *Belgische Onafhankelijkheidslaan*	**K**	32	**F5-F6**
Indringingsweg	**VIL**	15	**B10**
Industrialaan	**DIL**	20	**E2**
Industrie (quai de l') *Nijverheidskaai*	**AND**	2-44	**I5-H6**
–	**BR**	2	**H7**
–	**MSJ**	2-33	**H6-H7**
Industrie (rue de l') *Nijverheidsstraat*	**BR**	9	**H9**S-**I9**N
Industriel (bd.) *Industrielaan*	**AND**	44	**L4-J5**
Industrielaan *Industriel (bd.)*	**AND**	44	**L4-J5**
Infante (dr. de l'-dr.)	**WB**	72	**O12**
Infirmerie (imp. de l') *Fermerijgang* = 521	**BR**	4	**H8**N
Infirmerie (rue de l') *Fermerijstraat* = 439	**BR**	4	**G8**S
Initiatiefplein *Initiative (pl. de l')*	**BER**	32	**F4**
Initiative (pl. de l') *Initiatiefplein*	**BER**	32	**F4**
Inquisitiestraat *Inquisition (rue de l')*	**BR**	35	**H10**
Inquisition (rue de l') *Inquisitiestraat*	**BR**	35	**H10**
Institut (rue de l') *Instituutstraat* = 202	**AND**	44	**I4**
Instituutstraat *Institut (rue de l')* = 202	**AND**	44	**I4**
Instruction (rue de l') *Onderwijsstraat*	**AND**	33	**I6-I7**
–	**SG**	6	**I7**
Intendant (rue de l') *Opzichterstraat*	**MSJ**	33	**F6-G7**
Internationaal Doorgang *International (pass.)* = 539	**SJ**	4	**G8**S
International (bd.) *Internationalelaan*	**AND**	44	**K4**
International (pass.) *Internationaal Doorgang* = 539	**SJ**	4	**G8**S
Internationalelaan *International (bd.)*	**AND**	44	**K4**
Invalidenlaan *Invalides (bd. des)*	**AUD**	49	**K12**
Invalidenlaan	**ZAV**	18	**C16**
Invalides (bd. des) *Invalidenlaan*	**AUD**	49	**K12**
Iris (ch. des) *Irissenweg*	**BR**	59	**M10**
Iris (clos des) *Irissenoord*	**WO**	41	**H19**
Irissenoord *Iris (clos des)*	**WO**	41	**H19**

Nom / Naam	Gemeenten Communes	Plattegrond Plan n°	Plaatsaanduiding Repère
Irissenweg			
Iris (ch. des)	**BR**	59	**M10**
Irisstraat	**SPL**	54	**M2**
Irlande (rue d')			
Ierlandstraat	**SG**	46	**J8**
Isabelladreef	**TER**	65	**L20**
Isabellastraat (Infante)			
Isabelle (rue de l'Infante)	**BR**	4	**H8**S
Isabelle (rue de l'Infante)			
Isabellastraat (Infante)	**BR**	4	**H8**S
Italie (av. d')			
Italiëlaan	**XL**	60	**L11-M11**
Italiëlaan			
Italie (av. d')	**XL**	60	**L11-M11**
Italiëlaan	**VIL**	15	**A11-A12**
Itterbeek (av. d')			
Itterbeekse Laan	**AND**	42	**I2-I4**
Itterbeekse Laan			
Itterbeek (av. d')	**AND**	42	**I2-I4**
Itterbeeksebaan	**DIL**	42	**I1-I2**
Ixelles (chaus. d')			
Elsense Steenweg	**XL**	9	**I8**S-**J9**N
Ixelles (gal. d')			
Elsenegalerij	**XL**	9	**I9**S

Nom / Naam	Gemeenten Communes	Plattegrond Plan n°	Plaatsaanduiding Repère
Jaargetijdenlaan			
Saisons (av. des)	**XL**	47	**K10**
Jachtbijeenkomst			
Rendez-Vous de Chasse	**BR**	59	**L10**
Jachtdreef	**TER**	64	**K17-M17**
Jachtenkaai			
Yachts (quai des)	**BR**	24	**E8**
Jachthoornlaan			
Cor de Chasse (av. du)	**WB**	60	**M11**
Jachthoornstraat	**SPL**	54	**M1**
Jachtlaan			
Chasse (av. de la)	**ETT**	48	**I11-J11**
Jachtlaan	**HOE**	77	**P19**
Jachtlaan	**TER**	53	**K20**
Jachtstoetdreef			
Equipages (dr. des)	**WB**	73	**N13**
Jachtstraat			
Vénerie (rue de la)	**WB**	61	**M13**
Jacinthes (av. des)			
Hyacintenlaan	**SCH**	35	**F10-G10**
Jacobs			
(av. Victor-laan)	**ETT**	47	**J10**
Jacobs			
(pl. Jean-pl.)	**BR**	8	**I8**S
Jacobs (rue Dr.)			
Jacobsstraat (Dr.)	**AND**	43	**I4**
Jacobs (rue Henri-str.)	**SCH**	25	**E11-F11**
Jacobs			
(rue Pierre-Victor-str.)	**MSJ**	33	**F7**
–	**J**	23	**E7**
Jacobs-Fontaine (rue-str.)	**BR**	23	**E7**
Jacobslaan (Frans)	**AS**	21	**E3**
Jacobsstraat (Dr.)			
Jacobs (rue Dr.)	**AND**	43	**I4**
Jacobsstraat (J. B.)	**MA**	17	**C14**
Jacqmain			
(bd. Emile-laan)	**BR**	34	**F8-H8**
–	**SJ**	4	**G8**
Jacques (bd. Gén.)			
Jacqueslaan (Gen.)	**AUD**	48	**J11**
–	**ETT**	48	**J11-K11**
–	**XL**	47	**K10-J11**
Jacqueslaan (Gen.)			
Jacques (bd. Gén.)	**AUD**	48	**J11**
–	**ETT**	48	**J11-K11**
–	**XL**	47	**K10-J11**
Jacquet (rue Jean-str.)	**K**	33	**G6**
Jacquet (sq. Léon-sq.)	**XL**	46	**K8**
Jade (sent. du-pad) = 606	**BR**	12	**C6**
Jagerijdreef			
Vénerie (allée de la)	**BR**	59	**L10**
Jagersdal	**SPL**	54	**M1**
Jagersdreef	**TER**	65	**L19-M19**
Jagersgaarde			
Chasseurs (clos des)	**WSP**	50	**J15**
Jagerslaan			
Chasseurs (av. des)	**KR**	52	**J17-K17**
Jagersstraat			
Chasseur (rue du)	**BR**	6	**I7**N
Jagersstraat	**ZAV**	41	**G19-G20**
Jagersveld	**WB**	61	**M12**
Jagersweg			
Chasseurs (ch. des)	**WEM**	12	**A5**
Jamar (bd.-laan)	**SG**	6	**I7**N
Jamblinne de Meux			
(pl.-pl.)	**SCH**	36	**H11**
Janlaan (Hertog)			
Jean (av. du Duc)	**GAN**	22	**F5**
Jansboslaan			
Bois Jean (av. du)	**WSL**	38	**H15**
Jansen (rue Jacques-str.)	**SCH**	35	**G10**
Janson (av. Paul-laan)	**AND**	44	**I4**
Janson (rue Paul Emile-str.)	**BR**	46	**J8**N
–	**XL**	46	**J8**N
Janson (rue Paul-str.)	**BR**	14	**C8-C9**
Janssen			
(av. Benjamin-laan)	**AUD**	49	**K13**
Janssen			
(rue Jean-Baptiste-str.)	**MSJ**	32	**G5-G6**
Janssens (rue François-str.)	**AND**	44	**I5**
Januarilaan			
Janvier (av. de)	**WSL**	37	**H12**
Janvier (av. de)			
Januarilaan	**WSL**	37	**H12**

Nom / Naam	Gemeenten Communes	Plattegrond Plan n°	Plaatsaanduiding Repère
Japanse Torenstraat			
Tour Japonaise (rue de la) ..	**BR**	14	**C9**
Jaquet			
(rue Joseph-str.)	**SCH**	24	**F9**
Jardin aux Fleurs (pl. du)			
Bloemenhofplein	**BR**	2	**H7**N
Jardin Botanique (bd. du)			
Kruidtuinlaan	**BR**	4	**G8**S-**G9**S
Jardin des Fleurs (rue)			
Bloemhof	**LIN**	69	**P7**
Jardin des Olives (rue du)			
Olivetenhof = 418	**BR**	3	**H7**S
Jardin Rompu (rue du)			
Gebrokenhofstraat = 493 ..	**BR**	7	**I7**N
Jardinage (rue du)			
Tuinbouwstraat	**BER**	31	**G4**
Jardinets (av. des)			
Tuintjeslaan	**WB**	60	**L11**
Jardinier (rue du)			
Hovenierstraat	**K**	2	**G7**N
–	**MSJ**	2	**G7**N
Jardins (av. des)			
Bloemtuinenlaan	**SCH**	36	**G11**
Jasmijnlaan	**SPL**	54	**M2**
Jasmin (av. Louis-laan)	**WSP**	50	**I14-I15**
Jasmin (rue Louis-str.)	**WSL**	50	**I14**
Jaspar (av. Henri-laan)	**SG**	8	**I8**S-**J7**N
Jaurès (av. Jean-laan)	**SCH**	25	**E10**
Javelot (rue du)			
Speerstraat	**BR**	13	**C6**
Jean (av. du Duc)			
Janlaan (Hertog)	**GAN**	22	**F5**
Jeanne (av.)			
Johannalaan	**BR**	47	**K10**
–	**XL**	47	**K10**
Jecta (clos-gaarde)	**J**	22	**D5**
Jenatzy (rue-str.)	**SCH**	35	**F9**
Jeneverbomenstraat			
Genévriers (rue des)	**BR**	13	**C6**
Jennart (rue-str.)	**MSJ**	2	**G7**N
Jenner (rue-str.)	**BR**	47	**I10**
–	**XL**	47	**I10**
Jenneval (rue-str.)	**BR**	35	**H10**
Jérusalem (rue de)			
Jerusalemstraat	**SCH**	35	**F10**
Jerusalemstraat			
Jérusalem (rue de)	**SCH**	35	**F10**
Jespers (av. Oscar-laan)	**WSL**	38	**G14**
Jetse Laan			
Jette (av. de)	**GAN**	22	**E5-E6**
–	**J**	22	**E5-F6**
–	**K**	33	**F6**
Jetse Steenweg			
Jette (chaus. de)	**J**	22	**F6**
–	**K**	33	**F6-G7**
–	**MSJ**	33	**F6-G7**
Jetsesteenweg (oude)	**AS**	11	**C3**
Jetsestraat	**GRI**	13	**B8**
Jette (av. de)			
Jetse Laan	**GAN**	22	**E5-E6**
–	**J**	22	**E5-F6**
–	**K**	33	**F6**

Nom / Naam	Gemeenten Communes	Plattegrond Plan n°	Plaatsaanduiding Repère
Jette (chaus. de)			
Jetse Steenweg	**J**	22	**F6**
–	**K**	33	**F6-G7**
–	**MSJ**	33	**F6-G7**
Jeu de Balle (pl. du)			
Vossenplein	**BR**	6	**I7**S
Jeu de Criquet (allée du)			
Cricketspelweg	**BR**	59	**L9**
Jeu du Paume (av. du)			
Kaatsspellaan	**WSP**	50	**I15**
Jeugdlaan			
Jeunesse (av. de la) = 92 .	**SCH**	36	**G11**
Jeunesse (av. de la)			
Jeugdlaan = 92..........	**SCH**	36	**G11**
Jeuniau (rue Alderson-str.) ...	**AUD**	48	**K12**
Jeux (venelle aux)			
Speeltuindreveken = 561 .	**WSP**	50	**I14**
Jezus-Eiklaan	**TER**	53	**L18-K19**
Jezuseiksesteenweg	**HOE**	75	**P16-O17**
Jockeylaan			
Jockeys (av. des)	**WSP**	51	**I16**
Jockeys (av. des)			
Jockeylaan	**WSP**	51	**I16**
Joffre (av. Mar.)			
Joffrelaan (Maar.)	**FO**	45	**K6-K7**
–	**UC**	45	**K7**
Joffrelaan (Maar.)			
Joffre (av. Mar.)	**FO**	45	**K6-K7**
–	**UC**	45	**K7**
Johannalaan			
Jeanne (av.)	**BR**	47	**K10**
–	**XL**	47	**K10**
Jolé (av.-laan)	**AUD**	62	**L14**
Joli-Bois (av. de)			
Mooi-Boslaan	**WSP**	50	**J15**
Jolly (rue-str.)	**SCH**	34	**F8**
Joly (sq. Dr. Jean)			
Jolyplein (Dr. Jean)	**ETT**	47	**J10**
Jolyplein (Dr. Jean)			
Joly (sq. Dr. Jean)	**ETT**	47	**J10**
Jolystraat (Jozef) = 226	**HOE**	75	**P16**
Jonas (rue Achille-str.) = 195	**AND**	32	**H5**
Jonc (av. du)			
Biezenlaan	**FO**	57	**L6**
–	**UC**	57	**L6**
Jonchaie (rue de la)			
Biesputstraat	**ETT**	48	**I11**
Jonction (av. de la)			
Verbindingslaan	**FO**	46	**K7-K8**
–	**SG**	46	**K8**
Jones (rue Roberts-str.)	**UC**	58	**L8**
Jongen (av. Joseph-laan)	**UC**	57	**M6**
Jonkersstraat			
Gentilhomme (rue du)	**BR**	4	**H8**S
Jonnart (av. Albert-laan)	**WSL**	36	**I11-H12**
Jonniaux (rue-str.)	**ETT**	47	**I10**
Jonquilles (rue des)			
Tijlozenstraat = 406	**GAN**	22	**F5**
Joodse-Martelarensquare			
Martyrs Juifs (sq. des)	**AND**	33	**I6**
Jordaens (rue Jacques-str.)	**BR**	47	**K9**
Jordaensdreef	**OV**	77	**N19**

Nom / Naam	Communes Gemeenten	Plan nº Plattegrond	Repère Plaatsaanduiding
Jordaensstraat	**STE**	19	**A18**
Jordens (sq. Charles-sq.)	**SG**	6	**J7**N
Jorez (rue-str.)	**AND**	33	**I6**
Josaphat (rue-str.)	**SCH**	5	**G9-F10**
–	**SJ**	5	**G9**S
Josée (av. Jean-laan)	**AND**	43	**I3**
Joseph II (rue)			
Jozef II straat	**BR**	35	**H9-H10**
Joséphine Charlotte (av. Pr.)			
Joséphine Charlottelaan (Pr.)	**WEM**	12	**B5**
Joséphine Charlotte (pl. Pr.)			
Joséphine Charlotteplein (Princes)	**KR**	39	**G16**
Joséphine-Charlotte (sq.)			
Josephine-Charlottesquare	**WSL**	49	**I12**
Joséphine Charlottelaan (Pr.)			
Joséphine Charlotte (av. Pr.)	**WEM**	12	**B5**
Joséphine Charlotteplein (Princes)			
Joséphine Charlotte (pl. Pr.)	**KR**	39	**G16**
Josephine-Charlottesquare			
Joséphine-Charlotte (sq.)	**WSL**	49	**I12**
Joset (av. Camille-laan)	**ETT**	48	**J11**
Jottrand (av.-laan)	**SJ**	35	**H10**
Joubert (rue Capt.)			
Joubertstraat (Kapt.)	**ETT**	48	**J11**
Joubertstraat (Kapt.)			
Joubert (rue Capt.)	**ETT**	48	**J11**
Jourdan (pl.-pl.)	**ETT**	47	**I10**
Jourdan (rue-str.)	**SG**	8	**J7**N-**I8**S
Jouret			
(rue Léon-str.) = 291	**XL**	46	**K8**
Joyeuse Entrée (av. de la)			
Blijde Inkomstlaan	**BR**	35	**H10-I10**
Jozef II straat			
Joseph II (rue)	**BR**	35	**H9-H10**
Jubelberg			
Mont du Cinquantenaire	**ETT**	48	**I11**
Jubelfeestlaan			
Jubilé (bd. du)	**MSJ**	33	**F7-G7**
Jubelgaarden			
Cinquantenaire (clos du)	**ETT**	48	**I11**
Jubelpark			
Cinquantenaire (parc du)	**BR**	47	**I10-I11**
Jubilé (bd. du)			
Jubelfeestlaan	**MSJ**	33	**F7-G7**
Juillet (av. de)			
Julilaan	**WSL**	37	**H12**
Jules César (av.)			
Julius Caesarlaan	**WSP**	49	**J12-I13**
Juliette (av.-laan)	**UC**	58	**M9**
Julilaan			
Juillet (av. de)	**WSL**	37	**H12**
Julius Caesarlaan			
Jules César (av.)	**WSP**	49	**J12-I13**
Jumelagepad = 583	**VIL**	15	**A11**
Jupiter (av.-laan)	**FO**	45	**K6-K7**
Justice (pl. de la)			
Gerechtsplein	**BR**	7	**H8**S
Justice (rue de la)			
Gerechtsstraat	**AND**	44	**I5**

K

Nom / Naam	Communes Gemeenten	Plan nº Plattegrond	Repère Plaatsaanduiding
Kaasmarkt			
Marché aux Fromages (rue du) = 415	**BR**	4	**H8**S
Kaasmarkt	**WEM**	11	**B4**
Kaatsspellaan			
Jeu du Paume (av. du)	**WSP**	50	**I15**
Kaboutersstraat			
Lutins (rue des)	**FO**	56	**M5**
Kalanderlaan			
Charançons (av. des) = 354	**WB**	60	**M11**
Kale (rue-str.)	**WO**	40	**H18**
Kalenbergstraat	**DIL**	30	**H1-I1**
Kalkkaai			
Chaux (quai à la)	**BR**	4	**G7**S
Kam	**WEM**	12	**B4**
Kamelialaan			
Camélias (av. des)	**WSP**	49	**J12**
Kamerdelle (av.-laan)	**UC**	57	**M7-M8**
Kamerijklaan	**DIL**	30	**H1**
Kampioenschapslaan			
Championnat (av. du)	**BR**	13	**C6-C7**
Kampioenstraat			
Champion (rue du)	**AND**	43	**I4**
Kampstraat			
Camp (rue du)	**BR**	26	**D12**
Kampstraat (korte)			
Camp (pet. rue du)	**BR**	26	**D12**
Kanarielaan			
Canaris (av. des)	**AUD**	49	**K12**
Kanariestraat	**AS**	11	**C3**
Kandelaarsstraat			
Chandeliers (rue des)	**BR**	8	**I8**N
Kanoërspad			
Canotiers (sent. des)	**BR**	59	**L10**
Kanonstraat			
Canon (rue du)	**BR**	4	**G8**S-**H8**N
Kanselarijstraat			
Chancellerie (rue de la)	**BR**	4	**H8**S
Kantelenlaan			
Créneaux (av. des)	**WSL**	38	**H14**
Kantersteen			
Cantersteen	**BR**	4	**H8**S

Nom / Naam	Gemeenten Communes	Plattegrond Plan n°	Plaatsaanduiding Repère
Kapelaansstraat			
Chapelain (rue du)	**AND**	44	**I4**
Kapeldreef	**HOE**	74	**O14-O15**
Kapellaan			
Chapelle (av. de la)	**WSL**	38	**H14**
Kapellelaan			
Chapelle (av. de la)	**KR**	39	**G15-H16**
Kapellemarkt			
Chapelle (pl. de la) = 487	**BR**	8	**I8**N
Kapelleplein			
Chapelle (pl. de la)	**KR**	38	**G15**
Kapellestraat			
Chapelle (rue de la)	**BR**	8	**I8**N
Kapellestraat	**TER**	53	**K19**
Kapelstraat	**DIL**	42	**I2**
Kapelstraat	**HOE**	76	**P17**
Kapelweg	**TER**	65	**K20-L20**
Kapittelstraat			
Chapitre (rue du) = 204	**AND**	44	**I4**
Kapucijnbloemenlaan			
Capucines (av. des)	**SCH**	35	**F10**
Kapucijnendreef	**OV**	64	**M17-M18**
–	**TER**	64	**M18-L20**
Kapucijnenpoortdreef	**TER**	53	**J20-K20**
Kapucijnenstraat			
Capucins (rue des)	**BR**	7	**I7**N
Karabiniersplein			
Carabiniers (pl. des)	**SCH**	36	**H11**
Karblok	**TER**	53	**K19**
Kardinaalsstraat			
Cardinal (rue du)	**BR**	35	**H10**
–	**SJ**	35	**H10**
Kareelbakkerijstraat	**GRI**	14	**B8**
Kareelovenlaan			
Four à Briques (av. du)	**EV**	37	**F12**
Karel de Grotelaan			
Charlemagne (bd.)	**BR**	35	**H10**
Karel de Vle straat			
Charles VI (rue) = 550	**SJ**	5	**H9**N
Karellaan (Keizer)			
Charles Quint (av.)	**BER**	21	**F3-F4**
–	**GAN**	21	**F4-F5**
Karellaan (Pr.)	**OV**	77	**O19**
Karelsquare (Pr.)			
Charles (sq. Pr.)	**BR**	23	**E8**
Karelstraat (Keizer)			
Charles Quint (rue)	**BR**	35	**H10**
Karenberg	**ZAV**	27	**E15**
Karenbergstraat	**GRI**	12	**A6-B6**
Karenveld	**LIN**	69	**P7**
Karmelietenstraat			
Petits Carmes (rue des)	**BR**	8	**I8**N
Karmelietenstraat			
Carmélites (rue des)	**UC**	57	**L7**
Karperbrug			
Pont de la Carpe			
(rue du) = 468	**BR**	3	**H7**N
Karperstraat			
Carpe (rue de la)	**MSJ**	2	**G6**S
Karrenberg	**WB**	61	**L13-M13**
Karrenbergstraat	**HOE**	74	**P15**
Karrenbergweg	**HOE**	75	**P15**

Nom / Naam	Gemeenten Communes	Plattegrond Plan n°	Plaatsaanduiding Repère
Karrestraat			
Charrette (rue de la)	**WSL**	37	**H13**
Karreveld (av. du-laan)	**K**	32	**G5**
–	**MSJ**	32	**G5**
Karreveld (rue-str.)	**DRO**	56	**N5**
Kartuizersstraat			
Chartreux (rue des)	**BR**	2-3	**H7**N
Karveelstraat			
Caravelle (rue de la)	**AND**	43	**I3**
Kastanjebomengaarde			
Châtaigniers (clos des)	**AUD**	48	**K12-K13**
Kastanjebomenlaan			
Châtaigniers (av. des)	**WSP**	50	**J14**
Kastanjeboomlaan			
Marronniers (av. des)	**SGR**	71	**P9**
Kastanjeboomstraat			
Marronnier (rue du) = 436	**BR**	4	**G8**S
Kastanjedreef	**OV**	65	**N19-N20**
Kastanjedreef	**TER**	53	**J20**
Kastanjeslaan			
Châtaignes (av. des)	**KR**	52	**J17**
Kastanjestraat			
Châtaignes (rue des)	**FO**	45	**K6**
Kasteel Beyaerdstraat			
Château Beyaerd			
(rue du)	**BR**	24	**C10-D10**
Kasteel de Walzinlaan			
Château de Walzin (av.)	**UC**	57	**L7**
Kasteel Kieffeltstraat			
Château Kieffelt (rue du)	**WSL**	38	**H14**
Kasteeldreef			
Château (dr. du)	**GAN**	22	**E5**
Kasteeldreef			
Château (dr. du)	**LIN**	69	**P6-P7**
Kasteelgaarde = 151	**ZAV**	27	**F15**
Kasteelhof	**BR**	16	**C13**
Kasteellaan			
Château (av. du)	**K**	32	**F5-G5**
–	**MSJ**	32	**F5-G5**
Kasteelstraat	**DIL**	30	**H1**
Kasteelstraat			
Castel (rue du)	**DRO**	68	**O5**
Kasteelstraat			
Château (rue du)	**EV**	25	**E10-E11**
Kasteelstraat	**GRI**	14	**B8**
Kasteelstraat	**HOE**	75	**P16**
Kasteelstraat			
Château (rue du) = 223	**LIN**	69	**P7**
Kasteelstraat	**OV**	77	**N19**
Kasteelstraat	**SPL**	54	**M1**
Kasteelstraat = 272	**TER**	53	**K19-J20**
Kasteelstraat			
Château (rue du)	**XL**	47	**J10**
Kasteeltjeslaan			
Châlets (av. des)	**UC**	71	**N10**
Kasteelweg			
Château (ch. du)	**KR**	39	**G16**
Kasteleinsplein			
Châtelain (pl. du)	**XL**	46	**J8**
Kasteleinsstraat			
Châtelain (rue du)	**BR**	46	**J9**
–	**XL**	46	**J8-J9**

Nom / Naam	Gemeenten Communes	Plattegrond Plan n°	Plaatsaanduiding Repère
Kasterlinden (pet. rue) *Kasterlindenstraat (kleine)*	BER	31	G4
Kasterlinden (rue-str.)	BER	31	G3-G4
–	MSJ	31	G3
Kasterlindenstraat	DIL	31	G3
Kasterlindenstraat (kleine) *Kasterlinden (pet. rue)*	BER	31	G4
Katanga (rue du-str.)	FO	56	L5
Katjeslaan	OV	77	O19
Kattebroekstraat	DIL	30	H1-G2
Kattenberg = 55	WB	61	N13
Kattengaarde *Chats (clos des)*	WSP	50	I14
Katteput (rue-str.)	BER	32	F4
Kattestraat *Chats (rue des)*	BER	31	F3-G3
Kaudenaarde (rue-str.)	AND	43	I3
Kaudenaardedreef	DIL	30	H2
Kaudenaardestraat	DIL	30	H2-I3
Kauwberg	UC	58	N8
Kazernenlaan *Casernes (av. des)*	ETT	48	J11
Kazernestraat *Caserne (rue de la)*	BR	6	I7N
Keelbeek (ch. du-weg)	BR	16	C13
Keelbeek (rue du-str.)	BR	16	C13
Keelstraat	VIL	14	A9-B9
Keerkringenlaan *Tropiques (av. des)*	FO	45	K6
Kefvoetstraat	DIL	30	G2
Keibergstraat	ZAV	28	D16
Keienveld	AS	20	D1
Keienveld	DIL	30	F1-F2
Keienveldstraat *Keyenveld (rue)*	XL	9	I8S-I9S
Keizerinlaan *Impératrice (bd. de l')*	BR	4	H8S
Keizerinnedreef	TER	53	J20
Keizerlaan	OV	76	N18
Keizerslaan *Empereur (bd. de l')*	BR	8	H8S-I8N
Keizerstraat	HOE	75	O17-P17
Kelchtermans (rue Joseph-str.)	AND	31	H4
Kelle (pet. rue) *Kellestraat (korte)*	WSL	50	I14
Kelle (rue-str.)	WSL	50	I14
–	WSP	50	I14-J14
Keller (rue Adolphe-str.) = 542	AUD	48	K12
Kellestraat (korte) *Kelle (pet. rue)*	WSL	50	I14
Kelleveldstraat = 219	BE	68	P5
Keltenlaan *Celtes (av. des)*	ETT	48	I11
Kemmelberglaan *Mont Kemmel (av. du)*	FO	45	K7
–	SG	6	J7
Kempenstraat *Campine (rue de la)*	MSJ	33	G6
Kennedy (av. John-laan)	BR	47	I10-I11
Kennedylaan	VIL	15	A11-A12
Kennedylaan (John Fitzgerald)	MA	27	D14-D15
Kennedylaan (John Fitzgerald)	ZAV	29	F17-G17
Kennedyplein (John Fitzgerald) = 153	ZAV	29	E17
Kennis (rue Guillaume-str.)	SCH	25	F10
Kennisstraat *Savoir (rue du)*	AND	43	K4
Kent (rue du-str.)	EV	36	F12
Keppensstraat	MA	17	A14
Kerckx (rue-str.)	XL	9	J9-J10
Kerkbergstraat *Montagne de l'Église (rue)*	WO	40	G17
Kerkedelle	WSL	38	H14
Kerkeveld	KR	39	G16
Kerkeveldstraat *Champ de l'Église (rue du)*	BR	23	E8
Kerkeveldweg	ZAV	27	F15
Kerkhof van Brussellaan *Cimetière de Bruxelles (av. du)*	EV	37	F12-G12
Kerkhofdreef	MA	17	A14
Kerkhoflaan *Cimetière (av. du)*	GAN	22	E5-F5
Kerkhoflaan	GRI	13	A7
Kerkhoflaan *Cimetière (av. du)*	KR	40	G17
Kerkhoflaan	ZAV	29	D17
Kerkhofstraat	SPL	66	N1
Kerkhofstraat *Cimetière (rue du)*	WO	40	G17-G18
Kerklaan	AS	20	D1-D2
Kerklaan	MA	16	A13-A14
Kerkplein *Église (pl. de l')*	BER	31	G3
Kerkplein	SPL	55	N4
Kerkplein	ZAV	28	E17
Kerkstraat *Église (rue de l')*	BER	31	G3-F4
Kerkstraat *Église (rue de l')*	DRO	56	N5
Kerkstraat	HOE	75	P16
Kerkstraat *Église (rue de l')*	LIN	69	P7
Kerkstraat	SPL	67	N4
Kerkstraat	STE	18	A17
Kerkstraat = 273	TER	53	J19
Kerkstraat *Église (rue de l')*	WEM	11	B4
Kerkstraat *Église (rue de l')*	WSP	51	I16
Kerkstraat	ZAV	28	E16-E17
Kerkstraat (kleine) *Église (pet. rue de l')*	WSP	50	I14
Kerktorenstraat = 170	MA	17	C14
Kerkveld (ch.-weg)	LIN	69	P7
Kerkveld (rue-str.)	LIN	69	P7
Kerkveldstraat	BE	68	P5
Kerkweg	AS	20	D1
–	DIL	20	D1-E1

Nom / Naam	Communes Gemeenten	Plan n° Plattegrond	Repère Plaatsaanduiding
Kerkwegstraat	DIL	42	I1
Kernstraat			
Pépin (rue du)	BR	8	I8N
Kersbeek (av.-laan)	FO	56	L5-M6
–	UC	56	M6
Kerseboomgaardsquare			
Cerisaie (sq. de la)	WB	61	M13
Kerseboomstraat			
Cerisier (rue du)	BER	31	G3
Kerselaarstraat	DIL	31	G3
Kerselarenbergstraat			
Montagne des Cerisiers (rue)	WSL	37	H13
Kerselarenlaan			
Cerisiers (av. des)	SCH	36	H11-H12
–	WSL	36	H12
Kerselarenstraat	OV	77	O20
Kersenbomenlaan	OV	64	N17-N18
Kersenhoek			
Cerises (coin des)	BR	14	C10
Kersentijdstraat			
Temps des Cerises (rue du)	WSP	39	H16
Kerstenmannekensstraat			
Homme Chrétien (rue de l')	BR	4	H8S
Kerstrozenstraat			
Ellébores (rue des)	WB	61	L13
Kessels (rue-str.)	SCH	35	F10-G10
Ketelberg			
Montagne au Chaudron	WSP	50	I15
Ketels (rue-str.)	BR	23	E8
Ketelstraat			
Chaudron (rue du)	AND	42	K1-J2
Keuredreef			
Charte (dr. de la)	GAN	22	E5
Keverslaan			
Scarabées (av. des)	BR	59	L10
–	XL	59	L10
Keyen (av. Guillaume-laan)	AUD	49	K12
Keyenbempt (rue-str.)	UC	56	M5-N6
Keyenveld (rue)			
Keienveldstraat	XL	9	I8S-I9S
Keym (pl. Eugène-pl.) = 535	WB	60	L11
Kiekenmarkt			
Marché aux Poulets (rue du)	BR	4	H8N
Kiekensstraat			
Poulets (rue des)	AND	42	J2
Kievitenlaan	DIL	30	F1
Kievitenlaan			
Vanneaux (av. des)	KR	39	G16
Kievitlaan	VIL	14	A10-B10
Kievitlaan			
Vanneau (av. du)	WO	40	G18
Kievitlaan	ZAV	41	H19
Kimweg			
Crête (ch. de la)	WSL	39	H16
Kindergeluk (rue-str.) = 242	MSJ	32	G5
Kindermans (rue-str.)	BR	46	K9
–	XL	46	K9
Kinderparadijs			
Enfants (paradis des)	ETT	48	J12

Nom / Naam	Communes Gemeenten	Plan n° Plattegrond	Repère Plaatsaanduiding
Kinet (rue-str.)	AND	44	I4-I5
King (pl. Martin Luther-pl.)	AND	43	J3
Kinnebakstraat			
Mâchoire (rue de la)	BR	3	H7N
Kinnen (rue Ferdinand-str.)	KR	39	H16
–	WO	39	H16
Kinsendael (rue-str.)	UC	57	N7
Kippekensstraat			
Poussins (rue des)	UC	57	M6
Kips (rue Richard-str.)	ETT	47	I10
Klakkedelle (rue-str.)	WSL	38	H14-H15
Klaproosstraat	SPL	54	M2
Klaprozenhof = 155	ZAV	40	G18
Klaprozenlaan			
Coquelicots (av. des)	KR	39	G16
Klaprozenweg			
Coquelicots (ch. des)	LIN	69	P7
Klarastraat	TER	53	J20
Klaterboslaan			
Claeterbosch (av.)	AND	43	J3
Klauwaartslaan	GRI	13	B8
Klauwaartslaan			
Klauwaerts (av. des)	XL	47	K9
Klauwaerts (av. des)			
Klauwaartslaan	XL	47	K9
Klavergaarde			
Trèfle (clos du)	AUD	49	K13
Klaverstraat			
Trèfles (rue des)	AND	43	K3
Klaverweg	OV	77	O19
Klaverzuringstraat			
Oxalis (rue des) = 16	WB	61	L13
Kleemputpad			
Glaisière (sent. de la)	BR	26	C13-D13
Kleemputstraat	GRI	13	B7
Kleerkopersstraat			
Fripiers (rue des)	BR	4	H8N
Kleigroeveërf			
Argilière (clos de l')	EV	37	G12
Klein-Berchemstraat			
Petit-Berchem (rue du)	BER	32	F4-F5
–	K	32	F4-F5
Klein-Bijgaardenstraat	SPL	54	M2-M3
Klein Dal			
Le Vallon	WSL	38	H15
Klein-Eiland			
Petite-Île (rue de la)	AND	6	J5-J6
Klein Hoogveld	VIL	15	A10
Klein Normandie			
Petite Normandie	KR	39	G16
Klein Vuurgatstraat	HOE	75	O17
Klein-Zwitserlandplein			
Petite Suisse (pl. de la)	XL	47	K10
Kleindal (rue-str.)	LIN	69	P7-P8
Kleindal (sent.-pad)	LIN	69	P7-P8
Kleine Bergstraat			
Petite Montagne (rue de la)	KR	27	F15
Kleine Bosstraat	ZAV	27	F15
Kleine Brugstraat	SPL	67	O3
Kleine Daalstraat	ZAV	28	E16
Kleine Dachelenbergstraat	BE	68	O5

Nom / Naam	Gemeenten Communes	Plattegrond Plan nº	Plaatsaanduiding Repère
Kleine Dalstraat			
Vallon (rue du)	**SJ**	5	**H9**N
Kleine Flossenweg	**TER**	64	**K17-M18**
Kleine Geeststraat	**ZAV**	41	**G19**
Kleine Hutlaan			
Petite Espinette			
(av. de la)	**UC**	71	**P9-P10**
Kleine Kerkstraat	**ZAV**	27	**F15**
Kleine Kloosterstraat	**ZAV**	28	**E16-F16**
Kleine Wijngaardstraat			
Vignette (rue de la)	**AUD**	61	**K12-K13**
Kleine Winkellaan	**GRI**	14	**B8-A9**
Kleine Zavel			
Petit Sablon (pl. du)	**BR**	8	**I8**N
Kleinekapellaan	**DIL**	42	**I2-I3**
Kleinenberg	**WSL**	38	**G14**
Kleinenbergstraat	**ZAV**	27	**G14-F15**
Kleiveld	**LIN**	69	**P7**
Klesper (rue du-str.)	**BR**	16	**C12**
Kleuverbos	**GRI**	13	**A8**
Klimopstraat			
Lierre (rue du) = 240	**MSJ**	32	**G5**
Kliniekstraat			
Clinique (rue de la)	**AND**	6	**I6**
Klipveld (rue-str.)	**UC**	57	**M7**
Klissenlaan			
Bardanes (av. des)	**BER**	21	**F3**
Klokbloemenstraat			
Campanules (rue des)	**MSJ**	32	**G5**
Klokjesbloem	**AS**	20	**D2**
Klokjeslaan			
Campanules (av. des)	**WB**	60	**M11**
Kloktorenstraat			
Clocher (rue du)	**ETT**	47	**I10**
Kloosterbergstraat	**SPL**	54	**L2-L3**
Kloosterdreef			
Cloître (allée du)	**BR**	47	**K9**
Kloosterdreef	**TER**	65	**L20-M20**
Kloosterlaan			
Couvent (av. du) = 268	**WO**	40	**H18**
Kloosterstraat	**AS**	20	**D2**
Kloosterstraat			
Cloître (rue du)	**BR**	23	**D7**
Kloosterstraat	**DIL**	30	**F1-H1**
Kloosterstraat	**GRI**	14	**B8**
Kloosterstraat	**OV**	77	**P20**
Kloosterstraat			
Couvent (rue du)	**XL**	9	**J9**N
Kloosterstraat	**ZAV**	29	**E17**
Kluisstraat			
Ermitage (rue de l')	**XL**	9	**J9**N
Kluitstraat			
Avocette (rue de l') = 26	**WB**	60	**M12**
Kluizemarialaan			
Cluse (av. de la)	**WSL**	38	**H15**
Knapen (rue-str.)	**SCH**	36	**H12**
Knapzakstraat			
Besace (rue de la)	**BR**	36	**H11**
Knijf (rue du-str.)	**BR**	14	**C9**
Kobbegemstraat	**AS**	10	**C2**
Koedaalstraat	**HOE**	75	**O17-P17**
Koedalstraat	**OV**	63	**O15-N17**
Koeivijver (rue de-str.)	**AND**	42	**J1**
Koekelberg (av. de-laan)	**BER**	32	**G4**
Koekoekpad			
Coucou (sent. du)	**LIN**	69	**P6**
Koekoekstraat	**VIL**	14	**B9**
Koekoekstraat			
Coucou (rue du)	**WB**	61	**L13**
Kogelstraat			
Boulet (rue du)	**BR**	2	**H7**N
Kokerlaan	**OV**	77	**O19**
Koldamstraat	**HOE**	75	**P17**
Kolenbranderslaan	**HOE**	76	**P18**
Kolenmarkt			
Marché au Charbon			
(rue du)	**BR**	3	**H7**S
Kolibrieplein			
Colibri (pl. du)	**WB**	61	**L13**
Kollebloemenlaan			
Coquelicots (av. des)	**WO**	40	**H17**
Kollebloemenstraat			
Coquelicots (rue des)	**ETT**	48	**I11**
Kolomstraat			
Colonne (rue de la)	**MSJ**	2	**G6**S-**G7**S
Koloniale-Veteranensquare			
Vétérans Coloniaux (sq.)	**AND**	32	**H5**
Kolonialelaan			
Coloniale (av.)	**WB**	60	**L12**
Koloniënstraat			
Colonies (rue des)	**BR**	4	**H8**S
Komatsulaan	**VIL**	15	**A11**
Komediantenstraat			
Comédiens (rue des)	**BR**	4	**H8**N
Komfortplein			
Confort (pl. du) = 327	**AND**	43	**K4**
Kommenstraat			
Bassins (rue des)	**AND**	44	**I5-I6**
Kongolaan			
Congo (av. du) = 514	**BR**	47	**K10**
–	**XL**	47	**K10**
Konijnenberg	**DIL**	20	**F1**
Konijnenberg			
Montagne des Lapins	**WSL**	50	**I14**
Konijnenberggaarde			
Montagne des Lapins			
(clos) = 137	**WSL**	50	**I14**
Konijnenlaan	**TER**	53	**K20**
Konijnenstraat			
Lapins (rue des)	**AND**	42	**J2**
Konijnenstraat	**ZAV**	29	**E17**
Konijnenvoetweg = 114	**EV**	25	**E11**
Konijnenwarandestraat			
Garennes (rue des)	**WB**	61	**M12-M13**
Konijnenweg	**TER**	65	**M19**
Koning Overwinnaarplein			
Roi Vainqueur (pl. du)	**ETT**	48	**J11**
Koning-Soldaatlaan			
Roi-Soldat (av. du)	**AND**	43	**J4**
Koninginnegalerij			
Reine (gal. de la) = 504	**BR**	4	**H8**S
Koninginnelaan			
Reine (av. de la)	**BR**	23	**E8-F8**
–	**SCH**	34	**F8-F9**

Nom / Naam	Gemeenten Communes	Plattegrond Plan n°	Plaatsaanduiding Repère
Koninginneoord			
Reine (clos de la)	**WO**	52	**I17**
Koninginneplein			
Reine (pl. de la)	**SCH**	5	**G9**N
Koninginnestraat			
Reine (rue de la)	**BR**	4	**H8**N
Koninginvoetweg			
Reine (sent. de la)	**SGR**	72	**P11-P12**
Koningschapsstraat			
Royauté (rue de la)	**BR**	23	**E8**
Koningsgalerij			
Roi (gal. du) = 503	**BR**	4	**H8**N
Koningslaan			
Roi (av. du)	**FO**	45	**J6**
–	**SG**	45	**J6**
Koningslosesteenweg	**GRI**	14	**B8-B9**
Koningsplein			
Royale (pl.)	**BR**	8	**I8**N
Koningsstraat			
Royale (rue)	**BR**	5	**I8**N-**H9**N
–	**SCH**	5	**G9**S
–	**SJ**	5	**G9**S
Koningstraatje			
Roi (pet. rue du)	**WO**	52	**I18**
Koningstuin			
Roi (jardin du)	**BR**	47	**K9**
Koningsveldstraat			
Champ du Roi (rue)	**ETT**	47	**I10-I11**
Koninkjeslaan			
Roitelets (av. des)	**KR**	39	**G16**
Koninklijk Atheneumstraat			
Athénée Royal (rue de l')	**WSL**	38	**H14**
Koninklijk Parklaan			
Parc Royal (av. du)	**BR**	24	**C8-E8**
Koninklijke Jachtstraat			
Chasse Royale			
(rue de la) = 541	**AUD**	48	**K11**
Koninklijke Prinsstraat			
Prince Royal (rue du)	**XL**	8	**I8**S
Koninklijke Sinte-Mariastraat			
Royale-Sainte-Marie (rue)	**SCH**	35	**F9-G9**
Koninklijke			
Wandeling	**TER**	64	**L17-L20**
Konkel (rue-str.)	**WSL**	50	**I14-I15**
–	**WSP**	50	**I14**
Koolbrandersstraat			
Charbonniers (rue des)	**SJ**	4	**G8**N
Koolmijnenkaai			
Charbonnages (quai des)	**MSJ**	2	**G7**S
Koolmijngraversstraat			
Houilleurs (rue des)	**MSJ**	2	**G7**S
Koolstraat			
Choux (rue aux)	**BR**	4	**H8**N
Koorstraat			
Chœur (rue du)	**MSJ**	12	**G7**N
Koopliedenstraat			
Commerçants (rue des)	**BR**	4	**G8**S
Koraalstraat			
Corail (rue du) = 200	**AND**	43	**I3**
Kordialestraat	**OV**	77	**O19**
Koreasquare			
Corée (sq. de)	**WSP**	49	**J13**
Korenarenstraat	**OV**	77	**O19-O20**
Korenbeek (rue du-str.)	**MSJ**	32	**G4-G5**
Korenbloemenstraat			
Bluets (rue des)	**KR**	51	**I16**
Korenbloemlaan			
Fleur de Blé			
(av. de la) = 157	**WSL**	39	**H15**
Korenbloemlaan	**ZAV**	40	**G18**
Korenbloemplein			
Fleur de Blé (pl. de la)	**WSL**	39	**H15**
Korenbloemstraat	**MA**	17	**A14-B14**
Korenbloemstraat	**SPL**	54	**M2**
Korenbloemstraat			
Bluets (rue des)	**WSL**	37	**H13**
Korenstraat	**ZAV**	27	**E15**
Korenveldlaan			
Champ de Blé (av. du)	**WEM**	12	**A5**
Kornalijnpad			
Cornaline			
(sent. de la) = 609	**BR**	12	**C6**
Korporaaldreef			
Caporal (dr. du)	**UC**	60	**N10-M11**
Kortemansstraat	**AS**	20	**D1**
Kortenbachstraat			
Cortenbach (rue de) = 201	**BR**	26	**C12-D13**
Kortenberglaan			
Cortenbergh (av. de)	**BR**	35	**H10-H11**
Kortestraat			
Courte (rue)	**BER**	31	**F4**
Kortestraat	**HOE**	75	**O17**
Kortestraat	**SPL**	55	**N4**
Kortrijkstraat			
Courtrai (rue de)	**MSJ**	33	**G6**
Kortvondelweg	**SPL**	54	**L2**
Korvetstraat			
Corvette (rue de la)	**AND**	43	**I3**
Kosmonautlaan			
Cosmonaute (av. du)	**WSP**	50	**I14**
Kosterstraat	**MA**	27	**C14-D14**
Koudenberg			
Coudenberg = 500	**BR**	7	**H8**S
Kouter			
Kouter (av. du)	**AUD**	49	**K12-K13**
Kouter (av. du)			
Kouter	**AUD**	49	**K12-K13**
Kouter (rue-str.)	**LIN**	70	**P8-P9**
Kouterlaan	**ZAV**	29	**E17**
Kouterveldstraat	**MA**	28	**D15**
Kouterweg	**ZAV**	29	**E17**
Kraaienbroekstraat	**DIL**	30	**G1**
Kraaienweg			
Corneilles (ch. des)	**KR**	39	**G16**
Kraainem (av. de-laan)	**KR**	39	**H16**
–	**WSL**	39	**H15-H16**
Kraakbessenpad			
Myrtilles (sent. des)	**BR**	59	**L10**
Kraakbeziënlaan			
Myrtilles (av. des)	**UC**	70	**O9**
Kraatveldstraat			
Craetveld (rue du)	**BR**	15	**C10**
Krabbenberg	**OV**	77	**O19**
Krains (rue Hubert-str.)	**SCH**	36	**F11**

Nom / Naam	Gemeenten Communes	Plattegrond Plan n°	Plaatsaanduiding Repère
Krakeelplein			
Querelle (pl. de la)	**BR**	6	**I7**N
Krakeelstraat			
Querelle (rue de la)	**BR**	6	**I7**N
Kranenberg	**AS**	21	**E3-E4**
Krekelenberg			
Cigale (rue de la)	**WB**	61	**M13**
Krekelendries	**BR**	26	**D12**
Krekelendries	**LIN**	69	**P7**
Kreperlaan (Leon)	**SPL**	55	**L3**
Kreupelboslaan			
Hallier (av. du)	**BR**	13	**C7**
Kreupelenstraat			
Boîteux (rue des)	**BR**	4	**H8**N
Kreupelhoutgaarde			
Taillis (clos du)	**WSP**	51	**J16**
Kribbestraat			
Crêche (rue de la)	**XL**	9	**I9**S
Kriekebomenstraat			
Merisiers (rue des)	**WB**	60	**L11**
–	**XL**	60	**L11**
Kriekenput (rue du-str.)	**UC**	69	**O7**
Krijgskundestraat			
Stratégie (rue de la)	**AUD**	48	**J11-K11**
Krings			
(rue Albert-str.)	**AUD**	49	**K12**
Kristinastraat			
Christine (rue)	**BR**	8	**I8**N
Krokuslaan	**ZAV**	29	**F17**
Krokussenlaan			
Crocus (av. des)	**AND**	43	**I4**
Krommestraat			
Courbe (rue)	**WO**	40	**H18**
Krommeweg	**OV**	76	**P18**
Krommeweg	**ZAV**	29	**E18**
Kroninglaan			
Couronnement (av. du)	**WSL**	37	**H12-I12**
Kroonlaan			
Couronne (av. de la)	**XL**	9	**J9-K11**
Kroonveldstraat			
Champ de la Couronne (rue du)	**BR**	23	**E7-E8**
Kruidendal	**ZAV**	28	**E16**
Kruidtuinlaan			
Jardin Botanique (bd. du)	**BR**	4	**G8**S-**G9**S
Kruidtuinstraat			
Botanique (rue)	**SJ**	5	**G9**S
Kruipweg	**BR**	15	**C10**
Kruisberg	**BR**	15	**C10**
Kruisbooglaan			
Arbalète (av. de l')	**WB**	60	**M12**
Kruisboogschuttersstraat			
Arbalétriers (rue des) = 491	**BR**	8	**I7**N-**I8**N
Kruisboogsquare			
Arbalète (sq. de l')	**WB**	60	**M12**
Kruisdagenlaan			
Rogations (av. des)	**WSL**	48	**I11-I12**
Kruiskruidlaan	**OV**	76	**O18**
Kruispuntstraat			
Carrefour (rue du)	**WSL**	37	**H13**

Nom / Naam	Gemeenten Communes	Plattegrond Plan n°	Plaatsaanduiding Repère
Kruisstraat			
Croix (rue de la)	**BR**	9	**J9**N
–	**XL**	9	**J9**N
Kruisvaartenstraat			
Croisades (rue des)	**SJ**	5	**G9**S
Kruisveld			
Croix (champ de la)	**KR**	38	**G15**
Kruitmolenstraat			
Poudrière (rue de la)	**BR**	2	**H7**N
Kubismestraat			
Cubisme (rue du) = 245	**K**	33	**G6**
Kuborn (rue Dr.)			
Kubornstraat (Dr.)	**AND**	45	**J6**
Kubornstraat (Dr.)			
Kuborn (rue Dr.)	**AND**	45	**J6**
Kufferath (av. Édouard-laan)	**BR**	23	**D6**
Kuhnen (rue Willem-str.)	**SCH**	25	**F10**
Kuiken (rue-str.)	**DRO**	56	**N5**
Kuipersstraat			
Tonneliers (rue des) = 528	**BR**	6	**I7**S
Kuipgang			
Cuve (imp. de la)			
(gel. r. Marché aux Fromages)	**BR**	4	**H8**S
Kuipstraat			
Cuve (rue de la)	**XL**	47	**J9**
Kumpsstraat (Joseph)	**HOE**	77	**P19**
–	**OV**	77	**P19**
Kunstberg			
Mont des Arts	**BR**	7	**H8**S
Kunstenaarsgaarde			
Artistes (clos des)	**SCH**	36	**G11**
Kunstenaarsstraat			
Artistes (rue des)	**BR**	23	**E7-E8**
Kunstlaan			
Arts (av. des)	**BR**	5	**H9**N-**I9**N
–	**SJ**	5	**H9**N
Kuregemsestraat			
Cureghem (rue de)	**BR**	2	**H7**S
Kuregemstraat	**MA**	16	**C13**
Kurth			
(rue Godefroid-str.)	**EV**	25	**F11**
Kwakkelstraat	**VIL**	14	**A10-B10**
Kwartellaan	**TER**	53	**K20**
Kwartellaan			
Cailles (av. des)	**WB**	61	**L12-L13**
Kwatrechtstraat			
Quatrecht (rue de)	**SCH**	5	**G9**N
Kweepereboomlaan			
Cognassier (av. du)	**BER**	31	**G3**
Kweepereboomlaan	**DIL**	31	**G3**
Kwekerijdreef			
Pépinière (dr. de la)	**SGR**	73	**P12**
Kwekerijstraat	**MA**	17	**A15**
Kwekerijweg	**TER**	65	**L19-L20**
Kwikstaartenpad			
Bergeronnettes (sent. des)	**BR**	59	**L10**
Kwikstaartjestraat			
Bergerette (rue de la)	**WB**	61	**M12**
Kwikstaartlaan			
Bergeronnettes (av. des) = 133	**WSP**	49	**K13**
Kwikstaartstraat	**VIL**	14	**B9-B10**

L

Nom / Naam	Communes / Gemeenten	Plan n° / Plattegrond	Repère / Plaatsaanduiding
La Brise (dr.)			
La Brise (dr. de)	**WB**	61	**M12**
La Brise (dr. de)			
La Brise (dr.)	**WB**	61	**M12**
La Clé des Champs			
't Veldeke	**WO**	40	**H17-H18**
La Fontaine			
(allée Jean de-laan)	**UC**	69	**O7**
La Fraternelle (sq. de-sq.)	**AND**	42	**I2**
La Hulpe (chaus. de)			
Terhulpsesteenweg	**BR**	59	**M10-M11**
–	**UC**	59	**M9-M11**
–	**WB**	60	**M11-O14**
La Roue (pl. de)			
Radplein = 216	**AND**	43	**K4**
La Venelle			
Het Dreveken	**WSP**	50	**J15**
Laagplein			
Basse (pl.)	**BR**	12	**C6**
Laaklinde	**BE**	66	**P2**
Laanbrugstraat			
Pont de l'Avenue (rue du)	**BR**	24	**F8**
Laarbeeklaan	**AS**	20	**D2**
Laarbeeklaan			
Laerbeek (av. du)	**J**	21	**D4-D5**
Laatste Rustlaan			
Dernier Repos (av. du)	**WSL**	37	**H13-I13**
Labarre (rue Antoine-str.)	**XL**	47	**J9**
Labarre (rue Jean-Baptiste-str.)	**UC**	57	**M6-M7**
Labeur (rue du)			
Arbeidsstraat	**AND**	44	**K5**
Laboureur (imp. du)			
Landbouwersgang	**BR**	2	**H7***N*
Labrador (rue du-str.)	**BR**	13	**C8**
Labyrinthe (placette du)	**XL**	9	**I9***S*
Lac (rue du)			
Meerstraat	**BR**	47	**J9-K9**
–	**XL**	9	**J9**
Lacaille (rue-str.)	**BR**	6	**I7***S*
Lacomblé			
(av. Adolphe-laan)	**SCH**	36	**H11**
Lacomblé (av. Édouard-laan)	**ETT**	48	**J12**
–	**WSP**	48	**J12**
Lacroix (rue Albert-str.) = 400	**GAN**	22	**E6**
Lacroixstraat (Georges)	**MA**	16	**B13**
Laddersstraat			
Échelles (rue des) = 448	**BR**	4	**G8***S*
Laekebeeklaan	**SPL**	67	**O3-O4**
Laeken (av. de)			
Lakense Laan	**J**	22	**F6**
Laeken (rue de)			
Lakensestraat	**BR**	4	**G8***S*
Laekenveld	**WEM**	12	**B6**
Laekenveld (rue du-str.)	**MSJ**	33	**F7**
Laënnec (av.-laan)	**BR**	23	**D6**
Laerbeek (av. du)			
Laarbeeklaan	**J**	21	**D4-D5**
Laermans (av. Baron-laan)	**WEM**	11	**C4**
Laermans			
(rue Eugène-str.)	**MSJ**	2	**G7***S*
Lafontaine (av. Henri-laan)	**WSL**	38	**G14**
Lagey (rue Jean-str.)	**AND**	42	**I2-I3**
Lagrange (sq. Charles-sq.)	**UC**	58	**M8**
Lahaye (rue Jules-str.)	**J**	23	**E6-E7**
Lainé (sq.-sq.)	**FO**	45	**K6**
Laines (rue aux)			
Wolstraat	**BR**	8	**I7***S*
Laiterie (av. de la)			
Melkerijlaan	**BR**	59	**L9**
Laiterie (rue de la)			
Melkerijstraat	**AND**	32	**H5**
–	**MSJ**	32	**H5**
Lakense Laan			
Laeken (av. de)	**J**	22	**F6**
Lakensestraat			
Laeken (rue de)	**BR**	4	**G8***S*
Lakensestraat	**GRI**	13	**B8**
Lakenstraat	**VIL**	14	**C9-B10**
Lakenweversstraat			
Drapiers (rue des)	**XL**	8	**I8***S*
Lama (rue du-str.)	**UC**	68	**N6**
Lamartine (rue-str.)	**AND**	43	**I3**
Lambeau (av.-laan)	**WSL**	36	**H12**
Lambeaux (av. Jef-laan)	**SG**	45	**J7-K7**
Lambermont (bd.-laan)	**SCH**	24	**E9-G11**
Lambermont (rue-str.)	**BR**	9	**H9***S*
Lambert (bd. Théo-laan)	**AND**	43	**J3-J4**
Lambert (rue Baron-str.)	**ETT**	47	**I10-I11**
Lambertstraat (Willem)	**ZAV**	28	**D16**
Lambin			
(av. Léopold Florent-laan)	**AUD**	62	**L14**
Lambiotte (rue Auguste-str.)	**SCH**	35	**G10-G11**
Lambotte (rue Dr. Elie)			
Lambottestraat (Dr. Elie)	**SCH**	25	**F10-E11**
Lambotte (rue Jean-str.)	**WSP**	51	**J16-K16**
Lambottestraat (Dr. Elie)			
Lambotte (rue Dr. Elie)	**SCH**	25	**F10-E11**
Lambrechts			
(av. Emmanuel-laan)	**WEM**	12	**B5**
Lambrechtslaan			
(Dr. Roger)	**DIL**	42	**I1**
Lambrechtsstraat	**STE**	19	**A17-A18**
Lambrettestraat	**MA**	17	**A14**
Lambroekstraat	**ZAV**	28	**D16**
Lamey			
(rue Louis Isidore-str.)	**AUD**	49	**K12**
Lamier Blanc (av. du)			
Witte Dovenetellaan	**WO**	41	**H19**
Lamlaan			
Agneau (av. de l')	**UC**	69	**O7**
Lammerendries			
Pré des Agneaux (av.)	**AUD**	61	**L13**
–	**WB**	61	**L13**
Lancaster (av. Albert-laan)	**UC**	58	**M8-M9**
Lance (av. de la)			
Lanslaan = 67	**EV**	36	**G12**

Nom / Naam	Communes Gemeenten	Plan n° Plattegrond	Repère Plaatsaanduiding
Lancsweert			
(rue Paul-str.)	**WSP**	49	**I13**
Land van Luikstraatje			
Pays de Liège (rue du)	**BR**	2	**G7**S
Landbouwersgang			
Laboureur (imp. du)	**BR**	2	**H7**N
Landbouwersstraat			
Cultivateurs (rue des)	**ETT**	48	**J11**
Landbouwlaan	**OV**	76	**P18**
Landbouwstraat			
Agriculture (rue de l')	**SCH**	25	**E10-F11**
Landbouwstraat	**ZAV**	28	**D17**
Landerijenstraat	**AS**	20	**D2**
Landhuisjesstraat			
Cottages (rue des)	**UC**	57	**L7**
Landhuizenlaan			
Cottages (av. des)	**BER**	32	**F4-G4**
Landhuizenlaan	**GRI**	13	**A8**
Landhuizenweg	**BE**	68	**O5**
Landmeterstraat			
Géomètre (rue du)	**MSJ**	32	**G5-H5**
Landrain (rue Frans-str.)	**WO**	40	**H17**
Landschaplaan			
Site (av. du)	**WSL**	39	**H15**
Landschappenlaan			
Paysages (av. des)	**UC**	71	**P10**
Landschapschildersstraat			
Paysagistes (rue des)	**AUD**	48	**K12**
Landschapsgaarde			
Site (clos du)	**WSP**	39	**H16**
Landsroemlaan			
Gloires Nationales (av. des)	**GAN**	32	**F5-F6**
–	**K**	33	**F6**
Landvoogddreef			
Sénéchal (dr. du)	**UC**	59	**M9-M10**
Laneau (pl.-pl.)	**J**	22	**E6**
Laneau (rue-str.)	**BR**	23	**E7**
Lanfray (rue-str.)	**XL**	47	**J9**
Lang-Levenstraat			
Longue Vie (rue)	**XL**	9	**I9**S
Langbunderdreef			
Long Bonnier (dr. du)	**BR**	14	**C9**
Lange Delle	**WO**	52	**I18-J18**
Lange Eikhoekje			
Long Chêne (clos du)	**WO**	40	**G18**
Lange Eikstraat			
Long Chêne (rue du)	**WO**	40	**H18-G19**
Lange Haagstraat			
Longue Haie (rue de la)	**LIN**	69	**P7-P8**
Lange Wagenstraat	**ZAV**	27	**E14-F14**
Langehaag	**AS**	21	**D3**
Langehaagstraat			
Longue Haie (rue de la)	**BR**	8	**J8**N
–	**XL**	8	**J8**N
Langestraat	**BE**	67	**P4**
Langestraat			
Longue (rue)	**DRO**	56	**M5-N5**
Langestraat			
Longue (rue)	**KR**	39	**H16-I16**
–	**WSP**	39	**H16-I16**
Langeveld (rue-str.)	**UC**	58	**L8-L9**

Nom / Naam	Communes Gemeenten	Plan n° Plattegrond	Repère Plaatsaanduiding
Languedoc			
(allées du-wandelwegen)	**EV**	26	**E12**
Lannoy (rue-str.)	**XL**	47	**J9**
Lanslaan			
Lance (av. de la) = 67	**EV**	36	**G12**
Lapins (rue des)			
Konijnenstraat	**AND**	42	**J2**
Lariksendreef			
Mélèzes (dr. des)	**KR**	52	**K17**
Lariksenstraat			
Mélèzes (rue des)	**XL**	46	**K8-K9**
Larousse (sq.-sq.)	**FO**	46	**K8**
Lartigue (av. Gén.)			
Lartiguelaan (Gen.)	**WSL**	36	**H12**
Lartiguelaan (Gen.)			
Lartigue (av. Gén.)	**WSL**	36	**H12**
Laskouterstraat	**BR**	14	**C9-C10**
–	**VIL**	14	**C9-C10**
Latérale (av.)			
Zijlaan	**UC**	58	**M9**
Latijnensquare			
Latins (sq. des)	**XL**	47	**K10**
Latinis (av. Gustave-laan)	**SCH**	35	**F10-G11**
Latins (sq. des)			
Latijnensquare	**XL**	47	**K10**
Laude (rue Ernest-str.)	**SCH**	35	**F10**
Laudy (av. Jean-laan)	**WSL**	49	**I13**
Laumans (rue Jean-str.)	**BR**	23	**D7**
Lauralaan			
Laure (av.)	**BER**	32	**F4**
Laure (av.)			
Lauralaan	**BER**	32	**F4**
Laurel (pass. Stan-doorgang) = 593	**J**	22	**D5**
Laurier-Kersenlaan			
Lauriers-Cerises (av.)	**KR**	52	**I17**
Lauriergaarde			
Lauriers (clos des)	**WSP**	51	**J16**
Laurierlaan			
Lauriers (av. des)	**WSP**	51	**J16**
Laurierplein	**SPL**	55	**M3**
Lauriers (av. des)			
Laurierlaan	**WSP**	51	**J16**
Lauriers (clos des)			
Lauriergaarde	**WSP**	51	**J16**
Lauriers (rue des-str.)	**WB**	60	**L11**
Lauriers-Cerises (av.)			
Laurier-Kersenlaan	**KR**	52	**I17**
Lauriers Roses (clos des)			
Oleandergaard	**EV**	37	**F13**
Lausanne (rue de-str.)	**SG**	8	**J8**N
Lauters (rue Paul-str.)	**BR**	47	**K9**
–	**XL**	47	**K9**
Lauwers (rue Pieter-str.)	**WEM**	12	**C5**
Lauwersstraat (Raymond)	**HOE**	76	**P17**
Lavallée (rue Adolphe-str.)	**MSJ**	2	**G7**N
Lavande (rue de la)			
Lavendelstraat = 37	**BR**	12	**C6**
Lavendelstraat			
Lavande (rue de la) = 37	**BR**	12	**C6**
Lavigerie (rue Card.)			
Lavigeriestraat (Kard.)	**ETT**	48	**J11**

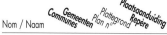

Nom / Naam	Communes / Gemeenten	Plan n° / Plattegrond	Repère / Plaatsaanduiding
Lavigeriestraat (Kard.)			
Lavigerie (rue Card.)	**ETT**	48	**J11**
Lavoir (rue du)			
Wasserijstraat	**BR**	6	**I7***N*
Le Corrège (rue)			
Correggiostraat	**BR**	35	**H10**
Le Lorrain (rue-str.)	**MSJ**	33	**F7**
Le Marinel (av.-laan)	**ETT**	48	**J11**
Le Roux (rue Abbé Paul)			
Le Rouxstraat			
(Priester Paul) = 392	**J**	22	**E6**
Le Rouxstraat (Priester Paul)			
Le Roux			
(rue Abbé Paul) = 392	**J**	22	**E6**
Le Tintoret (rue)			
Tintorettostraat = 102	**BR**	35	**H10-H11**
Le Titien (rue)			
Titiaanstraat	**BR**	35	**H10**
Le Vallon			
Klein Dal	**WSL**	38	**H15**
Lebeau (rue-str.)	**BR**	8	**I8***N*
Lebon			
(av. Gabriel Émile-laan)	**AUD**	48	**J12-K12**
–	**WSP**	48	**J12**
Lebrun (rue Jules-str.)	**SCH**	36	**G11-G12**
Lecharlier (av. Firmin-laan)	**J**	22	**F6**
Lechat (rue Charles-str.)	**AUD**	49	**K12**
Leclercq (av. Georges-laan)	**GAN**	22	**E5**
Leclercq (rue Georges-str.)	**FO**	45	**K6**
Leclercq			
(rue Gustave Jean-str.)	**AUD**	48	**K12**
Lecointe (av. Georges-laan)	**UC**	58	**M8**
Lecomte (rue Émile-str.)	**UC**	57	**L7**
Ledeganck (rue-str.)	**BR**	23	**D7-E7**
–	**J**	23	**E7**
Ledoux (prom. Jacques-wandeling) = 594	**J**	22	**D5**
Leduc (rue Paul-str.)	**SCH**	36	**G11-G12**
Leekaerts (rue-str.)	**EV**	25	**E11**
Leemans			
(av. Jean François-laan)	**AUD**	62	**L14-M14**
Leemans (bd. Josse-laan)	**AND**	43	**K3**
Leemans (pl. Albert-pl.)	**XL**	46	**K9**
Leemans (rue Dr. Charles)			
Leemansstraat (Dr. Charles)	**BER**	31	**F4-G4**
Leemansstraat (Dr. Charles)			
Leemans (rue Dr. Charles)	**BER**	31	**F4-G4**
Leemansstraat			
(Mathijs)	**AS**	10	**C1-C2**
Leerlooierijstraat	**ZAV**	28	**C16-D16**
Leestbeekstraat	**GRI**	12	**B6**
Leeuwerikendreef	**OV**	64	**M18-N18**
Leeuwerikenlaan	**DIL**	30	**F1**
Leeuwerikenlaan			
Alouettes (av. des)	**KR**	39	**G16**
Leeuwerikenlaan	**VIL**	14	**A9**
Leeuwerikenlaan			
Alouettes (av. des)	**WSP**	49	**J12**
Leeuwerikenstraat			
Alouettes (rue des)	**AND**	43	**J4**
Leeuwerikenveld			
Alouettes (champ des)	**WO**	41	**H19**
Leeuweriksliedplaats			
Chant de l'Alouette (pl. du)	**MSJ**	32	**H5**
Leeuwerikstraat	**SPL**	54	**M1-M2**
Leeuwerinkenlaan = 353	**AS**	20	**D2**
Leeuwoprit			
Lion (rampe du)	**BR**	25	**D10-E10**
Leeuwstraat			
Lion (rue du)	**BR**	25	**D10**
Lefever			
(av. Guillaume-laan)	**AUD**	48	**K12**
Lefèvre			
(rue Dieudonné-str.)	**BR**	23	**F7-F8**
Lefèvre (rue Victor-str.)	**SCH**	36	**H11**
Lefrancq (rue-str.)	**SCH**	5	**G9**
Léger (rue Fernand-str.)	**EV**	26	**E12**
Legerlaan			
Armée (av. de l')	**ETT**	48	**I11-I12**
Legrain (av. des Frères)			
Legrainlaan (Gebroeders)	**WSP**	48	**J12**
Legrainlaan (Gebroeders)			
Legrain (av. des Frères)	**WSP**	48	**J12**
Legrand (av.-laan)	**BR**	47	**K9**
–	**UC**	47	**K9**
–	**XL**	47	**K9**
Legrelle (rue Charles-str.)	**ETT**	48	**I11-I12**
Legrelle (rue Stanislas-str.)	**J**	22	**E5-E6**
Lehon (pl.-pl.)	**SCH**	35	**F9**
Leiestraat			
Lys (rue de la)	**MSJ**	33	**F6-F7**
Lejeune (rue Jules-str.)	**UC**	46	**K8**
–	**XL**	46	**K8**
Lekeu (rue Guillaume-str.)	**AND**	43	**J4**
Leliegaarde	**AS**	20	**D2**
Lelienlaan			
Lis (av. des)	**KR**	39	**G16-H16**
Leliestraat	**DIL**	30	**G1**
Lemaire (rue Charles-str.)	**AUD**	61	**L13**
Lemaire (rue Joseph-str.)	**MSJ**	32	**G4-G5**
Leman (rue Gén.)			
Lemanstraat (Gen.)	**ETT**	47	**I10**
Lemanlaan (Gen.)	**MA**	16	**B12-B13**
Lemanstraat (Gen.)			
Leman (rue Gén.)	**ETT**	47	**I10**
Lemanstraat (Gen.)	**SPL**	55	**N3**
Lemmens (pl. Alphonse-pl.)	**AND**	2	**H7***S*
Lemoine (av. Dr.)			
Lemoinelaan (Dr.)	**AND**	43	**J3**
Lemoinelaan (Dr.)			
Lemoine (av. Dr.)	**AND**	43	**J3**
Lemonnier			
(bd. Maurice-laan)	**BR**	6	**H7***S*
Lemonnier (rue Camille-str.)	**UC**	46	**K8**
–	**XL**	46	**K8**
Lenaerts (rue Alphonse)			
Lenaertsstraat (Alfons)	**KR**	39	**G16-H17**
–	**WO**	40	**H17**
Lenaertsstraat (Alfons)			
Lenaerts (rue Alphonse)	**KR**	39	**G16-H17**
–	**WO**	40	**H17**
Lenneke Marelaan			
Marie la Misérable			
(av.) = 167	**WSL**	38	**H15**

Nom / Naam	Gemeenten Communes	Plattegrond Plan n°	Plaatsaanduiding Repère
Lennik (route de)			
Lennikse Baan	AND	42	K1-K4
Lennikse Baan			
Lennik (route de)	AND	42	K1-K4
Lenoir (rue Ferdinand-str.)	J	22	E6
Lens (rue-str.)	BR	47	J9
–	XL	47	J9
Lenteklokjeslaan			
Nivéole (av. de la)	BR	14	C9
Lentelaan	SPL	66	O2
Lenterik	VIL	16	A12-A13
Lentestraat	DIL	20	F1
Lentestraat			
Printemps (rue du)	XL	47	K10
Leo XIII-straat			
Léon XIII (rue)	BR	15	C10
Léon (rue Frans-str.)	EV	25	E11
Léon XIII (rue)			
Leo XIII-straat	BR	15	C10
Léopold (rue-str.)	BR	4	H8N
Léopold (sq. Pr.)			
Leopoldsquare (Pr.)	BR	23	D7
Léopold I (rue-str.)	BR	23	E7-E8
–	J	22	E6-E7
Léopold II (bd.-laan)	K	33	F6-G6
–	MSJ	33	G6-G7
Léopold II (sq.-pl.)	WSP	49	I12
Leopold II laan	HOE	74	P14-O15
Léopold III (av.-laan)	EV	25	F11-E12
Léopold III (av.-laan)	WO	40	H18-I19
Léopold III (av. Roi)			
Leopold III laan (Kon.)	WEM	12	C5
Léopold III (bd.-laan)	SCH	36	G11
Leopold III Laan	ZAV	18	C16
Leopold III laan (Kon.)			
Léopold III (av. Roi)	WEM	12	C5
Leopold III Laan	ZAV	41	G19
Leopoldsquare (Pr.)			
Léopold (sq. Pr.)	BR	23	D7
Leopoldstadplein			
Léopoldville (sq. de)	ETT	47	J10
Léopoldville (sq. de)			
Leopoldstadplein	ETT	47	J10
Leostraat (Jan)	AS	21	D3
Lepage			
(rue Jean-Baptiste-str.)	WSP	51	I16
Lepage (rue Léon-str.)	BR	2	H7N
Lepoutre (av. Louis-laan)	XL	46	K8
Lepreux (rue Omer-str.)	K	32	F5
Leroy (pl. Edmond-pl.)	MSJ	32	G5
Leroy (rue Grégoire-str.)	SCH	25	E10
Lesbroussart (rue-str.)	BR	9	J9N
–	XL	9	J9N
Lesnino (rue François-str.)	BR	23	E8
Lesse (av. de la-laan)	WSL	38	H15
Lessenstraat			
Lessines (rue de)	MSJ	33	H6
Lessines (rue de)			
Lessenstraat	MSJ	33	H6
Lessire (rue Paul Émile-str.)	AUD	62	L14
Leunensstraat (Camille)	SPL	54	N2
Leuvensebaan (oude)	TER	53	I20
Leuvensedreef	TER	53	J20
Leuvenseplein			
Louvain (pl. de)	BR	5	H8N
Leuvensesteenweg			
Louvain (chaus. de)	BR	35	H10
–	EV	36	G12-G13
–	SCH	35	H10-G12
–	SJ	35	H9-H10
–	WSL	37	F13-G13
Leuvensesteenweg	MA	18	A15
Leuvensesteenweg	TER	53	J19-I20
Leuvensesteenweg	ZAV	26	F13-E18
Leuvenseweg			
Louvain (rue de)	BR	5	H9S
Levallois-Perret (rue-str.)	MSJ	32	H4
Levant (rue du-str.)	XL	47	K9
Levie (sq.-sq.)	SCH	36	H12
–	WSL	36	H12
Levoldlaan	DIL	30	H1
Lévrier (sent. du)			
Windhondweg	BR	13	C8
Levure (rue de la)			
Giststraat	XL	47	J9-J10
Leybeek (rue du-str.)	WSP	50	J14
Leys (rue-str.)	BR	36	H11
Liaison (rue de la)			
Verbindingstraat	WSL	37	H13
Libellendreef			
Libellules (dr. des)	WB	60	M11
Libellules (dr. des)			
Libellendreef	WB	60	M11
Libérateurs (sq.)			
Bevrijderssquare = 237	MSJ	33	F7
Libération (clos de la)			
Bevrijdingsgaarde	WSP	39	H16
Liberté (av. de la)			
Vrijheidslaan	K	33	G6-F6
–	MSJ	2-32	G5-G6
Liberté (pl. de la)			
Vrijheidsplein	BR	5	H9N
Liberté (rond-pt. de la)			
Vrijheidsrotonde	GAN	22	E5
Liberté (rue de la)			
Vrijheidstraat	DRO	56	M5
Libre Académie (av. de la)			
Vrije-Academielaan	AND	43	J3
Libre Examen (rue du)			
Vrij-Onderzoekstraat	AND	44	I5
Licorne (av. de la)			
Eenhoornlaan = 78	WSL	37	G12-H12
Licorne (clos de la)			
Eenhoorngaarde = 79	WSL	37	H12
Liebrecht (av. Henri-laan)	J	22	D5-D6
Lied van Sotternieënlaan			
Folle Chanson			
(av. de la) = 515	XL	47	K10
Liedekerke (rue de-str.)	SJ	5	H9-H10
Liedel (rue Lt.)			
Liedelstraat (Lt.)	AND	43	J4
Liedelstraat (Lt.)			
Liedel (rue Lt.)	AND	43	J4
Liedts (pl.-pl.)	SCH	34	F9

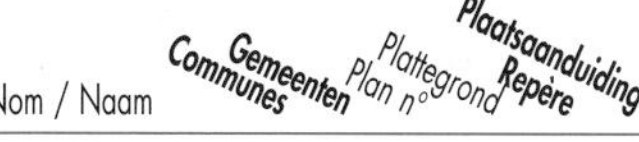

Nom / Naam	Communes / Gemeenten	Plan n° / Plattegrond	Repère / Plaatsaanduiding
Liedts (rue-str.)	**SCH**	34	**F9**
Liefdadigheidstraat			
Charité (rue de la)	**SJ**	5	**H9**S
Liefkensstraat	**OV**	77	**O19**
Liège (rue de)			
Luikstraat	**FO**	56	**L5**
Liégeois (rue des)			
Luikenaarsstraat	**XL**	47	**J10**
Lierre (rue du)			
Klimopstraat = 240	**MSJ**	32	**G5**
–	**ETT**	48	**I12**
Liétart (rue Maurice-str.)	**WSP**	48	**I12**
Lieveheersbeestjeslaan			
Coccinelles (av. des)	**BR**	60	**M11**
–	**WB**	60	**M11**
Lievevrouwbroersstraat			
Grands Carmes (rue des)	**BR**	4	**H7**S-**H8**S
Lièvre (rue du)			
Haasstraat	**AND**	42	**J2**
Lièvres (av. des)			
Hazenlaan	**WO**	52	**I17**
Lignages (dr. des)			
Geslachtendreef	**GAN**	22	**E5**
Ligusterslaan			
Troënes (av. des)	**KR**	51	**I16-I17**
Lijsterbessenbomenlaan			
Sorbiers (av. des)	**KR**	39	**G15-G16**
Lijsterbessenbomenlaan			
Sorbiers (av. des)	**UC**	71	**P9-P10**
Lijsterbessenlaan	**OV**	64	**N17-N18**
Lijsterslaan			
Grives (av. des)	**KR**	39	**G16**
Lijstersstraat			
Grives (rue des)	**AND**	43	**K4**
Lijsterstraat	**VIL**	14	**A10**
Lijsterweg	**TER**	64	**M17-L18**
Lilas (av. des-laan)	**WO**	41	**H19**
Lilas (rue du)			
Seringstraat = 440	**BR**	4	**G8**S
Lilas (sent. des)			
Seringenpad	**AUD**	62	**L14**
Lima (av. de-laan)	**BR**	12	**C6**
Limauge (rue-str.)	**XL**	9	**I9**S
Limbourg (av.-laan)	**AND**	43	**J4**
Limite (rue de la)			
Grensstraat	**KR**	39	**H16**
–	**WSP**	39	**H16**
Limite (rue de la)			
Grensstraat	**SJ**	5	**G9**S
Limite (rue de la)			
Grensstraat	**WO**	53	**I19-J20**
Limnander (rue-str.)	**AND**	6	**I7**N
Linaigrettes (sq. des)			
Wollegrassquare	**AND**	43	**K3**
Lincoln (rue-str.)	**UC**	58	**K9-L9**
–	**XL**	58	**K9**
Lindeboomstraat	**TER**	53	**K19**
Lindegaarde	**MA**	17	**B14**
Lindekens			
(rue Martin-str.)	**WSP**	49	**I13**
Lindelaan	**GRI**	13	**B8**
Lindenberg	**WSL**	38	**H14**
Lindendreef			
Tilleuls (allée des)	**WEM**	12	**A5**
Lindenhoekje			
Tilleuls (clos des)	**WO**	52	**I17**
Lindenlaan	**DIL**	20	**F1**
Lindenlaan			
Tilleuls (av. des)	**UC**	69	**O6-O7**
Lindenplein	**MA**	17	**B14**
Lindenstraat	**ZAV**	28	**D16**
Lindestraat			
Tilleul (rue du)	**EV**	25	**E11-F11**
–	**SCH**	25	**E11-F11**
Lindeveld			
Tilleul (champ du)	**J**	22	**D5**
Lindtstraat (Jan)	**HOE**	75	**O16-P16**
Linière (rue de la)			
Vlasfabriekstraat	**SG**	8	**J7**N
Linkebeek (rue courte)			
Linkebeekstraat (korte)	**DRO**	68	**O6**
Linkebeek (rue de-str.)	**UC**	69	**O6**
Linkebeekstraat (korte)			
Linkebeek (rue courte)	**DRO**	68	**O6**
Linné (rue-str.)	**SCH**	5	**G9**N
–	**SJ**	5	**G8**S
Linottes (av. des)			
Vlasvinkenlaan	**AUD**	49	**K13**
Linthout (pass.-pass.)	**WSL**	48	**I11**
Linthout (rue de-str.)	**ETT**	36	**H11-I11**
–	**SCH**	36	**H11**
–	**WSL**	36	**H11-I11**
Linthoutbosstraat			
Bois de Linthout (rue du)	**WSL**	36	**H12**
Lion (rampe du)			
Leeuwoprit	**BR**	25	**D10-E10**
Lion (rue du)			
Leeuwstraat	**BR**	25	**D10**
Lippens (rue Lt.)			
Lippensstraat (Lt.)	**ETT**	48	**J11**
Lippenslaan	**BE**	68	**O5**
Lippensstraat (Lt.)			
Lippens (rue Lt.)	**ETT**	48	**J11**
Lipse (rue Juste)			
Lipsiusstraat (Justus)	**BR**	47	**I10**
Lipsiusstraat (Justus)			
Lipse (rue Juste)	**BR**	47	**I10**
Lis (av. des)			
Lelienlaan	**KR**	39	**G16-H16**
Lisala (rue de-str.)	**FO**	56	**M5**
Lisbloemenstraat			
Glaïeuls (rue des)	**UC**	57	**L7**
Lisbonne (rue de)			
Lissabonstraat	**SG**	6	**J7**N
Liserons (av. des)			
Haagwindenlaan	**BR**	14	**C9**
Lisière (av. de la)			
Boskantlaan	**BR**	59	**L9**
Liskensstraat	**TER**	53	**J19**
Lison (sq.-sq.) = 569	**FO**	56	**L5-M5**
Lissabonstraat			
Lisbonne (rue de)	**SG**	6	**J7**N
Liverpool (rue de-str.)	**AND**	2-6	**H6**
–	**MSJ**	33	**H6**

Nom / Naam	Communes / Gemeenten	Plan n° / Plattegrond	Repère / Plaatsaanduiding
Livingstone (av.-laan)	**BR**	35	**H10**
Livornostraat			
Livourne (rue de)	**BR**	8	**J8**
–	**SG**	8	**J8**
–	**XL**	8	**J8**
Livourne (rue de)			
Livornostraat	**BR**	8	**J8**
–	**SG**	8	**J8**
–	**XL**	8	**J8**
Lloyd George (av.-laan)	**BR**	47	**K9**
Lobélias (rue des)			
Lobeliastraat	**WB**	61	**L13**
Lobeliastraat			
Lobélias (rue des)	**WB**	61	**L13**
Locquenghien (rue-str.)	**BR**	2	**G7**S
Lodaal (clos du-gaarde)	**BR**	14	**C9**
Logis (pl. du-pl.)	**WB**	61	**L13**
Loi (rue de la)			
Wetstraat	**BR**	35	**H9-I10**
Loisirs (av. des)			
Vrijetijdslaan	**EV**	25	**F11-F12**
Loisirs (plaine des)			
Lustplein	**AND**	43	**K4**
Loix (pl.-pl.)	**SG**	8	**J8**N
Loksumstraat			
Loxum (rue de)	**BR**	4	**H8**S
Lokvogelstraat			
Chanterelle (rue de la)	**BR**	23	**E7**
L'Olivier (pet. rue)			
L'Olivierstraat (korte)	**SCH**	5	**G9**N
L'Olivier (rue-str.)	**SCH**	5	**G9**N
L'Olivierstraat (korte)			
L'Olivier (pet. rue)	**SCH**	5	**G9**N
Lollepotstraat			
Chaufferette			
(rue de la) = 428	**BR**	3	**H7**S-**H8**S
Lombaert			
(rue Joseph-str.)	**AUD**	48	**K12**
Lombard (rue du-str.)	**BR**	4	**H8**S
Lombardie (rue de)			
Lombardijestraat	**SG**	45	**J7**
Lombardijestraat			
Lombardie (rue de)	**SG**	45	**J7**
Lombardsijdestraat			
Lombartzyde (rue de)	**BR**	14	**C9-C10**
Lombartzyde (rue de)			
Lombardsijdestraat	**BR**	14	**C9-C10**
Lommerberg			
Montagne aux Ombres	**WSP**	49	**J13**
Lommerlaan			
Ombrages (av. des)	**WSL**	49	**I12**
Lommerweg			
Ombre (ch. de l')	**BR**	59	**K9-L9**
Loncin (rue de-str.)	**SG**	45	**J7**
Londenplein			
Londres (pl. de)	**XL**	9	**I9**N
Londenstraat			
Londres (rue de)	**XL**	9	**I9**N
Londres (pl. de)			
Londenplein	**XL**	9	**I9**N
Londres (rue de)			
Londenstraat	**XL**	9	**I9**N

Nom / Naam	Communes / Gemeenten	Plan n° / Plattegrond	Repère / Plaatsaanduiding
Long Bonnier (dr. du)			
Langbunderdreef	**BR**	14	**C9**
Long Chêne (clos du)			
Lange Eikhoekje	**WO**	40	**G18**
Long Chêne (rue du)			
Lange Eikstraat	**WO**	40	**H18-G19**
Longicornes (rue des)			
Hoornkeversstraat	**WB**	60	**M11**
Longin (rue Pierre-str.)	**AND**	43	**J3**
Longinstraat (Jan)	**AS**	20	**D2-D3**
Longtin (rue-str.)	**J**	23	**F6**
Longue (rue)			
Langestraat	**DRO**	56	**M5-N5**
Longue (rue)			
Langestraat	**KR**	39	**H16-I16**
–	**WSP**	39	**H16-I16**
Longue Haie (rue de la)			
Langehaagstraat	**BR**	8	**J8**N
–	**XL**	8	**J8**N
Longue Haie (rue de la)			
Lange Haagstraat	**LIN**	69	**P7-P8**
Longue Vie (rue)			
Lang-Levenstraat	**XL**	9	**I9**S
Looflaan			
Ramée (av. de la)	**UC**	57	**L7**
Loofstraat			
Verdure (rue de la)	**BR**	2-6	**H7**S
Loofstraat	**ZAV**	27	**E15**
Loopbruglaan			
Passerelle (av. de la)	**BR**	13	**C7**
Loossens (rue Joseph-str.)	**J**	23	**E6-E7**
Lorand			
(rue Georges-str.)	**XL**	9	**I9**S
Lorge (sq. Jules-sq.)	**J**	22	**E6**
Loriot (av. du)			
Wielewaallaan	**AUD**	49	**K13**
–	**WSP**	49	**K12-K13**
Loriot (av. du)			
Goudmerellaan	**SGR**	70	**P9**
Loriot (rue du)			
Wielewaalstraat	**WB**	61	**L13**
Lorraine (dr. de-dr.)	**SGR**	72	**P11**
–	**UC**	59	**M10-P11**
Lostraat	**MA**	18	**C15**
Lothaire (av. Ct.)			
Lothairelaan (Kt.)	**ETT**	48	**J12**
Lothairelaan (Kt.)			
Lothaire (av. Ct.)	**ETT**	48	**J12**
Lotharingenlaan			
Lothier (av. de)	**WSP**	50	**K14**
Lothier (av. de)			
Lotharingenlaan	**WSP**	50	**K14**
Lotin (rue du Lt.)			
Lotinstraat (Lt.)	**FO**	55	**L4**
Lotinstraat (Lt.)			
Lotin (rue du Lt.)	**FO**	55	**L4**
Lotsebeemd	**BE**	66	**P2**
Lotsestraat	**BE**	68	**P4**
Lotstraat	**SPL**	66	**O1-P1**
Lotus (pl. du-pl.)	**BR**	12	**C6**
Lotz (rue Gén.)			
Lotzstraat (Gen.)	**UC**	58	**K8-L8**

Nom / Naam	Communes Gemeenten	Plan n° Plattegrond	Repère Plaatsaanduiding
Lotzstraat (Gen.)			
Lotz (rue Gén.)	UC	58	K8-L8
Louisa (sq.-plantsoen)	WSP	50	J15
Louise (av.)			
Louizalaan	BR	46	I8-K9
–	SG	8	I8
–	XL	8	I8
Louise (gal.)			
Louizagalerij	XL	8	I8S
Louise (pl.)			
Louizaplein	SG	8	I8
–	XL	8	I8S
Louizagalerij			
Louise (gal.)	XL	8	I8S
Louizalaan			
Louise (av.)	BR	46	I8-K9
–	SG	8	I8
–	XL	8	I8
Louizaplein			
Louise (pl.)	SG	8	I8
–	XL	8	I8S
Loups (dr. des)			
Wolvendreef	AUD	63	N16
Loups (pet. rue des)			
Wolvenstraat (korte)	AND	43	J4
Loups (rue des)			
Wolvenstraat	AND	43	K4
Loutrier (rue du)			
Ottervangerstraat	WB	60	L12
Louvain (chaus. de)			
Leuvensesteenweg	BR	35	H10
–	EV	36	G12-G13
–	SCH	35	H10-G12
–	SJ	35	H9-H10
–	WSL	37	F13-G13
Louvain (pl. de)			
Leuvenseplein	BR	5	H8N
Louvain (rue de)			
Leuvenseweg	BR	5	H9S
Louve (dr. de la)			
Wolvindreef	WB	61	M13
Loweidestraat	DIL	30	H1-H2
Lowet (rue Victor-str.)	GAN	22	E4-E5
Loxum (rue de)			
Loksumstraat	BR	4	H8S
Loyauté (rue de la)			
Rechtschapenheidstraat	J	23	E7
Lozenberg	ZAV	28	F16
Lucanes (av. des)			
Schallebijterslaan	WB	60	M11-M12
Luchthavenlaan	MA	17	A15
Luchtlaan	DIL	30	G1
Luchtmachtlaan			
Force Aérienne (av. de la)	ETT	48	J11
Luchtschiplaan			
Dirigeable (av. du)	WB	61	M13
Luchtschipstraat			
Aéronef (rue de l') = 120	EV	26	E12
Luchtvaartlaan			
Aviation (av. de l')	WSP	50	I15-J16
Luchtvaartsquare			
Aviation (sq. de l')	AND	6	I7N
Lucioles (av. des)			
Glimwormenlaan = 537	WB	60	M11
Luikenaarsstraat			
Liégeois (rue des)	XL	47	J10
Luikstraat			
Liège (rue de)	FO	56	L5
Luitberg	GRI	13	B8
Luizenmolen			
(av. du-laan)	AND	42	J2-I3
Lumière			
(rue Auguste-str.)	FO	56	L5
Lumière (rue Louis-str.)	FO	56	L5
Lunettes (imp. des)			
Brillengang = 434	BR	2	H7S
Lupinenstraat			
Lupins (rue des) = 573	WB	61	L13
Lupins (rue des)			
Lupinenstraat = 573	WB	61	L13
Lusambo (rue de-str.)	FO	56	M5
Lussteeg			
Boucle (venelle en) = 559	WSP	50	I14
Lusthuizenlaan	DIL	30	H1
Lusthuizenstraat	AS	20	D1
Lusthuizenstraat			
Châlets (rue des)	BER	21	F3
Lustplein			
Loisirs (plaine des)	AND	43	K4
Lutens (av. Yvan-laan)	WSP	50	J15
Luther (rue-str.)	BR	35	H10
Lutins (rue des)			
Kaboutersstraat	FO	56	M5
Luttrebruglaan			
Pont de Luttre (av. du)	FO	45	J6-K6
Luxembourg (pl. du)			
Luxemburgplein	XL	9	I9N
Luxembourg (rue du)			
Luxemburgstraat	BR	9	I9N
–	XL	9	I9N
Luxemburglaan	VIL	16	A12
Luxemburgplein			
Luxembourg (pl. du)	XL	9	I9N
Luxemburgstraat			
Luxembourg (rue du)	BR	9	I9N
–	XL	9	I9N
Luxor Parc	AUD	49	J13
Luzerne			
(rue de la-str.)	SCH	36	G11
Lycée (rue du)			
Lyceumstraat	SG	45	J7
Lycée Français (av. du)			
Frans Lyceumlaan	UC	57	N7
Lyceumstraat			
Lycée (rue du)	SG	45	J7
Lynen			
(rue Amédée-str.)	SJ	5	H9N
Lynx (clos du)			
Lynxbinnenhof	WSL	37	G13
Lynxbinnenhof			
Lynx (clos du)	WSL	37	G13
Lyr (av. René-laan)	UC	70	O9
Lys (rue de la)			
Leiestraat	MSJ	33	F6-F7

M

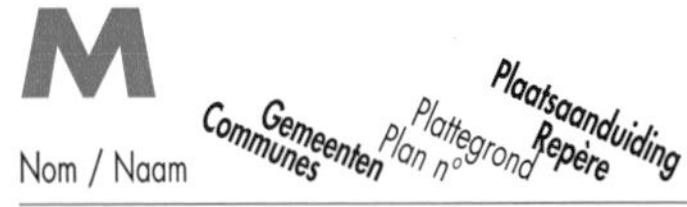

Nom / Naam	Gemeenten Communes	Plattegrond Plan n°	Plaatsaanduiding Repère
Maagdenstraat			
Vierges (rue des)	**BR**	2	**H7**S
Maaiersstraat			
Moissonneurs (rue des)	**ETT**	48	**J11**
Maalbeek	**AS**	10	**C2**
Maalbeek (av. du-laan)	**WEM**	12	**B4**
Maalbeek (rue du-str.)	**KR**	28	**F16**
Maalbeeklaan			
Maelbeek (av. du)	**BR**	47	**I10**
Maalbeekstraat	**DIL**	30	**F2-G3**
Maalbeekstraat			
Maelbeek (rue du)	**ETT**	47	**I10**
Maalbeekweg	**ZAV**	28	**D16**
Maaldersgaarde			
Meunier (clos du)	**WO**	40	**H18**
Maarschalkdreef			
Maréchal (dr. du)	**UC**	59	**M10-M11**
Maarschalklaan			
Maréchal (av. du)	**UC**	59	**N9-N10**
Maartlaan			
Mars (av. de)	**SCH**	36	**H12**
–	**WSL**	36	**H12**
Maas (sq.-sq.) = 222	**LIN**	69	**P7**
Maasdellelaan	**TER**	65	**K19-L19**
Maasdelleweg	**TER**	65	**K19-L19**
Maasstraat			
Meuse (rue de la)	**MSJ**	33	**F7**
Maastrichtlaan	**VIL**	15	**A11**
Mabille (rue Victor-str.)	**BR**	23	**E7**
Mac Arthur (rue Gén.)			
Mac Arthurstraat (Gen.)	**UC**	58	**K8-L8**
Mac Arthurstraat (Gen.)			
Mac Arthur (rue Gén.)	**UC**	58	**K8-L8**
Macau			
(av. Guillaume-laan)	**XL**	47	**J9**
Machelenstraat	**MA**	16	**C13**
Machelenstraat	**VIL**	16	**A13**
Machelsesteenweg	**STE**	18	**A16-A17**
Mâchoire (rue de la)			
Kinnebakstraat	**BR**	3	**H7**N
Machtens			
(bd. Edmond-laan)	**MSJ**	32	**H4-G6**
Machtens (sq. Edmond-sq.)	**MSJ**	32	**H5**
Madeleine (rue de la)			
Magdalenasteenweg	**BR**	4	**H8**S
Madeliefjeshoek			
Marguerites			
(clos des) = 335	**AND**	43	**K3**
Madeliefjeslaan	**SPL**	54	**L2**
Madeliefjeslaan			
Marguerites (av. des)	**WO**	52	**I17**
Madeliefjesstraat			
Pâquerettes (rue des)	**SCH**	35	**G10**
Madelon (sq. de la-sq.)	**FO**	56	**M5**
Madones (dr. des)			
Madonnadreef	**AUD**	50	**K14**
Madonnadreef			
Madones (dr. des)	**AUD**	50	**K14**

Nom / Naam	Gemeenten Communes	Plattegrond Plan n°	Plaatsaanduiding Repère
Madou (pl.-pl.)	**SJ**	5	**H9**N
Madoux			
(av. Alfred-laan)	**WSP**	50	**J15**
Madoux			
(av. Charles-laan)	**AUD**	48	**J11**
Madrid (av. de-laan)	**BR**	13	**C7-C8**
Madrigal (rue du-str.)	**MSJ**	31	**H3**
Madrille (imp.)			
Madrillengang			
(sit. rue Marché au Charbon)	**BR**	4	**H8**S
Madrillengang			
Madrille (imp.)			
(gel. rue Marché			
au Charbon)	**BR**	4	**H8**S
Madyol (rue-str.)	**WSL**	50	**I14**
Maelbeek (av. du)			
Maalbeeklaan	**BR**	47	**I10**
Maelbeek (rue du)			
Maalbeekstraat	**ETT**	47	**I10**
Maerckaert			
(av. Georges-laan)	**WSL**	38	**H15**
Maes (rue Arthur-str.)	**BR**	26	**D13**
Maes (rue Henri-str.)	**AND**	43	**I3**
Maes (rue-str.)	**XL**	9	**J9**N
Maesschalck			
(rue Oscar-str.) = 410	**GAN**	21	**F4**
Maeterlinck			
(av. Maurice-laan)	**SCH**	25	**E10**
Magasin (rue du)			
Pakhuisstraat	**BR**	4	**G8**S
Magdalenasteenweg			
Madeleine (rue de la)	**BR**	4	**H8**S
Magistrat (rue du)			
Wethoudersstraat	**BR**	46	**J9**
–	**XL**	46	**J9**
Magnanerie (rue de la)			
Zijdeteeltstraat	**UC**	57	**M6**
Magnani (pet. rue Anna)			
Magnanistraat			
(kleine Anna) = 589	**J**	22	**D5**
Magnanistraat (kleine Anna)			
Magnani			
(pet. rue Anna) = 589	**J**	22	**D5**
Magnolialaan			
Magnolias (av. des)	**BR**	12	**C6**
Magnolias (av. des)			
Magnolialaan	**BR**	12	**C6**
Magnolias (dr. des-dr.)	**KR**	52	**K18**
Magritte (rue René-str.)	**EV**	26	**E12**
Mahillon (av. Léon-laan)	**SCH**	36	**H11**
Mai (av. de)			
Meilaan	**WSL**	36	**H12-H13**
Mai (pl. de)			
Meiplein	**WSL**	37	**H12**
Maïeurs (pl. des)			
Meïersplein	**WSP**	50	**I14**
Mail			
Malieplein	**GAN**	21	**E4**

Nom / Naam	Gemeenten Communes	Plattegrond Plan n°	Plaatsaanduiding Repère
Mail (rue du)			
Maliestraat	XL	46	K8
Maison Rouge (pl. de la)			
Roodhuisplein = 346	BR	23	E8
Malherbe (av. François-laan)	AND	44	I5
Malibran (pet. rue)			
Malibranstraat (korte)	XL	9	J9N
Malibran (rue-str.)	XL	9	J9N
Malibranstraat (korte)			
Malibran (pet. rue)	XL	9	J9N
Malieplein			
Mail	GAN	21	E4
Maliestraat			
Mail (rue du)	XL	46	K8
Malines (chaus. de)			
Mechelsesteenweg	KR	52	J17
–	WO	41	J17-H19
Malines (rue de)			
Mechelsestraat	BR	4	G8S
Malis (rue Charles-str.)	MSJ	32	G5
Malle-Poste (rue de la)			
Postwagenstraat = 536	WB	60	L11
Malolaan	DIL	30	H1
Malou (av. Jules-laan)	ETT	47	J10
Malouinières			
(clos des-gaarde)	WSP	50	J15
Malpertuusberg	OV	77	P20
Malustraat (Paul) = 233	HOE	75	P17
Manchester (rue de-str.)	MSJ	33	H6
Manège (sq. du)			
Rijschoolplein	WSP	51	I16
Manne (rue Jacques-str.)	AND	43	H4-I4
Manoir (av. du)			
Riddershofstedelaan	UC	57	M7
Manoir (clos du)			
Burchtgaarde	WSP	50	J15
Manoir d'Anjou			
(av. du-laan)	WSP	50	J15
Manon (sq.-sq.) = 570	FO	56	L5-M5
Mantes (av. des)			
Garnaalkreeften-			
laan = 356	WB	60	M11
Manuel (clos-gaarde)	WSP	48	J12
Maquis (rue du-str.)	EV	37	G12-G13
Maraîcher (rue du)			
Groenteboerstraat	BER	31	G3
Maraîchers (rue des)			
Boerkozenstraat	AND	43	I4
Marais (rue du)			
Broekstraat	BR	4	G8S
Marathon (av. de-laan)	BR	13	C6-C7
Marbotin (rue Adolphe-str.)	SCH	25	F11
Marcassins (rue des)			
Everzwijntjesstraat	WB	60	M12
Marcelis (rue Louis-str.)	WO	40	H17
Marcette (rue Alex-str.)	ETT	47	J10
Marchal (av. Félix-laan)	SCH	35	H10-H11
Marchand (rue Pierre-str.)	WO	53	J19
Marchandises (rue des)			
Goederenstraat	AND	45	J6
Marchandstraat (Victor)	HOE	76	P18
Marchant (rue Pierre-str.)	AND	44	J5
Marché (rue du)			
Marktstraat	SJ	4	G8N
Marché au Bois			
Houtmarkt	BR	4	H8S
Marché au Charbon (rue du)			
Kolenmarkt	BR	3	H7S
Marché aux Fromages (rue du)			
Kaasmarkt = 415	BR	4	H8S
Marché aux Herbes (rue du)			
Grasmarkt	BR	4	H8S
Marché aux Peaux (rue du)			
Huidenmarkt = 506	BR	4	H8S
Marché aux Porcs (rue du)			
Varkensmarkt = 442	BR	2	G7S
Marché aux Poulets (rue du)			
Kiekenmarkt	BR	4	H8N
Marconi (rue-str.)	FO	45	K7
Marcq (rue-str.)	BR	4	G7S
Marcx (rue Louis-str.)	AUD	48	K12
Maréchal (av. du)			
Maarschalklaan	UC	59	N9-N10
Maréchal (dr. du)			
Maarschalkdreef	UC	59	M10-M11
Marelaan			
(Lenneke)	ZAV	38	G15
Maretaklaan			
Gui (av. du)	UC	70	O8-O9
Mareyde (rue-str.)	WSP	50	J15
Margaretasquare			
Marguerite (sq.)	BR	35	H10
Margaretha			
van Oostenrijkplein			
Marguerite d'Autriche			
(pl.)	GAN	21	E4-F4
Marguerite (sq.)			
Margaretasquare	BR	35	H10
Marguerite d'Autriche (pl.)			
Margaretha			
van Oostenrijkplein	GAN	21	E4-F4
Marguerites (av. des)			
Madeliefjeslaan	WO	52	I17
Marguerites (clos des)			
Madeliefjeshoek = 335	AND	43	K3
Maria-Christinastraat			
Marie-Christine (rue)	BR	23	E8
Maria-Hemelvaartlaan			
Assomption (av. de l')	WSL	38	H15
Maria-Hendrikalaan (Kon.)			
Marie-Henriette			
(av. Reine)	FO	45	J6-K7
Maria-Hendrikastraat			
Marie-Henriette (rue)	XL	9	J9N
Maria-Louizasquare			
Marie-Louise (sq.)	BR	35	H10
Maria-Theresiaoord			
Marie-Thérèse (clos)	WO	40	H17
Maria-Theresiastraat			
Marie-Thérèse (rue)	BR	5	H9S
–	SJ	5	H9N
Maria van Bourgondiëstraat			
Marie de Bourgogne (rue)	BR	9	I9N
–	XL	9	I9N

Nom / Naam	Gemeenten Communes	Plattegrond Plan n°	Plaatsaanduiding Repère
Maria van Hongarijelaan			
Marie de Hongrie (av.)	BER	21	F3-E4
–	GAN	21	E4-F5
Marianne (rue-str.)	UC	58	K8-L8
Marichal (rue Henri-str.)	XL	47	J10
Maricollendreef			
Maricolles (dr. des)	BER	31	G3
Maricolles (dr. des)			
Maricollendreef	BER	31	G3
Marie-Christine (rue)			
Maria-Christinastraat	BR	23	E8
Marie-Clotilde			
(av.-laan) = 532	WB	60	L11
Marie de Bourgogne (rue)			
Maria van			
Bourgondiëstraat	BR	9	I9N
–	XL	9	I9N
Marie de Hongrie (av.)			
Maria van Hongarijelaan	BER	21	F3-E4
–	GAN	21	E4-F5
Marie-Henriette (av. Reine)			
Maria-Hendrikalaan (Kon.)	FO	45	J6-K7
Marie-Henriette (rue)			
Maria-Hendrikastraat	XL	9	J9N
Marie-Henriettelaan	DIL	31	H3
Marie-José (av.-laan)	WSL	36	H12
Marie-José (pl.-pl.)	XL	59	L10
Marie-José (sq.-pl.)	WSL	37	H12
Marie-Joséwijk	VIL	16	A13
Marie la Misérable (av.)			
Lenneke Marelaan = 167	WSL	38	H15
Marie-Louise (sq.)			
Maria-Louizasquare	BR	35	H10
Marie-Louiselaan	DIL	31	H3
Marie-Thérèse (clos)			
Maria-Theresiaoord	WO	40	H17
Marie-Thérèse (rue)			
Maria-Theresiastraat	BR	5	H9S
–	SJ	5	H9N
Mariemont (quai de-kaai)	MSJ	33	H6
Mariënborre	BR	15	C10
Mariëndaal			
Val Maria	BR	15	C10
Mariënsteen	BR	15	C10
Mariniers (rue des)			
Schippersstraat	MSJ	2	G7S
Marinus			
(clos Albert-gaarde)	WSL	37	H13
Marissal (dr. Ct.)			
Marissaldreef (Kt.)	LIN	69	P7
Marissaldreef (Kt.)			
Marissal (dr. Ct.)	LIN	69	P7
Marjolaine (rue de la)			
Marjoleinstraat	BR	25	C10-D10
Marjoleinstraat			
Marjolaine (rue de la)	BR	25	C10-D10
Markelbach			
(rue Alexandre-str.)	SCH	35	G10
Markgraaflaan	OV	76	N18
Markieslaan	OV	76	O17
Markiesstraat			
Marquis (rue du)	BR	4	H8S
Markt	TER	53	J19
Markt	WEM	12	B4
Marktplein	DIL	30	H1
Marktstraat			
Marché (rue du)	SJ	4	G8N
Marktstraat	ZAV	28	E17
Marlow			
(sq. Georges-sq.)	UC	57	M7
Marly (av. du-laan)	BR	15	C11
Marly (pet. rue du-straatje)	BR	15	C11
Marmotlaan			
Marmotte (av. de la)	WO	52	I18-J18
Marmotte (av. de la)			
Marmotlaan	WO	52	I18-J18
Marne (rue de la-str.)	EV	25	E11
Marne (rue de la-str.)	SCH	35	F9-G9
Marnix (av.-laan)	BR	9	I9N
Marnixlaan	OV	77	N19-N20
Marokijnstraat			
Maroquin (rue du)	MSJ	2	G7S
Maroquin (rue du)			
Marokijnstraat	MSJ	2	G7S
Marquis (rue du)			
Markiesstraat	BR	4	H8S
Marronnier (rue du)			
Kastanjeboomstraat = 436	BR	4	G8S
Marronniers (av. des)			
Kastanjeboomlaan	SGR	71	P9
Mars (av. de)			
Maartlaan	SCH	36	H12
–	WSL	36	H12
Marsveldplein			
Champ de Mars (pl. du)	XL	9	I9N
Marsveldstraat			
Champ de Mars (rue du)	BR	9	I9N
–	XL	9	I9N
Marteau (rue du)			
Hamerstraat	BR	5	H9S
–	SJ	5	H9S
Martel (rue Charles)			
Martelstraat (Karel)	BR	35	H10
Martelaarsplein			
Martyrs (pl. des)	BR	4	H8N
Martelstraat (Karel)			
Martel (rue Charles)	BR	35	H10
Martergaarde			
Martre (clos du)	WO	52	J18
Martin (rue Firmin-str.)	AUD	62	M14
Martin (rue Georges			
et Jacques-str.)	WSL	48	I12
–	WSP	48	I12
Martin (rue Nestor-str.)	BER	21	E3-E4
–	GAN	21	E3-E4
Martin-Pêcheur (av. du)			
IJsvogellaan	WB	60	L11-L12
Martin Pêcheur (av. du)			
IJsvogellaan	WO	40	G18
Martin V (jardin)			
Martinus V tuin	WSL	38	H15
Martin V (rue-str.) = 164	WSL	38	H15
Martinets (av. des)			
Steenzwaluwenlaan	AUD	49	K13

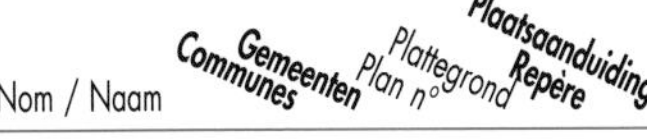

Nom / Naam	Communes / Gemeenten	Plan n° / Plattegrond	Repère / Plaatsaanduiding
Martinus V tuin			
Martin V (jardin)	**WSL**	38	**H15**
Martre (clos du)			
Martergaarde	**WO**	52	**J18**
Martyrs (pl. des)			
Martelaarsplein	**BR**	4	**H8***N*
Martyrs Juifs (sq. des)			
Joodse-Martelarensquare	**AND**	33	**I6**
Mascré (rue Louis-str.)	**AND**	44	**I5**
Maskerbloemenweg			
Mimules (ch. des)	**BR**	59	**L9**
Masoin (av. Ernest-laan)	**BR**	23	**D6-D7**
–	**J**	22	**D6**
Massart (rue Jean-str.)	**ETT**	48	**I11**
Massaux (rue-str.)	**SCH**	5	**G9***S*
Masséna (sq.-sq.)	**UC**	70	**O8**
Massenet (av.-laan)	**FO**	45	**K6**
Masui (pl.-pl.)	**SCH**	24	**F9**
Masui (rue-str.)	**BR**	34	**F8**
–	**SCH**	24	**F8-F9**
Masui Prolongée (rue)			
Verlengde Masuistraat	**BR**	24	**E9-F9**
Matelots (imp. des)			
Matrozengang = 518	**BR**	34	**G7***S*
Materiaalstraat			
Matériaux (rue des)	**AND**	44	**I6**
Materialenkaai			
Matériaux (quai des)	**BR**	4	**G7**
Matériaux (quai des)			
Materialenkaai	**BR**	4	**G7**
Matériaux (rue des)			
Materiaalstraat	**AND**	44	**I6**
Matheus (rue Georges-str.)	**SJ**	4	**G8***S*
Matheys (rue Léon-str.) = 41	**GAN**	22	**F5**
Mathieu (rue Adolphe-str.)	**XL**	47	**J10**
Matigheidslaan			
Tempérance (av.)	**AND**	42	**I2**
Matisse (av. Henri-laan)	**EV**	26	**E12**
Matrozengang			
Matelots (imp. des) = 518	**BR**	34	**G7***S*
Matstraat (Willem)	**HOE**	75	**P17**
Mattheussens			
(rue Pierre-str.)	**EV**	25	**E11**
Matthys (rue Prosper-str.)	**FO**	57	**L6**
Maubel (rue Henri-str.)	**FO**	57	**L6**
Maubeugelaan	**VIL**	15	**A11-A12**
Maurice (av.-laan)	**XL**	47	**K10**
Maus (rue Henri-str.) = 424	**BR**	4	**H8***S*
Max (av. Émile-laan)	**SCH**	36	**H11**
Max (bd. Adolphe-laan)	**BR**	4	**G8***S*
Maximilien (rue-str.)	**XL**	47	**K10**
Mayelle (rue-str.)	**J**	23	**E7-F7**
Mazza (av. Richard-laan)	**GAN**	22	**E5**
Mécanique (rue de la)			
Werktuigkunde-straat = 556	**AND**	43	**J4-K4**
Mechelsesteenweg			
Malines (chaus. de)	**KR**	52	**J17**
–	**WO**	41	**J17-H19**
Mechelsesteenweg	**ZAV**	41	**G19-H19**
Mechelsestraat			
Malines (rue de)	**BR**	4	**G8***S*

Nom / Naam Communes Gemeenten Plan n° Plattegrond Repère Plaatsaanduiding

Nom / Naam	Communes / Gemeenten	Plan n° / Plattegrond	Repère / Plaatsaanduiding
Mechelsestraat (oude)	**GRI**	13	**B7-A8**
Medaets (rue-str.)	**WSP**	49	**I13**
Mededingingstraat			
Compétition (rue de la)	**AND**	43	**I4**
Medekensstraat	**ZAV**	41	**G19-H19**
Medialaan	**VIL**	15	**A11**
Médori (rue-str.)	**BR**	23	**D8-E8**
Meelbessenlaan			
Alisiers (av. des)	**UC**	69	**P7**
Meerplein			
Meir (rond-pt. du)	**AND**	43	**J4**
Meersteen	**SPL**	66	**O1-P1**
Meerstraat			
Lac (rue du)	**BR**	47	**J9-K9**
–	**XL**	9	**J9**
Meert (carré-blok) = 278	**UC**	57	**L7**
Meert (rue Charles-str.)	**SCH**	25	**E10-E11**
Meerweg	**SPL**	66	**O2-N3**
Meeuwengaarde			
Mouettes (clos des)	**SCH**	36	**G11**
Meeuwenlaan	**VIL**	14	**A9-B9**
Meeuwenlaan			
Mouettes (av. des)	**WO**	40	**G17-G18**
Meeuwenlaan			
Mouettes (av. des)	**WSP**	49	**J12**
Mégissiers (rue des)			
Zeemtouwersstraat	**AND**	2	**H6***S*
Mehaudensstraat (José)	**SPL**	54	**M2-M3**
Meibloemstraat			
Muguet (rue du)	**BR**	15	**C11**
Meibloemstraat	**SPL**	54	**L2-M3**
Meiboom (rue du-str.)	**BR**	4	**H8***N*
Meiboomlaan	**DIL**	30	**G1**
Meiboomstraat	**AS**	20	**E2**
Meïersplein			
Maïeurs (pl. des)	**WSP**	50	**I14**
Meikeverslaan			
Hannetons (av. des)	**WB**	61	**L12**
Meiklokjeslaan			
Muguets (av. des)	**KR**	39	**H16**
Meiklokjeslaan			
Muguets (av. des)	**WSP**	49	**J13**
Meilaan			
Mai (av. de)	**WSL**	36	**H12-H13**
Meiplein			
Mai (pl. de)	**WSL**	37	**H12**
Meir (rond-pt. du)			
Meerplein	**AND**	43	**J4**
Meiser (pl. Gén.)			
Meiserplein (Gen.)	**SCH**	36	**G11**
Meiserplein (Gen.)			
Meiser (pl. Gén.)	**SCH**	36	**G11**
Meiseselaan			
Meysse (av. de)	**BR**	13	**C7-C8**
Meisesesteenweg (oude)			
Meysse (ancienne chaus. de) = 326	**BR**	13	**B7-C7**
Meisestraat	**GRI**	13	**B7-B8**
Mélard (rue Fernand-str.)	**WSL**	49	**I13**
Melba (av. Nellie-laan)	**AND**	43	**J3-J4**
Melckmans			
(av. Guillaume-laan)	**AND**	43	**K4**

Nom / Naam	Communes Gemeenten	Plan n° Plattegrond	Repère Plaatsaanduiding
Mélèzes (dr. des)			
Lariksendreef	**KR**	52	**K17**
Mélèzes (rue des)			
Lariksenstraat	**XL**	46	**K8-K9**
Mélilots (rue des)			
Honingklaver-			
straat = 266	**WO**	41	**H19**
Mélisses (rue des)			
Citroenkruidstraat	**BR**	14	**C10**
Melkerijlaan			
Laiterie (av. de la)	**BR**	59	**L9**
Melkerijstraat			
Laiterie (rue de la)	**AND**	32	**H5**
–	**MSJ**	32	**H5**
Melkriek (rue du-str.)	**UC**	68	**N5-N6**
Melkstraat	**MA**	17	**B14**
Mellery (rue-str.)	**BR**	24	**E8**
Mélodie (rue de la-str.)	**MSJ**	32	**G5**
Meloenstraat			
Melon (rue du)	**FO**	45	**K6**
Melon (rue du)			
Meloenstraat	**FO**	45	**K6**
Mélopée (rue de la-str.)	**MSJ**	32	**G5-H5**
Melpomène (rue-str.)	**MSJ**	32	**G5**
Melsbroeksestraat	**MA**	17	**A15**
Melsens (rue-str.)	**BR**	4	**H7**N
Memling (rue-str.)	**AND**	6	**I6**N
Memlingdreef	**OV**	65	**N19**
Ménages (rue des)			
Huishoudensstraat	**BR**	6	**I7**S
Ménapiens (rue des)			
Menapiërsstraat	**ETT**	48	**I11**
Menapiërsstraat			
Ménapiens (rue des)	**ETT**	48	**I11**
Menenstraat			
Menin (rue de)	**MSJ**	33	**G6**
Menestrelenlaan			
Ménestrels (av. des)	**AND**	32	**H4**
Ménestrels (av. des)			
Menestrelenlaan	**AND**	32	**H4**
Ménestrels (av. des)			
Minnezangerslaan	**MSJ**	32	**H4-H5**
Menin (rue de)			
Menenstraat	**MSJ**	33	**G6**
Mennegat	**GAN**	21	**E4**
Mennekens (pl. Jef-pl.)	**MSJ**	32	**G5**
Mensenrechtenlaan			
Droits de l'Homme			
(av. des)	**AND**	43	**K4**
Menslievendheidsstraat			
Philanthropie (rue de la)	**BR**	6	**I7**S
Menuet (rue du-str.)	**MSJ**	31	**H4**
Menuisier (rue du)			
Schrijnwerkerstraat	**WSL**	37	**H12-H13**
Mercator			
(av. Gérard-laan)	**WEM**	13	**A6**
Mercator (rue-str.)	**AND**	43	**I4**
Mercatorstraat	**VIL**	14	**B9**
Mercelis (rue-str.)	**BR**	8	**J8**N
–	**XL**	9	**J9**N
Merchtem (chaus. de)			
Merchtem (stwg. op)	**MSJ**	2	**G7**S
Merchtem (chaus. de)			
Merchtem (stwg. op)	**WEM**	11	**A4-B4**
Merchtem (stwg. op)			
Merchtem (chaus. de)	**MSJ**	2	**G7**S
Merchtem (stwg. op)			
Merchtem (chaus. de)	**WEM**	11	**A4-B4**
Merchtemsebaan (oude)	**AS**	10	**C1-D2**
Mercier (pl. Card.)			
Mercierplein (Kard.)	**J**	22	**E6**
Mercier (rue du Card.)			
Mercierstraat (Kard.)	**BR**	4	**H8**S
Mercierplein (Kard.)			
Mercier (pl. Card.)	**J**	22	**E6**
Mercierstraat (Kard.)			
Mercier (rue du Card.)	**BR**	4	**H8**S
Merckaert (rue Jul.-str.) = 93	**SCH**	36	**G11**
Mercure (av. de)			
Mercuriuslaan	**UC**	58	**M8**
Mercuriuslaan			
Mercure (av. de)	**UC**	58	**M8**
Mereaux (rue Jean-str.)	**AUD**	62	**L14**
Merellaan			
Merles (av. des)	**WSP**	49	**J13**
Merelstraat	**AS**	20	**D2**
Merelweg	**WEM**	12	**B5**
Méridien (rue du)			
Middaglijnstraat	**SJ**	5	**G9**S
Mérinos (rue du-str.)	**SJ**	5	**G9**S
Mérises (sq. des)			
Wilde Kersensquare	**UC**	69	**O7**
Merisiers (rue des)			
Kriekebomenstraat	**WB**	60	**L11**
–	**XL**	60	**L11**
Merjay (av. Gén.)			
Merjaylaan (Gen.)	**AUD**	61	**L13**
Merjay (rue Franz-str.)	**UC**	46	**K8**
–	**XL**	46	**K8**
Merjaylaan (Gen.)			
Merjay (av. Gén.)	**AUD**	61	**L13**
Merles (av. des)			
Merellaan	**WSP**	49	**J13**
Merlo (rue du-str.)	**UC**	56	**M5-M6**
Mermoz (clos Jean-gaarde)	**WSP**	50	**I15**
Mertens			
(rue Charles-str.) = 611	**GAN**	21	**E4**
Mertens (rue Emmanuel-str.)	**WSP**	50	**J14**
Mertens (rue Joseph-str.)	**BER**	31	**F3**
Mertensstraat (Jozef)	**DIL**	20	**E1-F1**
Mertensstraat (Victor)	**HOE**	75	**P16-P17**
Mésanges (av. des)			
Mezenlaan	**AUD**	49	**K13**
Mésanges (ch. des)			
Mezenweg	**KR**	39	**G16-G17**
Mésanges (clos des)			
Mezengaarde	**AUD**	49	**K13**
Mésanges (clos des)			
Mezenhof	**LIN**	69	**P6**
Mésanges (dr. des)			
Mezendreef	**AUD**	62	**N15-M16**
–	**WB**	62	**O14-N15**
Mésanges (pet. dr. des)			
Mezendreefje	**AUD**	63	**M16-N16**

Nom / Naam — Communes Gemeenten — Plan n° Plattegrond — Repère Plaatsaanduiding

Nom / Naam	Communes / Gemeenten	Plan n° / Plattegrond	Repère / Plaatsaanduiding
Mesens (av. Edmond-laan)	**ETT**	48	**J12**
Messidor (av. de-laan)	**UC**	57	**L7-L8**
Metaalstraat			
Métal (rue du)	**SG**	8	**J7**N
Métairie (rue de la)			
Boerderijstraat	**BER**	22	**F5**
–	**GAN**	22	**F5**
Métal (rue du)			
Metaalstraat	**SG**	8	**J7**N
Metalenstraat			
Métaux (rue des)	**ETT**	47	**I10**
Métaux (rue des)			
Metalenstraat	**ETT**	47	**I10**
Métiers (imp. des)			
Ambachtengang			
(sit. rue Marché aux Herbes)	**BR**	4	**H8**S
Métrologie (av. de la)			
Metrologielaan	**BR**	16	**C13**
Métrologie (pet. av. de la)			
Metrologielaan (korte)	**BR**	16	**C13**
Metrologielaan			
Métrologie (av. de la)	**BR**	16	**C13**
Metrologielaan (korte)			
Métrologie (pet. av. de la)	**BR**	16	**C13**
Metsijsdreef	**OV**	77	**N19-N20**
Metsys (rue-str.)	**SCH**	24	**F10**
Mettewie (bd. Louis-laan)	**AND**	31	**H4**
–	**K**	32	**G5**
–	**MSJ**	31	**H4-G5**
Meudon (rue de-str.)	**BR**	15	**C11**
Meudon (sq. de-sq.)	**WSL**	37	**H12-H13**
Meunier (clos du)			
Maaldersgaarde	**WO**	40	**H18**
Meunier (pl. Constantin-pl.)	**FO**	45	**K7**
Meunier (rue Albert-str.)	**AUD**	62	**L14**
Meunier (rue Jean-Baptiste-str.)	**XL**	46	**K8**
Meuniers (av. des)			
Mulderslaan	**AUD**	48	**K12**
Meurice			
(rue Albert-str.) = 122	**ETT**	47	**I10**
Meuse (rue de la)			
Maasstraat	**MSJ**	33	**F7**
Meuwis (rue Henri-str.)	**GAN**	22	**E5**
Mexico (rue de-str.)	**MSJ**	2	**G7**N
Meyerbeer (rue-str.)	**FO**	45	**K7**
–	**UC**	45	**K7**
Meyers-Hennau (rue-str.)	**BR**	23	**E7-E8**
Meylemeersch (rue)			
Mijlenmeersstraat	**AND**	54	**K1-K2**
Meyskens (rue Isidoor-str.)	**WEM**	12	**B5-C5**
Meysse (ancienne chaus. de)			
Meisesesteenweg			
(oude) = 326	**BR**	13	**B7-C7**
Meysse (av. de)			
Meiseselaan	**BR**	13	**C7-C8**
Mezendreef			
Mésanges (dr. des)	**AUD**	62	**N15-M16**
–	**WB**	62	**O14-N15**
Mezendreefje			
Mésanges (pet. dr. des)	**AUD**	63	**M16-N16**
Mezengaarde			
Mésanges (clos des)	**AUD**	49	**K13**
Mezenhof	**GRI**	13	**B7**
Mezenhof			
Mésanges (clos des)	**LIN**	69	**P6**
Mezenlaan			
Mésanges (av. des)	**AUD**	49	**K13**
Mezenlaan	**VIL**	14	**B9-B10**
Mezenweg			
Mésanges (ch. des)	**KR**	39	**G16-G17**
Micara (av. Card.)			
Micaralaan (Kard.)	**AUD**	50	**K14**
Micaralaan (Kard.)			
Micara (av. Card.)	**AUD**	50	**K14**
Michel (rue du Gén.)			
Michelstraat (Gen.)	**BR**	25	**D10**
Michel-Ange (av.)			
Michel Angelolaan	**BR**	35	**H10**
Michel Angelolaan			
Michel-Ange (av.)	**BR**	35	**H10**
Michelstraat (Gen.)			
Michel (rue du Gén.)	**BR**	25	**D10**
Michiels (av. Charles-laan)	**AUD**	48	**K12**
–	**WB**	48	**K12**
Michiels (rue Édouard-str.)	**UC**	57	**M6-N6**
Michiels (rue Paul-str.)	**J**	22	**E6**
Michielslaan	**ZAV**	41	**H20**
Michielsstraat	**MA**	27	**C14-D14**
Michielsstraat			
(Jean-Baptiste) = 227	**HOE**	75	**P16**
Michielsstraat (Pieter)	**SPL**	67	**N3**
Michielsstraat	**ZAV**	29	**D18-E18**
Middaglijnstraat			
Méridien (rue du)	**SJ**	5	**G9**S
Middelbourg (rue)			
Middelburgstraat	**WB**	61	**M13**
Middelburgplein	**VIL**	15	**A11**
Middelburgstraat			
Middelbourg (rue)	**WB**	61	**M13**
Middelweg	**BR**	26	**D13**
Middelweg (ancien)			
Middelweg (oude)	**BR**	26	**D13**
Middelweg (oude)			
Middelweg (ancien)	**BR**	26	**D13**
Middendreef	**TER**	64	**L18-M18**
Middenlaan			
Centrale (av.)	**KR**	52	**J17-K17**
Middenstraat	**DIL**	42	**I1**
Midi (bd. du)			
Zuidlaan	**BR**	6	**H7**S
Midi (rue du)			
Zuidstraat	**BR**	4	**H7**S
Miesse			
(sq. Jules et Edmond)			
Miessesquare			
(Jules en Edmond)	**AND**	44	**I6**
Miessesquare (Jules en Edmond)			
Miesse			
(sq. Jules et Edmond)	**AND**	44	**I6**
Migerode (imp.-gang)	**AND**	2	**H7S**
Mignon (rue Léon-str.)	**SCH**	35	**G10-H10**
Mijlenmeersstraat			
Meylemeersch (rue)	**AND**	54	**K1-K2**
Milcamps (av.-laan)	**SCH**	36	**G11-H11**

Nom / Naam	Communes Gemeenten	Plan n° Plattegrond	Repère Plaatsaanduiding
Mille Mètres (av. des)			
Duizend Meterlaan	**WSP**	51	**J15-I16**
Millefeuille (rue du)			
Duizendbladstraat	**BR**	15	**C10**
Millepertuis (av. des)			
Sint-Janskruidlaan	**AND**	55	**K2-K3**
Mimosalaan			
Mimosas (av. des)	**KR**	51	**I17**
Mimosalaan			
Mimosas (av. des)	**WSP**	48	**J12**
Mimosas (av. des)			
Mimosalaan	**KR**	51	**I17**
Mimosas (av. des)			
Mimosalaan	**WSP**	48	**J12**
Mimosas (clos des)			
Mimosasoord	**KR**	51	**I17**
Mimosas (rue des-str.)	**SCH**	35	**F10**
Mimosasoord			
Mimosas (clos des)	**KR**	51	**I17**
Mimules (ch. des)			
Maskerbloemenweg	**BR**	59	**L9**
Minerva			
(allée de la-lei)	**WSP**	48	**I12**
Minervalaan			
Minerve (av.)	**FO**	57	**L6**
Minervastraat	**ZAV**	28	**E15**
Minerve (av.)			
Minervalaan	**FO**	57	**L6**
Minimenstraat			
Minimes (rue des)	**BR**	8	**I8**N
Minimenstraat (korte)			
Minimes			
(pet. rue des) = 470	**BR**	8	**I8**N
Minimes (pet. rue des)			
Minimenstraat			
(korte) = 470	**BR**	8	**I8**N
Minimes (rue des)			
Minimenstraat	**BR**	8	**I8**N
Ministerstraat			
Ministre (rue du)	**WB**	61	**M12-M13**
Ministre (rue du)			
Ministerstraat	**WB**	61	**M12-M13**
Minnebronstraat			
Fontaine d'Amour (rue)	**SCH**	35	**G10**
Minnezangerslaan			
Troubadours			
(av. des) = 396	**GAN**	22	**E5**
Minnezangerslaan			
Ménestrels (av. des)	**MSJ**	32	**H4-H5**
Mirabellensquare			
Mirabelles (sq. des)	**UC**	69	**O7**
Mirabelles (sq. des)			
Mirabellensquare	**UC**	69	**O7**
Miramar (av. de-laan)	**BR**	13	**C7**
Miroir (rue du)			
Spiegelstraat	**BR**	8	**I7**N
Mirtenlaan			
Myrtes (av. des)	**BER**	32	**G4**
–	**MSJ**	32	**G4**
Mispelaarsstraat			
Néfliers (rue des)	**AUD**	60	**K12-L12**
–	**WB**	60	**K12-L12**
Missionarissenlaan			
Missionnaires (av. des)	**MSJ**	32	**H4**
Missionarissenlaan			
Missionnaires (av.)	**AND**	32	**H4-H5**
Missionnaires (av.)			
Missionarissenlaan	**AND**	32	**H4-H5**
Missionnaires (av. des)			
Missionarissenlaan	**MSJ**	32	**H4**
Mistral (av. du-laan)	**WSL**	38	**G14**
Mode Vliebergh (rue-str.)	**BR**	23	**E7**
Modelwijklaan			
Cité Modèle			
(av. de la) = 601	**BR**	12	**C6**
Modelwijkplein			
Cité Modèle (pl. de la)	**BR**	12	**C6**
Modelwijksquare			
Cité Modèle			
(sq. de la) = 602	**BR**	12	**C6**
Moderne-Schoolstraat			
École Moderne (rue de l')	**AND**	33	**I6**
Moderne Wijkstraat			
Cité Moderne (rue de la)	**BER**	32	**F4**
Modestie (rue de la)			
Zedigheidsstraat	**AND**	42	**I2**
Moens (rue Charles-str.)	**GAN**	22	**E5**
Moensberg	**UC**	69	**O6**
Moensstraat (Jan)	**MA**	17	**A14**
Moerbeziebomenlaan			
Mûriers (av. des)	**WB**	60	**L11**
Moeremanslaan (Henri)	**DIL**	30	**H1-H2**
Moerman (rue Polydore-str.)	**AND**	43	**I4**
Moeshovenierstraat	**SPL**	54	**M2**
Moestuinsteeg			
Coins de Terre			
(venelle aux) = 560	**WSP**	50	**I14**
Mohrfeld (rue Frédéric-str.)	**J**	22	**D6**
Moineaux (rue des)			
Mussenstraat	**BR**	4	**H7**S
Moines (rue des)			
Monnikenstraat = 614	**FO**	6	**J6**N
Moissonneurs (rue des)			
Maaiersstraat	**ETT**	48	**J11**
Moissons (rue des)			
Oogststraat	**SJ**	5	**G9-G10**
Molenbeek (rue de)			
Molenbeeksestraat	**BR**	23	**E8-F8**
Molenbeekdal	**AS**	20	**D1-E2**
Molenbeeksestraat			
Molenbeek (rue de)	**BR**	23	**E8-F8**
Molenbeekstraat	**DIL**	30	**F2**
Molenbergdreef	**ZAV**	28	**E16**
Molenbergstraat	**DIL**	30	**H1**
Molenblok (rue du-str.)	**BR**	24	**D9-C10**
Molenbos	**AS**	20	**D2-E2**
Molenhof			
Moulin (clos du)	**LIN**	69	**O6**
Molensteen (rue-str.)	**UC**	69	**N6**
Molenstraat	**HOE**	76	**P18**
Molenstraat			
Moulin (rue du)	**KR**	39	**F15-F16**
Molenstraat			
Moulin (rue du)	**LIN**	69	**O6**

Nom / Naam	Communes / Gemeenten	Plan n° / Plattegrond	Repère / Plaatsaanduiding
Molenstraat	MA	17	B14
Molenstraat *Moulin (rue du)*	SJ	5	G9-G10
Molenstraat	ZAV	28	F16-G17
Molenstraat (korte) *Moulin (pet. rue du)*	AND	43	K4
Molenstraat (oude) *Moulin (vieille rue du)*	UC	58	N8-N9
Molenvelt (rue-str.)	UC	57	M6-N6
Molenweg	HOE	74	O15
Molenweg *Moulin (ch. du)*	WB	73	N13-O14
Molenweg *Moulin (ch. du)*	WO	40	G18
Molière (av.-laan)	FO	45	K7-K8
–	UC	46	K8
–	XL	46	K8-K9
Molignée (rue de la-str.)	AUD	48	J11-J12
Molitor (rue Gén.) *Molitorstraat (Gen.)* = 125	ETT	48	J11
Molitorstraat (Gen.) *Molitor (rue Gén.)* = 125	ETT	48	J11
Mollekensstraat	DIL	30	G1-H1
Mommaerts (av. Léonard-laan)	EV	36	G12
Mommaerts (rue-str.)	MSJ	2	G7N
Mommaertslaan (J. E.)	MA	27	D14-D15
Monaco (rue de) *Monacostraat*	FO	57	L6
Monacostraat *Monaco (rue de)*	FO	57	L6
Monastère (rue du) *Munsterstraat*	BR	47	K9
–	XL	47	K9
Moniteur (rue du) *Staatsbladsstraat*	BR	5	H9N
Monnaie (pl. de la) *Munt*	BR	4	H8N
Monnet (av. Jean-laan)	WSL	38	G14
Monnet (carr. Jean-kr.) = 185	BR	35	H10
Monnet (parc Jean-park)	BER	21	F3
Monnikenstraat *Moines (rue des)* = 614	FO	6	J6N
Monnikskapstraat *Aconits (rue des)* = 5	WB	61	L13
Monnoyer (quai Léon-kaai)	BR	24	E9-D11
Monoplan (av. du) *Eendekkerlaan*	WSP	50	I15-J15
Monplaisir (av.-laan)	BR	24	E9-E10
–	SCH	24	E9-E10
Monrose (rue-str.)	SCH	35	G10
Mons (chaus. de) *Bergense Steenweg*	AND	2-55	L3-H7
Mont-Blanc (rue du) *Witte-Bergstraat*	SG	8	J8N
Mont des Arts *Kunstberg*	BR	7	H8S
Mont du Chêne (rue) *Eikenbergstraat*	ETT	48	J11
Mont du Cinquantenaire *Jubelberg*	ETT	48	I11
Mont Kemmel (av. du) *Kemmelberglaan*	FO	45	K7
–	SG	6	J7
Mont Saint-Alban (rue du) *Sint-Albaansbergstraat*	BR	23	D7
Mont Saint-Jean (route de) *Sint-Jansberg (stwg. op)*	WB	74	N15-O15
Mont Saint-Lambert *Sint-Lambertusberg*	WSL	50	I14
Montagne (rue de la) *Bergstraat*	BR	4	H8S
Montagne (rue de la) *Bergstraat*	WO	40	G18-H18
Montagne au Chaudron *Ketelberg*	WSP	50	I15
Montagne aux Anges (rue) *Engelenbergstraat*	K	2	G7N
–	MSJ	2	G7N
Montagne aux Herbes Potagères (rue) *Warmoesberg*	BR	4	H8N
Montagne aux Ombres *Lommerberg*	WSP	49	J13
Montagne de la Cour (rue) *Hofberg* = 495	BR	8	I8N
Montagne de la Gare *Stationsberg*	WSP	50	I14
Montagne de l'Église (rue) *Kerkbergstraat*	WO	40	G17
Montagne de l'Oratoire (rue) *Oratoriënberg* = 453	BR	5	H8N
Montagne de Sable *Zavelberg* = 297	AUD	49	K13
Montagne de Saint-Job *Berg van Sint-Job*	UC	58	M9-N9
Montagne des Cerisiers (rue) *Kerselarenbergstraat*	WSL	37	H13
Montagne des Lapins *Konijnenberg*	WSL	50	I14
Montagne des Lapins (clos) *Konijnenberggaarde* = 137	WSL	50	I14
Montagne du Parc (rue) *Warandeberg*	BR	4	H8S
Montald (av. Constant-laan)	WSL	37	H13-I13
Montana (av.-laan)	UC	59	M9-M10
Monte-Carlo (av. de-laan)	FO	56	L6
Monténégro (rue du-str.)	FO	45	J6
–	SG	6	J7N
Montgolfier (av.-laan)	WSP	50	I14-I15
Montgomery (sq. Mar.) *Montgomeryplein (Maar.)*	WSP	48	I12
Montgomeryplein (Maar.) *Montgomery (sq. Mar.)*	WSP	48	I12
Montignylaan (Jules) = 274	TER	53	K19
Montjoie (av.-laan)	UC	58	L8-L9
Montoyer (rue-str.)	BR	9	I9N
–	XL	9	I9N
Montserrat (rue de-str.)	BR	8	I7S
Mooi-Boslaan *Joli-Bois (av. de)*	WSP	50	J15

Nom / Naam	Communes Gemeenten	Plan n° Plattegrond	Repère Plaatsaanduiding
Mooiloverlaan *Beau Feuillage (av. du)*	KR	52	J17
Moonens (rue-str.)	WSL	37	H13
Moorslede (rue de-str.)	BR	23	E7-E8
Moortebeek (rue de-str.) = 184	MSJ	31	H3
Moortebeekstraat	DIL	30	H2-H3
Moreau (av. Victor-laan) = 53	AUD	62	L14
Moreau (rue Georges-str.)	AND	33	I6
Moreels (rue Henri- François-str.) = 301	AUD	62	L14
Moretus (rue-str.)	AND	6	H7S
Morgenlandstraat *Orient (rue de l')*	ETT	47	I10-J10
Morichar (pl. Louis-pl.)	SG	45	J7
Morinenstraat *Morins (rue des)* = 129	ETT	48	I12
Morins (rue des) *Morinenstraat* = 129	ETT	48	I12
Moris (rue-str.)	SG	46	J8
Morjau (rue Jean-str.)	AND	43	I4
Morse (av. Samuel-laan)	WEM	12	A6
Moscicki (av.-laan)	UC	58	L9
Moscou (rue de) *Moskoustraat*	SG	6	J7N
Moskoustraat *Moscou (rue de)*	SG	6	J7N
Mosselmans (rue Jean-Baptiste-str.)	EV	25	F11
Mostinck (av.-laan)	WSP	49	J13
Mottard (rue Guy-str.) = 40	GAN	22	F5
Motte	WEM	11	B4-C4
Moucherons (rue des) *Muggenstraat*	BR	2	H7S
Mouettes (av. des) *Meeuwenlaan*	WO	40	G17-G18
Mouettes (av. des) *Meeuwenlaan*	WSP	49	J12
Mouettes (clos des) *Meeuwengaarde*	SCH	36	G11
Mouflonlaan	OV	65	N19-N20
Moulin (ch. du) *Molenweg*	WB	73	N13-O14
Moulin (ch. du) *Molenweg*	WO	40	G18
Moulin (clos du) *Molenhof*	LIN	69	O6
Moulin (pet. rue du) *Molenstraat (korte)*	AND	43	K4
Moulin (rue du) *Molenstraat*	KR	39	F15-F16
Moulin (rue du) *Molenstraat*	LIN	69	O6
Moulin (rue du) *Molenstraat*	SJ	5	G9-G10
Moulin (vieille rue du) *Molenstraat (oude)*	UC	58	N8-N9
Moulin à Papier (rue du) *Papiermolenstraat*	AUD	61	L13
Moulin à Vent (rue du) *Windmolenstraat*	EV	25	E11
Moulin à Vent (rue du) *Windmolenstraat*	WO	52	I18
Moulin Rose (ch. du) *Roze Molenweg*	UC	69	O7-P7
Mounier (av. Emmanuel-laan)	WSL	38	G15-H16
Mouron (clos du) *Murikgaarde*	WSP	49	J12
Mouron (rue du) *Muurstraat*	WO	41	H19
Mousin (rue Alexis-str.)	WSP	51	J16
Mousinstraat (Alexis) = 232	HOE	75	P17
Mousserons (clos des) *Ridderzwammen- gaarde* = 507	XL	60	L11
Mouterijstraat *Germoir (rue du)*	XL	47	J10
Moutons (allée des) *Schapenweg*	BR	14	C9
Moutons (ch. des) *Schapenweg*	J	21	D4-D5
Moutons (rue des) *Schapenstraat*	UC	57	M7
Moutstraat *Braie (rue de la)*	BR	2	H7N
Moyens (rue Jean-Baptiste-str.)	J	22	D5
Moysonstraat (J.) = 179	MA	17	A14
Mozart (av.-laan)	FO	57	L7
–	UC	57	L7
Mozart (av. Wolfgang Amadeus- laan)	DRO	55	L4
Muggenstraat *Moucherons (rue des)*	BR	2	H7S
Muguet (rue du) *Meibloemstraat*	BR	15	C11
Muguets (av. des) *Meiklokjeslaan*	KR	39	H16
Muguets (av. des) *Meiklokjeslaan*	WSP	49	J13
Mulderslaan *Meuniers (av. des)*	AUD	48	K12
Mullie (av. Gilbert-laan)	WSL	39	H16
Mulsstraat (Jan)	GRI	13	B7-B8
Munsterstraat *Monastère (rue du)*	BR	47	K9
–	XL	47	K9
Munt *Monnaie (pl. de la)*	BR	4	H8N
Munthofstraat *Hôtel des Monnaies (rue de l')*	SG	8	J7N-I8S
Mûres (av. des) *Braambeziënlaan* = 225	LIN	69	O7-P7
–	UC	69	O7-P7
Mûriers (av. des) *Moerbeziebomenlaan*	WB	60	L11
Murikgaarde *Mouron (clos du)*	WSP	49	J12
Murillo (rue-str.)	BR	36	H11
Mus (rue François-str.)	MSJ	33	F7
Muscaris (pl. des) *Druifhyacintenplein* = 10	WB	61	L13

Nom / Naam	Communes Gemeenten	Plan n° Plattegrond	Repère Plaatsaanduiding
Musée (av. du)			
Museumlaan	**WO**	53	**J20**
Musée (pet. rue du)			
Museumstraat			
(korte) = 497	**BR**	7	**H8**S
Musée (pl. du)			
Museumplaats = 496	**BR**	8	**I8**N
Musée (rue du)			
Museumstraat = 494	**BR**	8	**I8**N
Muses (av. des)			
Muzenlaan	**UC**	69	**O6**
Museumlaan	**TER**	53	**I20-J20**
–	**ZAV**	53	**I20**
Museumlaan			
Musée (av. du)..........	**WO**	53	**J20**
Museumplaats			
Musée (pl. du) = 496......	**BR**	8	**I8**N
Museumstraat			
Musée (rue du) = 494	**BR**	8	**I8**N
Museumstraat (korte)			
Musée (pet. rue du) = 497 .	**BR**	7	**H8**S
Musiciens (clos des)			
Muzikantengaarde	**GAN**	21	**E4**
Musin (rue-str.)..............	**SJ**	5	**G9**S
Mussenstraat			
Moineaux (rue des)........	**BR**	4	**H7**S
Mutsaard (av.-laan)..........	**BR**	13	**C8**

Nom / Naam	Communes Gemeenten	Plan n° Plattegrond	Repère Plaatsaanduiding
Mutsaardplein = 316	**GRI**	13	**C8**
–	**VIL**	13	**C8**
Mutsaertstraat	**VIL**	14	**B9-C9**
Mutualité (rue de la)			
Onderlingebijstandstraat ..	**FO**	45	**K7**
–	**UC**	57	**K7-L7**
Muurstraat			
Mouron (rue du)	**WO**	41	**H19**
Muzenlaan			
Muses (av. des)..........	**UC**	69	**O6**
Muzikantengaarde			
Musiciens (clos des)	**GAN**	21	**E4**
Myosotis (rue des)			
Vergeet-mij-Nietjesstraat ...	**UC**	56	**M6**
Myrtes (av. des)			
Mirtenlaan	**BER**	32	**G4**
–	**MSJ**	32	**G4**
Myrtilles (av. des)			
Blauwe Bosbessenlaan	**KR**	52	**K17-K18**
Myrtilles (av. des)			
Kraakbeziënlaan	**UC**	70	**O9**
Myrtilles (sent. des)			
Kraakbessenpad	**BR**	59	**L10**
Mystère (rue du)			
Mysteriestraat	**FO**	57	**K6-L6**
Mysteriestraat			
Mystère (rue du)	**FO**	57	**K6-L6**

N

Nom / Naam	Communes Gemeenten	Plan n° Plattegrond	Repère Plaatsaanduiding
Naaldstraat			
Aiguille (rue de l')	**AND**	44	**I5**
Naam Jezusstraat			
Nom de Jésus (rue du)	**BR**	3	**H7**N
Naamsepoort			
Namur (porte de)	**BR**	9	**I8**N
Naamsepoortgalerij			
Porte de Namur			
(gal. de la)..............	**XL**	9	**I9**S
Naamsestraat			
Namur (rue de)	**BR**	8	**I8**N
Nachtegaallaan	**AS**	20	**D2-D3**
Nachtegaalslaan	**STE**	18	**A17**
Nachtegaalsweg			
Rossignol (ch. du)	**BR**	15	**C10**
Nachtegalenlaan			
Rossignols (av. des)........	**KR**	39	**G16**
Nachtegalenlaan			
Rossignols (av. des).......	**WO**	40	**H18**
Nachtvlinderslaan			
Phalènes (av. des)	**BR**	59	**L10**
–	**XL**	59	**L10**
Nachtzwaluwstraat			
Engoulevent			
(rue de l') = 34	**WB**	61	**M12**
Naïades (av. des)			
Najadenlaan	**WB**	60	**L12**

Nom / Naam	Communes Gemeenten	Plan n° Plattegrond	Repère Plaatsaanduiding
Najadenlaan			
Naïades (av. des)	**WB**	60	**L12**
Namur (porte de)			
Naamsepoort	**BR**	9	**I8**N
Namur (rue de)			
Naamsestraat	**BR**	8	**I8**N
Nancy (rue de-str.)	**BR**	7	**I7**N
Nansen (rue Fridtjof-			
str.) = 212..............	**AND**	43	**J3**
Napelsstraat			
Naples (rue de)	**XL**	9	**I9**N
Naples (rue de)			
Napelsstraat	**XL**	9	**I9**N
Napoléon (av.-laan)	**UC**	71	**N9-O9**
Napstraat			
Écuelle (rue de l')	**BR**	36	**H11**
Narcisbloemenlaan			
Narcisses (av. des)	**UC**	71	**O9-O10**
Narcissenlaan			
Narcisses (av. des)	**BR**	23	**D8**
Narcissenlaan	**OV**	64	**M18**
Narcisses (av. des)			
Narcissenlaan	**BR**	23	**D8**
Narcisses (av. des)			
Narcisbloemenlaan	**UC**	71	**O9-O10**
Natation (rue de la)			
Zwemkunststraat	**XL**	47	**J10**

Nom / Naam	Communes Gemeenten	Plan n° Plattegrond	Repère Plaatsaanduiding
Natiëngalerij			
Nations			
(gal. des) = 538	**SJ**	4	**G8**S
Natiënsquare			
Nations (sq. des)	**BR**	60	**M11**
Natieplein			
Nation (pl. de la)	**BR**	5	**H9**S
Nation (pl. de la)			
Natieplein	**BR**	5	**H9**S
Nationale-Maatschappij-laan			
Société Nationale			
(av. de la)	**AND**	43	**K4**
Nations (gal. des)			
Natiëngalerij = 538	**SJ**	4	**G8**S
Nations (sq. des)			
Natiënsquare	**BR**	60	**M11**
Navets (rue des)			
Rapenstraat	**BR**	2	**H7**S
Navetstraat	**BE**	68	**P5**
Navez			
(rue François Joseph-str.)	**BR**	24	**E9-F9**
–	**SCH**	24	**E9-F9**
Navigation (rue de la)			
Zeevaartstraat	**BR**	23	**F8**
Nederlandlaan	**VIL**	16	**A12**
Neefs (rue Hendrik-str.)	**WO**	52	**I18**
Neep (rue du-str.)	**K**	33	**G6**
Neerhof (av.-laan)	**WEM**	12	**A5**
Neerhofstraat	**DIL**	42	**I1-I2**
Neerhofstraat	**MA**	17	**C14**
Neerleest	**BR**	14	**C9**
Neerpede (rue de-str.)	**AND**	42	**J1-J3**
Neerstalesteenweg			
Neerstalle (chaus. de)	**UC**	56	**M5**
Neerstalle (chaus. de)			
Neerstalse Steenweg	**FO**	56	**L5-M5**
Neerstalle (chaus. de)			
Neerstalesteenweg	**UC**	56	**M5**
Neerstalse Steenweg			
Neerstalle (chaus. de)	**FO**	56	**L5-M5**
Neerveld (rue-str.)	**WSL**	38	**G14-H14**
Neerveldlaan	**DIL**	42	**I2**
Neerzellikstraat	**AS**	21	**C3-D3**
Néfliers (rue des)			
Mispelaarsstraat	**AUD**	60	**K12-L12**
–	**WB**	60	**K12-L12**
Negen Provincieslaan			
Neuf Provinces (av. des)	**GAN**	21	**E4**
Negende Linielaan			
Neuvième de Ligne			
(bd. du)	**BR**	2	**G7**S
Nekkersdel	**BE**	68	**P5**
Nekkersgat (av.-laan)	**UC**	57	**N6**
Nens (rue			
Gouverneur-str.) = 255	**AND**	44	**I5**
Nénuphars (av. des)			
Waterleliënlaan	**AUD**	49	**K13**
Nénuphars (ch. des)			
Waterleliënweg	**BR**	59	**M10**
Nénuphars (clos des)			
Waterleliesoord	**WO**	40	**H18**
Neptune (av.)			
Neptunuslaan	**FO**	57	**K6-L6**
Neptunuslaan			
Neptune (av.)	**FO**	57	**K6-L6**
Nerem	**BE**	66	**P1**
Nerviens (av. des)			
Nerviërslaan	**BR**	47	**I10-I11**
–	**ETT**	47	**I10-I11**
Nerviens (av. des)			
Nerviërslaan	**WEM**	12	**C5**
Nerviërslaan			
Nerviens (av. des)	**BR**	47	**I10-I11**
–	**ETT**	47	**I10-I11**
Nerviërslaan			
Nerviens (av. des)	**WEM**	12	**C5**
Nestelingstraat			
Oiselet (rue de l')	**MSJ**	31	**H3**
Nestle			
(rond-pt.-rond punt)	**AND**	32	**H5**
Neststraat			
Nid (rue du)	**XL**	47	**J9**
Netelenweg	**HOE**	74	**O14**
Neuberger			
(clos Edgard-gaarde)	**GAN**	21	**E4**
Neuf Provinces (av. des)			
Negen Provincieslaan	**GAN**	21	**E4**
Neufchâtel (rue de)			
Nieuwburgstraat	**SG**	46	**J8**
Neuray (rue Fernand-str.)	**XL**	46	**K8**
Neuve (rue)			
Nieuwstraat	**BR**	4	**G8**S
Neuve (rue)			
Nieuwstraat	**DRO**	56	**N5-O5**
Neuvième de Ligne (bd. du)			
Negende Linielaan	**BR**	2	**G7**S
Newton (rue-str.)	**BR**	36	**H11**
Ney (av. Mar.)			
Neylaan (Maar.)	**UC**	70	**O8-O9**
Neybergh			
(av. du Bourg. Jean)			
Neyberghlaan (Burg. Jean)	**J**	22	**D5**
Neybergh			
(av. Richard-laan)	**BR**	23	**E7**
Neyberghlaan (Burg. Jean)			
Neybergh			
(av. du Bourg. Jean)	**J**	22	**D5**
Neylaan (Maar.)			
Ney (av. Mar.)	**UC**	70	**O8-O9**
Nicodème (rue Léon-str.)	**AND**	42	**I2**
Nicolay (rue-str.)	**BR**	4	**G8**N
Nid (rue du)			
Neststraat	**XL**	47	**J9**
Nielle (av. de la)			
Bolderiklaan	**WSL**	37	**H13**
Niellon (rue-str.)	**BR**	23	**F7**
Niemegeers			
(rue Louis-str.) = 174	**KR**	38	**G15**
Nieuport (bd. de)			
Nieuwpoortlaan	**BR**	2	**G7**S
Nieuwbrug			
Pont Neuf (rue du)	**BR**	4	**G8**S
Nieuwbrugstraat	**MA**	16	**B13**

Nom / Naam	Communes / Gemeenten	Plan n° / Plattegrond	Repère / Plaatsaanduiding
Nieuwburgstraat			
Neufchâtel (rue de)	SG	46	J8
Nieuwe Graanmarkt			
Nouveau Marché aux Grains (pl. du)	BR	2	H7N
Nieuwelaan			
Nouvelle (av.)	ETT	47	J10
Nieuwelaan	GRI	13	B7-B8
Nieuwelaan			
Nouvelle (av.)	WO	52	I17
Nieuwenbos	DIL	20	F1
Nieuwland			
Terre-Neuve (rue)	BR	8	H7S-I7N
Nieuwland	OV	76	O18-P19
Nieuwpoortlaan			
Nieuport (bd. de)	BR	2	G7S
Nieuwstraat			
Neuve (rue)	BR	4	G8S
Nieuwstraat			
Neuve (rue)	DRO	56	N5-O5
Nieuwstraat	MA	17	A14
Nieuwstraat	TER	53	J19
Nigelle (rue de la-str.)	WO	41	H19
Nigellenstraat			
Nigelles (rue des) = 8	WB	61	L13
Nigelles (rue des)			
Nigellenstraat = 8	WB	61	L13
Nijvelsedreef			
Nivelles (dr. de)	AUD	48	J12
–	WSP	48	J12
Nijverheidskaai			
Industrie (quai de l')	AND	2-44	I5-H6
–	BR	2	H7
–	MSJ	2-33	H6-H7
Nijverheidslaan	GRI	14	B8-A9
Nijverheidsstraat			
Industrie (rue de l')	BR	9	H9S-I9N
Nijverheidsstraat	MA	16	A13
Nijverheidsstraat	ZAV	28	D16-D17
Nimfenlaan			
Nymphes (av. des)	WB	61	L12
Ninoofseplein			
Ninove (pl. de)	BR	2	H7N
Ninoofsepoort			
Ninove (porte de)	BR	2	H7N
Ninoofsesteenweg			
Ninove (chaus. de)	AND	31	H3-H5
Ninoofsesteenweg	DIL	30	H1-H3
–	MSJ	2-31	H3-H7
Ninove (chaus. de)			
Ninoofsesteenweg	AND	31	H3-H5
–	MSJ	2-31	H3-H7
Ninove (pl. de)			
Ninoofseplein	BR	2	H7N
Ninove (porte de)			
Ninoofsepoort	BR	2	H7N
Nippone (av.)			
Nipponlaan	AUD	48	K12
Nipponlaan			
Nippone (av.)	AUD	48	K12
Nisard (rue-str.)	WB	61	M13
Niveau (rue du)			
Waterpasstraat	MSJ	2	G7S
Nivelles (dr. de)			
Nijvelsedreef	AUD	48	J12
–	WSP	48	J12
Nivéole (av. de la)			
Lenteklokjeslaan	BR	14	C9
Noendelle	BR	26	D13
Nogent (rue Henri-str.)	MSJ	32	G5
Noisetiers (allée des)			
Hazelnotenlarenweg	KR	51	I16
Noisetiers (av. des)			
Hazelaarslaan	WB	60	L12
Nom de Jésus (rue du)			
Naam Jezusstraat	BR	3	H7N
Noodlottige Rotsstraat			
Roche Fatale (rue de la)	WSL	37	H13
Noorddoorgang			
Nord (pass. du)	BR	4	H8N
Noorddreef	TER	65	L20
Noorderlaan	AS	20	D2-D3
Noordkriekenstraat			
Griottes (rue des)	UC	69	N6-O6
Noordkustlaan	DIL	20	E2-E3
Noordlaan	HOE	77	P19
Noordplein			
Nord (pl. du)	SJ	4	G8N
Noordstraat			
Nord (rue du)	BR	5	H9N
Noordstraat (korte)			
Nord (pet. rue du) = 464	BR	5	H9N
Noorwegenstraat			
Norvège (rue de)	SG	6	I7S
Nord (pass. du)			
Noorddoorgang	BR	4	H8N
Nord (pet. rue du)			
Noordstraat (korte) = 464	BR	5	H9N
Nord (pl. du)			
Noordplein	SJ	4	G8N
Nord (rue du)			
Noordstraat	BR	5	H9N
Norga (rue Gustave-str.)	EV	25	E11
Normandie (rue de)			
Normandiëstraat	K	33	G6
–	MSJ	33	G6
Normandiëstraat			
Normandie (rue de)	K	33	G6
–	MSJ	33	G6
Norvège (rue de)			
Noorwegenstraat	SG	6	I7S
Nossegemstraat	ZAV	29	E17
Notarisstraat			
Tabellion (rue du)	XL	46	J8-K8
Noté (rue Jean-str.)	AND	43	J3-J4
Notelaarsstraat			
Noyer (rue du)	BR	36	H11
–	SCH	35	H10-H11
Notelarenlaan	SPL	55	N3
Nothomb (rue-str.)	ETT	47	J10
Notre-Dame (av.)			
Onze Lieve Vrouwlaan	EV	25	F11

Nom / Naam	Gemeenten Communes	Plattegrond Plan n°	Plaatsaanduiding Repère
Notre-Dame (parvis)			
Onze-Lieve-Vrouwvoorplein	**BR**	24	**E8**
Notre-Dame (rue)			
Onze-Lieve-Vrouwstraat ..	**WSL**	38	**H14**
Notre-Dame de Fatima (av.)			
Onze-Lieve-Vrouw van Fatima-laan	**BER**	22	**F5**
Notre-Dame de Grâces (rue)			
Onze-Lieve-Vrouw van Graties-traat	**BR**	8	**I8**N
Notre-Dame de Lourdes (av.)			
Onze-Lieve-Vrouw van Lourdes-laan	**J**	23	**E6-E7**
Notre-Dame du Sommeil (rue)			
Onze-Lieve-Vrouw van Vaak-straat	**BR**	2-23	**H7**N
Notre-Seigneur (rue)			
Ons-Heerstraat	**BR**	8	**I8**N
Notre Seigneur (rue)			
's Herenstraat	**DRO**	56	**N5**
Nouveau Marché aux Grains (pl. du)			
Nieuwe Graanmarkt	**BR**	2	**H7**N
Nouvelle (av.)			
Nieuwelaan	**ETT**	47	**J10**
Nouvelle (av.)			
Nieuwelaan	**WO**	52	**I17**
Novateurs (allée des)			
Vernieuwersdreef	**AND**	43	**J3**
Noville (sq. de-sq.)	**K**	2	**G6**N
Noyer (rue du)			
Notelaarsstraat	**BR**	36	**H11**
–	**SCH**	35	**H10-H11**
Nymphes (av. des)			
Nimfenlaan	**WB**	61	**L12**
Nys (rue Antoine-str.).......	**AND**	43	**J3**

Nom / Naam	Gemeenten Communes	Plattegrond Plan n°	Plaatsaanduiding Repère
Oasebinnenhof			
Oasis (clos de l')..........	**EV**	36	**F11**
Oasis (clos de l')			
Oasebinnenhof	**EV**	36	**F11**
Obberg	**WEM**	11	**B4-C4**
Obbergen	**AS**	11	**C3-C4**
Observatoire (av. de l')			
Sterrewachtlaan	**UC**	58	**M8-L9**
Obstacles (av. des)			
Hindernislaan	**WSP**	51	**I16**
Obus (rue de l'-str.)	**AND**	32	**H4-I4**
Octobre (rue d')			
Oktoberstraat	**WSL**	37	**H12-H13**
Octogone (pl. de l')			
Achthoekplein	**WB**	60	**M12**
Odon (rue-str.).............	**AND**	2	**H6**S
Œillets (rue des)			
Anjelierenstraat = 452.....	**BR**	4	**H8**
Oestergang			
Huîtres (imp. aux)			
(gel. rue de la Chaufferette) ..	**BR**	4	**H8**S
Oeverbeemd	**SPL**	67	**O3**
Oeverstraat			
Rive (rue de la)..........	**WSL**	38	**H14**
Offenberg (rond-pt. Jean-pl.) ..	**BR**	13	**C7-C8**
Ogentroostlaan	**OV**	76	**P18**
Ohain (vallon d'-dal)	**UC**	71	**N9**
Oiseau Bleu (av. de l')			
Blauwe Vogellaan	**WSP**	48	**J12**
Oiselet (rue de l')			
Nestelingstraat	**MSJ**	31	**H3**
Oiseleurs (ch. des)			
Vogelvangersweg	**BR**	59	**M9-M10**
–	**UC**	59	**M9**
Oktoberstraat			
Octobre (rue d')	**WSL**	37	**H12-H13**
Oleandergaard			
Lauriers Roses (clos des)....	**EV**	37	**F13**
Oleffe (av. Auguste-laan)....	**AUD**	49	**K12**
Olieslagerijlaan			
Huileries (av. des)	**FO**	56	**L5**
Olieslagers (av. Jan-laan) ...	**WSP**	50	**I15**
Olifantstraat			
Eléphant (rue de l').......	**MSJ**	2	**G6**S-**H6**N
Olivetenhof			
Jardin des Olives			
(rue du) = 418............	**BR**	3	**H7**S
Olivier (av. Victor-laan).....	**AND**	44	**J5**
Olivier (clos Laurence-gaarde) = 590	**J**	22	**D5**
Olivier (rue Édouard-str.).....	**WB**	60	**L11**
Olmenlaan	**SPL**	67	**N3**
Olmenoord			
Ormes (clos des)	**WO**	52	**I17**
Olmenstraat	**TER**	53	**K19**
Olmenstraat	**ZAV**	28	**C16-D16**
Olmenweg	**TER**	63	**L17**
Olmkruidlaan			
Reine des Prés			
(av. de la)................	**BR**	24	**D9**
Olmpjeslaan			
Ormeaux (av. des)	**UC**	57	**L7**
Olmstraat			
Orme (rue de l')	**ETT**	36	**H11**
–	**SCH**	36	**H11**
Olympiadelaan	**VIL**	14	**B9**
Olympiadenlaan			
Olympiades (av. des)	**EV**	25	**F11-F12**
Olympiades (av. des)			
Olympiadenlaan	**EV**	25	**F11-F12**
Olympique (dr.)			
Olympischedreef	**AND**	42	**J2-K2**

Nom / Naam	Gemeenten Communes	Plattegrond Plan n°	Plaatsaanduiding Repère
Olympischedreef			
Olympique (dr.)	**AND**	42	**J2-K2**
Ombrages (av. des)			
Lommerlaan	**WSL**	49	**I12**
Ombre (ch. de l')			
Lommerweg	**BR**	59	**K9-L9**
Ommegang (rue de l'-str.)	**BR**	4	**H8**N
Omwentelingsstraat			
Révolution (rue de la)	**BR**	5	**H9**N
Onafhankelijkheidstraat			
Indépendance (rue de l')	**MSJ**	33	**G6-H6**
Onderlinge Hulplaan			
Entr'Aide (av. de l') = 47	**BER**	32	**F4**
Onderlingebijstandstraat			
Mutualité (rue de la)	**FO**	45	**K7**
–	**UC**	57	**K7-L7**
Onderrichtsstraat			
Enseignement (rue de l')	**BR**	5	**H9**N
Onderrichtstraat	**AS**	11	**C3**
Onderwijsstraat			
Instruction (rue de l')	**AND**	33	**I6-I7**
–	**SG**	6	**I7**
Onderwijsstraat	**ZAV**	28	**D16**
Ongena (rue-str.)	**J**	33	**F6**
Ons-Heerstraat			
Notre-Seigneur (rue)	**BR**	8	**I8**N
Onthaalsquare			
Accueil (sq. de l')	**EV**	25	**F11**
Ontmijnerslaan			
Démineurs (av. des) = 391	**J**	23	**E6**
Ontvoogdingsstraat			
Émancipation (rue de l') = 330	**AND**	43	**K4**
Ontwikkelingsstraat			
Développement (rue du)	**AND**	44	**J5**
Ontwikkelingstraat			
Evolution (rue de l')	**BER**	32	**F4**
Onyx (rue de l'-str.) = 599	**BR**	12	**C6**
Onyx (sq. de l'-sq.)	**BR**	12	**C6**
Onze-Lieve-Vrouw van Fatimalaan			
Notre-Dame de Fatima (av.)	**BER**	22	**F5**
Onze-Lieve-Vrouw van Gratiestraat			
Notre-Dame de Grâces (rue)	**BR**	8	**I8**N
Onze-Lieve-Vrouw van Lourdes-laan			
Notre-Dame de Lourdes (av.)	**J**	23	**E6-E7**
Onze-Lieve-Vrouw van Vaakstraat			
Notre-Dame du Sommeil (rue)	**BR**	2-23	**H7**N
Onze Lieve Vrouwlaan			
Notre-Dame (av.)	**EV**	25	**F11**
Onze-Lieve-Vrouwstraat			
Notre-Dame (rue)	**WSL**	38	**H14**
Onze-Lieve-Vrouwvoorplein			
Notre-Dame (parvis)	**BR**	24	**E8**
Onze-Lieve-Vrouwweg	**TER**	64	**L17-M17**
Onze Novembre (av. du)			
Elf-Novemberlaan	**ETT**	48	**J11**
Onze Novembre (parc du)			
Elf Novemberpark	**EV**	36	**F12-G12**
Oogststraat			
Moissons (rue des)	**SJ**	5	**G9-G10**
Ooienstraat			
Brebis (rue des)	**WB**	60	**L11**
–	**XL**	60	**L11**
Ooievaarslaan			
Cigognes (av. des)	**WO**	40	**G17**
Ooievaarsstraat			
Cigogne (rue de la)	**BR**	2	**H7**N
Ooievaarstraat	**VIL**	14	**B9**
Oorlogskruisenlaan			
Croix de Guerre (av. des)	**BR**	24	**D10-C11**
Oostdreef	**TER**	65	**L20**
Oostendestraat			
Ostende (rue d')	**MSJ**	33	**G6**
Ooststraat			
Est (rue de l')	**SCH**	5	**G9**
Op-Linkebeek (sent.-pad)	**LIN**	69	**P7**
Opaallaan			
Opale (av. de l')	**SCH**	36	**H11**
Opale (av. de l')			
Opaallaan	**SCH**	36	**H11**
Opberg	**WO**	40	**H18**
Openluchtstraat			
Grand-Air (rue du)	**BER**	22	**F4-F5**
Openluchtwandelgang			
Plein Ciel (coursive) = 563	**WSP**	50	**I14**
Openveld (rue-str.)	**BER**	31	**F4**
Openveldstraat = 361	**AS**	20	**D2**
Ophaalbrugstraat			
Pont-Levis (rue du)	**WSL**	37	**H12-I12**
Ophem (av. d')			
Oppemlaan	**KR**	51	**I16**
–	**WSP**	51	**I16**
Ophem (rue d')			
Oppemstraat	**BR**	2	**G7**S
Oppem (av. d'-laan)	**WO**	51	**I16-H17**
Oppemlaan			
Ophem (av. d')	**KR**	51	**I16**
–	**WSP**	51	**I16**
Oppemstraat			
Ophem (rue d')	**BR**	2	**G7**S
Oppemstraat	**TER**	53	**J19**
Oppemweg (grote)			
Chemin d'Oppem (grand)	**WO**	52	**I18-J19**
Opperjachtmeesterstraat			
Grand Veneur (rue du)	**WB**	61	**M13**
Opperstraat			
Souveraine (rue)	**BR**	8	**J8**N
–	**XL**	9	**J8**N**-I9**S
Opperveldlaan	**VIL**	14	**A9-A10**
Oprechtheidsstraat			
Sincérité (rue de la)	**AND**	44	**I5**
Opsomerdreef (Baron)	**OV**	77	**N20**
Opstalweg	**UC**	59	**M9**
Optimisme (av. de l'-laan)	**EV**	36	**G12**
Opvoedingstraat			
Éducation (rue de l') = 398	**GAN**	22	**E5**
Opzichterstraat			
Intendant (rue de l')	**MSJ**	33	**F6-G7**
Orangers (av. des)			
Oranjelaan	**WSP**	50	**J14**

Nom / Naam	Communes Gemeenten	Plan n° Plattegrond	Repère Plaatsaanduiding
Oranjebloesemstraat *Fleur d'Oranger (rue de la)* = 178	WSP	39	H16
Oranjelaan *Orangers (av. des)*	WSP	50	J14
Oranjerielaan	DIL	30	H2
Oratoriënberg *Montagne de l'Oratoire (rue)* = 453	BR	5	H8*N*
Orban (av.-laan)	WSP	50	J15-I16
Orban (rue Alfred-str.)	FO	45	J6
Orchideeëngaarde *Orchidées (clos)*	WSP	49	J12-J13
Orchideeënstraat *Orchidées (rue des)*	AND	44	I5
Orchidées (clos) *Orchideeëngaarde*	WSP	49	J12-J13
Orchidées (rue des) *Orchideeënstraat*	AND	44	I5
Ordestraat *Ordre (rue de l')*	XL	60	L11
Ordre (rue de l') *Ordestraat*	XL	60	L11
Orée (av. de l') *Zoomlaan*	BR	59	L10
–	XL	59	L10
Orée (pl. de l') *Bosrandplein*	WSP	51	J15
Orfèvres (rue des) *Goudsmedenstraat* = 525	BR	6	I7*S*
Orient (rue de l') *Morgenlandstraat*	ETT	47	I10-J10
Oriflammensquare *Oriflammes (sq. des)*	GAN	22	E5
Oriflammes (sq. des) *Oriflammensquare*	GAN	22	E5
Orion (av.-laan)	WSL	37	H12
Orléans (clos d'-gaarde)	WSP	50	J15
Orme (rue de l') *Olmstraat*	ETT	36	H11
–	SCH	36	H11
Ormeaux (av. des) *Olmpjeslaan*	UC	57	L7
Ormes (clos des) *Olmenoord*	WO	52	I17
Orphelinat (rue de l') *Weeshuisstraat*	AND	32	H5-I5
Orpins (allée des) *Vetkruidweg* = 339	AND	43	K3
Ortélius (rue) *Orteliusstraat*	BR	35	H9-H10
Orteliusstraat *Ortélius (rue)*	BR	35	H9-H10
Ortolaanstraat	AS	21	C3-D3
Ortolanenlaan *Ortolans (av. des)*	WB	60	L12-M12
Ortolanenweg *Ortolans (ch. des)*	WB	60	L11-L12
Ortolans (av. des) *Ortolanenlaan*	WB	60	L12-M12
Ortolans (ch. des) *Ortolanenweg*	WB	60	L11-L12
Orts (rue Auguste-str.)	BR	3	H7*N*
Oseraies (dr. des) *Teenbossendreef*	SGR	72	P12
Osier Fleuri (rue de l') *Wilgeroosjestraat*	BR	26	C13
Osiers (rue des) *Wissenstraat*	MSJ	2	G6*S*
Osseghem (rue-str.)	MSJ	2-32	H5-G6
Ossekopgang *Tête de bœuf (imp. de la)* (gelegen rue du Marché aux Peaux)	BR	4	H85
Ossengang *Bœufs (imp. des)* (gelegen rue de la Fourche)	BR	4	H8*N*
Ostendael (rue-str.)	MSJ	32	G5
Ostende (rue d') *Oostendestraat*	MSJ	33	G6
Otlet (rue-str.)	AND	6	H7*S*
Otten (clos Joseph-gaarde)	J	22	D6
Ottervangerstraat *Loutrier (rue du)*	WB	60	L12
Otterweg	SPL	54	M2
Oud Brussellaan *Vieux Bruxelles (av. du)*	BR	13	C8
Oud-Gasthuisstraat	TER	53	K19
Oud-Kapelleke (av. de l'-laan) = 596	EV	25	E11-E12
Oud Korenhuis *Vieille Halle aux Blés (pl. de la)*	BR	7	H8*S*
Oud Postgebouw Galerijen *Ancien Hôtel des Postes (gal. de l')* = 522	BR	4	H8*N*
Oud-Strijderslaan *Anciens Combattants (av. des)*	EV	36	F12-G12
Oud Strijderslaan	STE	19	A17
Oudart (rue Victor-str.)	SCH	36	H11
Oude-Afspanningsplein *Ancienne Barrière (pl. de l')*	J	22	D5
Oude Baan	KR	39	F15
Oude Brusselbaan	SPL	66	N1-O1
Oude Eikelenbergstraat	DIL	30	G2-H2
Oude Graanmarkt *Vieux Marché aux Grains (rue du)*	BR	2	H7*N*
Oude Keulseweg	ZAV	28	F17-F18
Oude Lindenstraat	VIL	14	B9
Oude Lindesquare *Vieux Tilleul (sq. du)*	XL	60	L11
Oude Mannenstraat *Vieillards (rue des)*	SG	6	J7*N*
Oude Molenstraat *Vieux Moulin (rue du)*	AUD	49	K13-K14
Oude Molenstraat *Vieux Moulin (rue du)*	DRO	56	N5
Oude Pastoriestraat *Ancien Presbytère (rue de l')* = 407	GAN	22	F5
Oude Pastoriestraat *Ancienne Cure (rue de l')* = 293	FO	56	L5

Nom / Naam	Gemeenten Communes	Plattegrond Plan n°	Plaatsaanduiding Repère
Oude Pelgrimslaan	DIL	20	E2-E3
Oude Vijversstraat			
Anciens Étangs (rue des)	FO	44	K5
Oude Weg			
Vieux Chemin = 224	LIN	69	O6
–	UC	69	O6
Oudergemselaan			
Auderghem (av. d')	BR	47	I10
–	ETT	47	I10-J10
Oudergemselaan	ZAV	41	H19
Oudergemseweg			
Auderghem (ch. d')	WO	41	I18-H19
Oudergemseweg	ZAV	41	H20
Oudesmidsestraat	DIL	30	H1
Oudijzergang			
Ferraille (imp. de la) = 435	BR	2	H7*S*
Oudstrijderslaan			
Anciens Combattants (av. des)	KR	39	F15-G16
Oudstrijderslaan	ZAV	28	E17
Oudstrijdersstraat	DIL	30	H1-H2
Oudstrijdersstraat = 172	MA	17	B14
Oudstrijdersstraat	SPL	55	L3
Ourthe (rue de l'-str.)	MSJ	34	G7
Outarde (rue de l')			
Trapgansstraat = 25	WB	61	L13
Overhem (av. d'-laan)	UC	57	N7
Overijsesteenweg	HOE	76	P17
Overloop			
(rue Jan Baptist-str.)	WO	40	H18-I18
Overvloedstraat			
Abondance (rue de l')	SJ	5	G9*S*
Overwinningsstraat			
Victoire (rue de la)	SG	8	J7-J8
Oxalis (rue des)			
Klaverzuringstraat = 16	WB	61	L13
Oyats (clos des)			
Duingrasgaarde	WSP	50	J15

P

Nom / Naam	Gemeenten Communes	Plattegrond Plan n°	Plaatsaanduiding Repère
Paalstraat			
Borne (rue de la)	MSJ	2	G6*S*-G7*S*
Paapsemlaan			
Paepsem (bd.)	AND	44	J4-J5
Paardenmarktstraat	TER	53	K19
Paardenwater	HOE	77	P19
Paardgang			
Cheval (imp. du) = 523	BR	4	H8*N*
Pachéco (bd.)			
Pachecolaan	BR	5	H8*N*
Pachecolaan			
Pachéco (bd.)	BR	5	H8*N*
Pachthoevestraat			
Ferme (rue de la) = 150	KR	51	I16
Pachthofdreef			
Ferme (dr. de la)	WO	40	H17-H18
Pacificatiestraat			
Pacification (rue de la)	BR	35	H9-H10
–	SJ	5	H9
Pacification (rue de la)			
Pacificatiestraat	BR	35	H9-H10
–	SJ	5	H9
Pacifique (rue du)			
Stille Oceaanstraat = 282	UC	58	K8
Paddepoel	TER	53	I19
Paddock (av. du-laan)	WSP	51	J16
Padoue (rue de)			
Paduastraat = 615	FO	6	J6*N*
Paduastraat			
Padoue (rue de) = 615	FO	6	J6*N*
Paepedelle (av. du-laan)	AUD	48	J12-K12
Paepsem (bd.)			
Paapsemlaan	AND	44	J4-J5
Page (rue du)			
Edelknaapstraat	XL	46	J8-K8
Pagodenlaan			
Pagodes (av. des)	BR	24	C8-D9
Pagodes (av. des)			
Pagodenlaan	BR	24	C8-D9
Paille (rue de la)			
Strostraat	BR	8	I8*N*
Paix (av. de la)			
Vredelaan	K	32	F5
Paix (pl. de la)			
Vredeplein	EV	25	E11
Paix (pl. de la)			
Vredeplein	KR	39	G16
Paix (rue de la)			
Vredestraat	XL	9	I9*S*
Pakhuisstraat			
Magasin (rue du)	BR	4	G8*S*
Palais (pl. des)			
Paleizenplein	BR	9	H8*S*
Palais (rue des)			
Paleizenstraat	BR	34	F8-F9
–	SCH	34	F9-G9
Palais outre-Ponts (rue des)			
Paleizenstraat over de Bruggen	BR	24	E8
Palboomstraat			
Palmiers (rue des)	WSP	48	J12
Paleizenlaan	TER	53	J19-J20
Paleizenplein			
Palais (pl. des)	BR	9	H8*S*
Paleizenstraat			
Palais (rue des)	BR	34	F8-F9
–	SCH	34	F9-G9
Paleizenstraat over de Bruggen			
Palais outre-Ponts (rue des)	BR	24	E8
Palestre (av.-str.)	WSL	39	H15

Nom / Naam	Communes Gemeenten	Plan n° Plattegrond	Repère Plaatsaanduiding
Palfyn (av. Jean)			
Palfynlaan (Jan)	**BR**	12	**C6**
–	**J**	12	**C6**
Palfyn (sq. Jean)			
Palfynsquare (Jan)	**BR**	12	**C6**
Palfynlaan (Jan)			
Palfyn (av. Jean)	**BR**	12	**C6**
–	**J**	12	**C6**
Palfynsquare (Jan)			
Palfyn (sq. Jean)	**BR**	12	**C6**
Palio			
(venelle au-steeg) = 562	**WSP**	50	**I14**
Palmenlaan	**SPL**	55	**N3**
Palmerston (av.-laan)	**BR**	35	**H10**
Palmiers (rue des)			
Palboomstraat	**WSP**	48	**J12**
Paloke (rue-str.)	**MSJ**	31	**G3-H3**
Palokestraat	**DIL**	31	**H3**
Palombes (av. des)			
Ringduivenlaan	**WSP**	51	**J16**
Pampoel (rue-str.)	**GAN**	21	**F4**
Pandhoflaan			
Préau (av. du)	**ETT**	47	**I10-J10**
Pangaert (rue-str.)	**GAN**	22	**F5**
Pannenhuis (rond-pt. du-pl.)	**J**	23	**E7**
Pannenhuisstraat			
Pannenhuys (rue du)	**BR**	23	**E7-F7**
–	**J**	23	**E7-F7**
Pannenhuys (rue du)			
Pannenhuisstraat	**BR**	23	**E7-F7**
–	**J**	23	**E7-F7**
Panorama (av. du-laan)	**BR**	59	**L10**
Panorama (rue du-str.)	**WEM**	12	**C6**
Panoramalaan	**HOE**	75	**P16**
–	**K**	32	**F5-F6**
Panthéon (av. du-laan)	**GAN**	23	**F5-F6**
–	**K**	23	**F5-F6**
Pantsertroepensquare			
Blindés (sq. des)	**BR**	2	**G7**S
Paola (av. Pr.)			
Paolalaan (Pr.)	**UC**	57	**M6**
Paola (pl. Reine)			
Paolaplein (Kon.)	**GAN**	21	**E4**
Paolalaan (Pr.)			
Paola (av. Pr.)	**UC**	57	**M6**
Paolaplein (Kon.)			
Paola (pl. Reine)	**GAN**	21	**E4**
Paons (rue des)			
Pauwenstraat	**AUD**	49	**K13**
Papaard	**BE**	67	**P4**
Papaverlaan			
Pavots (av. des)	**WO**	52	**I17**
Papaverstraat			
Pavots (rue des)	**SCH**	36	**G11**
Papegaaistraat	**VIL**	14	**A9**
Papenhoutlaan			
Fusain (av. du)	**BR**	14	**C9**
Papenkasteel (rue-str.)	**UC**	68	**N7**
Papenvest			
Rempart des Moines			
(rue du)	**BR**	2	**H7**N
Papierfabrieksstraat	**ZAV**	28	**D16**
Papiermolenstraat			
Moulin à Papier (rue du)	**AUD**	61	**L13**
Papillons (champ des)			
Vlindersveld	**WO**	41	**H19**
Papillons (ch. des)			
Vlindersweg	**BR**	59	**L10**
Papillons (rue des)			
Vlindersstraat	**AND**	42	**I1-J2**
Pâquerettes (rue des)			
Madeliefjesstraat	**SCH**	35	**G10**
Paquot (rue Jean-str.)	**XL**	47	**J10**
Parade (allée de la-			
wandeldreef) = 57	**EV**	36	**G12**
Paradijsvogellaan			
Paradisiers (av. des)	**AUD**	49	**K12**
–	**WSP**	49	**K12**
Paradisiers (av. des)			
Paradijsvogellaan	**AUD**	49	**K12**
–	**WSP**	49	**K12**
Parc (av. du)			
Parklaan	**FO**	45	**J7**
–	**SG**	45	**J7**
Parc (av. du)			
Parklaan	**WEM**	12	**A5-B5**
Parc de Woluwe (av. du)			
Park van Woluwelaan	**AUD**	49	**J13-K13**
Parc Elisabeth (rue du)			
Elisabethparkstraat = 246	**K**	33	**F6-G6**
Parc Royal (av. du)			
Koninklijk Parklaan	**BR**	24	**C8-E8**
Parelhoenstraat			
Pintade (rue de la)	**WB**	60	**M12**
Parelstraat			
Perle (rue de la)	**MSJ**	2	**G7**S
Parenté (rue Charles-str.)	**AND**	33	**I6**
Parfums (rue)			
Geurstraat	**AND**	44	**I4-I5**
Parijsstraat			
Paris (rue de)	**BR**	9	**I9**N
–	**XL**	9	**I9**N
Parijsstraat			
Paris (rue de)	**EV**	25	**E11**
Parijsstraat	**SPL**	54	**L1**
Paris (rue de)			
Parijsstraat	**BR**	9	**I9**N
–	**XL**	9	**I9**N
Paris (rue de)			
Parijsstraat	**EV**	25	**E11**
Park van Woluwelaan			
Parc de Woluwe			
(av. du)	**AUD**	49	**J13-K13**
Parkgaarde	**MA**	17	**B14**
Parklaan	**DIL**	30	**H1**
Parklaan			
Parc (av. du)	**FO**	45	**J7**
–	**SG**	45	**J7**
Parklaan	**TER**	53	**I20-J20**
Parklaan			
Parc (av. du)	**WEM**	12	**A5-B5**
Parklaan	**ZAV**	28	**D17-E17**
Parkplein	**SPL**	67	**N3**
Parkstraat	**MA**	17	**B14**

Nom / Naam	Communes Gemeenten	Plan n° Plattegrond	Repère Plaatsaanduiding
Parlement (gal. du)			
Parlementsgalerij = 463....	**BR**	5	**H9**N
Parlement (rue du)			
Parlementsstraat = 462	**BR**	5	**H9**S
Parlementsgalerij			
Parlement (gal. du) = 463..	**BR**	5	**H9**N
Parlementsstraat			
Parlement (rue du) = 462...	**BR**	5	**H9**S
Parmastraat			
Parme (rue de)............	**SG**	8	**J7**N
Parme (rue de)			
Parmastraat	**SG**	8	**J7**N
Parmentier			
(av. Edmond-laan)	**WSP**	50	**J14-J15**
Parmentier (imp.-steeg).......	**SG**	6	**J7**N
Parnasse (clos du)			
Parnassusgaarde	**XL**	9	**I9**S
Parnasse (rue du)			
Parnassusstraat	**XL**	9	**I9**N
Parnassusgaarde			
Parnasse (clos du)	**XL**	9	**I9**S
Parnassusstraat			
Parnasse (rue du)..........	**XL**	9	**I9**N
Parochiaansstraat			
Paroissiens (rue des).......	**BR**	4	**H8**S
Parochiestraat			
Paroisse (rue de la)........	**BR**	16	**C13**
Paroisse (rue de la)			
Parochiestraat	**BR**	16	**C13**
Paroissiens (rue des)			
Parochiaansstraat	**BR**	4	**H8**S
Paruck (rue du-str.)	**MSJ**	32	**G5**
Pas (rue Charles-str.)	**AUD**	62	**M14**
Passage 44			
Doorgang 44	**BR**	5	**G8**S
Passchendaele (rue de)			
Passendalestraat	**BR**	2	**G7**S
Passendalestraat			
Passchendaele (rue de)	**BR**	2	**G7**S
Passereaux (av. des)			
Zangvogellaan	**AUD**	49	**K12**
–	**WSP**	49	**K12**
Passerelle (av. de la)			
Loopbruglaan	**BR**	13	**C7**
Passerelle Prolongée (av. de la)			
Verlengde Loopbruglaan ...	**BR**	23	**D8**
Passerstraat			
Compas (rue du)	**AND**	33	**H6**
Passiebloemenstraat			
Passiflores (rue des).......	**WB**	61	**L13**
Passieweg	**STE**	18	**A17**
Passiewijk	**STE**	18	**A17**
Passiflores (rue des)			
Passiebloemenstraat	**WB**	61	**L13**
Pasteur (rue-str.)	**AND**	33	**I6**
Pastoorkensweg			
Curés (ch. des)	**KR**	39	**G16**
Pastoorsstraat			
Curé (rue du).............	**FO**	56	**L5**
Pastorale (rue de la)			
Herdersliedstraat	**AND**	31	**H4**
–	**MSJ**	31	**H4**
Pastoriestraat	**AS**	11	**C3**
Pastorijpad			
Presbytère (sent. du).......	**LIN**	69	**P6**
Pastorijstraat = 320.........	**GRI**	13	**B8**
Pastorijstraat			
Presbytère (rue du)	**MSJ**	2	**G7**S
Pastorijstraat			
Presbytère (rue du)	**WEM**	11	**B4**
Pastourelle (clos de la)			
Herdersliedgaarde	**EV**	36	**G12**
Pastur (av. Jacques-laan)	**UC**	70	**O8-N9**
Paternostergang			
Chapelet (imp. du)			
(gel. rue Marché aux Herbes) .	**BR**	4	**H8**S
Patersdreef................	**TER**	65	**L20**
Pathé (rue Émile)			
Pathéstraat (Emiel)	**DRO**	55	**M4**
Pathéstraat (Emiel)			
Pathé (rue Émile).........	**DRO**	55	**M4**
Patinage (rue du)			
Schaatsstraat	**FO**	45	**K5-K6**
Patineurs (ch. des)			
Schaatsersweg	**BR**	59	**L9**
Patrie (pl. de la)			
Vaderlandsplein	**SCH**	36	**G11**
Patrijzendal			
Val des Perdreaux	**WSP**	50	**K15**
Patrijzenlaan			
Perdrix (av. des)	**KR**	52	**J17**
Patrijzenlaan	**TER**	53	**K20**
Patrijzenlaan	**ZAV**	28	**E17**
Patrijzenstraat			
Perdrix (rue des)..........	**ETT**	48	**J11**
Patrijzenstraat	**VIL**	14	**A9**
Patriotes (rue des)			
Patriottenstraat	**BR**	35	**H10-H11**
Patriottenstraat			
Patriotes (rue des)	**BR**	35	**H10-H11**
Patronaatstraat			
Patronage (rue du)	**KR**	28	**F16**
Patronage (rue du)			
Patronaatstraat	**KR**	28	**F16**
Pattijn (pl. Gustave-pl.)	**J**	22	**D6**
Patton (rue Gén.)			
Pattonstraat (Gen.).........	**XL**	47	**K9**
Pattonstraat (Gen.)			
Patton (rue Gén.)..........	**XL**	47	**K9**
Pâturage (rue du)			
Weilandstraat	**BR**	25	**C10-D10**
Pâturins (av. des)			
Beemdgraslaan	**UC**	70	**O8**
Paulalaan			
Paule (av.)..............	**WSP**	50	**J15**
Paule (av.)			
Paulalaan	**WSP**	50	**J15**
Paulsen (bd. Félix-laan).....	**AND**	31	**H4**
Paulsen (sq. Camille-sq.)....	**AND**	43	**I3**
Paulusstraat			
(Jean-Baptiste)............	**MA**	27	**D14**
Pauwels (av. Henri-laan)	**WSL**	49	**I13**
Pauwels (carré-blok) = 280...	**UC**	57	**L7**
Pauwels (rue Mathieu-str.)....	**BER**	31	**G3**

Nom / Naam	Communes Gemeenten	Plan n° Plattegrond	Repère Plaatsaanduiding
Pauwenstraat			
Paons (rue des)	**AUD**	49	**K13**
Pauwstraat	**VIL**	14	**B9-B10**
Pavez (rue Joseph-str.)	**AND**	44	**I5**
Paviastraat			
Pavie (rue de)	**BR**	35	**H10**
Pavie (rue de)			
Paviastraat	**BR**	35	**H10**
Paviljoenplein			
Pavillon (pl. du)	**SCH**	24	**F9**
Paviljoenstraat			
Pavillon (rue du)	**BR**	24	**F9**
–	**SCH**	24	**F9**
Pavillon (pl. du)			
Paviljoenplein	**SCH**	24	**F9**
Pavillon (rue du)			
Paviljoenstraat	**BR**	24	**F9**
–	**SCH**	24	**F9**
Pavots (av. des)			
Papaverlaan	**WO**	52	**I17**
Pavots (rue des)			
Papaverstraat	**SCH**	36	**G11**
Pavoux (rue Eugène-str.)	**MSJ**	33	**H6**
Pays de Liège (rue du)			
Land van Luikstraatje	**BR**	2	**G7**S
Paysages (av. des)			
Landschappenlaan	**UC**	71	**P10**
Paysagistes (rue des)			
Landschapschildersstraat	**AUD**	48	**K12**
Péage (av. du)			
Tollaan	**WSL**	37	**G13**
Pêcherie (rue de la)			
Visserijstraat	**UC**	58	**M8-N8**
Pêcheries (rue des)			
Visserijstraat	**AUD**	60	**K12-L12**
–	**WB**	60	**L12**
Pêchers (rue des)			
Perzikbomenstraat	**BR**	25	**C10-D10**
Pêcheurs (rue des)			
Vissersstraat	**UC**	58	**N7-N8**
Pede (sq. de la-sq.) = 213	**AND**	43	**J4**
Peercourinierstraat	**TER**	53	**K19**
Peereboom			
(av. Joseph-laan)	**GAN**	21	**E4-E5**
Peeters (av. François-laan)	**WSP**	51	**I16**
Peeters (carré-blok)	**UC**	57	**M6**
Peetersstraat (Corn.)	**MA**	17	**A14-B14**
Peetersstraat (Frans)	**ZAV**	41	**G20**
Pégase (av.)			
Pegasuslaan = 81	**WSL**	37	**H12**
Pegasuslaan			
Pégase (av.) = 81	**WSL**	37	**H12**
Pelgrims de Bigardlaan (R.)	**DIL**	20	**E1-E2**
Pelgrimslaan			
(Raymond) = 359	**AS**	21	**E3**
Pélican (rue du)			
Pelikaanstraat	**BR**	4	**G8**S
Pelikaanstraat			
Pélican (rue du)	**BR**	4	**G8**S
Pelletier (rue Frédéric-str.)	**SCH**	36	**H11**
Pelouse (av. de la)			
Grasperklaan	**WSP**	51	**J15**

Nom / Naam	Communes Gemeenten	Plan n° Plattegrond	Repère Plaatsaanduiding
Pelouses (ch. des)			
Grasperkenweg	**BR**	59	**M10**
Penarroyalaan	**VIL**	15	**A11**
Pêne (rue du)			
Schootstraat	**BR**	2	**H7**N
Pénélope (av.-laan)	**FO**	57	**L6**
Péniches (quai des)			
Akenkaai	**BR**	34	**G7-F8**
Pennon (av. du)			
Riddervaanlaan = 59	**EV**	36	**G12**
Pensées (rue des)			
Penseestraat = 89	**SCH**	36	**F11-G11**
Penseestraat			
Pensées			
(rue des) = 89	**SCH**	36	**F11-G11**
Pentathlon (av. du-laan)	**EV**	36	**F11-G11**
Pente (rue de la)			
Hellingstraat	**AUD**	49	**K13**
Pepermans (rue Frans-str.)	**EV**	25	**E11**
Peperstraat			
Poivre (rue du) = 412	**BR**	4	**H8**S
Peperstraat	**TER**	53	**J19-K19**
Pépin (rue du)			
Kernstraat	**BR**	8	**I8**N
Pépinière (dr. de la)			
Kwekerijdreef	**SGR**	73	**P12**
Pépinière (rue de la)			
Boomkwekerijstraat	**BR**	9	**I8**N
Pequeur (sq. Robert-sq.)	**AND**	6	**I7**N
Perce-Neige (ch. de la)			
Sneeuwklokjesweg	**BR**	12	**C6**
Perche (rue de la)			
Wipstraat	**EV**	25	**D12**
Perche (rue de la)			
Wipstraat	**SG**	45	**J7**
Perdrix (av. des)			
Patrijzenlaan	**KR**	52	**J17**
Perdrix (rue des)			
Patrijzenstraat	**ETT**	48	**J11**
Perelman (rue Baron-str.)	**UC**	58	**M8**
Pères Blancs (rue des)			
Witherenstraat	**ETT**	48	**J11**
Peret (rue Léopold-str.)	**J**	23	**D7**
Perk (rue de-str.)	**LIN**	70	**P8**
Perk (rue-str.)	**WO**	53	**I19**
Perksesteenweg	**STE**	19	**A17-A18**
Perkstraat	**ZAV**	41	**H19-I19**
Perkveld	**WO**	41	**H19**
Perle (rue de la)			
Parelstraat	**MSJ**	2	**G7**S
Permeke			
(av. Constant-laan)	**EV**	26	**E12-F12**
Permekedreef	**OV**	65	**N19**
Pérou (av. du)			
Perulaan	**BR**	60	**M11**
Persévérance (av. de la)			
Volhardingslaan = 557	**AND**	43	**K4**
Persil (rue du)			
Peterseliestraat	**BR**	4	**H8**N
Perspectieflaan			
Perspective (av. de la)	**WSL**	39	**H15**
–	**WSP**	39	**H16**

Nom / Naam	Gemeenten Communes	Plattegrond Plan n°	Plaatsaanduiding Repère
Perspective (av. de la)			
Perspectieflaan	WSL	39	H15
–	WSP	39	H16
Perulaan			
Pérou (av. du)	BR	60	M11
Pervijzestraat			
Pervyse (rue de)	ETT	48	J11
Pervyse (rue de)			
Pervijzestraat	ETT	48	J11
Perzikbomenstraat			
Pêchers (rue des)	BR	25	C10-D10
Pesage (av. du)			
Waaglaan	XL	59	L10
Petekindstraat			
Filleul (rue du) = 286	FO	45	K7
Peterseliestraat			
Persil (rue du)	BR	4	H8N
Pétillon (rue Major)			
Pétillonstraat (Majoor)	ETT	48	J11
Pétillonstraat (Majoor)			
Pétillon (rue Major)	ETT	48	J11
Petit (rue Gabrielle-str.)	MSJ	33	F7
Petit-Berchem (rue du)			
Klein-Berchemstraat	BER	32	F4-F5
–	K	32	F4-F5
Petit Rempart (rue du)			
Vestje	BR	2	H7S
Petit Sablon (pl. du)			
Kleine Zavel	BR	8	I8N
Petite Ciguë (av. de la)			
Dolle Kervellaan	WO	41	H19
Petite Espinette (av. de la)			
Kleine Hutlaan	UC	71	P9-P10
Petite Montagne			
(rue de la)			
Kleine Bergstraat	KR	27	F15
Petite Normandie			
Klein Normandie	KR	39	G16
Petite Suisse (pl. de la)			
Klein-Zwitserlandplein	XL	47	K10
Petite-Île (rue de la)			
Klein-Eiland	AND	6	J5-J6
Petits Carmes (rue des)			
Karmelietenstraat	BR	8	I8N
Pètre (av. Georges-laan)	SJ	35	H10
Pétunias (av. des-laan)	KR	39	G15-G16
Pétunias (rue des)			
Petuniastraat	WB	61	L13
Petuniastraat			
Pétunias (rue des)	WB	61	L13
Peuple (rue du)			
Volksstraat	BR	4	G8N
Peuplier (rue du)			
Populierstraat	BR	4	H7N
Peupliers (clos des)			
Populierenoord	BER	31	F3
Peupliers (clos des)			
Populierenhof	WSL	38	G14
Peupliers (dr. des)			
Populierendreef = 351	WEM	12	B5
Peutiesesteenweg	MA	17	A14-A15
Pfeiffer (rue Martin-str.)	MSJ	32	G5

Nom / Naam	Gemeenten Communes	Plattegrond Plan n°	Plaatsaanduiding Repère
Phalènes (av. des)			
Nachtvlinderslaan	BR	59	L10
–	XL	59	L10
Philanthropie (rue de la)			
Menslievendheidsstraat	BR	6	I7S
Philippartstraat (Lt.)	STE	18	B17
Philippe le Bon (rue)			
Filips de Goedestraat	BR	35	H9-H10
Philomène (rue-str.)	SCH	5	G9S
Phlox (rue de)			
Floxenstraat	WB	61	L13
Pic Vert (av. du)			
Groenspechtlaan	SGR	71	P9
Pic-Vert (rue du)			
Groene Spechtstraat = 23	WB	61	L13
Picard (rue Edmond-str.)	UC	46	K8
–	XL	46	K8
Picard (rue-str.)	BR	33	F7
–	MSJ	33	F7
Picardie (rue de-str.)	EV	25	E11
Picquart (av. Colonel)			
Picquartlaan (Kolonel)	SCH	25	E10
Picquartlaan (Kolonel)			
Picquart (av. Colonel)	SCH	25	E10
Piepelingenstraat			
Béguinettes (rue des)	WB	61	M13
Piérard (av. Louis-laan)	EV	26	E12
Pieremans (rue-str.)	BR	6	I7S
Pieremanstraat	GRI	14	A9
Piermez (rue Philippe-str.)	K	33	G6
Pierrard			
(rue Alexandre-str.)	AND	43	K3
Pierres (rue des)			
Steenstraat	BR	4	H8S
Pierres de Taille (quai aux)			
Arduinkaai	BR	4	G7S
Pierres Grises (sq. des)			
Grijze Stenenplein	WSP	50	J14
Pierres Rouges (rue des)			
Rode Stenenstraat	WB	60	L11
Pierron (rue Evariste-str.)	MSJ	2	H7N
Pierron (rue Sander-str.)	SCH	25	E10
Piers (rue-str.)	MSJ	2	G6S
Piété (rue de la)			
Godsvruchtstraat	AUD	50	K14
Pieter (rue-str.)	FO	56	L5
Pigeons (rue des)			
Duivenstraat = 483	BR	8	I8N
Pijlstraat			
Flèche (rue de la)	BR	4	G8N
Pijnbomenweg	TER	65	M19-M20
Pijnbomenweg			
Pins (ch. des)	UC	71	O10
Pijnboslaan			
Pinède (av. de la)	UC	70	O9
Pijpekopstraat	OV	77	P19
Pilootlaan			
Pilote (av. du)	WSP	50	I15
Pilote (av. du)			
Pilootlaan	WSP	50	I15
Pimpernellaan			
Pimprenelles (av. des)	AND	43	K3

Nom / Naam	Communes Gemeenten	Plan n° Plattegrond	Repère Plaatsaanduiding
Pimprenelles (av. des) *Pimpernellaan*	**AND**	43	**K3**
Pinède (av. de la) *Pijnboslaan*	**UC**	70	**O9**
Pinnebeek (dr. de-dr.)	**WB**	61	**M13-M14**
Pinoy (pl. Édouard-pl.) = 309	**AUD**	61	**L13**
Pins (av. des) *Dennenlaan*	**KR**	52	**J17-K17**
Pins (ch. des) *Pijnbomenweg*	**UC**	71	**O10**
Pins Noirs (av. des) *Zwarte Pijnbomenlaan*	**KR**	51	**J17**
Pins Noirs (av. des) *Zwarte Dennenlaan*	**WSP**	51	**J16**
Pinson (clos du) *Vinkengaarde*	**WB**	60	**M12**
Pinson (rue du) *Vinkstraat*	**WB**	60	**M12**
Pinsons (av. des) *Vinkenlaan*	**KR**	39	**G16**
Pinsons (av. des) *Vinkenlaan* = 131	**WSP**	49	**K12**
Pinsons (clos des) *Vinkenoord*	**WO**	40	**H18**
Pintade (rue de la) *Parelhoenstraat*	**WB**	60	**M12**
Pioenenstraat *Pivoines (rue des)*	**BR**	12	**C6**
Pippelingstraat *Reinette (rue de la)*	**BR**	8	**I8**N
Pippenzijpe (rue du-str.)	**AND**	43	**I3**
Pire (av. Lt.-Gén.) *Pirelaan (Lt.-Gen.)*	**WSP**	51	**I16**
Pire (rue Fernand-str.)	**J**	23	**E6**
Pire (rue Révérend Père) *Pirestraat (Eerwaarde Pater)*	**MSJ**	32	**G5**
Pirelaan (Lt.-Gen.) *Pire (av. Lt.-Gén.)*	**WSP**	51	**I16**
Pirenne (av. Henri-laan)	**UC**	57	**L7**
Pirestraat (Eerwaarde Pater) *Pire (rue Révérend Père)*	**MSJ**	32	**G5**
Piret (av. Capt.) *Piretlaan (Kapt.)*	**WSP**	49	**I13**
Piret (av. René-laan)	**ETT**	48	**J11**
Piretlaan (Kapt.) *Piret (av. Capt.)*	**WSP**	49	**I13**
Pirmez (av. Eudore-laan)	**ETT**	47	**J10**
Piron (av. Brigade-laan)	**MSJ**	32	**G5-H5**
Pittoresque (dr.) *Schilderachtige Dreef*	**SGR**	70	**P9-P10**
–	**UC**	71	**P9-P10**
Pivert (ch. du) *Groenspechtweg*	**UC**	72	**O11-O12**
–	**WB**	72	**O12**
Pivoines (rue des) *Pioenenstraat*	**BR**	12	**C6**
Plaine (bd. de la) *Pleinlaan*	**XL**	48	**K11**
Plaine d'Aviation (rue) *Vliegpleinstraat*	**EV**	25	**E11-E12**
Plaine de Jeux (av. de la) *Speelpleinlaan*	**KR**	39	**G15-G16**
Plaine des Sports (rue) *Sportpleinstraat*	**WO**	40	**I17-H18**
Planeur (rue du) *Zweefvliegtuigstraat*	**BR**	26	**E12**
Plankvoetweg	**SPL**	54	**L1**
Plantenstraat *Plantes (rue des)*	**SCH**	5	**G9**N
–	**SJ**	5	**G8**S
Plantes (rue des) *Plantenstraat*	**SCH**	5	**G9**N
–	**SJ**	5	**G8**S
Plantin (rue-str.)	**AND**	6	**H7**S
Plasky (av. Eugène-laan)	**SCH**	36	**G11-H11**
Plasky (sq. Eugène-sq.)	**SCH**	36	**H11**
Plataanlaan	**AS**	21	**D3**
Platanenlaan	**SPL**	55	**N3**
Platanenlaan *Platanes (av. des)*	**WEM**	12	**B5**
Platanenstraat *Platanes (rue des)*	**ETT**	47	**J10-J11**
Platanenstraat	**ZAV**	28	**C16-D16**
Platanenwijk *Platanes (carré aux)*	**WSP**	50	**J14**
Platanes (av. des) *Platanenlaan*	**WEM**	12	**B5**
Platanes (carré aux) *Platanenwijk*	**WSP**	50	**J14**
Platanes (rue des) *Platanenstraat*	**ETT**	47	**J10-J11**
Plateau (rue Joseph-str.) = 430	**BR**	4	**H8**N
Platolaan *Platon (av.)*	**EV**	37	**F13-G13**
Platon (av.) *Platolaan*	**EV**	37	**F13-G13**
Plattesteen = 429	**BR**	3	**H7**S
Plébéiens (rue des) *Plebejersstraat*	**AND**	43	**K4**
Plebejersstraat *Plébéiens (rue des)*	**AND**	43	**K4**
Pléiades (av. des) *Plejadenlaan*	**WSL**	37	**G12-G13**
Plein Ciel (coursive) *Openluchtwandelgang* = 563	**WSP**	50	**I14**
Pleinhoekje *Esplanade (clos de l')*	**WO**	52	**I17**
Pleinlaan *Esplanade (av. de l')*	**WO**	40	**H17-I17**
Pleinlaan *Plaine (bd. de la)*	**XL**	48	**K11**
Pleinstraat = 358	**AS**	21	**E3**
Pleinstraat	**DIL**	20	**F2**
Pleisterplaatsstraat *Relais (rue du)*	**WB**	60	**L11**
Pleisterstraat *Relais (rue du)*	**XL**	60	**L11**
Plejadenlaan *Pléiades (av. des)*	**WSL**	37	**G12-G13**
Pletinckx (rue-str.)	**BR**	2-3	**H7**N

Nom / Naam	Gemeenten / Communes	Plattegrond / Plan n°	Plaatsaanduiding / Repère
Plichtstraat			
Devoir (rue du) = 203	AND	44	I5
Plisnier			
(av. Charles-laan)	AND	43	I4
Plissart (av. Nestor-laan)	ETT	48	J12
–	WSP	48	J12
Pluimstraat			
Plume (rue de la)	BR	6	I7S
Plukstraat			
Cueillette (rue de la)	UC	69	O6-O7
Plume (rue de la)			
Pluimstraat	BR	6	I7S
Pluvierlaan	ZAV	40	G18
Pluviers (rue des)			
Pluvierstraat	WB	61	M12
Pluvierstraat			
Pluviers (rue des)	WB	61	M12
Poedts (rue Maurice-str.)	AUD	62	M14
Poelaert (pl.-pl.)	BR	8	I8S
Poels (av.			
Guillaume-laan) = 308	AUD	61	L13
Poels (rue Félix-str.)	WSP	49	I13-I14
Poenaardlaan	OV	77	O19
Poésie (av. de la)			
Dichtkunstlaan	AND	31	H4
Poètes (clos des)			
Dichtersgaarde = 90	SCH	36	G11
Pogge (pl.-pl.)	SCH	24	F9
Poils (imp.-gang)	BR	2	G7S
Poincaré (bd.-laan)	AND	2-6	H7S
–	SG	6	I7N
Poinçon (rue du)			
Priemstraat	BR	8	H7S
Pois de Senteur (av. du)			
Pronkerwtlaan	BR	14	C9
Poissonniers (rue des)			
Visverkopersstraat	BR	3	H7N
Poivre (rue du)			
Peperstraat = 412	BR	4	H8S
Polders (rue des-str.)	UC	56	M5
Pôle (rue du)			
Poolstraat	SJ	5	G9S
Polenstraat			
Pologne (rue de)	SG	45	J7-J8
Politieke Gevangenenlaan			
Prisonniers Politiques			
(av. des) = 147	WSP	50	I14
Polo (av. du-laan)	WSP	50	I15-J15
Pologne (rue de)			
Polenstraat	SG	45	J7-J8
Pommes (sent. des)			
Appelpad = 108	SCH	25	E10
Pommier (rue du)			
Appelboomstraat	AND	42	I1-I2
Pommiers Fleuris (clos des)			
Appelbloesemgaarde	AUD	61	L13
Pont de la Carpe (rue du)			
Karperbrug = 468	BR	3	H7N
Pont de l'Avenue (rue du)			
Laanbrugstraat	BR	24	F8
Pont de Luttre (av. du)			
Luttrebruglaan	FO	45	J6-K6
Pont-Levis (rue du)			
Ophaalbrugstraat	WSL	37	H12-I12
Pont Neuf (rue du)			
Nieuwbrug	BR	4	G8S
Pont Rustique (ch. du)			
Boerenbrugweg	BR	59	L9
Pontbeek	AS	21	E3-E4
Pontbeeklaan	AS	20	D1-D3
Pontbeekstraat	DIL	21	E3
Ponthier (rue Ct.)			
Ponthierstraat (Kt.)	ETT	48	J11
Ponthierstraat (Kt.)			
Ponthier (rue Ct.)	ETT	48	J11
Pontonnier (rue du-str.)	WSL	50	I14
Poolsterstraat			
Etoile Polaire			
(rue de l')	BER	31	F3
Poolstraat			
Pôle (rue du)	SJ	5	G9S
Poplimont			
(av. Démosthène-laan)	GAN	22	F5-F6
–	J	22	F5-F6
Poppegang			
Poupée (imp. de la)			
(gel. r. Marché			
aux Fromages)	BR	4	H8S
Populierendallaan	GRI	15	A10
Populierendreef			
Peupliers			
(dr. des) = 351	WEM	12	B5
Populierenhof			
Peupliers (clos des)	WSL	38	G14
Populierenlaan	SPL	55	N3
Populierenlaan	TER	65	L19
Populierenoord			
Peupliers (clos des)	BER	31	F3
Populierenstraat	ZAV	28	C16-D16
Populierstraat			
Peuplier (rue du)	BR	4	H7N
Porselein (rue-str.)	AND	44	I4
Port (av. du)			
Havenlaan	BR	24	G7-F8
–	MSJ	2	G7
Portaels (rue-str.)	SCH	24	E9-F9
Porte de Hal (av. de la)			
Hallepoortlaan	SG	6	I7S
Porte de Namur			
(gal. de la)			
Naamsepoortgalerij	XL	9	I9S
Porte Rouge (rue de la)			
Rodepoort	BR	8	I8N
Portugal (rue du-str.)	SG	46	J8
Posschier (rue-str.)	ETT	47	I10
Postallee			
Poste (allée de la) = 546	SJ	5	G9S
Poste (allée de la)			
Postallee = 546	SJ	5	G9S
Poste (rue de la)			
Poststraat	SCH	35	F9-G9
–	SJ	5	G9S
Posteleinweg			
Pourpier (ch. du)	BR	13	C6

Nom / Naam	Communes Gemeenten	Plan n° Plattegrond	Repère Plaatsaanduiding
Postiljonstraat			
Postillon (rue du)	**UC**	57	**M7**
Postillon (rue du)			
Postiljonstraat	**UC**	57	**M7**
Postkoetssquare			
Diligence (sq. de la)	**GAN**	22	**E5**
Poststraat	**GRI**	13	**B8**
Poststraat			
Poste (rue de la)	**SCH**	35	**F9-G9**
–	**SJ**	5	**G9**S
Poststraat	**VIL**	15	**A11**
Postwagenstraat			
Malle-Poste			
(rue de la) = 536	**WB**	60	**L11**
Postweg	**SPL**	54	**K1-L1**
Potaarde	**GRI**	13	**A7-A8**
Potaarde (rue-str.)	**BER**	31	**F3-G3**
Potaardedreef	**TER**	63	**L15-L16**
Potaardegaarde			
Argilière (clos de l')	**KR**	51	**I16**
Potaardenbergstraat			
Potaerdenberg (rue du)	**AND**	31	**H3-I4**
Potaardestraat			
Argile (rue d')	**KR**	51	**I16-I17**
Potaerdegat (rue-str.)	**MSJ**	32	**G4**
Potaerdenberg (rue du)			
Potaardenbergstraat	**AND**	31	**H3-I4**
Potaerdenberg (rue-str.)	**MSJ**	31	**H3**
Potagère (rue)			
Warmoesstraat	**SCH**	5	**G9**S
–	**SJ**	5	**G9**S
Poterie (rue de la)			
Pottengoedstraat	**AND**	2	**H7**S
Potestraat	**TER**	53	**J19**
Potiers (rue des)			
Pottenbakkersstraat	**BR**	2	**H7**S
Pottenbakkersstraat			
Potiers (rue des)	**BR**	2	**H7**S
Pottengoedstraat			
Poterie (rue de la)	**AND**	2	**H7**S
Poudrière (rue de la)			
Kruitmolenstraat	**BR**	2	**H7**N
Poule d'Eau (av. de la)			
Waterhoenlaan	**WO**	40	**G17**
Poulets (rue des)			
Kiekensstraat	**AND**	42	**J2**
Poupée (imp. de la)			
Poppegang			
(sit. r. Marché			
aux Fromages)	**BR**	4	**H8**S
Pourpier (ch. du)			
Posteleinweg	**BR**	13	**C6**
Poussins (rue des)			
Kippekensstraat	**UC**	57	**M6**
Poverstraat	**AS**	10	**C2**
Praagstraat			
Prague (rue de)	**SG**	6	**J7**N
Prado (rue du-str.)	**MSJ**	2	**G7**S
Prague (rue de)			
Praagstraat	**SG**	6	**J7**N
Prairie (rue de la)			
Weidestraat	**SJ**	5	**G8**N

Nom / Naam	Communes Gemeenten	Plan n° Plattegrond	Repère Plaatsaanduiding
Pré (imp. du)			
Weidegang	**ETT**	47	**I10**
Pré aux Oies (rue du)			
Ganzenweidestraat	**BR**	16	**D12-B13**
Pré aux Oiseaux			
Vogelweide	**BR**	26	**D13**
Pré des Agneaux (av.)			
Lammerendries	**AUD**	61	**L13**
–	**WB**	61	**L13**
Pré fleuri (av. du)			
Bloemweidelaan	**KR**	39	**H16**
Préau (av. du)			
Pandhoflaan	**ETT**	47	**I10-J10**
Préckher (rue Jean-str.)	**FO**	45	**J6**
Predikherenstraat			
Dominicains			
rue des)	**BR**	4	**H8**N
Prekelinden (av.-laan)	**WSL**	48	**H12-I12**
Prés (rue des)			
Weidenstraat	**DRO**	56	**M5**
Prés Communs (rue des)			
Gemenebeemdenstraat	**BR**	25	**D10**
Presbytère (rue du)			
Pastorijstraat	**MSJ**	2	**G7**S
Presbytère (rue du)			
Pastorijstraat	**WEM**	11	**B4**
Presbytère (sent. du)			
Pastorijpad	**LIN**	69	**P6**
Préser (rue Prosper-str.)	**BER**	31	**G3-G4**
Président (rue du)			
Voorzittersstraat	**BR**	8	**J8**N
–	**XL**	9	**J8**N
Presse (rue de la)			
Drukpersstraat	**BR**	5	**H9**N
Pressoir (dr. du)			
Wijnpersdreef	**FO**	56	**L6**
Prétoire (rue du)			
Rechtszaalstraat	**AND**	44	**I5**
Prêtres (rue des)			
Priestersstraat	**BR**	8	**I8**S
Prévinaire (rue-str.)	**AND**	44	**I5-I6**
Prévost-Delaunay (sq.)	**SCH**	35	**G10**
Prévot (rue du)			
Provooststraat	**XL**	46	**K8**
Prévoyance (rue de la)			
Voorzorgsstraat	**BR**	8	**I8**S
Prieeldreef	**DIL**	30	**H2**
Prieelstraat			
Berceau (rue du)	**BR**	5	**H9**S
Priemstraat			
Poinçon (rue du)	**BR**	8	**H7**S
Priestersstraat			
Prêtres (rue des)	**BR**	8	**I8**S
Prieuré (dr. du)			
Priorijdreef	**AUD**	50	**K14**
Prijskampstraat			
Concours			
(rue du) = 572	**WB**	61	**M13**
Primeurs (rue des)			
Vroegegroentenstraat	**FO**	44	**K6**
Primevère (rue de la)			
Sleutelbloemstraat	**UC**	46	**K8**

Nom / Naam	Communes / Gemeenten	Plan n° / Plattegrond	Repère / Plaatsaanduiding
Prince (dr. du) *Prinsdreef*	AUD	63	M16-M17
Prince de Liège (bd.) *Prins van Luiklaan*	AND	31	H4-I4
Prince d'Orange (av. du) *Prins van Oranjelaan*	UC	70	O8-O10
Prince Héritier (av. du) *Erfprinslaan*	WSL	36	H12-I12
Prince Régent (av. du) *Prins Regentlaan*	WSP	39	H16
Prince Royal (rue du) *Koninklijke Prinsstraat*	XL	8	I8S
Princes (gal. des) *Prinsengalerij* = 502	BR	4	H8N
Princes (rue des) *Prinsenstraat*	BR	4	H8N
Princes Brabançons (av. des) *Brabantse-Prinsenlaan*	WB	61	L12
Princesse (rue de la) *Prinsesstraat* = 580	MSJ	32	H5
Prins (rue Adolphe-str.)	AND	43	I4
Prins Regentlaan *Prince Régent (av. du)*	WSP	39	H16
Prins van Luiklaan *Prince de Liège (bd.)*	AND	31	H4-I4
Prins van Oranjelaan *Prince d'Orange (av. du)*	UC	70	O8-O10
Prinsdreef *Prince (dr. du)*	AUD	63	M16-M17
Prinsedal *Val du Prince*	KR	51	I16-I17
Prinsendal	OV	76	N17
Prinsendreef	TER	65	L20-M20
Prinsengalerij *Princes (gal. des)* = 502	BR	4	H8N
Prinsenstraat *Princes (rue des)*	BR	4	H8N
Prinsesstraat *Princesse (rue de la)* = 580	MSJ	32	H5
Printemps (rue du) *Lentestraat*	XL	47	K10
Priorijdreef *Prieuré (dr. du)*	AUD	50	K14
Prisonniers Politiques (av. des) *Politieke Gevangenenlaan* = 147	WSP	50	I14
Privilèges (sq. des) *Privilegiënsquare*	GAN	22	E5
Privilegiënsquare *Privilèges (sq. des)*	GAN	22	E5
Probité (rue de la) *Eerlijkheidsstraat*	XL	60	K11-L11
Processiestraat *Procession (rue de la)*	AND	44	I4
Procession (rue de la) *Processiestraat*	AND	44	I4
Procureur (rue Léopold-str.)	J	23	F6
Profonde (rue) *Diepestraat*	BR	12	C5
–	WEM	12	C5
Profonde (rue) *Diepestraat*	WO	52	I18-J18
Progrès (rue du) *Vooruitgangstraat*	SCH	34	G8-F9
–	SJ	4	G8
Promenade (rue de la) *Wandelingstraat*	AND	43	J4
Prométhée (clos) *Prometheusgaarde*	WSL	38	H15
Prometheusgaarde *Prométhée (clos)*	WSL	38	H15
Pronkerwtlaan *Pois de Senteur (av. du)*	BR	14	C9
Prospérité (rue de la) *Voorspoedstraat*	MSJ	2	G7S
Provence (allées de-wandelwegen)	EV	25	F11-F12
Providence (imp. de la) *Voorzienigheidsgang* = 485	BR	8	I8N
Provooststraat *Prévot (rue du)*	XL	46	K8
Prunelliers (av. des) *Sleedoornlaan*	WEM	12	A5
Ptolémée (av.-laan)	UC	59	L9
Puccini (rue-str.)	AND	32	H4
Puelinckxstraat (F.)	MA	17	A15
Puits (ch. du) *Borreweg*	UC	69	N7-O7
Purperbeukenlaan *Hêtres Pourpres (av. des)*	BR	13	C7-C8
Putdaal *Putdael (ch. de)*	AUD	50	K14
–	WSP	50	K14
Putdael (av. du-laan)	WSP	50	J14
Putdael (ch. de) *Putdaal*	AUD	50	K14
–	WSP	50	K14
Putdreef	TER	65	L20
Putterie *Putterij*	BR	4	H8S
Putterij *Putterie*	BR	4	H8S
Puttestraat	BE	67	P4
Puttestraat	TER	53	K19
Putweidestraat	DIL	30	H1
Pyrèthres (rue des) *Pyretrumstraat*	WB	61	L13
Pyretrumstraat *Pyrèthres (rue des)*	WB	61	L13

Q

Nom / Naam	Gemeenten Communes	Plattegrond Plan n°	Plaatsaanduiding Repère
Quarantaines (rue des)	**AND**	42	**K2**
Quatre Août (pl. du) *Vierde Augustusplein*	**ETT**	48	**J11**
Quatre Bonniers (rue des) *Vier Bundersstraat*	**KR**	39	**H17**
Quatre Bras (rue des-str.)	**BR**	8	**I8**S
Quatre Fils Aymon (rue des) *Vierheemskinderenstraat*	**BR**	8	**I8**N
Quatre Journées (bd. des) *Vier September* *Dagenlaan* = 98	**SJ**	35	**H10**
Quatre Nœuds (venelle aux) *Vier-Knopensteeg* = 564	**WSP**	50	**I14**
Quatre-Saisons (clos des) *Vier Seizoenenhof*	**WSL**	37	**H13**
Quatre-Vents (rue des) *Vier Windenstraat*	**MSJ**	33	**G6-H6**
Quatre-Vingts Hêtres (av. des) *Tachtigbeukenlaan*	**GAN**	22	**E5**
Quatrecht (rue de) *Kwatrechtstraat*	**SCH**	5	**G9**N
Querelle (pl. de la) *Krakeelplein*	**BR**	6	**I7**N
Querelle (rue de la) *Krakeelstraat*	**BR**	6	**I7**N
Quetelet (pl.-pl.)	**SJ**	5	**H9**N
Quiétude (av. de la) *Gemoedsrustlaan* = 56	**EV**	36	**G12**
Quiétude (sq. de la) *Gerustheidsplein*	**WSP**	48	**J12**
Quinaux (rue-str.)	**SCH**	24	**F9**
Quinkenstraat	**ZAV**	29	**D17**
Quintusstraat (Arthur)	**SPL**	54	**N2**
Quitmannplein (Karel)	**ZAV**	28	**D16**
Quivreuxstraat (R.)	**MA**	17	**A14**

R

Nom / Naam	Gemeenten Communes	Plattegrond Plan n°	Plaatsaanduiding Repère
Raadsplein *Conseil (pl. du)*	**AND**	33	**I6**
Raadstraat *Conseil (rue du)*	**XL**	9	**I9**S
Raafstraat *Corbeau (rue du)*	**SCH**	25	**E10-E11**
Rabelais (rue-str.)	**AND**	43	**I3**
Racing (av. du-laan)	**UC**	59	**N9**
Radijzenstraat *Radis (rue des)*	**BR**	6	**I7**S
Radis (rue des) *Radijzenstraat*	**BR**	6	**I7**S
Radium (rue du-str.)	**SCH**	36	**H11**
Radplein *La Roue (pl. de)* = 216	**AND**	43	**K4**
Radstraat *Roue (rue de la)*	**BR**	8	**I7**N
Raedemaekersstraat (P.)	**MA**	17	**B14**
Raeymaekers (rue Georges-str.)	**SCH**	25	**E11-F11**
Railway (rue du-str.)	**AUD**	49	**K13**
Raisins (allée des) *Druivenallee* = 551	**SJ**	5	**H9**N
Raketlaan *Raquette (av. de la)*	**WSP**	50	**I15**
Raketstraat *Fusée (rue de la)*	**BR**	26	**E12-E14**
–	**EV**	26	**E12**
Ramaeckers (rue Charles-str.)	**BR**	23	**D7**
Ramée (av. de la) *Looflaan*	**UC**	57	**L7**
Rameurs (rue des) *Roeiersstraat*	**BR**	34	**F8**
Ramier (av. du) *Bosduiflaan*	**WB**	61	**L13**
Ramier (rue du) *Bosduifstraat*	**BR**	15	**C11**
Ramiers (av. des) *Bosduivenlaan*	**KR**	52	**J17**
Ramlaan *Bélier (av. du)*	**WSL**	37	**H13**
Ramoneurs (rue des) *Schoorsteenvegers-* *straat* = 530	**BR**	6	**I7**S
Rampelbergstraat (H.)	**MA**	16	**B13-B14**
Rampelbergstraat (J.B.)	**SPL**	66	**O2-O3**
Ramskapelle (rue de-str.) = 126	**ETT**	48	**J11**
Ransbeek (av. de-laan)	**BR**	15	**C11-B11**
Ransbeek (rue de-str.)	**BR**	15	**C11**
Ransfort (rue-str.)	**MSJ**	2	**H6**N
Ranson (rue-str.)	**BR**	26	**D12**
Rapenstraat *Navets (rue des)*	**BR**	2	**H7**S
Raphaël (rue-str.)	**AND**	33	**I6**
Raquette (av. de la) *Raketlaan*	**WSP**	50	**I15**
Rasière (rue de la) *Sistervatstraat*	**BR**	7	**I7**S
Raskin (rue Maurice Albert-str.)	**AND**	43	**I4**
Rassel	**WEM**	11	**B4**

Nom / Naam	Communes Gemeenten	Plan n° Plattegrond	Repère Plaatsaanduiding
Rasson (rue-str.)	**SCH**	36	**H11**
Ratelbergstraat	**OV**	76	**P18**
Rattendaal	**SPL**	54	**M1**
Rauter (rue Victor-str.)	**AND**	44	**J4-I5**
Ravenlaan	**VIL**	14	**B9**
Ravenstein (gal.)	**BR**	4	**H8**S
Ravenstein (rue-str.)	**BR**	4	**H8**S
Ravensteindreef	**TER**	64	**K17-L18**
Rayotterijstraat			
Ébats (rue des) = 44	**BER**	32	**F4**
Rayé (rue Jacques-str.)	**SCH**	25	**F10**
Raymond (rue Jules-Émile-str.)	**AUD**	48	**J12**
Recherche (allée de la)			
Researchdreef	**AND**	42	**K1-K2**
Rechthoekstraat			
Rectangle (rue du)	**MSJ**	2	**H7**N
Rechtschapenheidstraat			
Loyauté (rue de la)	**J**	23	**E7**
Rechtsplein			
Droit (pl. du)	**AND**	44	**I5**
Rechtszaalstraat			
Prétoire (rue du)	**AND**	44	**I5**
Rectangle (rue du)			
Rechthoekstraat	**MSJ**	2	**H7**N
Rederskaai			
Armateurs (quai des)	**BR**	34	**F8**
Redersplein			
Armateurs (pl. des)	**BR**	34	**F8**
Reebokjeslaan			
Faons (av. des)	**UC**	69	**O7**
Reeboklaan	**TER**	53	**K20**
Reebokstraat			
Chevreuil (rue du)	**BR**	6	**I7**S
Reebokweg	**OV**	64	**N18**
Reeborredelle	**OV**	77	**O20**
Reeweg	**TER**	65	**L19-L20**
Réforme (av. de la)			
Hervormingslaan	**GAN**	22	**E5**
Réforme (rue de la)			
Hervormingsstraat	**XL**	46	**K8**
Regard, (rue Émile-str.)	**UC**	57	**L7**
Régates (rue des)			
Regattastraat	**BR**	34	**F8**
Regattastraat			
Régates (rue des)	**BR**	34	**F8**
Régence (rue de la)			
Regentschapsstraat	**BR**	8	**I8**N
Régent (bd. du-laan)	**BR**	5	**I8**N
Regentschapsstraat			
Régence (rue de la)	**BR**	8	**I8**N
Regimentsberg	**MA**	27	**C14**
Reigerboslaan			
Héronnière (av. de la)	**AUD**	60	**L12**
–	**WB**	60	**L12**
Reigerlaan	**ZAV**	40	**G18**
Reigerslaan	**VIL**	14	**A9**
Reigerstraat			
Héron (rue du) = 19	**WB**	61	**L13**
Reigersvliet (rue de-str.)	**ETT**	47	**J10**
Reinaert de Vos (av.-laan)	**UC**	69	**O7**
Reine (av. de la)			
Koninginnelaan	**BR**	23	**E8-F8**
–	**SCH**	34	**F8-F9**
Reine (clos de la)			
Koninginneoord	**WO**	52	**I17**
Reine (gal. de la)			
Koninginnegalerij = 504	**BR**	4	**H8**S
Reine (pl. de la)			
Koninginneplein	**SCH**	5	**G9**N
Reine (rue de la)			
Koninginnestraat	**BR**	4	**H8**N
Reine (sent. de la)			
Koninginvoetweg	**SGR**	72	**P11-P12**
Reine des Prés (av. de la)			
Olmkruidlaan	**BR**	24	**D9**
Reinette (rue de la)			
Pippelingstraat	**BR**	8	**I8**N
Reisdorff (av. Achille-laan)	**UC**	57	**M6-N6**
Relais (rue du)			
Pleisterplaatsstraat	**WB**	60	**L11**
Relais (rue du)			
Pleisterstraat	**XL**	60	**L11**
Relais des Dames (dr. du)			
Damesrustdreef	**AUD**	62	**L15-M15**
–	**WB**	62	**M14-O14**
Relais Sacré (rue du)			
Fakkelloopstraat	**K**	2	**G6**N
Relegemstraat	**AS**	10	**C2-D2**
Remblai (rue du)			
Aanaardingsstraat	**BR**	6	**I7**S
Rembrandt (rue-str.)	**BR**	35	**H10-H11**
Rembrandtdreef	**OV**	65	**N19**
Rembucher (dr. du)			
Terugdrift	**WB**	73	**N13**
Remeker (rue P.-str.)	**WEM**	12	**B5**
Remorqueur (rue du)			
Stoomslepersstraat = 575	**BR**	47	**I9-I10**
Rempart des Moines (rue du)			
Papenvest	**BR**	2	**H7**N
Remy (rue Georges-str.)	**BER**	22	**F5**
Renaissance (av. de la-laan)	**BR**	35	**H10-H11**
Renan (av. Ernest-laan)	**SCH**	25	**F10**
Renard (av. Marius-laan)	**AND**	43	**J3**
Renard (dr. du)			
Vosdreef	**AUD**	50	**K14**
Renard (dr. du)			
Vosdreef	**UC**	59	**N9-M10**
Renard (rue Alphonse-str.)	**UC**	46	**K8**
–	**XL**	46	**K8**
Renard Argenté (av. du)			
Zilvervoslaan	**WO**	52	**I18**
Renards (rue des)			
Vossenstraat	**BR**	7	**I7**S
Renbaanlaan			
Hippodrome (av. de l')	**UC**	59	**M10-M11**
Renbaanlaan			
Hippodrome (av. de l')	**WO**	40	**G18-H19**
Renbaanlaan			
Hippodrome (av. de l')	**XL**	47	**J9-K10**
Rency (rue Georges-str.)	**WSL**	36	**H12**
Rendez-Vous de Chasse			
Jachtbijeenkomst	**BR**	59	**L10**

Nom / Naam	Communes Gemeenten	Plan n° Plattegrond	Repère Plaatsaanduiding
Reniers (rue René-str.)	J	22	D6
Renkin (rue-str.)	SCH	35	F9
Renoir (rue Auguste-str.)	EV	26	F12
Renoncules (rue des)			
Boterbloemenstraat	WB	61	L13
Renouveau (av. du)			
Herlevingslaan	EV	25	E12
Renpaardendreef			
Coursiers (allée des)	BR	59	M10
Reper-Vreven (rue-str.)	BR	23	D7
Repos (pl. du)			
Rustplein	AND	44	I5
Repos (rue du)			
Ruststraat	UC	57	M7-N7
Republiek Argentiësquare			
République d'Argentine (sq.)	UC	58	M9
République d'Argentine (sq.)			
Republiek Argentiësquare	UC	58	M9
Requette (av. Carl-laan) = 585	MSJ	32	G4
Researchdreef			
Recherche (allée de la)	AND	42	K1-K2
Résédas (rue des)			
Resedastraat	AND	43	J4-K4
Resedastraat			
Résédas (rue des)	AND	43	J4-K4
Reservaatlaan			
Réserve (av. de la)	SGR	71	P9
Réserve (av. de la)			
Reservaatlaan	SGR	71	P9
Réservoir (av. du)			
Vergaarbaklaan	BR	59	M10
Réservoir (ch. du)			
Vergaarbakweg	UC	59	M10-N10
Résidence (sq. de la)			
Residentiesquare	XL	9	I9S
Residentiesquare			
Résidence (sq. de la)	XL	9	I9S
Résistance (pl. de la)			
Verzetsplein	AND	44	I5
Résistance (rue de la)			
Weerstandstraat	EV	25	F11
Résistance (rue de la)			
Verzetsstraat = 394	J	23	E7
Retoricastraat			
Rhétorique (rue de la)	SG	6	J7N
Rêve (av. du)			
Droomlaan = 159	WSL	38	H15
Réveil (imp. du)			
Wekkergang	BR	2	H7N
Révision (bd. de la)			
Herzieningslaan	AND	33	I6
Révolution (rue de la)			
Omwentelingsstraat	BR	5	H9N
Rey (pl. Jean-pl.)	BR	47	I10
Rey (sq. Henri-sq.)	AND	32	H4
Reyers (bd. Auguste-laan)	SCH	36	G11-H12
Reystraat	SPL	67	N3-N4
Rhétorique (rue de la)			
Retoricastraat	SG	6	J7N
Rhododendrons (av. des-laan) = 270	KR	52	I17
–	WB	60	M11-M12

Nom / Naam	Communes Gemeenten	Plan n° Plattegrond	Repère Plaatsaanduiding
Rhododendrons (dr. des-dr)	UC	60	N11-N12
–	WB	60	M11-M12
Riches Claires (rue des)			
Rijkeklarenstraat	BR	2-3	H7S
Richir (rue Herman-str.)	SCH	25	F11
Ridder Koninglaan			
Roi Chevalier (av. du)	WSL	37	H13
Ridderschapslaan			
Chevalerie (av. de la)	BR	48	I11
–	ETT	48	I11
Riddersdal	OV	76	N17
Riddershofstedelaan			
Manoir (av. du)	UC	57	M7
Ridderspoorlaan			
Dauphinelles (av. des) = 337	AND	43	K3
Riddersstraat			
Chevaliers (rue des)	XL	8	I8S
Ridderstraat	ZAV	28	D16
Riddervaanlaan			
Pennon (av. du) = 59	EV	36	G12
Ridderzwammengaarde			
Mousserons (clos des) = 507	XL	60	L11
Riethuisen (av. Vital-laan)	GAN	22	F5
Rietlaan	DIL	30	F1
Rietstraat			
Roseau (rue du)	UC	69	N6-N7
Riga (sq. François-sq.)	SCH	25	E10
Rigauxplein	OV	77	N20
Rijbaanlaan			
Champ de Course (av. du)	BR	59	M10
Rijkeklarenstraat			
Riches Claires (rue des)	BR	2-3	H7S
Rijkendalstraat	GRI	14	B8
Rijkunstdreef	TER	53	J20-K20
Rijmelgemplein	ZAV	28	E15
Rijschoolplein			
Manège (sq. du)	WSP	51	I16
Rijstvogelstraat			
Bengalis (rue des) = 30	WB	61	M12
Rijsveldweg	SPL	54	L2
Ringduivenlaan			
Palombes (av. des)	WSP	51	J16
Ringlaan	GRI	14	A8-B9
Ringlaan	TER	53	K19-K20
Ringlaan			
Circulaire (av.)	UC	58	M8
Ringmusstraat			
Friquet (rue du)	WB	61	L13
Ringsteekstraat			
Carrousel (rue du) = 95	BR	35	H10
Ringstraat	MA	17	B14
Ringweg	MA	17	B15-C15
Rinsdelle (pl. du-pl.)	ETT	48	I11
Ritlaan			
Chevauchée (av. de la) = 61	EV	36	G12
Rittweger (rue-str.)	UC	57	M6-M7
Rittwegerlaan	MA	16	A13-B13
Rive (rue de la)			
Oeverstraat	WSL	38	H14

Nom / Naam	Gemeenten Communes	Plattegrond Plan n°	Plaatsaanduiding Repère
Rivière (rue de la)			
Rivierstraat	**SJ**	5	**G8**S
Rivierstraat			
Rivière (rue de la)	**SJ**	5	**G8**S
Rivoli (rue de-str.)	**BR**	5	**H9**N
Robbrechts (rue Frans-str.)	**WEM**	12	**B4-A6**
Robie (rue Jean-str.)	**SG**	45	**J7**
Robijndreef			
Rubis (allée du)	**BR**	12	**C6**
Robijnlaan	**OV**	76	**N18-O18**
Robijnstraat			
Rubis (rue du)	**BR**	12	**C5**
Robiniers (av. des)			
Witte Acacialaan	**BR**	23	**D7-D8**
Roche Fatale (rue de la)			
Noodlottige Rotsstraat	**WSL**	37	**H13**
Rochefort (pl. de-pl.)	**FO**	45	**J7**
Rode Beukenlaan			
Hêtres Rouges (av. des)	**KR**	51	**I16**
–	**WO**	40	**H17-I17**
Rode Beukenlaan			
Hêtres Rouges			
(av. des) = 350	**WEM**	12	**A5**
Rode Kruislaan			
Croix-Rouge (av. de la)	**BR**	13	**C8**
Rode Kruislaan	**ZAV**	28	**D16**
Rode Kruisplein			
Croix-Rouge			
(pl. de la) = 198	**AND**	42	**I2**
Rode-Kruissquare			
Croix-Rouge			
(sq. de la) = 517	**XL**	47	**K9**
Rode Kruisstraat	**HOE**	75	**P16**
Rode Stenenstraat			
Pierres Rouges (rue des)	**WB**	60	**L11**
Rodenbach			
(av. Georges-laan)	**SCH**	25	**E10**
Rodenbach (rue Albrecht-			
str.) = 366	**WEM**	11	**B4**
Rodenbach (rue-str.)	**FO**	45	**K7**
Rodenberg			
Roodenberg (rue)	**AUD**	61	**K12-K13**
Rodepoort			
Porte Rouge (rue de la)	**BR**	8	**I8**N
Rodepoortstraat	**GRI**	14	**B8**
Rodestraat			
Rouge (rue)	**UC**	57	**M7**
Rodin (av. Auguste-laan)	**XL**	47	**J10**
Rodts (rue Jozef-str.)	**DRO**	56	**N5**
Roeiersstraat			
Rameurs (rue des)	**BR**	34	**F8**
Roekensstraat	**STE**	19	**A17**
Roekhout	**DIL**	20	**E1-E2**
Roelandsveldstraat	**DIL**	30	**H1**
Roelandts (rue-str.)	**SCH**	35	**G10**
Roelantsstraat	**MA**	17	**B14**
Roemeniëstraat			
Roumanie (rue de)	**SG**	8	**J8**N
Roetaert (rue du-str.)	**UC**	57	**M6**
Roffiaen (rue François-str.)	**XL**	47	**K10**
Rogations (av. des)			
Kruisdagenlaan	**WSL**	48	**I11-I12**
Roggebloemlaan			
Bleuet (av. du)	**WSL**	50	**I14**
Roggeveld	**ZAV**	27	**E15**
Rogier (av.-laan)	**SCH**	5	**G9-G11**
Rogier (pl. Charles-pl.)	**SJ**	4	**G8**S
Rogier (rue-str.)	**BR**	34	**F8**
–	**SCH**	34	**F8-G9**
Roi (av. du)			
Koningslaan	**FO**	45	**J6**
–	**SG**	45	**J6**
Roi (gal. du)			
Koningsgalerij = 503	**BR**	4	**H8**N
Roi (jardin du)			
Koningstuin	**BR**	47	**K9**
Roi (pet. rue du)			
Koningstraatje	**WO**	52	**I18**
Roi Chevalier (av. du)			
Ridder Koninglaan	**WSL**	37	**H13**
Roi-Soldat (av. du)			
Koning-Soldaatlaan	**AND**	43	**J4**
Roi Vainqueur (pl. du)			
Koning Overwinnaarplein	**ETT**	48	**J11**
Roitelet (rue du)			
Winterkoninkjestraat	**WB**	60	**L11**
Roitelets (av. des)			
Koninkjeslaan	**KR**	39	**G16**
Rokloosterdreef			
Rouge-Cloître (dr. du)	**AUD**	50	**K14**
Rokloosterstraat			
Rouge-Cloître (rue du)	**AUD**	50	**K14**
Roland (rue Arthur-str.)	**SCH**	36	**F11**
Rolin (prom. Hippolyte-prom.)	**ETT**	48	**J11**
Rolland (av. Romain-laan)	**AND**	43	**J3**
Rollebeek (rue de-str.)	**BR**	8	**I8**N
Rolstraat			
Rouleau (rue du)	**BR**	4	**H7**N-**H8**N
Rom (rue Léopold-str.)	**WSP**	51	**J16**
Romaine (chaus.)			
Romeinsesteenweg	**BR**	12	**C5-C9**
–	**WEM**	12	**C5-C6**
Romaine (pet. chaus.)			
Romeinsesteenweg			
(kleine) = 321	**BR**	14	**C8**
Romaine (rampe)			
Romeinseoprit = 380	**BR**	12	**C6**
Romarin (rue du)			
Rosmarijnstraat = 35	**BR**	12	**C6**
Rombaux (sq. Egide-sq.)	**AND**	43	**I3-J3**
Romboutsstraat	**MA**	28	**F16**
Rome (rue de-str.)	**SG**	6	**J7**N
Romeinse Baan	**AS**	20	**D1-D2**
Romeinse-Villadreef			
Villa Romaine (allée de la)	**AND**	44	**I5-J5**
Romeinseoprit			
Romaine (rampe) = 380	**BR**	12	**C6**
Romeinsesteenweg			
Romaine (chaus.)	**BR**	12	**C5-C9**
–	**WEM**	12	**C5-C6**
Romeinsesteenweg	**GRI**	12	**C6-C8**
–	**VIL**	14	**C8-B9**
Romeinsesteenweg (kleine)			
Romaine (pet. chaus.) = 321	**BR**	14	**C8**

Nom / Naam	Communes Gemeenten	Plan nº Plattegrond	Repère Plaatsaanduiding
Rommelaere (av.-laan)	**BR**	22	**D6**
–	**J**	22	**D6**
Ronces (av. des)			
Braamstruikenlaan	**UC**	71	**N10**
Ronde (ch. de-weg)	**WSP**	50	**J14**
Ronde (pl.)			
Rondplein	**BR**	12	**C6**
Rondplein			
Ronde (pl.)	**BR**	12	**C6**
Ronkel	**WEM**	12	**C4-B5**
Ronsard (rue-str.)...........	**AND**	43	**I3**
Ronsmans (cité-wijk) = 488 ...	**BR**	8	**I8***N*
Roobaert (rue Adolphe-str.) .	**GAN**	21	**E4**
Roodborstjeslaan			
Rouges-Gorges (av. des) ...	**KR**	39	**G16**
Roodborstjestraat			
Rouge-Gorge			
(rue du) = 264	**WB**	61	**N13**
Roodborstjesweg			
Rouge-Gorge (ch. du)	**WB**	61	**N13-N14**
Roodebeek (av. de-laan)	**SCH**	36	**H11-H12**
Roodebeek (chaus. de-stwg.)	**WSL**	37	**H12-H14**
Roodenberg (rue)			
Rodenberg	**AUD**	61	**K12-K13**
Roodhuisplein			
Maison Rouge			
(pl. de la) = 346	**BR**	23	**E8**
Roofkeverslaan			
Staphylins (av. des)	**WB**	60	**M11**
Rooilandgaarde			
Essarts (clos des)	**WSP**	51	**I16-J16**
Roos (rue Max-str.)	**SCH**	24	**E9-E10**
Roose (av. Chanoine)			
Rooselaan (Kanunnik)	**AND**	43	**J3**
Rooselaan (Kanunnik)			
Roose (av. Chanoine)	**AND**	43	**J3**
Roosendael (rue-str.)	**FO**	57	**L6-L7**
–	**UC**	57	**L7**
Roosevelt (av. Franklin-laan)...	**BR**	59	**K10-M11**
Roosevelt (rue Théodore-str.) .	**SCH**	36	**H11**
Roostergang			
Gril (imp. du)	**BR**	2	**H7***N*
Rops (rue Félicien-str.)	**AND**	43	**J4**
Ropsy Chaudron (rue-str.) ...	**AND**	33	**H6-I6**
Rosacées (clos des)			
Rozengaarde	**MSJ**	31	**G4**
Rosart (rue Georges-str.)	**WSP**	51	**J16**
Roseau (rue du)			
Rietstraat	**UC**	69	**N6-N7**
Rosée (rue de la)			
Dauwstraat	**AND**	2	**H7***S*
–	**BR**	2	**H7***S*
Roselaan (Princes)..........	**ZAV**	41	**H19**
Roseraie (rue de la)			
Rozengaardstraat = 192 ..	**BER**	31	**G3**
Roses (ch. des)			
Rozenweg = 306	**UC**	57	**M7**
Roses (rue des)			
Rozenstraat = 451	**BR**	4	**H8***N*
Rosmarijnstraat			
Romarin (rue du) = 35	**BR**	12	**C6**
Rosseelslaan	**AS**	20	**D2**
Rossignol (ch. du)			
Nachtegaalsweg	**BR**	15	**C10**
Rossignols (av. des)			
Nachtegalenlaan	**KR**	39	**G16**
Rossignols (av. des)			
Nachtegalenlaan	**WO**	40	**H18**
Rossini (rue-str.)............	**AND**	33	**I6**
Rostand (rue Edmond-str.) ...	**AND**	32	**H5**
Rotiers (rue Émile-str.).......	**AUD**	62	**L14**
Rotterdam (rue de-str.)	**MSJ**	33	**F7**
Roue (rue de la)			
Radstraat	**BR**	8	**I7***N*
Rouen-Bovie (rue-str.) = 97	**SJ**	35	**G10**
Rouge (rue)			
Rodestraat	**UC**	57	**M7**
Rouge-Cloître (dr. du)			
Rokloosterdreef	**AUD**	50	**K14**
Rouge-Cloître (rue du)			
Rokloosterstraat	**AUD**	50	**K14**
Rouge-Gorge (ch. du)			
Roodborstjesweg	**WB**	61	**N13-N14**
Rouge-Gorge (rue du)			
Roodborstjestraat = 264...	**WB**	61	**N13**
Rouges-Gorges (av. des)			
Roodborstjeslaan	**KR**	39	**G16**
Rouleau (rue du)			
Rolstraat	**BR**	4	**H7***N***-H8***N*
Roulier (imp. du)			
Voermansgang = 520	**BR**	2	**G7***S*
Roumanie (rue de)			
Roemeniëstraat	**SG**	8	**J8***N*
Rouppe (pl.-pl.)	**BR**	6	**H7***S***-I7***N*
Rouppe (rue-str.).............	**BR**	8	**H7***S*
Rousseau (av. Victor-laan)	**FO**	57	**L6-K7**
Roux (rue Dr.)			
Rouxstraat (Dr.)..........	**AND**	43	**J3-J4**
Rouxstraat (Dr.)			
Roux (rue Dr.)...........	**AND**	43	**J3-J4**
Royale (pl.)			
Koningsplein	**BR**	8	**I8***N*
Royale (rue)			
Koningsstraat	**BR**	5	**I8***N***-H9***N*
–	**SCH**	5	**G9***S*
–	**SJ**	5	**G9***S*
Royale-Sainte-Marie (rue)			
Koninklijke			
Sinte-Mariastraat	**SCH**	35	**F9-G9**
Royauté (rue de la)			
Koningschapsstraat	**BR**	23	**E8**
Roze Hoevelaan			
Ferme Rose (av. de la).....	**UC**	57	**L7**
Roze Molenweg			
Moulin Rose (ch. du)	**UC**	69	**O7-P7**
Rozendaal			
Val des Roses (imp. du)	**BR**	7	**H8***S*
Rozendalstraat	**TER**	53	**K19**
Rozendoorndreef = 182	**DIL**	30	**H1**
Rozengaarde			
Rosacées (clos des).......	**MSJ**	31	**G4**
Rozengaardstraat			
Roseraie (rue de la) = 192	**BER**	31	**G3**
Rozenlaan	**DIL**	30	**H2-I2**

Nom / Naam	Communes / Gemeenten	Plan n° / Plattegrond	Repère / Plaatsaanduiding
Rozenlaan	**DIL**	20	**F1**
Rozenlaan	**GRI**	14	**B9**
Rozenlaan	**OV**	64	**M18-N18**
Rozenlaan	**STE**	18	**B16**
Rozenstraat	**BE**	68	**P5**
Rozenstraat			
Roses (rue des) = 451	**BR**	4	**H8**N
Rozenstraat	**MA**	17	**B14**
Rozenstraat	**SPL**	54	**M2**
Rozenweg	**AS**	21	**E3**
Rozenweg			
Roses (ch. des) = 306	**UC**	57	**M7**
Ruanda (rue du-str.)	**ETT**	48	**I11**
Rubens			
(av. Petrus Paulus-laan)	**WEM**	11	**B4-C4**
Rubens (rue-str.)	**SCH**	35	**F9**
Rubensdreef	**OV**	77	**N19**
Rubenslaan	**STE**	19	**A18**
Rubensplein	**HOE**	76	**P18-P19**
Rubis (allée du)			
Robijndreef	**BR**	12	**C6**
Rubis (rue du)			
Robijnstraat	**BR**	12	**C5**
Ruche (rue de la)			
Bijenkorfstraat	**SCH**	35	**F9-G9**
Ruelens (pl. Oscar-pl.)	**BER**	21	**F4**
Ruhl (rue Jules-str.)	**AND**	33	**H6**
Ruhlplein	**OV**	77	**N20**
Ruimingskaai			
Voirie (quai de la)	**BR**	4	**G8**N
Ruisbroek (chaus. de)			
Ruisbroeksesteenweg	**DRO**	56	**M4-M5**
–	**UC**	56	**M5**
Ruisbroek (chaus. de)			
Ruisbroekse Steenweg	**FO**	56	**M5**
Ruisbroekgalerij			
Ruysbroeck (gal. de)	**BR**	8	**I8**N
Ruisbroekse Steenweg			
Ruisbroek (chaus. de)	**FO**	56	**M5**
Ruisbroeksesteenweg			
Ruisbroek (chaus. de)	**DRO**	56	**M4-M5**
–	**UC**	56	**M5**
Ruisbroeksesteenweg	**SPL**	67	**N2-N3**
Ruisbroekstraat			
Ruysbroeck (rue de)	**BR**	8	**I8**N
Ruisseau (rue du)			
Beekstraat	**MSJ**	2	**G7**S
Ruisseau (rue du)			
Beekstraat	**WO**	40	**H18**
Ruisselet (clos du)			
Beekgaarde	**BER**	32	**F4**
Ruiterijlaan			
Cavalerie (av. de la)	**ETT**	47	**J10**
Ruiterweg			
Cavaliers (ch. des)	**WEM**	12	**A5**
Rullens (av. J.-P.-laan)	**WSL**	49	**I13**
Rupel (rue du-str.)	**BR**	24	**E9**
Ruquoy (rue Gén.)			
Ruquyostraat (Gen.)	**AND**	32	**H5**
Ruquyostraat (Gen.)			
Ruquoy (rue Gén.)	**AND**	32	**H5**
Rusatira (av. de-laan)	**GAN**	21	**E4**
Ruslandstraat			
Russie (rue de)	**SG**	6	**I7**S
Russie (rue de)			
Ruslandstraat	**SG**	6	**I7**S
Rustoorddreef	**ZAV**	28	**D16**
Rustplaatslaan			
Champs de Repos (av.)	**EV**	26	**E12**
Rustplein			
Repos (pl. du)	**AND**	44	**I5**
Ruststraat			
Repos (rue du)	**UC**	57	**M7-N7**
Rutten (av. Joseph-laan)	**WSP**	51	**J16**
Ruusbroecstraat (Jan)	**SPL**	67	**N4**
Ruwkruidlaan			
Aspérule (av. de l')	**WO**	41	**H19**
Ruysbroeck (gal. de)			
Ruisbroekgalerij	**BR**	8	**I8**N
Ruysbroeck (rue de)			
Ruisbroekstraat	**BR**	8	**I8**N
Ruysdael (rue-str.)	**AND**	33	**I6**
Ruytinx			
(rue François-str.)	**WB**	61	**L13**
Ryckmans			
(av. André-laan)	**UC**	59	**M9-M10**
Ryckmans			
(rue Hélène-str.) = 553	**MSJ**	2	**G7**S
Ryckmansstraat			
(Graaf André)	**ZAV**	38	**F14-G14**

S

Nom / Naam	Communes / Gemeenten	Plan n° / Plattegrond	Repère / Plaatsaanduiding
's Heeren Huys (av.)			
's-Herenhuislaan	**BR**	59	**M10**
's-Herenhuislaan			
's Heeren Huys (av.)	**BR**	59	**M10**
's Herenstraat			
Notre Seigneur (rue)	**DRO**	56	**N5**
S'Jonghers			
(pl. Ernest-pl.) = 331	**AND**	43	**K3-K4**
Sables (rue des)			
Zandstraat	**BR**	4	**H8**N
Sables (rue des)			
Zavelstraat	**LIN**	69	**P7**
Sables (rue des)			
Zavelstraat	**WO**	52	**I18**
Sablière (av. de la)			
Zandgroeflaan = 298	**AUD**	49	**K13**
Sablonnière (rue de la)			
Zavelput	**BR**	5	**H9**N
Sablons (rue des)			
Zavelstraat	**BR**	8	**I8**N

Nom / Naam	Communes Gemeenten	Plan n° Plattegrond	Repère Plaatsaanduiding
Sacré-Cœur (av. du)			
Heilig-Hartlaan	J	22	D6-E6
Sacré-Cœur (pl. du)			
Heilig-Hartplein	WSL	50	I14
Sacré-Cœur (sq. du)			
Heilig-Hartsquare = 3	AUD	62	L14
Saffierstraat			
Saphir (rue du)	SCH	36	G11
Sagittaire (av. du)			
Schutterlaan = 82	WSL	37	H12
Sainctelette (pl.-pl.)	BR	2	G7N
–	MSJ	2	G7N
Sainctelette (sq.-sq.)	BR	2	G7N
Saint-Alphonse (rue)			
Sint-Alfonsstraat	SJ	5	H9N
Saint-André (rue)			
Sint-Andriesstraat = 443	BR	2	G7S
Saint-Antoine (av.)			
Sint-Antoniuslaan	KR	39	F15-G15
Saint-Antoine (pl.)			
Sint-Antoonplein	ETT	47	J10
Saint-Augustin (av.)			
Sint-Augustinuslaan	FO	45	K7
Saint-Bernard (rue)			
Sint-Bernardusstraat	SG	46	J8
Saint-Boniface (rue)			
Sint-Bonifaasstraat	XL	9	I9S
Saint-Christophe (rue)			
Sint-Kristoffelsstraat	BR	2	H7S
Saint-Denis (pl.)			
Sint-Denijsplein	FO	56	L5
Saint-Denis (rue)			
Sint-Denijsstraat	FO	44	L5-J6
Saint-Dominique (av.)			
Heilige Dominicuslaan	KR	51	J16-I17
Saint-Esprit (rue du)			
Heilige Geeststraat = 486	BR	8	I8N
Saint-François (rue)			
Sint-Franciscusstraat	SJ	5	G9S
Saint-Georges (av.)			
Sint-Jorislaan	KR	39	G16
Saint-Georges (clos)			
Sint-Jorisoord	WO	39	H17
Saint-Georges (rue)			
Sint-Jorisstraat	XL	47	K9
Saint-Georges (clos)			
Sint-Georgiusgaarde	WSP	50	K14
Saint-Géry (pl.)			
Sint-Goriksplein = 431	BR	3	H7S
Saint-Géry (rue)			
Sint-Goriksstraat	BR	3	H7S
Saint-Ghislain (rue)			
Sint-Gisleinsstraat	BR	8	I7N-I8N
Saint-Gilles (parvis)			
Sint-Gillisvoorplein	SG	6	J7N
Saint-Guidon (cours)			
Sint-Guidocorso = 207	AND	43	I4
Saint-Guidon (rue)			
Sint-Guidostraat	AND	44	I4
Saint-Henri (parvis)			
Sint-Hendriksvoorplein	WSL	48	I12

Nom / Naam	Communes Gemeenten	Plan n° Plattegrond	Repère Plaatsaanduiding
Saint-Henri (rue)			
Sint-Hendriktraat	WSL	48	I12
Saint-Honoré (pass.-doorgang)	BR	4	H8N
Saint-Hubert (av.)			
Sint-Hubertuslaan	WO	40	H18-H19
Saint-Hubert (carr.)			
Sint-Hubertuskruispunt	WB	72	O12
Saint-Hubert (dr. de)			
Sint-Hubertusdreef	UC	71	P10-O12
–	WB	72	O12
Saint-Hubert (gal. Royales)			
Sint-Hubertusgalerijen (Koninklijke)	BR	4	H8N
Saint-Hubert (rue)			
Sint-Huibrechtsstraat	WSP	48	I12
Saint-Jacques (imp.)			
Sint-Jacobsgang	BR	8	I8N
Saint-Jean (av.)			
Sint-Janslaan	WSP	50	J14
Saint-Jean (pl.)			
Sint-Jansplein	BR	4	H8S
Saint-Jean (rue)			
Sint-Jansstraat	BR	4	H8S
Saint-Jean Baptiste (parvis)			
Sint-Jan-Baptistvoorplein	MSJ	2	G7S
Saint-Jean Népomucène (rue)			
Sint-Jan Nepomucenusstraat	BR	4	G8S
Saint-Job (av. de)			
Sint-Jobselaan	BR	59	M10
Saint-Job (chaus. de)			
Sint-Jobsesteenweg	UC	57	N6-M9
Saint-Job (pl. de)			
Sint-Jobplein	UC	58	M9
Saint-Joseph (rue)			
Sint-Jozefstraat	EV	37	G12
Saint-Joseph (rue)			
Sint-Jozefstraat	MSJ	2	G7S
Saint-Josse (gal.)			
Sint-Joostgalerij	SJ	5	H9N
Saint-Josse (pl.)			
Sint-Joostplaats	SJ	5	H9N
Saint-Josse (rue)			
Sint-Jooststraat	SJ	5	H9N
Saint-Julien (rue)			
Sint-Juliaanstraat	K	2	G7
–	MSJ	2	G7N
Saint-Lambert (pl.)			
Sint-Lambertusplein	BR	23	D7
Saint-Lambert (rue)			
Sint-Lambertusstraat	WSL	38	H14-I14
Saint-Lambert (pl.)			
Sint-Lambertusplein	WSL	50	I14
Saint-Landry (dr.)			
Sint-Lendriksdreef	BR	15	B11
Saint-Landry (font)			
Sint-Lendriksborre	BR	15	B11
Saint-Laurent (rue)			
Sint-Laurensstraat	BR	4	H8N
Saint-Lazare (bd.)			
Sint-Lazaruslaan	SJ	5	G8S-G9S

Nom / Naam	Communes / Gemeenten	Plan n° / Plattegrond	Repère / Plaatsaanduiding
Saint-Lazare (cour) *Sint-Lazarushof*	**MSJ**	33	**H6**
Saint-Lazare (pl.) *Sint-Lazarusplaats*	**SJ**	5	**G8**S
Saint-Lazare (rue) *Sint-Lazarusstraat*	**SJ**	4	**G8**S
Saint-Martin (clos) *Sint-Martinusgaarde*	**GAN**	22	**F5**
Saint-Martin (rue) *Sint-Maartenstraat*	**MSJ**	2	**H7**N
Saint-Michel (bd.) *Sint-Michielslaan*	**ETT**	48	**I12-J12**
–	**WSP**	48	**I12**
Saint-Michel (cours) *Sint-Michielswarande*	**ETT**	48	**I11**
Saint-Michel (dr.) *Sint-Michielsdreef*	**KR**	39	**G16**
Saint-Michel (rue) *Sint-Michielsstraat*	**BR**	4	**H8**N
Saint-Michel (dr.) *Sint-Michielsdreef*	**SGR**	72	**P12-P13**
Saint-Nicolas (imp.) *Sint-Nikolaasgang* (sit. rue Marché aux Herbes)	**BR**	4	**H8**N
Saint-Nicolas (pl.) *Sint-Nikolaasplein*	**BR**	15	**C10**
Saint-Nicolas (rue) *Sint-Nikolaasstraat*	**BR**	15	**C10**
Saint-Norbert (rue) *Sint-Norbertusstraat*	**J**	23	**E7**
Saint-Pancrace (av.) *Sint-Pancratiuslaan*	**KR**	39	**G16**
Saint-Paul (ch.) *Sint-Paulusweg*	**WSP**	50	**J15**
Saint-Pierre (chaus.) *Sint-Pieterssteenweg*	**ETT**	47	**I10-I11**
Saint-Pierre (parvis) *Sint-Pietersvoorplein*	**UC**	57	**L7**
Saint-Pierre (pl.) *Sint-Pietersplein*	**ETT**	48	**I11**
Saint-Pierre (rue) *Sint-Pietersstraat*	**BR**	4	**G8**S
Saint-Pierre (parvis) *Sint-Pietersplein*	**WO**	40	**G17**
Saint-Pierre (parvis) *Sint-Pietersvoor-plein* = 148	**WSP**	50	**I14**
Saint-Quentin (rue-str.)	**BR**	35	**H10**
Saint-Roch (clos) *Sint-Rochusoord*	**WO**	40	**H17**
Saint-Roch (pl.) *Sint-Rochusplein*	**WEM**	11	**B4**
Saint-Roch (rue) *Sint-Rochusstraat*	**BR**	4	**G8**S
Saint-Sébastien (imp.) *Sint-Sebastiaansgang*	**BR**	4	**H8**S
Saint-Sébastien (rue) *Sint-Sebastiaanstraat*	**LIN**	69	**P6**
Saint-Trojan (clos) *Sint-Trojanoord*	**KR**	39	**H16**
Saint-Vincent (pl.) *Sint-Vincentiusplaats*	**EV**	25	**E11**
Saint-Vincent (rue) *Sint-Vincentiusstraat*	**EV**	25	**E12**
Saint-Vincent de Paul (rue) *Sint-Vincencius a Paulostraat*	**J**	23	**E6**
Sainte-Adresse (pl. de-pl.)	**AND**	44	**I4**
Sainte-Alix (av.) *Sinte-Aleidislaan*	**WSP**	51	**J16**
Sainte-Alix (parvis) *Sinte-Aleidisvoorplein*	**WSP**	51	**J16**
Sainte-Alliance (pl. de la) *Heilig Verbondplein*	**UC**	70	**O9**
Sainte-Anne (av.) *Sint-Annalaan*	**AUD**	50	**K14**
Sainte-Anne (carr.) *Sint-Annakruispunt*	**AUD**	50	**K14**
Sainte-Anne (dr.) *Sint-Annadreef*	**BR**	23	**D8-E8**
Sainte-Anne (pet. rue) *Sint-Annastraat (kleine)*	**J**	22	**D5-E5**
Sainte-Anne (rue) *Sint-Annastraat*	**BR**	8	**I8**N
Sainte-Catherine (pl.) *Sint-Katelijneplein*	**BR**	2-4	**H7**N-**H8**N
Sainte-Catherine (rue) *Sint-Katelijnestraat*	**BR**	3	**H7**N
Sainte-Cécile (parvis) *Sint-Ceciliavoorplein*	**GAN**	21	**E4**
Sainte-Croix (pl.) *Heilig-Kruisplein*	**XL**	47	**J9**
Sainte-Elisabeth (rue) *Sint-Elisabethstraat*	**BR**	16	**C12-C13**
Sainte-Famille (pl. de la) *Heilige-Familieplein*	**WSL**	37	**H13**
Sainte-Gertrude (rue) *Sint-Geertruidestraat*	**ETT**	47	**I10**
Sainte-Gudule (parvis) *Sinter-Goedelevoorplein* = 456	**BR**	4	**H8**S
Sainte-Gudule (pl.) *Sinter-Goedeleplein* = 455	**BR**	4	**H8**S
Sainte-Gudule (rue) *Sinter-Goedelestraat* = 458	**BR**	4	**H8**S
Sainte-Marie (rue) *Sint-Mariastraat*	**MSJ**	2	**G7**S
Sainte-Pétronille (imp.) *Sint-Petronillagang* (sit. rue Marché aux Herbes)	**BR**	4	**H8**S
Sainte-Thérèse (rue) *Sint-Theresiastraat*	**BR**	6	**I7**S
Sainte-Ursule (imp.) *Sint-Ursulagang*	**BR**	2	**H7**N
Saints-Pierre et Paul (rue) *Sint-Pieter en Pauwelsstraat*	**BR**	15	**C10**
Saïo (av. de-laan)	**AND**	43	**J4**
Saisons (av. des) *Jaargetijdenlaan*	**XL**	47	**K10**
Saksen-Coburgstraat *Saxe-Cobourg (rue)*	**SJ**	5	**H9**N
Salanganengaarde *Salanganes (clos des)*	**WSP**	50	**J15**

Nom / Naam	Communes Gemeenten	Plan n° Plattegrond	Repère Plaatsaanduiding
Salanganes (clos des)			
Salanganengaarde	**WSP**	50	**J15**
Saliestraat			
Sauge (rue de la) = 36	**BR**	12	**C6**
Sallaert (rue-str.) = 472.......	**BR**	6	**I7**N
Salomé (av.-laan)..........	**WSP**	50	**I15-J15**
Salu (rue Ernest-str.)..........	**BR**	23	**D7**
–	**J**	23	**D7**
Salubrité (av. de la)			
Heilzaamheidslaan	**AND**	42	**I2**
Salvias (rue des)			
Salviastraat = 1..........	**WB**	61	**L13**
Salviastraat			
Salvias (rue des) = 1......	**WB**	61	**L13**
Samaritaine (rue de la)			
Samaritanessestraat	**BR**	8	**I8**N
Samaritanessestraat			
Samaritaine (rue de la)	**BR**	8	**I8**N
Samberstraat			
Sambre (rue de la).......	**MSJ**	33	**F7**
Sambre (rue de la)			
Samberstraat	**MSJ**	33	**F7**
Samedi (pl. du)			
Zaterdagplein	**BR**	4	**H8**N
Samenwerkersplein			
Coopérateurs			
(pl. des) = 43............	**BER**	32	**F4**
Sangliers (rue des)			
Everzwijnenstraat	**WB**	60	**M12**
Sans Souci (rue-str.)..........	**XL**	9	**I9**S-**J9**N
Sans Souci (sq.-sq.)..........	**XL**	9	**I9**S
Sansonnet (rue du)			
Spreeuwstraat = 62	**BR**	23	**D7**
Santé (rue de la)			
Gezondheidsstraat	**AND**	42	**I2**
Santos-Dumont (clos Alberto-			
gaarde) = 140..........	**WSP**	50	**I15**
Saphir (rue du)			
Saffierstraat	**SCH**	36	**G11**
Sapinière (av. de la)			
Denneboslaan	**UC**	71	**O9-O10**
Sapinière (av. de la)			
Dennenboslaan	**BR**	59	**L10-M10**
Sapinière (rue de la)			
Dennebosstraat	**WB**	61	**N13**
Sapins (av. des)			
Dennenlaan	**WSP**	51	**J16**
Sapins (clos des)			
Dennenoord	**KR**	51	**I17**
Saponaires (clos des)			
Zeepkruidhoek	**AND**	43	**K3**
Sarcelle (rue de la)			
Talingstraat = 24.........	**WB**	61	**L13**
Sarrasin (champ du)			
Boekweitveld = 265	**WO**	41	**H19**
Sarriette (av. de la)			
Bonekruidlaan	**BR**	14	**C9**
Sashoek	**BE**	66	**P2**
Sasplein	**SPL**	67	**N3**
Sasstraat			
Ecluse (rue de l').........	**WSL**	38	**G14-G15**
Sasstraat	**ZAV**	38	**G14-G15**
Saturne (av. de-laan).........	**UC**	58	**M8**
Sauge (rue de la)			
Saliestraat = 36...........	**BR**	12	**C6**
Saule (rue du)			
Wilgstraat	**GAN**	22	**E5**
–	**J**	22	**E5-E6**
Saules (clos des)			
Wilgengaarde	**KR**	39	**G16**
Saules (dr. des)			
Wilgendreef	**BR**	14	**C9**
Sauvagine (av. de la)			
Waterwildlaan	**WB**	60	**L11**
Savoie (rue de)			
Savooiestraat	**SG**	45	**J7**
Savoir (rue du)			
Kennisstraat	**AND**	43	**K4**
Savoir (rue Léon-str.)........	**AUD**	62	**M14**
Savonnerie (rue de la)			
Zeepziederijstraat	**MSJ**	2	**H6**N
Savooiestraat			
Savoie (rue de)	**SG**	45	**J7**
Saxe (pl. Adolphe-str.)........	**XL**	47	**J10**
Saxe-Cobourg (rue)			
Saksen-Coburgstraat	**SJ**	5	**H9**N
Saxifrages (rue des)			
Steenbreekstraat = 11	**WB**	61	**L13**
Scabieuses (rue des)			
Scabiosastraat = 310	**AUD**	61	**L13**
–	**WB**	61	**L13**
Scabiosastraat			
Scabieuses			
(rue des) = 310	**AUD**	61	**L13**
–	**WB**	61	**L13**
Scailquin (rue-str.)............	**SJ**	5	**H9**N
Scampart			
(rue Léon-str.) = 128.......	**ETT**	48	**I11**
Scarabées (av. des)			
Keverslaan	**BR**	59	**L10**
–	**XL**	59	**L10**
Scarron (rue-str.)............	**XL**	9	**J9**N
Sceptre (rue du)			
Skepterstraat	**ETT**	47	**I10**
–	**XL**	47	**I9-I10**
Schaarbeeklei	**VIL**	16	**B12-A13**
Schaarbeekse Haardstraat			
Foyer Schaerbeekois			
(rue du).................	**SCH**	25	**F10**
Schaarbeekse Poort			
Schaerbeek (porte de)	**BR**	5	**G9**S
Schaatsersweg			
Patineurs (ch. des).........	**BR**	59	**L9**
Schaatsstraat			
Patinage (rue du)..........	**FO**	45	**K5-K6**
Schachtstraat (Frans).........	**AS**	20	**E2**
Schaerbeek (porte de)			
Schaarbeekse Poort	**BR**	5	**G9**S
Schallebijterslaan			
Lucanes (av. des)	**WB**	60	**M11-M12**
Schaller (av. Charles-laan) ..	**AUD**	62	**L14**
Schapenbaan	**AS**	10	**C2-C3**
Schapenstraat			
Moutons (rue des).........	**UC**	57	**M7**

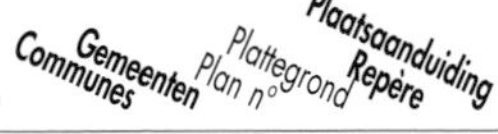

Nom / Naam	Communes / Gemeenten	Plan n° / Plattegrond	Repère / Plaatsaanduiding
Schapenweg			
Moutons (allée des)	**BR**	14	**C9**
Schapenweg			
Moutons (ch. des)	**J**	21	**D4-D5**
Schapenweg	**VIL**	14	**C9**
Schapenweg	**ZAV**	41	**G20**
Scheeweg	**LIN**	69	**P7**
Scheikundigestraat			
Chimiste (rue du)	**AND**	2	**H6**S
Scheitler (av. Armand-laan)	**WSP**	49	**J12-J13**
Scheldestraat			
Escaut (rue de l')	**MSJ**	33	**F7**
Schemeringlaan	**OV**	77	**O20-P20**
Schemeringsweg	**ZAV**	29	**F18**
Schepenenstraat			
Echevins (rue des)	**XL**	47	**K10**
Schepenijlaan			
Echevinage (av. de l')	**UC**	57	**L7**
Scherdemaalstraat			
Scherdemael (rue de)	**AND**	42	**J2-I3**
Scherdemael (rue de)			
Scherdemaalstraat	**AND**	42	**J2-I3**
Scherendelle	**OV**	77	**O19**
Schermersstraat			
Escrimeurs (rue des) = 492	**BR**	8	**I8**N
Schermlaan			
Escrime (av. de l')	**WSP**	51	**I15-I16**
Schermstraat			
Escrime (rue de l')	**FO**	45	**K7**
Schetsstraat	**MA**	17	**C14**
Scheut (av. de-laan)	**AND**	32	**H5-I5**
Scheutbosch (av. du-laan)	**MSJ**	31	**H4**
Scheutbosch (rue du-str.)	**MSJ**	31	**H4**
Scheutveld (rue-str.)	**AND**	44	**I5**
Schevestraat	**ZAV**	29	**E17-E18**
Schietbaanstraat			
Tir (rue du)	**SG**	6	**J7**N
Schietschijfstraat			
Cible (rue de la)	**SCH**	35	**H10**
–	**SJ**	35	**H10**
Schijfstraat			
Disque (rue du)	**BR**	12	**C6**
Schilderachtige Dreef			
Pittoresque (dr.)	**SGR**	70	**P9-P10**
–	**UC**	71	**P9-P10**
Schilderkunstlaan	**DIL**	30	**H2-H3**
Schildknaapsstraat			
Ecuyer (rue de l')	**BR**	4	**H8**N
Schildknecht			
(rue Gustave-str.)	**BR**	23	**E7**
Schildlaan			
Ecu (av. de l') = 58	**EV**	36	**G12**
Schiphol (av. de-laan)	**EV**	26	**E12**
Schipperijkaai			
Batelage (quai du)	**BR**	4	**G8**N
Schippersstraat			
Bateliers (rue des)	**AND**	43	**K4**
Schippersstraat			
Mariniers (rue des)	**MSJ**	2	**G7**S
Schipstraat			
Bâteau (rue du)	**MSJ**	33	**H6**
Schlosser (rue Pierre-str.)	**AND**	43	**J3-K3**
Schmidt (bd. Louis-laan)	**ETT**	48	**J11-J12**
Schmitz (rue-str.)	**K**	33	**G6**
–	**MSJ**	33	**G6**N
Schockaertstraat			
(L. Alexander)	**SPL**	54	**M2-M3**
Schoenengang			
Souliers (imp. aux)	**BR**	6	**I7**N
Scholierenstraat			
Ecoliers (rue des)	**AUD**	49	**K13**
Schollestraat	**AND**	42	**J2-K2**
Schols			
(rue Joseph-str.) = 238	**MSJ**	32	**G5-G6**
Schone Horizontlaan	**ZAV**	40	**G18-G19**
Schone Lucht (residentiepark)			
Bel-Air			
(parc résidence) = 269	**WO**	52	**I17**
Schone Luchtlaan			
Bel-Air (av.)	**WO**	40	**H17-I17**
Schoofs (av. Henri-laan)	**AUD**	48	**J11**
School-van-			
Tervurendreef = 271	**TER**	53	**J20**
Schoolgat	**XL**	60	**L11**
Schoolstraat	**BE**	68	**P5**
Schoolstraat	**DIL**	30	**H1**
Schoolstraat	**GRI**	13	**B8**
Schoolstraat			
Ecole (rue de l')	**MSJ**	2	**G7**S
Schoolstraat	**SPL**	67	**N3**
Schoolstraat			
Ecole (rue de l')	**WEM**	11	**B4**
Schoon Dal			
Val Joli	**WEM**	12	**B5**
Schoon Uitzichtlaan			
Bel-Air (av.)	**UC**	58	**L8-L9**
Schoon Verblijflaan			
Beau-Séjour (av. du)	**UC**	58	**L9**
Schoonejans			
(rue Pierre-str.)	**AUD**	62	**L14**
Schoonheidplein			
Beauté (pl. de la)	**AND**	44	**I4**
Schoonslaapsterstraat			
Belle au Bois Dormant			
(rue de la)	**MSJ**	31	**H4**
Schoonzichtgaarde			
Bel Horizon (clos)	**WSL**	37	**H13**
Schoorsteenvegersstraat			
Ramoneurs (rue des) = 530	**BR**	6	**I7**S
Schootstraat			
Pêne (rue du)	**BR**	2	**H7**N
Schotlandstraat			
Ecosse (rue d')	**SG**	8	**I8**S**-J8**N
Schovelingsbos	**OV**	77	**O19**
Schransdreef	**OV**	65	**N18-M19**
Schransdreef	**TER**	65	**M20**
Schrijnwerkerstraat			
Menuisier (rue du)	**WSL**	37	**H12-H13**
Schroeflaan			
Hélice (av. de l')	**WSP**	50	**I15**
Schroonsstraat (Peter)	**MA**	16	**B13**
Schuddeveld (imp.-gang)	**BR**	4	**H8**S
Schuermans			
(rue Joseph-str.)	**J**	22	**D5**

Nom / Naam	Gemeenten Communes	Plattegrond Plan n°	Plaatsaanduiding Repère
Schuitenkaai			
Barques (quai aux) = 445	**BR**	2	**G7**S
Schuman			
(rond-pt. Robert-pl.)	**BR**	47	**I10**
Schumanlaan (Robert)	**ZAV**	37	**F13**
Schutterlaan			
Sagittaire (av. du) = 82	**WSL**	37	**H12**
Schuttershof	**OV**	76	**N17**
Schweitzer (av. Dr.)			
Schweitzerlaan (Dr.)	**WEM**	12	**C5**
Schweitzer (pl. Dr.)			
Schweitzerplein (Dr.)	**BER**	31	**F4**
Schweitzerlaan (Dr.)			
Schweitzer (av. Dr.)	**WEM**	12	**C5**
Schweitzerplein (Dr.)			
Schweitzer (pl. Dr.)	**BER**	31	**F4**
Schweitzerstraat			
(Dr. Albert)	**MA**	26	**D13-D14**
Science (rue de la)			
Wetenschapsstraat	**BR**	9	**H9**S-**I9**N
Scillastraat			
Scilles (rue des)	**WB**	61	**L13**
Scilles (rue des)			
Scillastraat	**WB**	61	**L13**
Scott (rue Robert-str.)	**UC**	57	**M7**
Sébastopol (rue de-str.)	**AND**	44	**I5**
–	**MSJ**	32	**F4-F5**
Sebrechts (av. François-laan)	**K**	32	**F4-F5**
–	**MSJ**	32	**F4-F5**
Seconde Reine (rue de la)			
Tweede			
Koninginstraat = 275	**UC**	57	**L7**
Secours (pet. rue des)			
Hulpstraat (korte)	**SCH**	5	**G9**N
–	**SJ**	5	**G9**N
Secours (rue des)			
Hulpstraat	**SJ**	5	**G9**N
Secrétin (av.-laan)	**J**	23	**E6**
Sécurité (rue de la)			
Veiligheidsstraat	**K**	2	**G6**N
Segers (rue Paul-str.)	**ETT**	47	**J10**
Seghers (av.-laan)	**K**	32	**F5-G6**
–	**MSJ**	33	**G6**
Seigneurie (rue de la)			
Heerlijkheidsstraat	**BR**	16	**C13**
Sel (rue du)			
Zoutstraat	**AND**	44	**I5**
Selderijstraat			
Céleri (rue du)	**SG**	6	**J7**N
Sellaerstraat	**STE**	19	**A17**
Semence (rue de la)			
Zaadstraat	**AND**	32	**H5**
–	**MSJ**	32	**H5**
Semet (rue Victor-str.) = 511	**XL**	60	**L11**
Semoy (av. de la-laan)	**WSL**	38	**H15**
Sénéchal (dr. du)			
Landvoogddreef	**UC**	59	**M9-M10**
Senne (rue de la)			
Zennestraat	**BR**	2	**H7**S
Sept Bonniers (av. des)			
Zeven Bunderslaan	**FO**	57	**L6**
–	**UC**	57	**K7**
Sept Étoiles (rue des)			
Zevensterrestraat	**BER**	31	**F3**
Septemberlaan			
Septembre (av. de) = 84	**WSL**	37	**H12**
Septembre (av. de)			
Septemberlaan = 84	**WSL**	37	**H12**
Séquoias (av. des)			
Sequoyaslaan	**KR**	51	**I16-I17**
Sequoyaslaan			
Séquoias (av. des)	**KR**	51	**I16-I17**
Serbie (rue de)			
Serviëstraat	**FO**	6	**J6**N
–	**SG**	45	**J6**N
Sérénade (rue de la)			
Serenadestraat	**MSJ**	31	**H3**
Serenadestraat			
Sérénade (rue de la)	**MSJ**	31	**H3**
Sergijsels (rue Emile-str.)	**K**	2	**G6**N
Seringas (av. des)			
Wildejasmijnenlaan	**BR**	23	**D8**
Seringas (rue des)			
Seringenstraat	**KR**	39	**H16**
Seringendreef	**ZAV**	18	**C16**
Seringenpad			
Lilas (sent. des)	**AUD**	62	**L14**
Seringenstraat			
Seringas (rue des)	**KR**	39	**H16**
Seringenstraat	**SPL**	54	**M2**
Seringstraat			
Lilas (rue du) = 440	**BR**	4	**G8**S
Serkeyn (rue Jean-Baptiste-str.)	**J**	33	**F6-F7**
Serment (rue du)			
Eedstraat	**AND**	44	**I4**
Sermon (av. Jacques-laan)	**GAN**	22	**F5-F6**
–	**J**	22	**F6**
Sermonstraat (Frans)	**BE**	66	**P2**
Serpentin (rue du)			
Spiraalbuisstraat	**XL**	9	**J9**N
Serpolet (rue du)			
Wilde Tijmstraat	**MSJ**	32	**H4**
Serre (rue de la-str.)	**BER**	31	**G4**
Serrure (rue de la)			
Slotstraat	**BR**	2	**H7**N
Sersté (carré-blok) = 277	**UC**	57	**L7**
Servais (sq.-sq.)	**BR**	59	**L10**
Servais-Kinet (rue A. et M.-L.-str.)			
	WSL	37	**H12**
Servandoni (rue-str.)	**BR**	16	**C12-C13**
Serviëstraat			
Serbie (rue de)	**FO**	6	**J6**N
–	**SG**	45	**J6**N
Servranckxplein			
(Burg. Willem)	**ZAV**	27	**F15**
Servranckxstraat (V.)	**MA**	27	**D14**
Setter			
(sent. du-weg) = 323	**BR**	13	**C8**
Seutin (rue-str.)	**SCH**	5	**G9**N
Séverin (rue Fernand-str.)	**SCH**	25	**E10-E11**
Séverine (pl.-pl.)	**AND**	42	**I2**
Sextant (rue du-str.)	**BER**	31	**F3**
Shakespeare (bd.-laan)	**AND**	43	**I3**
Sibélius (av. Jean-laan)	**AND**	43	**I3-J3**

Nom / Naam

Sicambres (rue des)
Sikambrenstraat = 127 .... **ETT** 48 **J11**
Signoret (pass. Simone-
doorgang) = 595........... **J** 22 **D5**
Sijsengaarde
Tarins (clos des)......... **GAN** 22 **E5**
Sijsjeslaan
Tarins (av. des)............ **KR** 39 **G16**
Sijsjesplein
Tarin (pl. du)............. **WB** 61 **L13**
Sikambrenstraat
Sicambres (rue des) = 127. **ETT** 48 **J11**
Sikkelgang
Faucille (imp. de la) .... **BR** 3 **H7**N
Silence (av. du)
Stillelaan .... **UC** 69 **N6-O6**
Silenenstraat
Silènes (rue des).......... **WB** 61 **L13**
Silènes (rue des)
Silenenstraat .... **WB** 61 **L13**
Silex (dr. des)
Vuursteendreef .... **WB** 60 **M12-N12**
Silfenlaan
Sylphes (av. des) .... **WB** 60 **L12**
Sillon (rue du)
Voorstraat .... **AND** 43 **I3**
Simoens (rue Camille-str.).... **SCH** 24 **F9**
Simonau (rue-str.)............ **XL** 59 **L10-L11**
Simonet (bd. Henri-laan).... **AND** 42 **K1-K2**
Simonet
(rond-pt. Henri-rond punt) . **AND** 42 **K1**
Simonis (pl. Eugène-pl.) .... **K** 33 **F6**
Simonis (rue-str.) .... **SG** 46 **J8**
– .... **XL** 46 **J8**
Simons (rue Henri-str.) ...... **AUD** 62 **L14**
Simons (rue-str.) .... **BR** 4 **G8**N
Simpson (rue Georges-str.).. **GAN** 22 **F5**
Sincérité (rue de la)
Oprechtheidsstraat ...... **AND** 44 **I5**
Singel .... **BE** 68 **O5**
Singel .... **GRI** 13 **A8-B8**
Sint-Agatha-Berchemlaan
Berchem Sainte-Agathe
(av. de) .... **K** 32 **F5**
Sint-Albaansbergstraat
Mont Saint-Alban (rue du) .. **BR** 23 **D7**
Sint-Alenalaan .... **DIL** 30 **H1**
Sint-Alexiusstraat .... **GRI** 13 **A8**
Sint-Alfonsstraat
Saint-Alphonse (rue)........ **SJ** 5 **H9**N
Sint-Amandsplein .... **GRI** 14 **B8**
Sint-Amandsstraat .... **GRI** 14 **B8**
Sint-Ambrosiuslaan .... **DIL** 30 **H1**
Sint-Andriesstraat
Saint-André (rue) = 443.... **BR** 2 **G7**S
Sint-Annadal .... **GRI** 14 **B8**
Sint-Annadreef
Sainte-Anne (dr.) .... **BR** 23 **D8-E8**
Sint-Annakerkstraat
Eglise Sainte-Anne (rue de l') **K** 33 **G6**
Sint-Annakruispunt
Sainte-Anne (carr.)....... **AUD** 50 **K14**

Nom / Naam
Gemeenten Communes Plattegrond Plan n° Plaatsaanduiding Repère

Sint-Annalaan
Sainte-Anne (av.) .... **AUD** 50 **K14**
Sint-Annalaan .... **GRI** 14 **C8-A9**
– .... **VIL** 14 **A9-B9**
Sint-Annastraat
Sainte-Anne (rue).......... **BR** 8 **I8**N
Sint-Annastraat .... **GRI** 14 **B8**
– .... **VIL** 14 **B8**
Sint-Annastraat .... **OV** 77 **P19-O20**
Sint-Annastraat (kleine)
Sainte-Anne (pet. rue) .... **J** 22 **D5-E5**
Sint-Antoniuslaan .... **DIL** 31 **H3**
Sint-Antoniuslaan
Saint-Antoine (av.)......... **KR** 39 **F15-G15**
Sint-Antoonplein
Saint-Antoine (pl.)......... **ETT** 47 **J10**
Sint-Augustinuslaan
Saint-Augustin (av.) .... **FO** 45 **K7**
Sint-Bavolaan .... **AS** 20 **D2**
Sint-Bernardusstraat
Saint-Bernard (rue) .... **SG** 46 **J8**
Sint-Bonifaasstraat
Saint-Boniface (rue) .... **XL** 9 **I9**S
Sint-Ceciliavoorplein
Sainte-Cécile (parvis) .... **GAN** 21 **E4**
Sint-Denijsplein
Saint-Denis (pl.) .... **FO** 56 **L5**
Sint-Denijsstraat
Saint-Denis (rue)........... **FO** 44 **L5-J6**
Sint-Elisabethstraat
Sainte-Élisabeth (rue)....... **BR** 16 **C12-C13**
Sint-Franciscusstraat
Saint-François (rue)......... **SJ** 5 **G9**S
Sint-Geertruidestraat
Sainte-Gertrude (rue) ...... **ETT** 47 **I10**
Sint-Georgiusgaarde
Saint-Georges (clos)...... **WSP** 50 **K14**
Sint-Gertrudisstraat = 181 ... **MA** 17 **A14**
Sint-Gillis-Kerkstraat
Eglise Saint-Gilles
(rue de l')................ **SG** 6 **J7**N
Sint-Gillisvoorplein
Saint-Gilles (parvis)........ **SG** 6 **J7**N
Sint-Gisleinsstraat
Saint-Ghislain (rue) .... **BR** 8 **I7**N**-I8**N
Sint-Goriksplein
Saint-Géry (pl.) = 431 ..... **BR** 3 **H7**S
Sint-Goriksstraat
Saint-Géry (rue)........... **BR** 3 **H7**S
Sint-Guidocorso
Saint-Guidon
(cours) = 207........... **AND** 43 **I4**
Sint-Guidostraat
Saint-Guidon (rue) .... **AND** 44 **I4**
Sint-Hendriksvoorplein
Saint-Henri (parvis)....... **WSL** 48 **I12**
Sint-Hendriktraat
Saint-Henri (rue) .... **WSL** 48 **I12**
Sint-Hubertusdreef .... **OV** 75 **N16**
Sint-Hubertusdreef
Saint-Hubert (dr. de) .... **UC** 71 **P10-O12**
– .... **WB** 72 **O12**

Nom / Naam	Communes / Gemeenten	Plan n° / Plattegrond	Repère / Plaatsaanduiding
Sint-Hubertusgalerijen (Koninklijke)			
Saint-Hubert (gal. Royales)	**BR**	4	**H8**N
Sint-Hubertuskruispunt			
Saint-Hubert (carr.)	**WB**	72	**O12**
Sint-Hubertuslaan			
Saint-Hubert (av.)	**WO**	40	**H18-H19**
Sint-Huibrechtsstraat			
Saint-Hubert (rue)	**WSP**	48	**I12**
Sint-Jacobsgang			
Saint-Jacques (imp.)	**BR**	8	**I8**N
Sint-Jan-Baptistvoorplein			
Saint-Jean Baptiste (parvis)	**MSJ**	2	**G7**S
Sint-Jan Nepomucenusstraat			
Saint-Jean Népomucène (rue)	**BR**	4	**G8**S
Sint-Jansberg (stwg. op)			
Mont Saint-Jean (route de)	**WB**	74	**N15-O15**
Sint-Jansbergdreef	**OV**	74	**O15**
Sint-Jansbergsesteenweg	**TER**	52	**M16-K17**
Sint-Jansdreef	**TER**	63	**M17-L18**
Sint-Janskruidlaan			
Millepertuis (av. des)	**AND**	55	**K2-K3**
Sint-Janslaan			
Saint-Jean (av.)	**WSP**	50	**J14**
Sint-Jansplein			
Saint-Jean (pl.)	**BR**	4	**H8**S
Sint-Jansstraat	**AS**	11	**C2-C3**
Sint-Jansstraat			
Saint-Jean (rue)	**BR**	4	**H8**S
Sint-Jansstraat	**TER**	53	**K19**
Sint-Jobplein			
Saint-Job (pl. de)	**UC**	58	**M9**
Sint-Jobselaan			
Saint-Job (av. de)	**BR**	59	**M10**
Sint-Jobsesteenweg			
Saint-Job (chaus. de)	**UC**	57	**N6-M9**
Sint-Joostgalerij			
Saint-Josse (gal.)	**SJ**	5	**H9**N
Sint-Joostplaats			
Saint-Josse (pl.)	**SJ**	5	**H9**N
Sint-Jooststraat			
Saint-Josse (rue)	**SJ**	5	**H9**N
Sint-Jorislaan			
Saint-Georges (av.)	**KR**	39	**G16**
Sint-Jorisoord			
Saint-Georges (clos)	**WO**	39	**H17**
Sint-Jorisstraat			
Saint-Georges (rue)	**XL**	47	**K9**
Sint-Jozefstraat			
Saint-Joseph (rue)	**EV**	37	**G12**
Sint-Jozefstraat			
Saint-Joseph (rue)	**MSJ**	2	**G7**S
Sint-Juliaanskerklaan			
Eglise Saint-Julien (av. de l')	**AUD**	48	**K12**
Sint-Juliaanstraat			
Saint-Julien (rue)	**K**	2	**G7**
–	**MSJ**	2	**G7**N
Sint-Katarinastraat	**MA**	17	**C15**
Sint-Katelijneplein			
Sainte-Catherine (pl.)	**BR**	2-4	**H7**N**-H8**N
Sint-Katelijnestraat			
Sainte-Catherine (rue)	**BR**	3	**H7**N
Sint-Korneliusstraat	**MA**	17	**C14**
Sint-Kristoffelsstraat			
Saint-Christophe (rue)	**BR**	2	**H7**S
Sint-Lambertusberg			
Mont Saint-Lambert	**WSL**	50	**I14**
Sint-Lambertuskerkstraat			
Eglise Saint-Lambert (rue de l') = 139	**WSL**	50	**I14**
Sint-Lambertusplein			
Saint-Lambert (pl.)	**BR**	23	**D7**
Sint-Lambertusplein			
Saint-Lambert (pl.)	**WSL**	50	**I14**
Sint-Lambertusstraat			
Saint-Lambert (rue)	**WSL**	38	**H14-I14**
Sint-Lambrechts Woluwelaan			
Woluwe-Saint-Lambert (av. de)	**WSL**	48	**I12**
Sint-Laurensstraat			
Saint-Laurent (rue)	**BR**	4	**H8**N
Sint-Lazarushof			
Saint-Lazare (cour)	**MSJ**	33	**H6**
Sint-Lazaruslaan			
Saint-Lazare (bd.)	**SJ**	5	**G8**S**-G9**S
Sint-Lazarusplaats			
Saint-Lazare (pl.)	**SJ**	5	**G8**S
Sint-Lazarusstraat			
Saint-Lazare (rue)	**SJ**	4	**G8**S
Sint-Lendriksborre			
Saint-Landry (font)	**BR**	15	**B11**
Sint-Lendriksdreef			
Saint-Landry (dr.)	**BR**	15	**B11**
Sint-Maartenstraat			
Saint-Martin (rue)	**MSJ**	2	**H7**N
Sint-Mariastraat			
Sainte-Marie (rue)	**MSJ**	2	**G7**S
Sint-Martinusgaarde			
Saint-Martin (clos)	**GAN**	22	**F5**
Sint-Martinuskerkstraat			
Eglise Saint-Martin (rue de l')	**GAN**	22	**E5-F5**
Sint-Martinusweg	**ZAV**	29	**D18-E18**
Sint-Michielsdreef			
Saint-Michel (dr.)	**KR**	39	**G16**
Sint-Michielsdreef			
Saint-Michel (dr.)	**SGR**	72	**P12-P13**
Sint-Michielskollegestraat			
Collège Saint-Michel (rue du)	**WSP**	48	**I12**
Sint-Michielslaan			
Saint-Michel (bd.)	**ETT**	48	**I12-J12**
–	**WSP**	48	**I12**
Sint-Michielsstraat			
Saint-Michel (rue)	**BR**	4	**H8**N
Sint-Michielswarande			
Saint-Michel (cours)	**ETT**	48	**I11**
Sint-Nikolaasgang			
Saint-Nicolas (imp.) (gel. rue Marché aux Herbes)	**BR**	4	**H8**N
Sint-Nikolaasplein			
Saint-Nicolas (pl.)	**BR**	15	**C10**

Nom / Naam	Communes Gemeenten	Plan n° Plattegrond	Repère Plaatsaanduiding
Sint-Nikolaasstraat			
Saint-Nicolas (rue)	**BR**	15	**C10**
Sint-Norbertusstraat			
Saint-Norbert (rue)	**J**	23	**E7**
Sint-Pancratiuslaan			
Saint-Pancrace (av.)	**KR**	39	**G16**
Sint-Paulusweg			
Saint-Paul (ch.)	**WSP**	50	**J15**
Sint-Petronillagang			
Sainte-Pétronille (imp.)			
(gel. rue Marché			
aux Herbes)	**BR**	4	**H8**S
Sint-Pieter en Pauwelsstraat			
Saints-Pierre et Paul (rue)	**BR**	15	**C10**
Sint-Pieterskerkstraat			
Église Saint-Pierre (rue de l')	**J**	22	**E6**
Sint-Pietersplein			
Saint-Pierre (pl.)	**ETT**	48	**I11**
Sint-Pietersplein			
Saint-Pierre (parvis)	**WO**	40	**G17**
Sint-Pieterssteenweg			
Saint-Pierre (chaus.)	**ETT**	47	**I10-I11**
Sint-Pietersstraat			
Saint-Pierre (rue)	**BR**	4	**G8**S
Sint-Pietersvoorplein			
Saint-Pierre (parvis)	**UC**	57	**L7**
Sint-Pietersvoorplein			
Saint-Pierre (parvis) = 148	**WSP**	50	**I14**
Sint-Quirinuslaan	**AS**	20	**D2**
Sint-Rochusoord			
Saint-Roch (clos)	**WO**	40	**H17**
Sint-Rochusplein			
Saint-Roch (pl.)	**WEM**	11	**B4**
Sint-Rochusstraat			
Saint-Roch (rue)	**BR**	4	**G8**S
Sint-Sebastiaansgang			
Saint-Sébastien (imp.)	**BR**	4	**H8**S
Sint-Sebastiaanstraat			
Saint-Sébastien (rue)	**LIN**	69	**P6**
Sint-Stefaansstraat	**ZAV**	27	**E15-F15**
Sint Stevens Wolywestraat			
Woluwe-Saint-Étienne			
(rue de)	**BR**	26	**D13-E14**
Sint-Stevens-Woluwestraat	**MA**	26	**D13-E14**
Sint-Stevens-Woluweweg			
Woluwe-Saint-Etienne			
(ch. de) = 116	**EV**	26	**E12**
Sint-Stevensstraat	**SPL**	55	**L3**
Sint-Theresiastraat			
Sainte-Thérèse (rue)	**BR**	6	**I7**S
Sint-Trojanoord			
Saint-Trojan (clos)	**KR**	39	**H16**
Sint-Ursulagang			
Sainte-Ursule (imp.)	**BR**	2	**H7**N
Sint-Vincencius a Paulostraat			
Saint-Vincent de Paul (rue)	**J**	23	**E6**
Sint-Vincentiusplaats			
Saint-Vincent (pl.)	**EV**	25	**E11**
Sint-Vincentiusstraat			
Saint-Vincent (rue)	**EV**	25	**E12**
Sinte-Aleidislaan			
Sainte-Alix (av.)	**WSP**	51	**J16**
Sinte-Aleidisvoorplein			
Sainte-Alix (parvis)	**WSP**	51	**J16**
Sinter-Goedeleplein			
Sainte-Gudule (pl.) = 455	**BR**	4	**H8**S
Sinter-Goedelestraat			
Sainte-Gudule (rue) = 458	**BR**	4	**H8**S
Sinter-Goedelevoorplein			
Sainte-Gudule			
(parvis) = 456	**BR**	4	**H8**S
Siphon (rue du)			
Duikerstraat	**BR**	23	**E7**
Sippelberg (av. du-laan)	**MSJ**	33	**G6**
Sippelberg (clos du-gaarde)	**GAN**	22	**F5**
Sirius (clos-gaarde)	**WSL**	37	**H13**
Sistervatstraat			
Rasière (rue de la)	**BR**	7	**I7**S
Site (av. du)			
Landschaplaan	**WSL**	39	**H15**
Site (clos du)			
Landschapsgaarde	**WSP**	39	**H16**
Sittelles (av. des)			
Boomkleverlaan	**WSP**	50	**I15**
Six Aunes (rue des)			
Zesellenstraat	**BR**	8	**I8**S
Six Jetons (rue des)			
Zespenningenstraat	**BR**	2	**H7**S
Six Jeunes Hommes (rue des)			
Zesjonkmansstraat = 467	**BR**	8	**I8**N
Skepterstraat			
Sceptre (rue du)	**ETT**	47	**I10**
–	**XL**	47	**I9-I10**
Slachthuislaan			
Abattoir (bd. de l')	**BR**	2	**H7**S
Slachthuisstraat			
Abattoir (rue de l')	**BR**	2	**H7**S
Sleeckx (av.-laan)	**SCH**	25	**E10**
Sleedoornlaan			
Prunelliers (av. des)	**WEM**	12	**A5**
Slegers (av. A. J.-laan)	**WSL**	49	**I12-I13**
Slegers (clos A. J.-gaarde)	**WSL**	49	**I13**
Slesbroekstraat	**SPL**	54	**M2**
Sleutelbloemlaan	**ZAV**	40	**G18**
Sleutelbloemstraat			
Primevère (rue de la)	**UC**	46	**K8**
Sleutelplas (rue-str.)	**MSJ**	31	**H3**
Sleutelplasstraat	**DIL**	31	**H3**
Sleutelstraat			
Clé (rue de la)	**BR**	2	**H7**N
Sloesveldstraat	**HOE**	76	**P18**
Sloordelle			
Colzas (allée des)	**AUD**	49	**K12**
Slotlaan			
Castel (av. du)	**WSL**	48	**I12**
Slotstraat			
Serrure (rue de la)	**BR**	2	**H7**N
Sluipdelleweg	**TER**	62	**K15-L15**
Sluisstraat	**VIL**	16	**A13**
Smal (av. Maximilien-			
laan)	**GAN**	22	**E4**
Smaragdlaan			
Émeraude (av. de l')	**SCH**	36	**G11-H11**
Smekens (rue Aimé-str.)	**SCH**	36	**H12**

Nom / Naam	Communes / Gemeenten	Plan n° / Plattegrond	Repère / Plaatsaanduiding
Smellekensstraat			
Émerillons (rue des) = 29	WB	61	M12
Smets (av. Josse-laan)	AUD	48	K12
Smets (rue Hendrik-str.)	WO	40	H17
Smets (sq. Auguste-sq.)	MSJ	2	H7N
Smidsestraat			
Forge (rue de la)	SG	6	J7N
Smidstraat	ZAV	27	F15
Smidsweg			
Forgeron (ch. du)	SCH	36	F11
Smiskensveld	AS	11	C3
Smits (rue Eugène-str.)	SCH	35	G10
Smits (rue Jakob-str.)	AND	44	I4-I5
Smoldersstraat (Frans)	ZAV	28	E15-F15
Sneessens (rue-str.)	ETT	47	J10
Sneeuwklokjesweg			
Perce-Neige (ch. de la)	BR	12	C6
Sneppendreef	DIL	30	H2
Sneppenlaan	TER	53	K20
Snieders (rue Auguste-str.)	SCH	25	E10
Snijdersdreef	OV	77	N19
Snippendal			
Val des Bécasses	WSP	50	J15
Snippenlaan			
Bécasses (av. des)	KR	52	J17
Snoekstraat			
Brochet (rue du)	ETT	47	I10
–	XL	47	I10
Sobieski (av. Jean)			
Sobieskilaan (Jan)	BR	23	D7
Sobieskilaan (Jan)			
Sobieski (av. Jean)	BR	23	D7
Société Nationale (av. de la)			
Nationale-Maatschappijlaan	AND	43	K4
Socquet (rue Louis-str.)	SCH	36	G11
Soensstraat (Victor)	GRI	13	B8
Soetens (rue Rémy-str.)	J	22	D5
Soetkin (dr.-dr.)	AND	42	I2-J2
Sohie (rue Arnold-str.)	EV	25	E11
Sohiestraat (Edgard)	HOE	75	P17
Sohiestraat (Félix)	HOE	75	P17
Soierie (rue de la)			
Zijdeweverijstraat	FO	56	L4-L5
Soignies (rue de)			
Zinnikstraat	BR	2	H7S
Soir (sent. du)			
Avondpad	BR	26	D12
Solarium (rue du-str.)	BR	24	C10-D10
Solbosch (sq. du)			
Solbossquare	XL	59	L10
Solbossquare			
Solbosch (sq. du)	XL	59	L10
Soldanelles (clos des)			
Alpenklokjeshoek = 340	AND	43	K3
Soldat Britannique (av. du)			
Britse Soldaatlaan	AND	43	K3
Soldatenstraat			
Soldats (rue des)	BER	31	F4-G4
Soldats (rue des)			
Soldatenstraat	BER	31	F4-G4

Nom / Naam	Communes / Gemeenten	Plan n° / Plattegrond	Repère / Plaatsaanduiding
Soleil (champ du)			
Zonneveld	WO	41	H19
Soleil (clos du)			
Zonnegaarde	WSP	49	I13
Soleil (rue du)			
Zonnestraat	SCH	5	G9S
–	SJ	5	G9S
Soleil Couchant (pass. du)	WSL	38	H15
Solidarité (rue de la)			
Solidateiteitsstraat = 334	AND	43	K3-K4
Solidateiteitsstraat			
Solidarité (rue de la) = 334	AND	43	K3-K4
Solleveld (rue-str.)	WSL	37	H13
Sols (rue des)			
Stuiversstraat	BR	4	H8S
Solvay (av. Alfred-laan)	WB	61	M12
Solvay (dr. Aurélie-dr.)	WSP	50	J14
Solvay (pl.-pl.)	SCH	34	G8
Solvay (rue Ernest-str.)	XL	9	I9S
Sombre (rue)			
Donkerstraat	WSL	50	I14
–	WSP	49	I13
Sonatine			
(rue de la-str.) = 183	MSJ	31	H3
Sonnet (rue du-str.)	MSJ	32	G5
Sophoras (av. des-laan)	UC	69	P7
Sorbeboomplein			
Sorbiers (pl. des)	GAN	22	E5
Sorbiers (av. des)			
Lijsterbessenbomenlaan	KR	39	G15-G16
Sorbiers (av. des)			
Lijsterbessenbomenlaan	UC	71	P9-P10
Sorbiers (pl. des)			
Sorbeboomplein	GAN	22	E5
Sorensen (rue Sergent)			
Sorensenstraat (Sergeant) = 409	GAN	22	F5
Sorensenstraat (Sergeant)			
Sorensen (rue Sergent) = 409	GAN	22	F5
Souliers (imp. aux)			
Schoenengang	BR	6	I7N
Source (ch. de la)			
Bronweg	UC	58	L8-M8
Source (rue de la)			
Bronstraat	SG	8	J8N
Souvenir (rue du)			
Gedachtenisstraat	AND	44	I4-I5
Souvenir (sq. du)			
Gedachtenissquare	XL	47	J9
Souverain (bd. du)			
Vorstlaan	AUD	49	K13-J14
–	WB	61	L13-M13
–	WSP	50	J14
Souverain (rond-pt. du)			
Vorstrondpunt = 299	AUD	49	K13
Souverain (sq. du)			
Vorstsquare = 300	AUD	49	K13
Souveraine (rue)			
Opperstraat	BR	8	J8N
–	XL	9	J8N-I9S

Nom / Naam	Communes / Gemeenten	Plan n° / Plattegrond	Repère / Plaatsaanduiding
Spa (rue de-str.)	BR	5	H9S
Spaak (av. Paul Henri-laan)	SG	6	I7N
Spaak (esplanade Paul-Henri-voorplein)	WSP	49	I13
Spaak (rue Paul-str.)	BR	9	J9N
–	XL	9	J9N
Spaans-Huisdreef	TER	53	J20
Spaanseweg	SPL	54	M2-N2
Spaarbekkenstraat *Bassin Collecteur (rue du)*	BR	26	D13
Spaarbekkenstraat (korte) *Bassin Collecteur (pet. rue du)*	BR	26	D13
Spaarstraat *Épargne (rue de l')*	BR	4	G8S
Spaarzaamheidsstraat = 168	ZAV	28	D16-D17
Spaltlaan	OV	77	P20
Spanjebergstraat	DIL	30	H1-H2
Spanjeplein *Espagne (pl.)*	BR	4	H8S
Spanjestraat *Espagne (rue d')*	SG	46	J8
Sparrebosstraat	HOE	75	P16
Sparrenhof	ZAV	28	F17
Sparrenlaan	OV	63	N17
Spechtenberg	ZAV	27	E15
Speeckaert (av. Édouard-laan)	WSL	37	H12-H13
Speelpleinlaan *Plaine de Jeux (av. de la)*	KR	39	G15-G16
Speeltuindreveken *Jeux (venelle aux)* = 561	WSP	50	I14
Speerhaakstraat *Bigorne (rue de la)* = 549	SJ	5	H9N
Speerstraat *Javelot (rue du)*	BR	13	C6
Speltveld *Épeautre (champ de l')*	WO	41	H19
Sperwerlaan	VIL	14	A9-B9
Sperwerlaan *Éperviers (av. des)*	WSP	49	J12
Spiegelstraat *Miroir (rue du)*	BR	8	I7N
Spinnerijstraat *Filature (rue de la)*	SG	6	J7N
Spiraalbuisstraat *Serpentin (rue du)*	XL	9	J9N
Spiraallaan *Spirale (av. de la)*	WSL	38	H15
Spiraeastraat *Spirées (rue des)*	WB	61	L13
Spirale (av. de la) *Spiraallaan*	WSL	38	H15
Spirées (rue des) *Spiraeastraat*	WB	61	L13
Spithertlaan	OV	65	N20
Spoormakersgang *Éperonniers (imp. des)* (gelegen rue des Éperonniers)	BR	4	H8S
Spoormakersstraat *Éperonniers (rue des)*	BR	4	H8S
Spoorwegstraat *Chemin de Fer (rue du)*	SJ	5	G9S
Spoorwegstraat	SPL	55	N3-M4
Spoorwegstraat	ZAV	28	D16-D17
Sportlaan *Sports (av. des)*	BR	13	C6
Sportlaan	DIL	30	H1
Sportlaan	SPL	55	M3
Sportpleinstraat *Plaine des Sports (rue)*	WO	40	I17-H18
Sports (av. des) *Sportlaan*	BR	13	C6
Sportstraat	ZAV	28	C16-D17
Spreeuwenlaan	ZAV	28	E17
Spreeuwstraat *Sansonnet (rue du)* = 62	BR	23	D7
Spreeuwstraat *Étourneau (rue de l')* = 20	WB	61	L13
Sprinkhanenlaan *Criquets (av. des)*	WB	60	M11
Spruyt (rue-str.)	J	23	F7
Staartmolenslaan *Éoliennes (av. des)*	WSL	38	G14
Staartsterstraat *Comète (rue de la)*	SJ	5	G9S
Staatsbladsstraat *Moniteur (rue du)*	BR	5	H9N
Stacquet (rue Henri-str.)	SCH	35	G10
Stade (av. du) *Stadionlaan*	WSL	38	H14-I14
Stade (rue du) *Stadionstraat*	FO	45	K6
Stadionlaan *Stade (av. du)*	WSL	38	H14-I14
Stadionstraat *Stade (rue du)*	FO	45	K6
Stadionstraat	MA	17	B14
Stalingrad (av. de-laan)	BR	6	I7N
Stalkruidlaan *Bugrane (av. de la)*	BR	14	C9
Stallaert (rue Joseph-str.)	UC	46	K8
–	XL	46	K8
Stalle (rue de-str.)	UC	57	M6-M7
Stalle Prolongée (rue de) *Verlengde Stallestraat*	DRO	56	M5-N5
–	UC	56	M5
Stallestraat (nieuwe)	SPL	55	N4
Standaardstraat *Étendard (rue de l')* = 103	BR	35	H10
Stanley (rue-str.)	UC	58	K9
–	XL	46	K9
Stapelhuisstraat *Entrepôt (rue de l')*	BR	23	F8
Staphylins (av. des) *Roofkeverslaan*	WB	60	M11
Stas (rue Jean-str.)	SG	8	I8S
Stassart (av. Guillaume-laan)	AND	43	J3
Statieplein *Station (pl. de la)*	KR	27	F15
Statieplein	ZAV	27	F15
Statieweg	MA	16	B13

Nom / Naam	Communes Gemeenten	Plan n° Plattegrond	Repère Plaatsaanduiding
Station (pl. de la)			
Statieplein	**KR**	27	**F15**
Station (pl. de la-pl.)	**FO**	56	**L5**
Station (rue de la-str.)	**FO**	56	**L5**
Station (rue de la-str.)	**LIN**	69	**O6-P7**
Station (rue de la-str.)	**WSP**	50	**I14**
Station de Woluwe (rue de la)			
Stationsstraat van Woluwe	**WSL**	50	**I14**
Stationsberg			
Montagne de la Gare	**WSP**	50	**I14**
Stationslaan	**STE**	18	**B17**
Stationsplein			
Gare (pl. de la)	**BER**	21	**E3**
Stationsplein			
Gare (pl. de la)	**WSP**	50	**I14**
Stationsstraat	**BE**	66	**P2**
Stationsstraat	**DIL**	20	**F2**
Stationsstraat	**MA**	27	**C14-D14**
Stationsstraat	**SPL**	55	**N4**
Stationsstraat van Woluwe			
Station de Woluwe (rue de la)	**WSL**	50	**I14**
Stationstraat			
Gare (rue de la)	**ETT**	48	**I11**
Stationstraat	**ZAV**	28	**D16-E16**
Statuaires (av. des)			
Beeldhouwerslaan	**UC**	57	**M7-M8**
Steamers (quai des)			
Stoombotenkaai	**BR**	24	**F8**
Stedebouwstraat			
Urbanisme (rue de l')	**GAN**	22	**F5**
Steekspelstraat			
Tournoi (rue du)	**FO**	45	**K6-K7**
Steenbakkerijenlaan			
Briqueteries (av. des)	**WSL**	38	**G14**
Steenbakkerijstraat			
Briqueterie (rue de la)	**BR**	23	**E8**
Steenbakkerijstraat	**SPL**	54	**L2-L3**
Steenbergstraat	**HOE**	75	**O16-O16**
Steenbeukstraat			
Charme (rue du)	**FO**	45	**K6**
Steenboklaan			
Capricorne (av. du)	**WSL**	37	**G13-H13**
Steenbreekstraat			
Saxifrages (rue des) = 11	**WB**	61	**L13**
Steengroefstraat			
Carrière (rue de la)	**K**	32	**F5**
Steenkaai	**VIL**	16	**A13**
Steenkoolkaai			
Houille (quai à la) = 446	**BR**	4	**G7**S
Steeno (rue Emile-str.)	**AUD**	49	**K13**
Steenokkerzeelstraat	**ZAV**	28	**D16-D17**
Steenput	**ZAV**	41	**H19**
Steens (pl. Louis-pl.)	**BR**	23	**C7**
Steens (rue-str.)	**SG**	6	**J7**N
Steenstraat			
Pierres (rue des)	**BR**	4	**H8**S
Steenstraat	**VIL**	14	**B9-B10**
Steenvelt (rue-str.)	**UC**	69	**N6**
Steenwagenstraat	**STE**	18	**A16-A17**

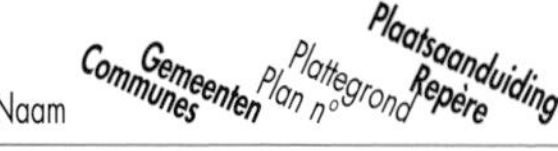

Nom / Naam	Communes Gemeenten	Plan n° Plattegrond	Repère Plaatsaanduiding
Steenzwaluwenlaan			
Martinets (av. des)	**AUD**	49	**K13**
Stefaniaplein			
Stéphanie (pl.)	**BR**	8	**I8**S
–	**XL**	8	**I8**S
Stefaniastraat			
Stéphanie (rue)	**BR**	23	**E8**
Steigerpad			
Embarcadère (sent. de l')	**BR**	59	**L10**
Stekelbremlaan			
Ajoncs (av. des)	**WSP**	50	**J14-J15**
Stellaires (av. des)			
Sterremuurlaan	**AND**	43	**K3**
Stenen Kruisstraat			
Croix de Pierre (rue de la)	**SG**	8	**J8**N
Stengeltjesweg			
Tigelles (ch. des) = 565	**WSP**	50	**I14**
Stéphanie (pl.)			
Stefaniaplein	**BR**	8	**I8**S
–	**XL**	8	**I8**S
Stéphanie (rue)			
Stefaniastraat	**BR**	23	**E8**
Stephenson (pl.-pl.)	**SCH**	24	**F9**
Stephenson (rue-str.)	**BR**	24	**F9**
–	**SCH**	24	**F9**
Stepman (rue-str.)	**K**	33	**G6**
Steppé (rue-str.)	**J**	23	**E7**
Sterckmans (av. Michel-laan)	**WSL**	49	**I13**
Sterckx (rue Félix-str.)	**BR**	23	**D7**
Sterckx (rue-str.) = 579	**SG**	45	**J7**
Sterdreef	**TER**	65	**L19-L20**
Sterrebeekstraat	**ZAV**	29	**E17-F18**
Sterrebeeldenlaan			
Constellations (av. des)	**WSL**	37	**H12**
Sterrebeeldlaan	**OV**	77	**O20**
Sterremuurlaan			
Stellaires (av. des)	**AND**	43	**K3**
Sterrenkundelaan			
Astronomie (av. de l')	**SJ**	5	**H9**N
Sterrenkundigenstraat			
Astronomes (rue des)	**UC**	59	**M9**
Sterrenlaan	**DIL**	30	**G1**
Sterrenveld			
Etoiles (champ des)	**WO**	41	**H19**
Sterreplein			
Etoile (rond-pt. de l')	**XL**	47	**K10**
Sterrewachtlaan			
Observatoire (av. de l')	**UC**	58	**M8-L9**
Sterrewegel	**ZAV**	29	**F18**
Sterstraat			
Etoile (rue de l')	**DRO**	56	**N5**
–	**UC**	56	**M5-N5**
Steurs (sq. Armand-sq.)	**SJ**	35	**G10**
Stevens (av. René-laan)	**AUD**	62	**L14**
Stevens (carré-blok) = 279	**UC**	57	**L7**
Stevens (rue Alfred-str.)	**BR**	23	**D7-E7**
Stevens (rue Joseph-str.) = 484	**BR**	8	**I8**N
Stevens-Delannoy (rue-str.)	**BR**	23	**D7**
Stevin (rue-str.)	**BR**	35	**H9-H10**
Steyls (rue-str.)	**BR**	23	**E7**
Stichelberg	**DIL**	30	**F1**

Nom / Naam	Communes / Gemeenten	Plan n° / Plattegrond	Repère / Plaatsaanduiding
Stichelgatstraat	**DIL**	30	**F1-G1**
Stichtingstraat			
Fondation (rue de la)	**BER**	32	**F4**
Stiénon (av.-laan)	**BR**	22	**C6-D6**
–	**J**	22	**D6**
Stiernet (rue Hubert-str.)	**BR**	24	**E8**
Stijgbeugellaan			
Étriers (av. des)	**WSP**	51	**I16**
Stijns (rue Reimond-str.)	**MSJ**	32	**G5**
Stille Oceaanstraat			
Pacifique (rue du) = 282	**UC**	58	**K8**
Stillelaan			
Silence (av. du)	**UC**	69	**N6-O6**
Stobbaerts (av. Jan-laan)	**SCH**	35	**G10**
Stobbaertsdreef	**OV**	77	**N19**
Stockel (chaus. de)			
Stokkelse Steenweg	**WSL**	50	**I14-I15**
–	**WSP**	50	**I15-I16**
Stockel (rue de)			
Stokkelstraat	**KR**	39	**G16**
Stocq (rue Guillaume-str.)	**XL**	47	**J9-J10**
Stoelenmakersstraat			
Chaisiers (rue des) = 527	**BR**	6	**I7***S*
Stoeterijlaan			
Haras (av. du)	**WSP**	51	**J16**
Stokerijstraat	**SPL**	55	**M3**
Stokkelse Steenweg			
Stockel (chaus. de)	**WSL**	50	**I14-I15**
–	**WSP**	50	**I15-I16**
Stokkelstraat			
Stockel (rue de)	**KR**	39	**G16**
Stoofstraat			
Étuve (rue de l')	**BR**	4	**H8***S*
Stoombotenkaai			
Steamers (quai des)	**BR**	24	**F8**
Stoomslepersstraat			
Remorqueur			
(rue du) = 575	**BR**	47	**I9-I10**
Stormhelmlaan			
Armet (av. de l') = 65	**EV**	36	**G12**
Stormklokstraat			
Tocsin (rue du) = 101	**BR**	35	**H10**
Stormstraat			
Assaut (rue d')	**BR**	4	**H8***N*
Straatsburgstraat			
Strasbourg (rue de)	**BR**	26	**E12-E13**
–	**EV**	26	**E12**
Strasbourg (rue de)			
Straatsburgstraat	**BR**	26	**E12-E13**
–	**EV**	26	**E12**
Stratégie (rue de la)			
Krijgskundestraat	**AUD**	48	**J11-K11**
Strauven (av. Henri-laan)	**AUD**	49	**K12**
Strauwen (rue Pierre-str.)	**BR**	23	**D7**
Streekbaan	**VIL**	14	**A9-B10**
Streuvels (av. Stijn-laan)	**WEM**	11	**B4**
Streuvels (clos Stijn-oord)	**WO**	52	**I18**
Streuvels (rue Stijn-str.)	**SCH**	25	**E11-F11**
Streuvelslaan (Stijn)	**HOE**	75	**P17**
Streuvelslaan (Stijn)	**SPL**	55	**M3**
Streuvelslaan (Stijn)	**TER**	52	**J18**
Streuvelslaan (Stijn)	**ZAV**	29	**F18**
Streuvelsstraat (Stijn)	**MA**	27	**D14**
Strijdersgang			
Combattants (imp. des)	**K**	2	**G7***N*
Strijderssquare			
Combattants			
(sq. des) = 344	**BR**	23	**E7-E8**
Strijdersstraat			
Combattants (rue des)	**BER**	21	**F4**
Strijdroslaan			
Destrier (av. du)	**EV**	36	**G12**
Strijdvlegellaan			
Fléau d'Armes			
(av. du) = 64	**EV**	36	**G12**
Strobloemenlaan			
Immortelles			
(av. des) = 338	**AND**	43	**K3**
Strombeeklinde	**GRI**	13	**B8**
Strombeeksesteenweg	**VIL**	14	**B9**
Stroobant (av. Paul-laan)	**UC**	57	**M7-M8**
Stroobant			
(rue François-str.)	**XL**	46	**K8**
Stroobants (rue-str.)	**EV**	25	**E11**
Strostraat			
Paille (rue de la)	**BR**	8	**I8***N*
Struisvogelstraat			
Autruche (rue de l')	**WB**	61	**L13**
Struweelgaard	**DIL**	30	**H2**
Struykbeken (ch. du-weg)	**WSL**	38	**H14-I14**
Stuart Merrill (av.-laan)	**FO**	56	**L5-M5**
Stuckens (rue Édouard-str.)	**EV**	25	**E11**
Studentenstraat			
Étudiants (rue des)	**SG**	6	**J7***N*
Stuivenbergstraat			
Stuyvenbergh (rue)	**BR**	23	**D7**
Stuiversstraat			
Sols (rue des)	**BR**	4	**H8***S*
Stuyvenberg	**WSP**	51	**I16**
Stuyvenbergh (rue)			
Stuivenbergstraat	**BR**	23	**D7**
Suède (rue de)			
Zwedenstraat	**SG**	6	**I7***S*
Suffrage Universel (av. du)			
Algemeen Stemrechtlaan	**SCH**	35	**F10**
Suisse (rue de)			
Zwitserlandstraat	**SG**	8	**I8***S***-J8***N*
Sukkelweg	**UC**	58	**L8**
Sumatra (av. de-laan)	**UC**	58	**L8**
Surdiac (sq.-sq.)	**FO**	56	**L4**
Sureau (cité du)			
Vlierwijk	**BR**	4	**G7***S*
Sureau (clos du)			
Vliergaarde	**BER**	31	**G3**
Surlet de Chokier (pl.-pl.)	**BR**	5	**H9***N*
Swartenbrouck			
(av. Jacques-laan)	**J**	22	**D5**
Swevers			
(rue Armand-str.)	**AUD**	49	**K12**
Sylphes (av. des)			
Silfenlaan	**WB**	60	**L12**
Symbole (rue du)			
Zinnebeeldstraat = 332	**AND**	43	**K3-K4**
Sympathie (rue de la-str.)	**AND**	43	**K4**

T

Nom / Naam	Gemeenten Communes	Plattegrond Plan n°	Plaatsaanduiding Repère
't Cortenbosch (ch.-weg)	**UC**	57	**N7**
't Hoekje Grondstraat			
Coin de Terre (rue du)	**J**	23	**F7**
't Hof te Overbeke	**BER**	31	**G3**
't Hof ten Berg			
't Hof ten Berg (clos)	**J**	23	**D6**
't Hof ten Berg (clos)			
't Hof ten Berg	**J**	23	**D6**
't Hofveld	**DIL**	20	**F2**
't Jaegerke (clos-gaarde)	**J**	22	**D5**
T' Kint (rue-str.)	**BR**	2	**H7**S
T' Serclaes (rue-str.)	**BR**	4	**H8**N
T' Serclaeslaan	**SPL**	54	**M1**
't Veldeke			
La Clé des Champs	**WO**	40	**H17-H18**
't Voorstraat	**GRI**	14	**A8-A9**
Taaiboomstraat	**DIL**	20	**E1**
Tabakberg	**TER**	53	**K19**
Tabellion (rue du)			
Notarisstraat	**XL**	46	**J8-K8**
Tabora (rue de-str.) = 422	**BR**	4	**H8**N
Tachtigbeukenlaan			
Quatre-Vingts Hêtres (av. des)	**GAN**	22	**E5**
Taciturne (rue du)			
Willem de Zwijgerstraat	**BR**	35	**H10**
Tacquet (rue-str.) = 342	**BR**	23	**E8**
Tagètes (av. des)			
Tageteslaan	**BR**	23	**C7-D7**
Tageteslaan			
Tagètes (av. des)	**BR**	23	**C7-D7**
Tahon (av. Victor-laan)	**AUD**	50	**K14**
Taillis (av. des)			
Hakhoutlaan	**WB**	60	**L11**
Taillis (clos du)			
Kreupelhoutgaarde	**WSP**	51	**J16**
Talinglaan	**ZAV**	40	**G18**
Talingstraat			
Sarcelle (rue de la) = 24	**WB**	61	**L13**
Tamaris (av. des)			
Tamariskenlaan	**MSJ**	32	**G4-H4**
Tamariskenlaan			
Tamaris (av. des)	**MSJ**	32	**G4-H4**
Tamboerdreef			
Tambour (dr. du)	**WB**	61	**M13-N15**
Tambour (dr. du)			
Tamboerdreef	**WB**	61	**M13-N15**
Tamines (rue de-str.)	**SG**	45	**J7**
Tanche (av. de la)			
Tinklaan	**AUD**	60	**K12-L12**
Tanganika (rue du-str.)	**FO**	56	**M5**
Tannerie (rue de la)			
Huidevetterijstraat	**K**	33	**G6**
Tanneurs (rue des)			
Huidevettersstraat	**BR**	6	**I7**N
Tarantellastraat			
Tarentelle (rue de la)	**AND**	31	**H3-H4**
–	**MSJ**	31	**H4**
Tarentelle (rue de la)			
Tarantellastraat	**AND**	31	**H3-H4**
–	**MSJ**	31	**H4**
Tarin (pl. du)			
Sijsjesplein	**WB**	61	**L13**
Tarins (av. des)			
Sijsjeslaan	**KR**	39	**G16**
Tarins (clos des)			
Sijsengaarde	**GAN**	22	**E5**
Tarwelaan	**OV**	76	**O18**
Tarwestraat			
Froment (rue du)	**AND**	42	**J1**
Tasson Snel (rue-str.)	**SG**	46	**J8**
Tastevin (dr. du-dr.)	**FO**	56	**L6**
Taxandres (rue des)			
Toxandriërsstraat	**ETT**	48	**I11**
Taxus (dr. des-dr.)	**WO**	52	**I18**
Taymanslaan (Burg.)	**OV**	76	**O18-O19**
Tazieaux (rue-str.)	**MSJ**	2	**G6**S-**G7**S
Technologie (rue de la-str.)	**BER**	21	**E3**
Tedesco (av.-laan)	**AUD**	49	**K13**
Teenbossendreef			
Oseraies (dr. des)	**SGR**	72	**P12**
Tehuis voor Wezenstraat			
Foyer des Orphelins (rue du)	**MSJ**	31	**G4**
Teichmann (pont-brug)	**BR**	24	**E9**
Teinturerie (rue de la)			
Ververijstraat	**FO**	56	**L5**
Teinturiers (rue des)			
Ververssstraat	**BR**	3	**H7**S
Teirlinck (rue Isidore-str.)	**MSJ**	21	**F4**
Teirlincklaan (Herman)	**HOE**	75	**P17**
Teirlinckplein (Herman)	**BE**	68	**P4-P5**
Telemachuslaan			
Télémaque (av.)	**FO**	57	**L6**
Télémaque (av.)			
Telemachuslaan	**FO**	57	**L6**
Tell (rue Guillaume)			
Tellstraat (Willem)	**SG**	6	**J7**N
Tellstraat (Willem)			
Tell (rue Guillaume)	**SG**	6	**J7**N
Temmermanstraat (Albert)	**AS**	21	**E3**
Tempelstraat			
Temple (rue du)	**BR**	8	**I8**N
Tempérance (av.)			
Matigheidslaan	**AND**	42	**I2**
Temple (rue du)			
Tempelstraat	**BR**	8	**I8**N
Temps des Cerises (rue du)			
Kersentijdstraat	**WSP**	39	**H16**
Temselaan	**GRI**	13	**B7**
Temsesteenweg	**GRI**	13	**B7**
Ten Boslaan	**HOE**	76	**P18**
ten Horen (av.-laan)	**UC**	58	**M8**
Ten Trappenstraat	**HOE**	76	**P18**
Tenaertslaan	**MA**	27	**C14-D14**

Nom / Naam	Communes Gemeenten	Plan n° Plattegrond	Repère Plaatsaanduiding
Tenbosch (rue)			
Tenbosstraat	**BR**	47	**J9**
–	**XL**	46	**K8**
Tenbosstraat			
Tenbosch (rue)	**BR**	47	**J9**
–	**XL**	46	**K8**
Tenderie (av. de la)			
Vogelvangstlaan	**WB**	60	**M12**
Teniers (av. David-laan)	**WEM**	11	**C4**
Teniers (ch. David-weg)	**WEM**	11	**C4**
Teniers (rue-str.) = 86	**SCH**	35	**F10**
Teniersdreef	**OV**	65	**N19**
Tennis (av. du-laan) = 142	**WSP**	50	**I15**
Tennis (dr. du-dr.)	**WEM**	11	**B4**
Tennislaan	**DIL**	30	**H1**
Tennislaan	**ZAV**	38	**F14-G14**
Tenreuken	**WB**	61	**L13-L14**
Tentoonstellingslaan			
Exposition (av. de l')	**J**	12	**C5-E5**
Ter Elst (rue-str.)	**BR**	16	**C13**
Ter Eyckenstraat	**ZAV**	38	**G15**
Ter Kamerenboslaan			
Bois de la Cambre (av. du)	**WB**	60	**L11**
–	**XL**	59	**L10-L11**
Ter Kamerenlaan			
Cambre (bd. de la)	**BR**	47	**K9**
–	**XL**	47	**K10**
Ter Kamerenstraat			
Cambre (rue de la)	**WSL**	48	**I12-I13**
–	**WSP**	48	**I12-I13**
ter Meeren (av.-laan)	**WO**	41	**H19**
Ter Merenlaan	**ZAV**	29	**E17**
Ter Molenhoflaan	**AS**	20	**D2**
Ter Plast (rue de)			
Terplaststraat	**BR**	23	**E7**
Ter Wilgen	**ZAV**	27	**E15-F15**
Terarken (rue-str.) = 498	**BR**	7	**H8***S*
Terblokstraat	**OV**	75	**O15**
Tercoigne (av. de-laan)	**WB**	60	**K12-L12**
Terdelt (pl.-pl.)	**SCH**	25	**F10**
Tereycken (av.-laan)	**KR**	39	**G15-G16**
Terhulpsesteenweg			
La Hulpe (chaus. de)	**BR**	59	**M10-M11**
–	**UC**	59	**M9-M11**
–	**WB**	60	**M11-O14**
Terhulpsesteenweg	**HOE**	74	**O14-P14**
Terkamerendalsquare			
Val de la Cambre (sq. du) = 516	**XL**	47	**K10**
Terlinden (rue Félix-str.)	**ETT**	47	**J10**
Termonde (rue de)			
Dendermondestraat	**BER**	21	**F4-F5**
–	**GAN**	21	**F4**
Termoniastraat (Jozef)	**AS**	21	**E3**
Terplaststraat			
Ter Plast (rue de)	**BR**	23	**E7**
Terre-Neuve (rue)			
Nieuwland	**BR**	8	**H7***S*-**I7***N*
Terrestlaan	**OV**	76	**O18-O19**
Terschurendreef	**TER**	65	**L20**
Terspautlosweg	**OV**	77	**P20**
Terspoutland	**OV**	77	**P20**
Terugdrift			
Rembucher (dr. du)	**WB**	73	**N13**
Tervaete (rue de)			
Tervatestraat	**ETT**	48	**J11**
Tervarenthof	**OV**	77	**N19**
Tervatestraat			
Tervaete (rue de)	**ETT**	48	**J11**
Tervueren (av. de)			
Tervurenlaan	**AUD**	50	**K14-K15**
–	**ETT**	48	**I11-I12**
–	**KR**	52	**K17**
–	**WSP**	48	**I12-K16**
Tervueren (chaus. de)			
Tervuursesteenweg	**AUD**	50	**K15**
Tervurenlaan			
Tervueren (av. de)	**AUD**	50	**K14-K15**
–	**ETT**	48	**I11-I12**
–	**KR**	52	**K17**
–	**WSP**	48	**I12-K16**
Tervurenlaan	**TER**	52	**K17-J19**
Tervuursesteenweg			
Tervueren (chaus. de)	**AUD**	50	**K15**
Tervuursesteenweg	**TER**	51	**K15-K17**
Terwenberglaan	**ZAV**	41	**G19**
Tête de Bœufs (imp. de la)			
Ossekopgang (située rue du Marché aux Peaux)	**BR**	4	**H8***S*
Tête d'Or (rue de la)			
Guldenhoofdstraat = 423	**BR**	4	**H8***S*
Texas (rue du-str.)	**FO**	56	**L5**
Thaborstraat	**DIL**	30	**G2**
Thenaertsstraat	**STE**	19	**A17**
Théodor (rue Léon-str.)	**J**	22	**E6**
Theresianenstraat			
Thérésienne (rue)	**BR**	8	**I8***N*
Thérésienne (rue)			
Theresianenstraat	**BR**	8	**I8***N*
Theunis (rue Pierre-str.)	**SCH**	25	**F10**
Theunissen (av. E.-laan)	**LIN**	69	**O6**
Thévenet (av. Louis-laan)	**UC**	58	**M8**
Thibaut (allée-allee) = 548	**SJ**	5	**G9***S*
Thieffry (rue Aviateur)			
Thieffrystraat (Vlieger)	**ETT**	48	**J11**
Thieffrystraat (Vlieger)			
Thieffry (rue Aviateur)	**ETT**	48	**J11**
Thiéfry (rue-str.)	**SCH**	5	**G9-G10**
Thielemans (av. Charles-laan)	**WSP**	49	**I13**
Thiernesse (rue-str.)	**AND**	43	**H4-I4**
Thiriar (av.-laan)	**BR**	22	**C6-D6**
–	**J**	22	**D6**
Thiry (av. Marcel-laan)	**WSL**	37	**G13-G14**
Thirystraat (Frans)	**AS**	20	**D2**
Thomaes (rue-str.)	**J**	22	**E6**
Thomas (av. Philippe-laan)	**SCH**	34	**F8-F9**
Thomson (av.-laan)	**WB**	60	**L11**
Thoreau (rue Robert-str.)	**WSP**	49	**I13**
Thubenstraat	**STE**	18	**A17**
Thujastraat			
Thuyas (rue des) = 534	**WB**	60	**L12**
Thumas (rue Jef-str.)	**KR**	38	**F15**
Thumasplein (Hendrik)	**ZAV**	27	**F15**

Nom / Naam	Communes / Gemeenten	Plan n° / Plattegrond	Repère / Plaatsaanduiding
Thuyas (dr. des-dr.)	**WO**	53	**I17**
Thuyas (rue des)			
Thujastraat = 534	**WB**	60	**L12**
Thuyaslaan	**TER**	64	**L18**
Thym (av. du)			
Tijmlaan	**MSJ**	31	**G4**
Thys (rue Gén.)			
Thysstraat (Gen.)	**XL**	48	**K11**
Thys (rue Louis-str.)	**WSP**	50	**I14**
Thys-Vanham (rue-str.)	**BR**	23	**E7**
Thyssen (av. M.-laan)	**WEM**	12	**A6**
Thysstraat (Gen.)			
Thys (rue Gén.)	**XL**	48	**K11**
Tiberghien (rue-str.)	**SJ**	5	**G9***S*
Tibet (rond-pt.-rond punt)	**WSP**	50	**J15**
Tibout (ch.)			
Tiboutsweg	**EV**	25	**E11**
Tiboutsweg			
Tibout (ch.)	**EV**	25	**E11**
Tiebackx (rue Jean-str.) = 382	**J**	22	**D5**
Tieboutstraat (Jan)	**AS**	21	**E3-E4**
Tielemans (rue-str.)	**BR**	23	**E7**
Tiendagwandlaan			
Dix Arpents (av. des)	**WSL**	38	**G14**
Tiendenschuurdreef			
Grange aux Dîmes (dr.) = 138	**WSL**	50	**I14**
Tiendeschuurveld	**ZAV**	27	**F14-F15**
Tigelles (ch. des)			
Stengeltjesweg = 565	**WSP**	50	**I14**
Tijlozenstraat			
Jonquilles (rue des) = 406	**GAN**	22	**F5**
Tijmlaan			
Thym (av. du)	**MSJ**	31	**G4**
Tillens (carré-blok)	**UC**	57	**L7**
Tilleul (champ du)			
Lindeveld	**J**	22	**D5**
Tilleul (rue du)			
Lindestraat	**EV**	25	**E11-F11**
–	**SCH**	25	**E11-F11**
Tilleuls (allée des)			
Lindendreef	**WEM**	12	**A5**
Tilleuls (av. des)			
Lindenlaan	**UC**	69	**O6-O7**
Tilleuls (clos des)			
Lindenhoekje	**WO**	52	**I17**
Tillmans (rue Maria-str.)	**AND**	43	**I3**
Tilmont (rue-str.)	**J**	22	**E6**
Timmerhoutkaai			
Bois de Construction (quai au) = 447	**BR**	2	**G7***S*
Timmerliedenstraat			
Charpentiers (rue des) = 529	**BR**	6	**I7***S*
Timmermans (rue Gustave-str.)	**AUD**	62	**L14**
Timmermans (rue J.-B.-str.)	**WSL**	37	**H12**
Timmermans (rue Pierre-str.)	**J**	22	**E6**
Timmermans (rue-str.)	**FO**	45	**K7**
Timmermanslaan (Felix)	**HOE**	75	**P17**
Timmermanslaan (Felix)	**MA**	17	**C14-B15**
Timmermanslaan (Felix)	**TER**	52	**J18**
Timmermanslaan (Felix)	**ZAV**	29	**F18**
Timmermansstraat	**GRI**	13	**A6-A7**
Timmermansstraat (Frans)	**SPL**	54	**N2-N3**
Timmermanstraat (Frans)	**AS**	20	**D2**
Timon (rue du)			
Disselstraat	**BR**	24	**E8**
Tinel (rue Edgar-str.)	**AND**	43	**J4**
Tinklaan			
Tanche (av. de la)	**AUD**	60	**K12-L12**
Tintorettostraat			
Le Tintoret (rue) = 102	**BR**	35	**H10-H11**
Tir (rue du)			
Schietbaanstraat	**SG**	6	**J7***N*
Tir aux Pigeons			
Duivenschieting	**WSP**	51	**J16-K16**
Tircher (pl. Max-pl.)	**J**	22	**D6**
Tisserands (rue des)			
Weversstraat	**K**	33	**G6**
Titeca (rue Louis-str.)	**WSP**	49	**I13-I14**
Titiaanstraat			
Le Titien (rue)	**BR**	35	**H10**
Titz (rue Louis-str.)	**ETT**	48	**I11**
Tivoli (rue du-str.)	**BR**	23	**F8**
Tocsin (rue du)			
Stormklokstraat = 101	**BR**	35	**H10**
Toegangsweg			
Accès (ch. d')	**FO**	56	**L5**
Toekomststraat			
Avenir (rue de l')	**KR**	39	**H16**
Toekomststraat	**MA**	17	**B14**
Toekomststraat			
Avenir (rue de l')	**MSJ**	2	**G7***S*
Toekomststraat	**ZAV**	18	**C16**
Toeristenlaan			
Touristes (av. des)	**WSP**	50	**I15**
Toeristenstraat			
Touristes (rue des)	**WB**	60	**L11-L12**
Toinon (sq.-sq.) = 568	**FO**	56	**L5-M5**
Toison d'Or (av. de la)			
Gulden Vlieslaan	**BR**	8	**I8***S*
–	**SG**	8	**I8***S*
–	**XL**	8	**I8***S*
Toison d'Or (gal. de la)			
Gulden-Vliesgalerij	**XL**	8	**I8***S*
Tollaan			
Péage (av. du)	**WSL**	37	**G13**
Tollaan	**ZAV**	37	**G13-G14**
Tollenaere (rue Edmond-str.)	**BR**	23	**E7**
Tolstoï (av.-laan)	**AND**	43	**I3**
Tomberg	**WSL**	37	**H13-I13**
Tomberg	**ZAV**	29	**E17**
Tomberg (pl. du-pl.)	**WSL**	37	**H13**
Tomberglaan	**ZAV**	29	**E17**
Tombeur (rue Gén.)			
Tombeurstraat (Gen.)	**ETT**	48	**I11**
Tombeurstraat (Gen.)			
Tombeur (rue Gén.)	**ETT**	48	**I11**
Tombu (av. Léon-laan)	**WSL**	49	**I12**
Tongerenstraat			
Tongres (rue des)	**ETT**	48	**I11**
Tongres (rue des)			
Tongerenstraat	**ETT**	48	**I11**

Nom / Naam	Communes / Gemeenten	Plan n° / Plattegrond	Repère / Plaatsaanduiding
Tonneliers (rue des)			
Kuipersstraat = 528	**BR**	6	**I7**S
Tonnet (clos Fernand-gaarde)	**J**	22	**C5-D5**
Topaaslaan	**OV**	77	**N19-O19**
Topaaslaan			
Topaze (av. de la)	**SCH**	36	**G11**
Topaze (av. de la)			
Topaaslaan	**SCH**	36	**G11**
Topweg (mail du-malie van de)	**J**	23	**F6**
Torekenslaan			
Tourelles (av. des)	**WO**	52	**I17**
Torekenstraat			
Tourelle (rue de la)	**ETT**	47	**I10**
Torendreef	**TER**	53	**K20**
Torentjeslaan			
Tourelles (av. des)	**WEM**	12	**A5-B5**
Tornooiveld (av. du-laan) = 66	**EV**	36	**G12**
Tortelduivenlaan			
Tourterelles (av. des)	**KR**	51	**I17-J17**
Tortelduivenlaan			
Tourterelles (av. des)	**WSP**	49	**J12-J13**
Toulouse (rue de-str.)	**BR**	47	**I9-I10**
Tour Japonaise (rue de la)			
Japanse Torenstraat	**BR**	14	**C9**
Touraine (dr. de-dr.)	**UC**	57	**L6**
Tourelle (rue de la)			
Torekenstraat	**ETT**	47	**I10**
Tourelles (av. des)			
Torekenslaan	**WO**	52	**I17**
Tourelles (av. des)			
Torentjeslaan	**WEM**	12	**A5-B5**
Touristes (av. des)			
Toeristenlaan	**WSP**	50	**I15**
Touristes (rue des)			
Toeristenstraat	**WB**	60	**L11-L12**
Tournai (rue de)			
Doornikstraat	**BR**	6	**H7**S
Tournesols (rue des)			
Zonnebloemenstraat	**AND**	32	**H4**
Tournoi (rue du)			
Steekspelstraat	**FO**	45	**K6-K7**
Tourterelles (av. des)			
Tortelduivenlaan	**KR**	51	**I17-J17**
Tourterelles (av. des)			
Tortelduivenlaan	**WSP**	49	**J12-J13**
Toussaint (rue Eugène-str.)	**GAN**	22	**E5**
–	**J**	22	**E5-E6**
Toussaint (rue Fritz-str.)	**XL**	47	**J10-K10**
Toutes les Couleurs (av. de)	**WSL**	50	**I14**
Toverfluitstraat			
Flûte Enchantée (rue de la)	**MSJ**	31	**H4**
Toxandriërsstraat			
Taxandres (rue des)	**ETT**	48	**I11**
Tram (av. du-laan)	**KR**	27	**F15**
Tramlaan	**ZAV**	40	**G17-F18**
Tramontane			
(clos de la-gaarde)	**WSL**	38	**H14**
Tramstraat	**GRI**	13	**A8**
Tramstraat	**ZAV**	38	**F15**
Tranquillité (rue de la)			
Gerustheidsstraat	**AND**	43	**K4**
Transvaal (rue du-str.)	**AND**	44	**I5-I6**

Nom / Naam Communes Gemeenten Plan n° Plattegrond Repère Plaatsaanduiding

Nom / Naam	Communes / Gemeenten	Plan n° / Plattegrond	Repère / Plaatsaanduiding
Trapgansstraat			
Outarde (rue de l') = 25	**WB**	61	**L13**
Trapstraat			
Escalier (rue de l')	**BR**	7	**H8**S
Traquets (av. des)			
Zwartkeeltjeslaan	**AUD**	49	**K12**
–	**WSP**	49	**J13-K13**
Traqueurs (ch. des)			
Drijversweg	**BR**	59	**L9**
Trassersweg	**BR**	15	**B10-B11**
–	**VIL**	15	**B10**
Travail (pass. du)			
Arbeidsdoorgang	**BR**	6	**I7**N
Travail (rue du)			
Arbeidsstraat = 251	**BR**	34	**F8**
Traverse (ch. de la)			
Binnenweg	**BR**	16	**C13**
Traversière (rue)			
Dwarsstraat	**SJ**	5	**G9**S
Trèfle (clos du)			
Klavergaarde	**AUD**	49	**K13**
Trèfles (rue des)			
Klaverstraat	**AND**	43	**K3**
Treft	**GRI**	13	**B7**
Treille (rue de la)			
Wijnstokstraat	**XL**	60	**L11**
Trekkersstraat (Julien)	**ZAV**	27	**F15**
Trembles (av. des)			
Abelenlaan	**BR**	23	**C8-D8**
Trembles (av. des)			
Trilpopulierenlaan	**KR**	52	**I17**
–	**WO**	52	**I17**
Trésignies (rue Caporal)			
Trésigniesstraat			
(Korporaal)	**FO**	56	**L5**
Trésigniesstraat			
(Korporaal)			
Trésignies (rue Caporal)	**FO**	56	**L5**
Treurenberg = 459	**BR**	5	**H8**S
Treurwilgenlaan	**OV**	64	**N17**
Trèves (rue de)			
Trierstraat	**BR**	9	**H9**S**-I9**N
–	**XL**	9	**I9**N
Trevierenstraat			
Trévires (rue des)	**ETT**	48	**I12**
Trévires (rue des)			
Trevierenstraat	**ETT**	48	**I12**
Triage (rue du)			
Hakbosstraat	**WB**	61	**N13**
Triangle (pl. du)			
Driehoekplein	**MSJ**	2	**H6**N
Tribune			
(rue de la-str.) = 461	**BR**	5	**H9**N
Trierstraat			
Trèves (rue de)	**BR**	9	**H9**S**-I9**N
–	**XL**	9	**I9**N
Trigonelles (clos des)			
Hoornklaversgaarde	**BR**	15	**C10**
Trilpopulierenlaan			
Trembles (av. des)	**KR**	52	**I17**
–	**WO**	52	**I17**
Trilpopulierenlaan	**OV**	76	**N17**

Nom / Naam	Communes / Gemeenten	Plan n° / Plattegrond	Repère / Plaatsaanduiding
Trinité (parvis de la)			
Drievuldigheidsvoorplein	**SG**	46	**J8**
–	**XL**	46	**J8**
Triomflaan			
Triomphe (bd. du)	**AUD**	48	**J11-K11**
–	**XL**	48	**J11-K11**
Triomphe (bd. du)			
Triomflaan	**AUD**	48	**J11-K11**
–	**XL**	48	**J11-K11**
Tritomas (rue des)			
Tritomastraat	**WB**	61	**L12-L13**
Tritomastraat			
Tritomas (rue des)	**WB**	61	**L12-L13**
Tritons (av. des)			
Zeegodenlaan	**WB**	61	**L12**
Troënes (av. des)			
Ligusterslaan	**KR**	51	**I16-I17**
Troglodyte (rue du)			
Holbewonerstraat = 21	**WB**	61	**L13**
Trois Arbres (rue des)			
Drie Bomenstraat	**UC**	57	**M6**
Trois Bonniers (ch. des)			
Driebunderweg	**WO**	52	**I18**
Trois Couleurs (ch. des)			
Driekleurenweg	**AUD**	50	**K14-K15**
Trois Couleurs (clos des)			
Drie Kleurengaarde = 141	**WSP**	50	**I15**
Trois Fontaines (ch. des)			
Drijbronnenweg	**AUD**	62	**M14-L15**
Trois Fontaines (rue)			
Drie Fonteinenstraat	**DRO**	55	**L4**
Trois Perdrix (rue des)			
Driepatrijzenstraat	**WO**	52	**I18**
Trois Pertuis (rue des)			
Driegatenstraat	**BR**	25	**C11-D11**
Trois Ponts (rue des)			
Driebruggenstraat	**AUD**	48	**K12**
Trois Rois (rue des)			
Drie Koningenstraat	**DRO**	68	**N5**
–	**UC**	68	**N5-O6**
Trois Tilleuls (rue des)			
Drie Lindenstraat	**WB**	61	**M12**
Trône (pl. du)			
Troonplein	**BR**	9	**I9N**
Trône (rue du)			
Troonstraat	**BR**	9	**I9N**
–	**XL**	9	**I9N-I9S**
Troonplein			
Trône (pl. du)	**BR**	9	**I9N**
Troonsafstandsstraat			
Abdication (rue de l')	**BR**	35	**H10**
Troonstraat			
Trône (rue du)	**BR**	9	**I9N**
–	**XL**	9	**I9N-I9S**
Trooststraat			
Consolation (rue de la)	**SCH**	5	**G9-G10**
Tropeestraat			
Trophée (rue du)	**AND**	43	**I4**
Trophée (rue du)			
Tropeestraat	**AND**	43	**I4**
Tropiques (av. des)			
Keerkringenlaan	**FO**	45	**K6**
Trosdreef			
Grappe (dr. de la)	**FO**	57	**L6**
Trotteurs (clos des)			
Dravershoekje	**WO**	40	**G18**
Troubadours (av. des)			
Minnezangerslaan = 396	**GAN**	22	**E5**
Troucheaustraat (J.B.)	**SPL**	66	**N1-N2**
Truite (ch. de la)			
Forelweg	**UC**	56	**N5**
Tubéreuses (rue des)			
Tuberozenstraat = 6	**WB**	61	**L13**
Tuberozenstraat			
Tubéreuses (rue des) = 6	**WB**	61	**L13**
Tuinbouw	**EV**	36	**F12**
Tuinbouwersstraat			
Horticulteurs (rue des)	**BR**	23	**E7-D8**
Tuinbouwlaan	**DIL**	42	**I2**
Tuinbouwstraat			
Jardinage (rue du)	**BER**	31	**G4**
Tuindelle	**OV**	77	**O19-O20**
Tuintjeslaan			
Jardinets (av. des)	**WB**	60	**L11**
Tuinwijk de Heuve	**MA**	17	**A15**
Tuinwijk Zuun	**SPL**	66	**O2**
Tuinwijkplein			
Cité Jardin (rond-pt.)	**J**	22	**D6**
Tuinwijkstraat	**ZAV**	28	**C16-D16**
Tulipe (rue de la)			
Tulpstraat	**XL**	9	**I9S**
Tulipes (rue des)			
Tulpenstraat	**KR**	39	**H16**
Tulipier (rue du)			
Tulpeboomstraat	**FO**	45	**K6**
Tulpeboomstraat			
Tulipier (rue du)	**FO**	45	**K6**
Tulpenlaan	**DIL**	30	**G1**
Tulpenlaan	**GRI**	14	**B9**
Tulpenlaan	**OV**	64	**M18**
Tulpenstraat	**BE**	68	**P5**
Tulpenstraat			
Tulipes (rue des)	**KR**	39	**H16**
Tulpenstraat	**SPL**	54	**M2**
Tulpstraat			
Tulipe (rue de la)	**XL**	9	**I9S**
Tumuli (ch. des-weg)	**UC**	60	**N11**
–	**WB**	72	**N11-O13**
Tumuli (dr. des-dr.)	**WB**	60	**M11-M12**
Tumuliweg	**HOE**	73	**O13-P14**
Turcksinstraat	**MA**	17	**A14-A15**
Turkooispad			
Turquoise (sent. de la) = 604	**BR**	12	**C6**
Turkooissquare			
Turquoise (sq. de la) = 603	**BR**	12	**C6**
Turquoise (sent. de la)			
Turkooispad = 604	**BR**	12	**C6**
Turquoise (sq. de la)			
Turkooissquare = 603	**BR**	12	**C6**
Twaalfapostelenstraat			
Douze Apôtres (rue des)	**BR**	4	**H8S**
Twee Barrelendreef	**TER**	63	**L16-L17**

Nom / Naam — Communes Gemeenten — Plan n° Plattegrond — Repère Plaatsaanduiding

Twee Bergenlaan
Deux Montagnes (av. des) . **WB** 61 **N12**
Twee Bergenweg
Deux Montagnes (ch. des) . . **UC** 60 **O10-N11**
– . . . . **WB** 72 **N11-N12**
Twee Huizenstraat
Deux Maisons (rue des) . . . . **EV** 37 **G12-G13**
Twee Leeuwenweg . . . . **VIL** 15 **A11**
Twee Torensstraat
Deux-Tours (rue des). . . . . **SJ** 35 **H10**
Tweebruggenstraat
Deux Ponts (rue des) . . . . **XL** 47 **J10**
Tweede Koninginstraat
Seconde Reine
(rue de la) = 275 . . . . **UC** 57 **L7**
Tweede Lansiers
Regimentlaan
Deuxième Régiment
de Lanciers (av. du) . . . . **ETT** 48 **J11**
Tweedekkerstraat
Biplan (rue du) = 118. . . . . . **BR** 26 **E12**
– . . . . **EV** 26 **E12**
Tweedorenkesgaarde
Deux-Aubépines
(clos des). . . . . **BR** 14 **C10**

Tweehuizenweg
Deux Maisons
(ch. des). . . . . **WSL** 37 **G13-H13**
Tweekerkenstraat
Deux Églises (rue des) . . . . . **BR** 5 **H9**S
– . . . . **SJ** 5 **H9**N
Tweekloostersdreef
Deux Moutiers (dr. des). . . **AUD** 50 **K14**
Tweelindengaarde
Deux Tilleuls (clos des) . . . . . **BR** 14 **C10**
Tweelindenlaan
Deux Tilleuls
(av. des) = 134. . . . . **WSL** 48 **I12**
Tweelingenlaan
Gémeaux
(av. des) = 80. . . . . **WSL** 37 **H12-H13**
Tweestationsstraat
Deux Gares (rue des) . . . . **AND** 45 **J6**
Tweesteenwegenstraat
Deux Chaussées
(rue des). . . . . **AUD** 50 **K14**
Tweewilgengaarde
Deux Saules (clos des) . . . . . **BR** 14 **C10**
Twyeninck (rue-str.) . . . . **BR** 16 **C13**
Tytgat (av. Edgar-laan). . . . . . **WSL** 49 **I13**

U

Uccle (av. d')
Ukkelse Laan . . . . **FO** 57 **L6**
Uccle (chaus. d')
Ukkelsesteenweg . . . . **LIN** 69 **O6**
Ugeux
(rue Georges-str.) = 305. . . . **UC** 69 **N6**
Uilenspiegeldreef (Tijl)
Ulenspiegel (dr. Tyl). . . . . . **AND** 42 **J2**
Uilenstraat
Hiboux (rue des) . . . . **WSP** 39 **H16-I16**
Uitbreidingsstraat
Expansion
(rue de l') = 214 . . . . **AND** 44 **I4**
Uitbreidingstraat . . . . **AS** 20 **E2-E3**
Uitstaplaan
Excursion (av. de l') . . . . . . **WSL** 38 **H15**
Ukkel (stwg. op). . . . . **BE** 68 **P5-O6**
Ukkelse Laan
Uccle (av. d'). . . . . **FO** 57 **L6**
Ukkelsesteenweg
Uccle (chaus. d'). . . . . **LIN** 69 **O6**
Ulens (rue-str.) . . . . **MSJ** 33 **F7-G7**
Ulenspiegel (dr. Tyl)
Uilenspiegeldreef (Tijl). . . . **AND** 42 **J2**
Ulysse (av.-laan). . . . . **FO** 57 **L6**

Une Personne (rue d')
Eenmansstraatje = 505 . . . . **BR** 4 **H8**S
Uniestraat
Union (rue de l'). . . . . **SJ** 5 **G9**S-**H9**N
Union (rue de l')
Uniestraat . . . . **SJ** 5 **G9**S-**H9**N
Université (av. de l')
Hogeschoollaan . . . . **XL** 59 **K10**
Urbanisme (rue de l')
Stedebouwstraat . . . . **GAN** 22 **F5**
Ursulinenstraat
Ursulines (rue des). . . . . **BR** 8 **I7**N-**I8**N
Ursulines (rue des)
Ursulinenstraat . . . . **BR** 8 **I7**N-**I8**N
Uruguay (av. de l'-laan) . . . . . . **BR** 60 **M11**
Usines (quai des)
Werkhuizenkaai . . . . **BR** 24 **E8-E9**
Utrillo
(rue Maurice-str.) . . . . **EV** 26 **E12**
Uurplaatstraat
Cadran (rue du) . . . . **SJ** 5 **G9**S
Uwenberg . . . . **BE** 68 **P4**
Uytroever (rue Melchior-
Louis-str.) = 49 . . . . **K** 32 **F5**
Uyttenhove (rue-str.) . . . . **J** 23 **F7**

V

Nom / Naam	Communes / Gemeenten	Plan n° / Plattegrond	Repère / Plaatsaanduiding
van der Goes (av. Hugo-laan)	**AUD**	62	**L14**
Van der Meerschen (av.-laan)	**WSP**	51	**J15-J16**
Van Der Nootstraat	**GRI**	13	**B8**
van der Stappenstraat (R.)	**MA**	17	**A14**
van der Weyden (rue Roger) *van der Weydenstraat (Rogier)*	**BR**	6	**I7***N*
van der Weydenstraat (Rogier) *van der Weyden (rue Roger)*	**BR**	6	**I7***N*
Van Dijcklaan	**ZAV**	28	**D17**
Van Dormael (rue-str.)	**LIN**	69	**P6**
Van Driessche (rue Emmanuel-str.)	**XL**	46	**K8**
van Droogenbroeck (rue-str.)	**SCH**	25	**E10**
Van Dyck (rue Romanie-str.)	**AND**	31	**H4**
van Dyck (rue-str.)	**SCH**	5	**G9***S*
Van Eepoel (rue Hubert-str.) = 393	**J**	22	**E5-E6**
van Elderen (av. François-Élie-laan)	**AUD**	62	**L14**
Van Elewijck (rue E.-str.)	**WEM**	12	**B5**
Van Elewijckstraat (Jozef)	**GRI**	13	**B8-C8**
Van Elewyck (rue-str.)	**XL**	9	**J9***N*
Van Engeland (av.-laan)	**J**	22	**D6**
Van Ermengem (av. Emile-laan)	**BR**	22	**C6-D6**
–	**J**	12	**C6**
Van Eyck (av.-laan)	**WEM**	11	**C4**
Van Eyck (rue-str.)	**BR**	47	**K9**
–	**XL**	47	**K9**
Van Gamerenlaan (Bisschop)	**ZAV**	29	**E17**
van Gaver (rue-str.)	**BR**	4	**G8***S*
Van Gehuchten (pl. Arthur-pl.)	**BR**	23	**D6**
–	**J**	22	**D6**
van Gele (rue Colonel) *van Gelestraat (Kolonel)*	**ETT**	47	**I10-I11**
van Gelestraat (Kolonel) *van Gele (rue Colonel)*	**ETT**	47	**I10-I11**
Van Genegen (av. Joseph-laan)	**WSP**	50	**I15-J15**
van Gogh (av. Vincent-laan)	**EV**	26	**E12-F12**
Van Goidtsnoven (av. Oscar-laan)	**FO**	45	**K7**
–	**UC**	45	**K7**
Van Goolen (av. J.-G.-laan)	**WSL**	49	**I13**
Van Gorp (av. Louis-laan)	**WSP**	50	**J15**
Van Gulick (rue-str.)	**BR**	24	**E8**
Van Haelen (bd. Guillaume-laan)	**FO**	45	**J6-K6**
Van Ham (imp.-gang) = 555.	**MSJ**	2	**G7***S*
van Hamme (rue Baron Guillaume-str.) = 302	**UC**	56	**M6**
van Hamme (rue Henri-str.)	**EV**	25	**E11**
van Hammée (rue-str.)	**SCH**	35	**G10**
Van Hasselt (rue André-str.)	**SCH**	35	**G10**
–	**SJ**	35	**G10**
van Helmont (rue-str.)	**BR**	8	**H7***S*
Van Hemelryck (av. Maurice-laan)	**MSJ**	31	**G4-H4**
Van Hemelryck (rue Thomas-str.) = 576	**MSJ**	33	**G6**
Van Heylenstraat	**STE**	18	**A17**
Van Hoegaerde (pl.-pl.)	**K**	2	**G6**
–	**MSJ**	2	**G6***N*
Van Hoegaerde (rue-str.)	**K**	2	**G6***N*
–	**MSJ**	2	**G6***N*
van Hoorde (rue Hubert-str.)	**EV**	25	**E11**
van Hoorde (rue-str.)	**SCH**	35	**G10**
van Horenbeeck (av. Jean-laan)	**AUD**	62	**L14**
van Hornelaan (Prinsen)	**OV**	77	**O19**
Van Houtstraat	**MA**	27	**D14**
Van Hove (rue Joseph) *Van Hovestraat (Jozef)*	**KR**	38	**F15-G15**
van Hove (rue-str.)	**SCH**	35	**G10**
Van Hovestraat (Jozef)	**ZAV**	38	**F15**
Van Hovestraat (Jozef) *Van Hove (rue Joseph)*	**KR**	38	**F15-G15**
Van Humbeek (rue Pierre-str.)	**MSJ**	32	**H6**
Van Huynegem (rue Gustave-str.) = 390	**J**	22	**E6**
Van Kalck (rue-str.)	**MSJ**	32	**G5**
Van Kalken (av. Frans-laan)	**AND**	43	**J4**
Van Kerm (av.-laan)	**WB**	73	**N12-N13**
Van Kerm (dr.-dr.)	**UC**	72	**O12-P12**
–	**WB**	72	**O12-O13**
Van Laer (av. Marc Henri-laan)	**AND**	43	**K3-K4**
van Laethem (rue Guillaume-str.)	**EV**	37	**G12**
van Leeuw (av. Guillaume-laan)	**EV**	26	**E12**
van Lerberghe (rue Charles-str.)	**SCH**	25	**E10-E11**
Van Lier (rue Martin-str.)	**AND**	43	**I4**
Van Lierde (rue Jean-str.)	**AND**	31	**H4**
Van Lint (rue-str.)	**AND**	33	**I6**
Van Lishout (rue J.-str.)	**LIN**	69	**O6-P6**
Van Lorreinenlaan (Karel)	**TER**	52	**J18**
Van Maerlant (rue-str.)	**BR**	47	**I10**
Van Malder (rue-str.)	**MSJ**	33	**G6-H6**
Van Malderenstraat (Cesar)	**AS**	20	**D2**
Van Malderlaan (Victor)	**DIL**	30	**G1-H1**
Van Male de Ghorain (rue-str.)	**MSJ**	2	**G6***S***-G7***S*
Van Meenen (pl. Maurice-pl.)	**SG**	45	**J7**
Van Meulecom (rue François-str.)	**MSJ**	32	**G5**
van Meyel (pl.-pl.)	**ETT**	47	**I10**
Van Meyel (rue-str.)	**MSJ**	33	**F7-G7**
van Moer (rue-str.)	**BR**	8	**I8***N*
van Molderstraat (Fr.)	**MA**	17	**A14**
Van Muylders (av. Échevin) *Van Muylderslaan (Schepen)*	**WSL**	49	**I13**
Van Muylders (rue Édouard-str.) = 197	**AND**	42	**I2-I3**
Van Muylderslaan (Schepen) *Van Muylders (av. Échevin)*	**WSL**	49	**I13**
van Nérom (av. Guillaume-laan)	**AUD**	61	**L13-L14**

Nom / Naam	Communes / Gemeenten	Plan n° / Plattegrond	Repère / Plaatsaanduiding
Van Nerom (rue Henri-str.)	**EV**	25	**E11**
Van Nieuwenborgh (rue Michel-str.) = 189	**BER**	31	**G3**
van Nieuwenhuyse (av. Edmond-laan)	**AUD**	61	**K13-L13**
van Obberghen (rue Pierre-str.)	**EV**	25	**E11**
Van Obberghenstraat (J.)	**MA**	17	**A14**
van Oost (rue-str.)	**SCH**	24	**F9**
Van Ophem (rue Égide-str.)	**UC**	57	**M6-N6**
Van Ophemlaan (Drossaard)	**ZAV**	29	**E17**
van Orley (rue-str.)	**BR**	5	**H9**N
Van Oss (av. Antoon-laan)	**BR**	15	**B11-B12**
van Ostade (rue-str.)	**BR**	36	**H11**
Van Overbeke (av.-laan)	**GAN**	22	**E4-F5**
Van Overstraeten (rue Émile-str.) = 190	**BER**	31	**G3**
Van Paepeghemstraat (Victor)	**SPL**	55	**M3**
Van Pagé (rue Jean-Baptiste-str.)	**GAN**	22	**E5-F5**
Van Parijslaan	**ZAV**	29	**E17**
Van Pé (av. Théo-laan)	**AUD**	61	**L13**
van Perck (rue Willebrord-str.)	**EV**	25	**E11**
Van Praag (av. Maxime-laan)	**UC**	57	**L7**
Van Praet (av. Jules-laan)	**BR**	24	**C8-D9**
Van Praet (pont-brug)	**BR**	24	**E9**
Van Praet (rue Jules-str.)	**BR**	3	**H7**N
Van Reymenant (rue Pierre-str.)	**AND**	42	**I2**
Van Rolleghem (rue Maurice-str.)	**J**	22	**C6-D6**
Van Ruusbroeck (rue Jan-str.)	**EV**	25	**F11**
Van Ruusbroeck-Brug (Jan)	**BE**	67	**P4**
Van Ruusbroecklaan (Jan)	**TER**	52	**J18**
Van Schoor (rue-str.)	**SCH**	24	**F9**
Van Sever (av.-laan)	**WO**	40	**H18**
van Simaey (sq. Louis)	**AUD**	61	**L13**
Van Soust (rue-str.)	**AND**	31	**H3-H5**
–	**MSJ**	31	**H3**
Van Souststraat	**DIL**	31	**H3**
van Spanjestraat (Kon.)	**SPL**	66	**N2**
Van Swae (rue-str.)	**J**	23	**E7**
van Vollenhoven (av. Ambassadeur) *van Vollenhovenlaan (Gezant)*	**SCH**	35	**F10**
van Vollenhovenlaan (Gezant) *van Vollenhoven (av. Ambassadeur)*	**SCH**	35	**F10**
Van Volsem (rue Jean-str.)	**XL**	9	**J9**N
van Volxem (av.-laan)	**FO**	45	**J6-K6**
van Waeyenbergh (dr. Recteur) *van Waeyenberghdreef (Rector)*	**SCH**	35	**F10-F11**
van Waeyenbergh (rue-str.) = 117	**EV**	25	**E11-E12**
van Waeyenberghdreef (Rector) *van Waeyenbergh (dr. Recteur)*	**SCH**	35	**F10-F11**
Van Wambeke (rue-str.)	**AND**	31	**H4**
–	**MSJ**	31	**H4**
Van Wayenberghstraat = 319	**GRI**	13	**B8**
Van Winghen (rue-str.) = 329	**AND**	43	**K4**
Van Ysendyck (rue-str.)	**SCH**	24	**F10**
Van Zande (rue Auguste-str.)	**BER**	32	**F4-G4**
–	**MSJ**	32	**F4-G4**
Van Zuylen (rue Henri-str.)	**UC**	57	**M7**
Vandammestraat	**HOE**	74	**P15**
Vande Maele (rue Alphonse-str.) = 112	**EV**	25	**E11**
Vande Sande (rue Félix-str.) = 247	**K**	33	**G6**
Vande Sande (sq. Félix-sq.)	**K**	33	**G6**
Vande Veldelaan (Henry)	**TER**	53	**J19**
Vande Woesteyne (rue Léon-str.)	**AUD**	62	**L14**
Vande Woestijne (rue Karel-str.)	**AND**	43	**I3-I4**
Vandeleene (av. Jules-laan)	**AUD**	48	**K12**
Vandeloockstraat (Camille)	**SPL**	55	**L3**
Vanden Berghe (rue Gustaaf-str.)	**AND**	43	**I4**
Vanden Berghestraat = 180	**MA**	17	**A14**
Vanden Bossche (rue Alphonse-str.)	**EV**	25	**E11-F11**
Vanden Broeck (rue J.-str.)	**WEM**	12	**B4-B5**
Vanden Corput (rue-str.)	**FO**	45	**K7**
Vanden Driesschestraat (Victor)	**AS**	20	**D1**
Vanden Eedenstraat (H.)	**DIL**	20	**E1-E2**
Vanden Elschenstraat	**SPL**	67	**N3**
Vanden Thoren (av. Paul-laan)	**AUD**	62	**L14-M14**
Vandenboogaerde (rue-str.)	**MSJ**	33	**F7-G7**
Vandenboschstraat (Alfons)	**SPL**	67	**N4**
Vandenbranden (rue-str.)	**BR**	2	**H7**N
Vandenbroeck (rue-str.)	**XL**	47	**I9-I10**
Vandenbroeckstraat (E.)	**HOE**	75	**P17**
Vandenbussche (rue-str.)	**SCH**	35	**G10**
Vandendriesch (rue Jean-Baptiste-str.) = 191	**BER**	31	**G3**
Vandendriessche (av. Roger-laan)	**WSP**	49	**I12-J12**
Vandenhoven (rue Laurent-str.)	**EV**	25	**D12-E12**
Vandenhoven (rue-str.)	**WSL**	50	**I14**
–	**WSP**	50	**I14**
Vandenpeereboom (rue Alphonse-str.)	**MSJ**	33	**G6-H6**
Vandenputstraat (W.)	**HOE**	75	**P16**
Vandenschriek (rue Adolphe-str.)	**J**	22	**E6**
Vandensteenstraat	**MA**	27	**D14**
Vander Aa (rue Ernest-str.) = 349	**BR**	23	**E7**
Vander Aastraat	**MA**	27	**C14-D14**
Vander Biest (av. Pierre-laan)	**WSP**	39	**H16**
Vander Biest (clos-gaarde)	**WSP**	39	**H16**
Vander Bruggen (av. Raymond-laan)	**AND**	44	**I5**
Vander Bruggen (sq. Émile-sq.) = 253	**AND**	44	**I5**
Vander Elst (rue François) *Vander Elststraat (Frans)*	**KR**	51	**I16**
–	**WSP**	51	**I16**

Nom / Naam	Gemeenten Communes	Plattegrond Plan n°	Plaatsaanduiding Repère
Vander Elst (rue Philippe) *Vander Elststraat (Filip)*	**BR**	15	**C10**
Vander Elst (rue-str.)	**BR**	4	**G8***S***-H8***N*
Vander Elst (rue Théophile-str.)	**WB**	60	**L12**
Vander Elststraat (Filip) *Vander Elst (rue Philippe)*	**BR**	15	**C10**
Vander Elststraat (Frans) *Vander Elst (rue François)*	**KR**	51	**I16**
–	**WSP**	51	**I16**
Vander Meeren (av. Ct.) *Vander Meerenlaan (Kt.)*	**AND**	31	**H4**
Vander Meerenlaan (Kt.) *Vander Meeren (av. Ct.)*	**AND**	31	**H4**
Vander Noot (rue Baron Roger-str.)	**UC**	58	**N8**
Vander Swaelmen (av. Louis-laan)	**WB**	61	**L12-L13**
Vander Veken (rue J.-str.)	**WEM**	12	**B5-B6**
Vander Zijpen (rue Ludovricus-str.)	**WEM**	12	**B5**
Vanderachterstraat	**TER**	53	**K19**
Vanderaey (av.-laan)	**UC**	57	**M7**
Vanderborght (dr. Joseph-dr.)	**AUD**	62	**L14**
Vanderborght (rue-str.)	**J**	22	**F6**
–	**K**	33	**F6**
Vanderborghtstraat	**STE**	19	**A17**
Vandercammen (rue Jean-Baptiste-str.)	**AUD**	62	**M14**
Vanderdussen (rue-str.)	**MSJ**	33	**G6**
Vandereyckenlaan (Pastoor)	**ZAV**	29	**F18**
Vandergoten (rue Antoine-str.)	**AUD**	49	**K13**
Vanderhaegen (rue-str.)	**BR**	6	**I7***N*
Vanderheydenweg	**HOE**	73	**P13-P14**
Vanderhoeft (rue Victor-str.)	**SCH**	36	**F11**
Vanderhoeven (rue-str.) = 99	**SJ**	35	**H10**
Vanderkindere (pl. Léon-pl.)	**UC**	58	**K7**
Vanderkindere (rue Albert-str.)	**MSJ**	33	**H6**
Vanderkindere (rue-str.)	**UC**	57	**K7-K9**
Vanderlinden (rue Joseph-str.)	**UC**	59	**M9**
Vanderlinden (rue-str.)	**SCH**	24	**F9**
Vandermaelen (av. Vincent-laan)	**J**	22	**C6**
Vandermaelen (rue Henri-str.)	**WSP**	51	**I16**
Vandermaelen (rue-str.)	**MSJ**	2	**G7***S*
Vandermeeren (rue-str.)	**MSJ**	32	**H6**
Vandermeersch (rue-str.)	**SCH**	35	**F9**
Vandermeulen (rue-str.) = 465	**BR**	5	**H9***N*
Vandermottenlaan (Irma)	**OV**	64	**N18**
Vandernoot (rue-str.)	**MSJ**	33	**F6-F7**
Vanderperren (rue-str.) = 385	**J**	23	**F6**
Vandersaenen (rue Henri-str.) = 294	**AUD**	61	**K12**
Vandersandestraat (Pastoor)	**TER**	53	**K19-K20**
Vanderschrick (rue-str.)	**SG**	6	**J7***N*
Vandersmissen (av. Joseph-laan)	**ETT**	48	**J12**
–	**WSP**	48	**J12**
Vanderstappen (rue Charles-str.)	**SCH**	25	**F11**
Vandersteenenstraat (Emile)	**SPL**	66	**O2**
Vanderstichelen (rue-str.)	**MSJ**	33	**F7-G7**
Vanderstraeten (rue-str.)	**MSJ**	33	**H6**
Vanderstraetenstraat (Jan)	**SPL**	54	**N2-M3**
Vandervaerenstraat (Désiré) = 231	**HOE**	75	**P17**
Vandervaerenstraat (Edmond)	**HOE**	75	**O16-P16**
Vanderveken (rue-str.)	**GAN**	21	**E4**
Vandervekenstraat	**MA**	27	**D14**
Vandervelde (av. Émile-laan)	**WSL**	38	**H14-H15**
Vandervelde (pl. Émile-pl.)	**BR**	8	**I8***N*
Vandervelde (rue Lambert-str.)	**WB**	60	**L11**
Vandervelde (sq. Émile-sq.)	**AND**	44	**I5**
Vandervleet (rue Jacques-str.)	**J**	23	**E6-F7**
Vanderweydendreef = 243	**OV**	77	**N19-N20**
Vandeuren (rue Jean-str.) = 510	**XL**	59	**L10-L11**
Vandevelde (rue Franciscus-str.)	**AUD**	62	**L14**
Vandevelde (rue Richard-str.)	**SCH**	25	**E10-F11**
Vandevoorde (rue Pierre-str.)	**AND**	43	**I4**
Vandeweyer (rue-str.)	**SCH**	35	**F9**
Vandijckdreef	**OV**	77	**N19**
Vandromme (av.-laan)	**AUD**	49	**K12**
Vaneukem (av. Camille-laan)	**AND**	43	**J3**
Vaneyckdreef	**OV**	77	**N19**
Vanfraechemstraat (F.)	**MA**	17	**A14**
Vanhaelen (av. Jean-laan)	**AUD**	61	**L13**
Vanhellemont (av. Joseph-laan)	**AND**	43	**J3**
Vanhoeter (imp.-gang) = 519	**BR**	4	**G8***S*
Vanhuffel (pl. Henri-pl.)	**K**	2	**G6***N*
Vankeerberghenstraat	**MA**	27	**D14**
Vanlindt (sq. Antoine-sq.) = 52	**AUD**	62	**L14**
Vanne (rue de la) *Verlaatstraat*	**BR**	9	**J9***N*
–	**XL**	9	**J9***N*
Vanneau (av. du) *Kievitlaan*	**WO**	40	**G18**
Vanneaux (av. des) *Kievitenlaan*	**KR**	39	**G16**
Vanneuse (av. de la) *Wanmolenlaan*	**WO**	52	**I18**
Vannypen (rue Jean-Baptiste-str.)	**AUD**	62	**L14**
Vanophemstraat (Clément)	**OV**	77	**O20**
Vanpé (rue Jean-Baptiste-str.)	**FO**	56	**L5**
Varenlaan *Fougères (av. des)*	**WSP**	50	**J14-J15**
Varenslaan *Fougères (av. des)*	**KR**	52	**J17**
–	**WO**	52	**I17**
Varkensmarkt *Marché aux Porcs (rue du)* = 442	**BR**	2	**G7***S*
Vautier (rue-str.)	**BR**	9	**I9***S*
–	**XL**	9	**I9***S*
Vautour (rue du) *Gierstraat*	**BR**	2-6	**H7***S*
Vecquée (pass. et pl. de la-pass. en pl.) = 165	**WSL**	38	**H15**
Vecquée (rue de la-str.)	**WSL**	38	**H15**

Nom / Naam	Communes / Gemeenten	Plan n° / Plattegrond	Repère / Plaatsaanduiding
Veeartsenstraat			
Vétérinaires (rue des)	AND	33	I6
–	SG	45	J6
Veeboslaan	ZAV	28	F17
Veeweidekaai			
Veeweyde (quai de)	AND	43	K4-L4
Veeweidestraat			
Veeweyde (rue de)	AND	44	I4-J4
Veeweyde (quai de)			
Veeweidekaai	AND	43	K4-L4
Veeweyde (rue de)			
Veeweidestraat	AND	44	I4-J4
Veiligheidsstraat			
Sécurité (rue de la)	K	2	G6N
Vekemans (rue François-str.)	BR	15	C10-C11
Veldeke	ZAV	28	D17
Veldkapelgaarde			
Chapelle-aux-Champs (clos) = 161	WSL	38	H15
Veldkapellaan			
Chapelle-aux-Champs (av.)	WSL	38	H14-H15
Veldkerslaan			
Cardamines (av. des)	AND	43	K3
Veldkersstraat	ZAV	28	E16
Veldlaan			
Champs (av. des)	ETT	48	J11
Veldmansstraat (Jan)	MA	17	A15
Veldstraat	AS	10	C2
Veldstraat			
Champs (rue des)	ETT	48	J11
Veldstraat			
Champs (rue des)	EV	26	F12
Veldstraat	SPL	55	M4
Veldstraat	VIL	14	B9-C9
Veldweg	MA	17	B14-C14
Vellemolen (ch. du-weg)	WSL	38	G14-H14
Vendanges (dr. des)			
Wijnoogstdreef	FO	56	L6
Vendelmansstraat (Pastoor)	SPL	55	L3-M3
Vénerie (allée de la)			
Jagerijdreef	BR	59	L10
Vénerie (rue de la)			
Jachtstraat	WB	61	M13
Venetiëstraat			
Venise (rue de)	XL	9	J9N
Vénézuéla (av. du-laan) = 480	BR	60	M11
–	XL	60	M11
Venise (rue de)			
Venetiëstraat	XL	9	J9N
Venizelos (av.-laan)	AND	43	J3-J4
ver Eycken			
(rue Henri-str.) = 314	AUD	62	L14
Verachtert (rue Guy-Jean-str.)	AUD	62	M14
Verbeeck (av. Théo-laan)	AND	43	I4
Verbeekstraat (Frans)	OV	76	P18-P20
Verbertveld	GRI	13	B8
Verbeyst (rue Jean-Baptiste-str.)	J	22	E6
Verbeytstraat	GRI	13	B8
Verbiest (rue Jean-str.)	MSJ	32	G4
Verbindingslaan			
Jonction (av. de la)	FO	46	K7-K8
–	SG	46	K8

Nom / Naam	Communes / Gemeenten	Plan n° / Plattegrond	Repère / Plaatsaanduiding
Verbindingstraat			
Liaison (rue de la)	WSL	37	H13
Verbist (rue-str.)	SCH	35	H10
–	SJ	35	H9-H10
Verboeckhaven (rue-str.)	SCH	5	G9-G10
–	SJ	5	G9S
Verboeckhoven			
(pl. Eugène-pl.)	SCH	24	F9
Verbomen (rue Hubert-str.)	WO	53	I19
Verbondstraat			
Alliance (rue de l')	SJ	5	H9N
Verboven (av. François-			
Bernard-laan) = 307	AUD	61	L13
Verbrandedreef	TER	51	K15-M16
Verbrandendreef			
Brûlés (dr. des)	WSP	51	J15-K15
Vercauteren (av. Louis-laan)	AUD	50	K14
Verdi (av.-laan)	GAN	22	E5
Verdi (pl.-pl.)	AND	43	J4
Verdier (rue du)			
Groenvinkstraat	BR	23	E8
Verdonck (rue Denis-str.)	AND	32	H5
Verdonck (rue Frans-str.)	EV	25	E11
Verdoodt (av.-laan)	J	22	D5
Verdronken Kinderendreef			
Enfants Noyés (dr. des)	UC	59	N10-N11
Verdun (rue de-str.)	BR	16	D12-C13
Verdure (rue de la)			
Loofstraat	BR	2-6	H7S
Vereeckenstraat	STE	21	A17
Vereman (rue Pierre-str.)	BER	31	F3
Verenigingstraat			
Association (rue de l')	BR	5	H9N
Vergaarbaklaan			
Réservoir (av. du)	BR	59	M10
Vergaarbakweg			
Réservoir (ch. du)	UC	59	M10-N10
Vergeet-mij-Nietjesstraat			
Myosotis (rue des)	UC	56	M6
Vergelslaan (Herman)	DIL	30	H2-I2
Verger (clos du)			
Boomgaardoord	KR	40	G17
Verger (rue du)			
Boomgaardstraat	AUD	49	K13
Verger (rue du)			
Boomgaardstraat	DRO	56	M5
Verger (rue du)			
Boomgaardstraat	KR	40	G17
Verger (rue du)			
Boomgaardstraat = 363	WEM	12	B5
Verger (sent. du)			
Boomgaardpad	BR	25	D10
Vergote (rue-str.)	SCH	36	H11
–	WSL	36	H11
Vergote (sq.-sq.)	SCH	36	H11-H12
–	WSL	36	H12
Verhaegen (av. Charles)			
Verhaegenlaan (Karel)	KR	39	F15-G16
Verhaegen (rue Théodore-str.)	SG	6	J6N-J7N
Verhaegenlaan (Karel)			
Verhaegen (av. Charles)	KR	39	F15-G16
Verhaeren (av. Émile-laan)	SCH	24	E10

Nom / Naam	Communes Gemeenten	Plan n° Plattegrond	Repère Plaatsaanduiding
Verhaeren (av. Émile-laan)	**WEM**	11	**B4**
Verhaeren (sq. Albert-sq.)	**XL**	47	**J10**
Verhas (rue-str.)	**SCH**	24	**F9**
Verhasselt (rue A.-str.)	**WEM**	12	**B4**
Verhasselt (rue Joseph-str.)	**GAN**	22	**E5**
Verheggen			
(rue Eugène-str.) = 285	**FO**	45	**K7**
–	**SG**	45	**K7**
Verheyden (rue Isidore-str.)	**XL**	8	**J8**N
Verheyden			
(rue Jean-Baptiste-str.)	**WSP**	39	**H16**
Verheyden (rue-str.)	**AND**	32	**H5**
–	**MSJ**	32	**H5**
Verheydenstraat	**DIL**	30	**H1**
Verheyleweghen			
(av. Paul-laan)	**AUD**	49	**K13**
Verheyleweghen (pl.-pl.)	**WSL**	37	**H13**
Verheyleweghen (rue-str.)	**WSL**	37	**H13**
Verhoeven (rue-str.)	**BR**	22	**F7**
Verhuizersstraat			
Déménageurs (rue des)	**MSJ**	2	**G7**S
Verhulst (rue-str.)	**UC**	57	**L7**
Vérité (rue de la)			
Waarheidsstraat	**AND**	44	**I5**
Verkensgatweg	**HOE**	74	**P15**
Verlaatstraat			
Vanne (rue de la)	**BR**	9	**J9**N
–	**XL**	9	**J9**N
Verlengde Loopbruglaan			
Passerelle Prolongée			
(av. de la)	**BR**	23	**D8**
Verlengde Masuistraat			
Masui Prolongée (rue)	**BR**	24	**E9-F9**
Verlengde Stallestraat			
Stalle Prolongée (rue de)	**DRO**	56	**M5-N5**
–	**UC**	56	**M5**
Verlossingssquare			
Délivrance (sq. de la)	**FO**	45	**K7**
Verlossingsstraat			
Délivrance (rue de la)	**AND**	42	**I1-J1**
Vermaakstraat			
Agrément (rue de l')	**AND**	44	**I4**
Vermeerdreef	**OV**	65	**N19**
Vermeersch (rue Julien-str.)	**WSP**	49	**I13**
Vermeylen (av. Auguste-laan)	**EV**	37	**F13**
Vermicellefabriekstraat			
Vermicellerie (rue de la)	**MSJ**	33	**G6**N
Vermicellerie (rue de la)			
Vermicellefabriekstraat	**MSJ**	33	**G6**N
Verminktenstraat	**SPL**	55	**N3**
Vernieuwersdreef			
Novateurs (allée des)	**AND**	43	**J3**
Véronèse (rue)			
Veronesestraat	**BR**	35	**H10**
Veronesestraat			
Véronèse (rue)	**BR**	35	**H10**
Veronicaplein			
Véroniques (pl. des)	**WB**	61	**L13**
Véroniques (pl. des)			
Veronicaplein	**WB**	61	**L13**
Verrassingsdreef	**TER**	64	**L18-L19**
Verrassingsweg	**TER**	64	**L18**

Nom / Naam	Communes Gemeenten	Plan n° Plattegrond	Repère Plaatsaanduiding
Verregat (rue du-str.)	**BR**	13	**C6**
Verrept-Dekeyser (rue-str.)	**MSJ**	2	**H6**N
Verrerie (av. de la)			
Glasblazerijlaan	**FO**	56	**L5**
Verrewinkel (rue de-str.)	**UC**	69	**N7-N8**
Verriest (rue Hugo-str.)	**EV**	37	**G12**
Verriest (rue Hugo-str.)	**WEM**	11	**B4**
Versailles (av. de-laan)	**BR**	14	**C9-C10**
Verschelden (rue Pierre-str.)	**J**	23	**D6-D7**
Versé (rue Émile-str.) = 210	**AND**	43	**I4**
Verseau (av. du)			
Watermanlaan = 71	**WSL**	37	**H13**
Verstraeten (rue Alois-str.) = 387	**J**	22	**F6**
Verstraeten			
(rue Liévin-str.) = 544	**AUD**	48	**K12**
Vert (ch.)			
Groenweg	**BR**	15	**C11**
Vert (pet. ch.)			
Groenweg (korte)	**BR**	15	**B11-C11**
Vert Chasseur (av. du)			
Groene Jagerslaan	**UC**	59	**M9**
Vert-Chasseur (champ du)			
Groene Jagersveld	**BR**	59	**M9-M10**
–	**UC**	59	**M9**
Vert Chasseur (cité du)			
Groene Jagerswijk	**UC**	59	**M9**
Vertakkingsstraat			
Bifurcation (rue de la)	**WB**	60	**K11-K12**
Verte (allée)			
Groendreef	**BR**	34	**F8-G8**
Verte (corniche)			
Groene Corniche	**WSP**	51	**J16**
Verte (promenade)	**AUD**	49	**K13-J13**
Verte (rue)			
Groenstraat	**KR**	39	**H16**
Verte (rue)			
Groenstraat	**SCH**	5	**G9**
–	**SJ**	5	**G9**
Vertongen (rue P.-str.)	**WEM**	12	**B5**
Vertrouwenstraat			
Confiance (rue de la)	**ETT**	47	**I10**
Vervaeck (rue Frans-str.)	**GAN**	22	**E5-F5**
Ververijstraat			
Teinturerie (rue de la)	**FO**	56	**L5**
Verversstraat			
Teinturiers (rue des)	**BR**	3	**H7**S
Verviers (rue de-str.)	**BR**	5	**H9**S
–	**SJ**	5	**H9**S
Vervloesem (rue-str.)	**WSL**	37	**H13-I14**
Vervloet (rue François-str.)	**UC**	68	**N5-N6**
Verwée (rue-str.)	**SCH**	24	**F9**
Verwelkomingsstraat			
Bienvenue (rue de la)	**AND**	55	**K4**
Verzetsplein			
Résistance (pl. de la)	**AND**	44	**I5**
Verzetsstraat			
Résistance			
(rue de la) = 394	**J**	23	**E7**
Verzoeningsstraat			
Conciliation (rue de la)	**AND**	44	**I5**
Vésale (rue)			
Vesaliusstraat = 466	**BR**	5	**H9**N

Nom / Naam	Communes Gemeenten	Plan n° Plattegrond	Repère Plaatsaanduiding
Vesaliusstraat			
Vésale (rue) = 466	**BR**	5	**H9**N
Vestalenlaan			
Vestales (av. des)	**WB**	60	**L12**
Vestales (av. des)			
Vestalenlaan	**WB**	60	**L12**
Veste	**ZAV**	27	**F15**
Vestestraat	**TER**	53	**K19**
Vestingstraat			
Fortifications (rue des)	**SG**	6	**J7**N
Vestje			
Petit Rempart (rue du)	**BR**	2	**H7**S
Vétérans Coloniaux (sq.)			
Koloniale-Veteranensquare	**AND**	32	**H5**
Vétérinaires (rue des)			
Veeartsenstraat	**AND**	33	**I6**
–	**SG**	45	**J6**
Vetkruidweg			
Orpins (allée des) = 339	**AND**	43	**K3**
Veydt (rue-str.)	**SG**	8	**J8**N
–	**XL**	8	**J8**N
Viaduc (rue du)			
Viaductstraat	**XL**	9	**I9**S-**J9**N
Viaductstraat			
Viaduc (rue du)	**XL**	9	**I9**S-**J9**N
Viaductstraat	**MA**	16	**B13**
Victoire (rue de la)			
Overwinningsstraat	**SG**	8	**J7-J8**
Victor-Emmanuel III (av.-laan)	**UC**	59	**M9**
Victoria (av.-laan)	**BR**	59	**L10**
Victoria Régina (av.-laan)	**SJ**	5	**G8**S-**G9**S
Victoria Régina (sq.-plantsoen)	**SJ**	5	**G9**S
Vieillards (rue des)			
Oude Mannenstraat	**SG**	6	**J7**N
Vieille Halle aux Blés (pl. de la)			
Oud Korenhuis	**BR**	7	**H8**S
Vieillesse Heureuse (rue de la)			
Gelukkige Grijsheidstraat	**MSJ**	31	**G4**
Vier Bundersstraat			
Quatre Bonniers (rue des)	**KR**	39	**H17**
Vier Essendreef	**HOE**	73	**P13**
Vier-Knopensteeg			
Quatre Nœuds (venelle aux) = 564	**WSP**	50	**I14**
Vier Seizoenenhof			
Quatre-Saisons (clos des)	**WSL**	37	**H13**
Vier September Dagenlaan			
Quatre Journées (bd. des) = 98	**SJ**	35	**H10**
Vier Windenstraat			
Quatre-Vents (rue des)	**MSJ**	33	**G6-H6**
Vierde Augustusplein			
Quatre Août (pl. du)	**ETT**	48	**J11**
Vierge Noire (rue de la)			
Zwarte Lievevrouwstraat	**BR**	4	**H8**N
Vierges (rue des)			
Maagdenstraat	**BR**	2	**H7**S
Vierheemskinderenstraat			
Quatre Fils Aymon (rue des)	**BR**	8	**I8**N
Vierwinden	**ZAV**	29	**F18**
Vieujant (rue Jules-str.)	**MSJ**	32	**G5-G6**
Vieux Bruxelles (av. du)			
Oud Brussellaan	**BR**	13	**C8**
Vieux Chemin			
Oude Weg = 224	**LIN**	69	**O6**
–	**UC**	69	**O6**
Vieux Cornet (av. du)			
Hof ten Horenlaan	**UC**	57	**M7-M8**
Vieux Marché aux Grains (rue du)			
Oude Graanmarkt	**BR**	2	**H7**N
Vieux Moulin (rue du)			
Oude Molenstraat	**AUD**	49	**K13-K14**
Vieux Moulin (rue du)			
Oude Molenstraat	**DRO**	56	**N5**
Vieux Tilleul (sq. du)			
Oude Lindesquare	**XL**	60	**L11**
Vieuxtemps (rue Henri-str.)	**AND**	43	**J4**
Vifquin (rue-str.)	**SCH**	5	**G9**
Vigne (rue de la)			
Wijngaardstraat	**AND**	43	**J3**
Vignes (av. des)			
Wijngaardlaan	**WO**	40	**H17**
Vignes (rue des)			
Wijngaardenstraat	**BR**	24	**E8**
Vignette (rue de la)			
Kleine Wijngaardstraat	**AUD**	61	**K12-K13**
Vignoble (rue du)			
Wijngaardstraat	**FO**	57	**K6-L6**
Vijf Bunderslaan			
Cinq Bonniers (av. des)	**WSP**	49	**I13**
Vijfentwintig Augustus Galerijen			
Vingt-Cinq Août (gal. du)	**BR**	4	**H8**N
Vijverhof			
Vivier (clos du)	**KR**	28	**F16**
Vijversdreef			
Étangs (dr. des)	**LIN**	69	**P6**
Vijversgaarde			
Étangs (clos des)	**ETT**	47	**I10**
Vijverslaan			
Étangs (av. des)	**WEM**	11	**C4-B5**
Vijverstraat	**AS**	11	**C3**
Vijverstraat			
Étang (rue de l')	**ETT**	47	**I10**
Vijverstraat	**GRI**	13	**B8**
Vijverstraat	**ZAV**	28	**E17**
Vijversweg			
Étangs (ch. des)	**AUD**	62	**L15**
Vijversweg	**TER**	63	**L16**
Vilain XIIII (rue-str.)	**BR**	47	**J9**
–	**XL**	47	**J9**
Villa Hermosa (rue-str.) = 499	**BR**	7	**H8**S
Villa Romaine (allée de la)			
Romeinse-Villadreef	**AND**	44	**I5-J5**
Village (rue du)			
Dorpsstraat	**AND**	44	**I5**
Village Européen (rue du)			
Europadorpstraat	**BER**	31	**G3**
Villageois (rue du)			
Dorpelingstraat	**AUD**	49	**K13-K14**
Villalaan			
Villas (av. des)	**FO**	45	**J7**
–	**SG**	45	**J7**

Nom / Naam	Communes / Gemeenten	Plan n° / Plattegrond	Repère / Plaatsaanduiding
Villalaan			
Villas (av. des)	LIN	69	P7
Villalaan	SPL	67	O3-O4
Villard (rue Henry-str.) = 88	SCH	35	G10
Villas (av. des)			
Villalaan	FO	45	J7
–	SG	45	J7
Villas (av. des)			
Villalaan	LIN	69	P7
Villastraat	MA	16	B13
Villon (av. François-laan)	EV	37	G13
Vilvoordelaan	MA	16	A13-A14
Vilvoordelaan	ZAV	28	C16-D16
Vilvoordselaan			
Vilvorde (av. de)	BR	16	E9-B12
Vilvoordsesteenweg			
Vilvorde (chaus. de)	BR	16	E9-B12
Vilvorde (av. de)			
Vilvoordselaan	BR	16	E9-B12
Vilvorde (chaus. de)			
Vilvoordsesteenweg	BR	16	E9-B12
Vinçotte (rue Thomas-str.)	SCH	35	G10-H10
Vindictive (rue du-str.)	ETT	48	I11-J11
Vingerhoedskruidstraat			
Digitales (rue des) = 2	WB	61	L13
Vingt-Cinq Août (gal. du)			
Vijfentwintig Augustus Galerijen	BR	4	H8N
Vinkenberg	ZAV	27	E15
Vinkengaarde			
Pinson (clos du)	WB	60	M12
Vinkenlaan	AS	20	D2
Vinkenlaan			
Pinsons (av. des)	KR	39	G16
Vinkenlaan	VIL	14	A9-A10
Vinkenlaan			
Pinsons (av. des) = 131	WSP	49	K12
Vinkenlaan	ZAV	28	E17
Vinkenoord			
Pinsons (clos des)	WO	40	H18
Vinkstraat			
Pinson (rue du)	WB	60	M12
Violetstraat			
Violette (rue de la)	BR	4	H8S
Violetstraat (korte)			
Violette (pet. rue de la) (gelegen rue de la Violette)	BR	4	H8S
Violette (pet. rue de la)			
Violetstraat (korte) (située rue de la Violette)	BR	4	H8S
Violette (rue de la)			
Violetstraat	BR	4	H8S
Violettes (av. des)			
Viooltjeslaan	WO	40	H17-I17
Violiergang			
Giroflée (imp. de la) = 612	BR	4	H8N
Viooltjeshof	ZAV	40	G18
Viooltjeslaan			
Violettes (av. des)	WO	40	H17-I17
Viooltjesstraat	SPL	67	O3
Virgile (rue)			
Virgiliusstraat	AND	31	H3
Virgiliusstraat			
Virgile (rue)	AND	31	H3
Visé (av. de-laan)	WB	60	L11
Visitandinenstraat			
Visitandines (rue des)	BR	8	I7N-I8N
Visitandines (rue des)			
Visitandinenstraat	BR	8	I7N-I8N
Visserijstraat			
Pêcheries (rue des)	AUD	60	K12-L12
–	WB	60	L12
Visserijstraat			
Pêcherie (rue de la)	UC	58	M8-N8
Vissersstraat			
Pêcheurs (rue des)	UC	58	N7-N8
Visverkopersstraat			
Poissonniers (rue des)	BR	3	H7N
Visvijverblok			
Vivier (carré du)	XL	47	J10
Visvijverstraat			
Vivier (rue du)	XL	47	J10
Vitriers (imp. des)			
Glazenmakersgang	BR	6	I7S
Vivaldi (venelle-steeg)	GAN	21	E4
Vivier (carré du)			
Visvijverblok	XL	47	J10
Vivier (clos du)			
Vijverhof	KR	28	F16
Vivier (rue du)			
Visvijverstraat	XL	47	J10
Vivier d'Oie (av. du)			
Diesdellelaan	BR	59	L10-M10
–	UC	59	M10
Vlaamse Poort			
Flandre (porte de)	BR	2	G7S
Vlaamsesteenweg			
Flandre (rue de)	BR	2	G7S-H7N
Vlaanderendreef (Graaf van)			
Flandre (dr. du Comte de)	AUD	62	M14
–	WB	62	M14-O14
Vlaanderenstraat (Graaf van)			
Flandre (rue du Comte de)	MSJ	2	G7S
Vlaanderenstraat (Gravin van)			
Flandre (rue de la Comtesse de) = 345	BR	23	E8
Vlaktedreef	TER	64	L18-M18
Vlamingenstraat			
Flamands (rue des)	J	22	E6
Vlasendael (rue)			
Vlazendaalstraat	AND	42	I1-J1
Vlasfabriekstraat			
Linière (rue de la)	SG	8	J7N
Vlasvinkenlaan			
Linottes (av. des)	AUD	49	K13
Vlazendaalstraat			
Vlasendael (rue)	AND	42	I1-J1
Vleermuisstraat	DIL	30	G1
Vlees-en-Broodstraat			
Chair et Pain (rue) = 411	BR	4	H8S
Vleeskersenstraat			
Bigarreaux (rue des)	UC	69	N6-N7
Vleugelsstraat			
Ailes (rue des)	SCH	24	F9-F10

Nom / Naam	Communes / Gemeenten	Plan n° / Plattegrond	Repère / Plaatsaanduiding
Vleurgat (chaus. de) *Vleurgatsesteenweg*	BR	47	J9
–	XL	47	J9-K9
Vleurgatsesteenweg *Vleurgat (chaus. de)*	BR	47	J9
–	XL	47	J9-K9
Vliegerlaan *Cerf-Volant (av. du)*	WB	60	L12-M12
Vliegpleinstraat *Plaine d'Aviation (rue)*	EV	25	E11-E12
Vliegtuiglaan *Aéroplane (av. de l')*	WSP	50	I14-I15
Vliegveldstraat *Aérodrome (rue de l')*	BR	26	D13
Vliegwezenlaan	AS	20	D2
Vlierbeekberg	OV	76	N18-P18
Vlierboomstraat	TER	53	K19
Vliergaarde *Sureau (clos du)*	BER	31	G3
Vlierstraat	ZAV	28	E16
Vliertjeslaan	OV	76	N18-O18
Vlierwijk *Sureau (cité du)*	BR	4	G7S
Vlijtstraat *Application (rue de l')*	AUD	49	K13
Vlindersstraat *Papillons (rue des)*	AND	42	I1-J2
Vlindersstraat	DIL	42	I1
Vlindersveld *Papillons (champ des)*	WO	41	H19
Vlindersweg *Papillons (ch. des)*	BR	59	L10
Vlissingenstraat *Flessingue (rue de)*	MSJ	33	F6-F7
Vlogaert (rue-str.)	SG	6	J7N
Vlonderse Hoek	TER	53	J19-J20
Voerdelaan	VIL	15	A11
Voermansgang *Roulier (imp. du) = 520*	BR	2	G7S
Voetballaan *Football (av. du)*	BR	13	C7
Voetballaan *Football (av. du)*	WSP	50	I15
Voetbalstraat	ZAV	18	C17
Voets (sq. Victor-sq.)	AND	43	J3
Vogelenzangstraat *Chant d'Oiseaux (rue)*	AND	55	L2-K3
Vogelstraat	SPL	66	N1-N2
Vogelvangersweg *Oiseleurs (ch. des)*	BR	59	M9-M10
–	UC	59	M9
Vogelvangstlaan *Tenderie (av. de la)*	WB	60	M12
Vogelweide *Pré aux Oiseaux*	BR	26	D13
Vogelzang	STE	19	A17
Vogelzanglaan *Chant d'Oiseau (av. du)*	AUD	48	K12
–	WSP	49	K12-J13
Vogelzangstraat	VIL	14	A9
Vogler (rue-str.)	SCH	24	F9
Voirie (quai de la) *Ruimingskaai*	BR	4	G8N
Voisins (rue des) *Geburenstraat*	WO	40	H17
Volckerick (sq. Raymond-sq.)	WB	60	M12
Volders (av. Jean-laan)	SG	6	J7N
Voldersstraat *Foulons (rue des)*	BR	6	H7S-I7N
Volhardingslaan *Persévérance (av. de la) = 557*	AND	43	K4
Volksstraat *Peuple (rue du)*	BR	4	G8N
Volontaires (av. des) *Vrijwilligerslaan*	AUD	48	J11
–	ETT	48	J11-J12
–	WSP	48	J12
Volonté (rue de la) *Wilstraat = 328*	AND	43	K4
Volral (rue Fernande-str.)	J	22	D6
Volta (rue-str.)	XL	60	K11-L11
Voltaire (av.-laan)	SCH	35	F10
Volubilis (dr. des) *Windedreef*	WB	60	L11
Vonck (rue-str.)	SCH	35	G10
–	SJ	5	G9-G10
Vondel (rue-str.)	SCH	24	F9
Voordestraat	ZAV	27	F15
Voorhavenstraat *Avant-Port (rue de l')*	BR	25	D10
Voorlopig Bewindstraat *Gouvernement Provisoire (rue du)*	BR	5	H9N
Voornlaan *Gardon (av. du)*	AUD	60	K12-L12
Voorspoedlaan	DIL	42	I1
Voorspoedstraat *Prospérité (rue de la)*	MSJ	2	G7S
Voorstadsstraat *Faubourg (rue du)*	BR	4	G8N
Voorstraat *Sillon (rue du)*	AND	43	I3
Voorstraat	DIL	43	I3
Voorstraat	SPL	54	L1
Vooruitgangstraat *Progrès (rue du)*	SCH	34	G8-F9
–	SJ	4	G8
Voorzienigheidsgang *Providence (imp. de la) = 485*	BR	8	I8N
Voorzittersstraat *Président (rue du)*	BR	8	J8N
–	XL	9	J8N
Voorzorgsstraat *Prévoyance (rue de la)*	BR	8	I8S
Voorzorgsstraat = 169	ZAV	28	D16
Voot (rue-str.)	WSL	50	I14
Vorsenzang *Chant des Grenouilles (imp. du)*	FO	57	L6

Nom / Naam	Gemeenten Communes	Plattegrond Plan n°	Plaatsaanduiding Repère
Vorstenhuislaan			
Dynastie (av. de la)	**BR**	23	**D8**
Vorstenhuisplein			
Dynastie (pl. de la)	**BR**	23	**D8**
Vorsterielaan			
Foresterie (av. de la)	**WB**	61	**N13**
Vorsterstraat	**OV**	77	**O20**
Vorstlaan			
Souverain (bd. du)	**AUD**	49	**K13-J14**
–	**WB**	61	**L13-M13**
–	**WSP**	50	**J14**
Vorstrondpunt			
Souverain			
(rond-pt. du) = 299	**AUD**	49	**K13**
Vorstsesteenweg			
Forest (chaus. de)	**FO**	45	**J7**
–	**SG**	45	**J7**
Vorstsesteenweg	**SPL**	55	**M4-N4**
Vorstsquare			
Souverain			
(sq. du) = 300	**AUD**	49	**K13**
Vosberg	**WO**	40	**H18-I19**
Vosdreef			
Renard (dr. du)	**AUD**	50	**K14**
Vosdreef			
Renard (dr. du)	**UC**	59	**N9-M10**
Vossegat (av. du-laan)	**UC**	57	**M6**
Vossegat (ch. du-weg)	**UC**	57	**M6**
Vossenlaan	**TER**	53	**K19-K20**
Vossenlaan			
Alezans (av. des)	**WSP**	51	**I16**
Vossenplein			
Jeu de Balle (pl. du)	**BR**	6	**I7***S*
Vossenstraat			
Renards (rue des)	**BR**	7	**I7***S*
Vossestraat	**OV**	77	**O19-P19**
Vredelaan			
Paix (av. de la)	**K**	32	**F5**
Vredelaan	**SPL**	67	**N4**
Vredelaan	**ZAV**	29	**E17**
Vredeplein			
Paix (pl. de la)	**EV**	25	**E11**
Vredeplein			
Paix (pl. de la)	**KR**	39	**G16**
Vredestraat	**HOE**	75	**P16**
Vredestraat	**MA**	17	**B14**
Vredestraat			
Paix (rue de la)	**XL**	9	**I9***S*
Vriendschapsplein			
Amitié (pl. de l')	**AUD**	48	**J11**

Nom / Naam	Gemeenten Communes	Plattegrond Plan n°	Plaatsaanduiding Repère
Vriendschapsstraat	**OV**	77	**O19-O20**
Vrij-Onderzoekstraat			
Libre Examen			
(rue du)	**AND**	44	**I5**
Vrijdags (prom. Pierre-Louis-			
wandelweg)	**EV**	37	**F13**
Vrijdommenstraat			
Franchises			
(rue des) = 399	**GAN**	22	**F5**
Vrije-Academielaan			
Libre Académie			
(av. de la)	**AND**	43	**J3**
Vrijetijdslaan			
Loisirs (av. des)	**EV**	25	**F11-F12**
Vrijheidsdreef	**ZAV**	18	**C16**
Vrijheidslaan	**DIL**	42	**I1**
Vrijheidslaan			
Liberté (av. de la)	**K**	33	**G6-F6**
–	**MSJ**	2-32	**G5-G6**
Vrijheidsplein			
Liberté (pl. de la)	**BR**	5	**H9***N*
Vrijheidsrotonde			
Liberté (rond-pt. de la)	**GAN**	22	**E5**
Vrijheidstraat			
Liberté (rue de la)	**DRO**	56	**M5**
Vrijwilligerslaan			
Volontaires (av. des)	**AUD**	48	**J11**
–	**ETT**	48	**J11-J12**
–	**WSP**	48	**J12**
Vrijwilligerslaan	**TER**	53	**J19**
Vroegegroentenstraat			
Primeurs (rue des)	**FO**	44	**K6**
Vronerodelaan			
Fond'Roy (av.)	**UC**	71	**N9-O10**
Vruchtbaarheidslaan			
Fécondité (av. de la)	**AND**	42	**I2-I3**
Vruntstraat			
Amigo			
(rue de l') = 417	**BR**	4	**H8***S*
Vuurberg	**MA**	18	**C15-D15**
–	**ZAV**	18	**D15-C16**
Vuurgatstraat	**OV**	76	**N17-O17**
Vuurkruisenlaan			
Croix du Feu (av. des)	**BR**	24	**C8-D10**
Vuurkruisenlaan	**MA**	17	**B14**
Vuurkruisenlaan	**ZAV**	28	**E17**
Vuursteendreef			
Silex (dr. des)	**WB**	60	**M12-N12**
Vuurstraat			
Feu (rue du)	**FO**	44	**K6**

Nom / Naam	Communes Gemeenten	Plan n° Plattegrond	Repère Plaatsaanduiding
Waaglaan			
Pesage (av. du)	**XL**	59	**L10**
Waaienberg	**ZAV**	38	**G14-G15**
Waaienbergstraat			
Wayenberg (rue)	**XL**	47	**I10**
Waaierstraat			
Éventail (rue de l')	**BR**	8	**I8**S
Waalsestraat	**ZAV**	41	**G20**
Waardigheidsstraat			
Dignité (rue de la)	**AND**	42	**I2**
Waarheidsstraat			
Vérité (rue de la)	**AND**	44	**I5**
Wachtersweg	**TER**	65	**M19**
Wachttorenstraat			
Donjon (rue du)	**BR**	16	**C12-C13**
Waefelaer			
(rue Félix-str.) = 292	**FO**	45	**K6**
Waelhem (rue-str.)	**SCH**	24	**F10**
Wafelaerts (rue Henri-str.)	**SG**	46	**K8**
Wagebak	**HOE**	75	**P16**
Wagenstraat			
Char (rue du)	**BR**	2	**H7**N
Wagenstraat			
Wagon (rue du)	**UC**	57	**M6**
Wagner (clos Jacques-			
gaarde)	**GAN**	22	**E4**
Wagon (rue du)			
Wagenstraat	**UC**	57	**M6**
Wagram (clos de-gaarde)	**UC**	71	**N9-O9**
Wahis (bd. Gén.)			
Wahislaan (Gen.)	**SCH**	36	**G11**
Wahislaan (Gen.)			
Wahis (bd. Gén.)	**SCH**	36	**G11**
Walckiers (av.-laan)	**AUD**	50	**K14**
Walckiers (rue-str.)	**SCH**	25	**E10-E11**
Walckiersstraat (Pierre)	**SPL**	55	**L3**
Walcourt (rue de-str.)	**AND**	43	**J4-K4**
Walenplaats			
Wallons (pl. des) = 489	**BR**	8	**I7**N-**I8**N
Walenstraat			
Wallons (rue des)	**J**	22	**E6**
Walkiers (rue-str.)	**EV**	25	**E10-E11**
Waller (rue Max-str.)	**FO**	56	**L5**
Wallons (pl. des)			
Walenplaats = 489	**BR**	8	**I7**N-**I8**N
Wallons (rue des)			
Walenstraat	**J**	22	**E6**
Walraevens (rue-str.)	**BR**	24	**E9**
Walravenslaan (Livinus)	**DIL**	30	**H2-H3**
Walravensstraat (Frans)	**BE**	66	**O2-P2**
Walschaerts			
(rue Égide-str.)	**SG**	45	**J7**
Wampach (rue Lt. Freddy)			
Wampachstraat			
(Lt. Freddy)	**WSL**	37	**H12**
Wampachstraat (Lt. Freddy)			
Wampach (rue Lt. Freddy)	**WSL**	37	**H12**
Wandelaarstraat	**TER**	53	**K19-K20**
Wandelingstraat			
Promenade (rue de la)	**AND**	43	**J4**
Wandelingstraat	**SPL**	67	**N4-O4**
Wangermée (rue Gén.)			
Wangermeestraat (Gen.)	**ETT**	48	**I11**
Wangermeestraat (Gen.)			
Wangermée (rue Gén.)	**ETT**	48	**I11**
Wanmolenlaan			
Vanneuse (av. de la)	**WO**	52	**I18**
Wannecouter (av.)			
Wannekouterlaan	**BR**	14	**C8-C9**
Wannecouter (clos du)			
Wannekoutergaarde	**BR**	14	**C9**
Wannekoutergaarde			
Wannecouter (clos du)	**BR**	14	**C9**
Wannekouterlaan			
Wannecouter (av.)	**BR**	14	**C8-C9**
Wannekouterlaan	**VIL**	14	**C9**
Wansart (av. Adolphe-laan)	**UC**	57	**M6**
Wapenrustinglaan			
Harnois (av. du) = 60	**EV**	36	**G12**
Wapenrustingslaan			
Armures (av. des)	**FO**	45	**K7**
Wapenstilstandstraat			
Armistice (rue de l') = 578	**K**	33	**F6-G6**
Wappers (pl.-pl.)	**BR**	36	**H11**
–	**SCH**	36	**H11**
Wappers (rue-str.)	**BR**	36	**H11**
Warandeberg			
Montagne du Parc (rue)	**BR**	4	**H8**S
Warandeberg	**WO**	40	**G17**
Warandeberglaan	**ZAV**	40	**G17**
Warandelaan	**VIL**	15	**A10-B9**
Warandeveld (rue-str.)	**BR**	24	**C9-D9**
Warland (av. Odon-laan)	**J**	23	**F6-E7**
Warmoesberg			
Montagne aux Herbes			
Potagères (rue)	**BR**	4	**H8**N
Warmoesstraat			
Potagère (rue)	**SCH**	5	**G9**S
–	**SJ**	5	**G9**S
Warmoezeniersstraat	**DIL**	31	**G3**
Washington (rue-str.)	**BR**	46	**J9**
–	**XL**	46	**J9-K9**
Washuisstraat			
Buanderie (rue de la)	**BR**	2	**H7**S
Waskaarsstraat			
Bougie (rue de la)	**AND**	2	**H6**S
Wasserijstraat			
Lavoir (rue du)	**BR**	6	**I7**N
Waterhoenlaan			
Poule d'Eau (av. de la)	**WO**	40	**G17**
Waterkasteelstraat			
Château d'Eau (rue du)	**UC**	57	**M7**
Waterkersstraat			
Cresson (rue du)	**BR**	12	**C6**
Waterkrachtstraat			
Hydraulique (rue)	**SJ**	5	**H9**N

Nom / Naam	Communes Gemeenten	Plan n° Plattegrond	Repère Plaatsaanduiding
Waterleidingsstraat			
Aqueduc (rue de l')	**XL**	46	**J8**
Waterleliënlaan			
Nénuphars (av. des)	**AUD**	49	**K13**
Waterleliënweg			
Nénuphars (ch. des)	**BR**	59	**M10**
Waterleliesoord			
Nénuphars (clos des)	**WO**	40	**H18**
Waterloo (bd. de-laan)	**BR**	6	**I7-I8**
Waterloo (chaus. de)			
Waterloosesteenweg	**BR**	59	**L9-M9**
–	**SG**	46	**J7-K8**
–	**SGR**	71	**P10**
–	**UC**	59	**K9-P10**
–	**XL**	46	**K8-K9**
Waterloo (gal. de-gal.)	**XL**	46	**K8**
Waterloosesteenweg			
Waterloo (chaus. de)	**BR**	59	**L9-M9**
–	**SG**	46	**J7-K8**
–	**SGR**	71	**P10**
–	**UC**	59	**K9-P10**
–	**XL**	46	**K8-K9**
Watermaalselaan			
Watermael (av. de)	**BR**	59	**L10**
Watermaalsesteenweg			
Watermael (chaus. de)	**AUD**	49	**K13**
Watermael (av. de)			
Watermaalselaan	**BR**	59	**L10**
Watermael (chaus. de)			
Watermaalsesteenweg	**AUD**	49	**K13**
Watermanlaan			
Verseau (av. du) = 71	**WSL**	37	**H13**
Watermolenstraat	**MA**	17	**C14**
Waterpasstraat			
Niveau (rue du)	**MSJ**	2	**G7**S
Waterraaflaan			
Cormorans (av. des)	**WSP**	49	**J13**
Waterranonkelstraat			
Grenouillette (rue de la)	**BR**	26	**D12**
Watersneppenlaan			
Bécassines (av. des)	**AUD**	49	**K13**
Waterstraat			
Eau (rue de l')	**FO**	56	**L5**
Watertorenlaan	**MA**	17	**B14-B15**
Watertorenlaan	**ZAV**	28	**D16-D17**
Watertorenstraat	**HOE**	75	**O16-O17**
Watertorenstraat	**SPL**	54	**M2**
Waterwildlaan			
Sauvagine (av. de la)	**WB**	60	**L11**
Watt (rue James-str.)	**SCH**	24	**F9**
Watteeu (rue-str.)	**BR**	8	**I8**N
Waucquezlaan (André)	**DIL**	31	**H3**
Wauters (allée-allee) = 547	**SJ**	5	**G9**S
Wauters (pl. Joseph-pl.) = 18	**WB**	61	**L13**
Wauters (pl. Min.)			
Wautersplein (Min.) = 333	**AND**	43	**K4**
Wauters (rue Alphonse-str.)	**BR**	23	**D7**
Wauters (rue Émile-str.)	**BR**	23	**D7**
Wauters (rue Joseph-str.)	**SCH**	25	**F11**
Wauters-Koeckx (pl.-pl.)	**MSJ**	2	**G7**S

Nom / Naam	Communes Gemeenten	Plan n° Plattegrond	Repère Plaatsaanduiding
Wauters-Koeckx (rue-str.)	**MSJ**	2	**G7**S
Wautersplein (Min.)			
Wauters (pl. Min.) = 333	**AND**	43	**K4**
Wautersstraat (J.B.)	**SPL**	66	**N2-O2**
Wauwermans (rue-str.) = 100	**SJ**	35	**H10**
Waversesteenweg			
Wavre (chaus. de)	**AUD**	48	**J11-L14**
–	**ETT**	47	**I10-J11**
–	**XL**	9	**I9-I10**
Wavre (chaus. de)			
Waversesteenweg	**AUD**	48	**J11-L14**
–	**ETT**	47	**I10-J11**
–	**XL**	9	**I9-I10**
Waxweiler (av.-laan)	**AND**	43	**K4**
Wayenberg (rue)			
Waaienbergstraat	**XL**	47	**I10**
Wayez (rue-str.)	**AND**	44	**I5**
Wedijverstraat			
Émulation (rue de l')	**AND**	32	**H5**
Wedrennenlaan			
Courses (av. des)	**BR**	47	**K10**
–	**XL**	47	**K10**
Wedrennenweg	**TER**	65	**K19-K20**
Weegschaalbinnenhof			
Balance (clos de la) = 70	**WSL**	37	**G13**
Weemstraat	**HOE**	76	**P17**
Weerstanderslaan	**DIL**	30	**H2-I2**
Weerstandersstraat	**MA**	17	**B14**
Weerstandslaan	**ZAV**	28	**E17**
Weerstandsplein	**SPL**	55	**L3**
Weerstandstraat			
Résistance (rue de la)	**EV**	25	**F11**
Weeshuisstraat			
Orphelinat (rue de l')	**AND**	32	**H5-I5**
Weggevoerdenlaan	**DIL**	30	**H1-I1**
Weggevoerdenstraat			
Déportés (rue des)	**WSL**	50	**I14**
Weidegang			
Pré (imp. du)	**ETT**	47	**I10**
Weidelaan	**OV**	76	**P18**
Weidenstraat			
Prés (rue des)	**DRO**	56	**M5**
Weidestraat	**BE**	68	**P5**
Weidestraat	**DIL**	42	**I1**
Weidestraat			
Prairie (rue de la)	**SJ**	5	**G8**N
Weidestraat	**ZAV**	27	**F15**
Weideweg	**TER**	64	**L17**
Weigélias (dr. des-dr.) = 531	**WB**	60	**L11**
Weikantlaan	**GRI**	14	**A10**
Weikantstraat	**VIL**	14	**A9**
Weilandstraat			
Grand-Pré (rue du)	**BER**	31	**G4**
Weilandstraat			
Pâturage (rue du)	**BR**	25	**C10-D10**
Weiveldlaan	**ZAV**	29	**F18**
Wekkergang			
Réveil (imp. du)	**BR**	2	**H7**N
Weldadigheidsstraat	**ZAV**	28	**D16**
Weldadigheidstraat			
Bienfaisance (rue de la)	**SJ**	4	**G8**N

Nom / Naam	Communes Gemeenten	Plan n° Plattegrond	Repère Plaatsaanduiding
Weldoenersplein			
Bienfaiteurs (pl. des)	SCH	35	G10
Weldoenersstraat	MA	17	B14
Weldoenstraat			
Bien-Faire (rue du)	WB	60	L11
Welgelegenstraat			
Beau Site (rue du)	BR	9	J9N
Welkomstraat	AS	20	D1
Wellens (rue Jean-str.)	WSP	49	I13
Wellington (av.-laan)	UC	71	N9-O10
Welriekendedreef	OV	63	N15-N17
Welvaartlaan	HOE	76	P18
Welzijnstraat			
Bien-Être (rue du)	AND	32	H5
Wemaere (rue Paul-str.)	WSP	49	I13
Wemmel (chaus. de)			
Wemmelse Steenweg	J	22	E6
Wemmelse Steenweg			
Wemmel (chaus. de)	J	22	E6
Wemmelsestraat	GRI	13	B8
Wereldtentoonstellingslaan			
Exposition Universelle (av. de l')	GAN	22	E5
Werfkaai			
Chantier (quai du)	BR	4	G7S-G8S
Werfstraat			
Chantier (rue du)	BR	4	G7S-G8S
Werkhuizenkaai			
Usines (quai des)	BR	24	E8-E9
Werkhuizenstraat			
Ateliers (rue des)	MSJ	2	G7N
Werkmansstraat	ZAV	29	E17
Werktuigkundestraat			
Mécanique (rue de la) = 556	AND	43	J4-K4
Werkzaamheidstraat			
Activité (rue de l')	WSL	37	H13
Werrie (pl. Philippe-pl.)	J	33	F6-F7
Werrie (rue Henri-str.)	J	22	E6
Wéry (rue-str.)	XL	9	J9N
Westenwindstraat			
Zéphyr (rue du)	WSL	37	H13
Wetenschapsstraat			
Science (rue de la)	BR	9	H9S-I9N
Wethoudersstraat			
Magistrat (rue du)	BR	46	J9
–	XL	46	J9
Wetstraat			
Loi (rue de la)	BR	35	H9-I10
Weverijstraat	SPL	67	N4-O4
Weversstraat			
Tisserands (rue des)	K	33	G6
Wezellaan			
Belette (av. de la)	WO	52	J18
Wezelslaan			
Belettes (av. des)	UC	69	O7
Wezelweg	TER	65	L19-L20
Wezembeek (av. de-laan)	KR	39	H16-H17
–	WO	40	H17
–	WSL	39	H15-H16
–	WSP	39	H15-H16
Wezembeekstraat	TER	53	J19
Wezembeekstraat	ZAV	28	F17
White-Star (pl.-pl.)	WSP	50	I14
Wielemans (pl. Léon-pl.)	FO	45	J6
Wielemans-Ceuppens (av.-laan)	FO	45	J6
Wielewaallaan			
Loriot (av. du)	AUD	49	K13
–	WSP	49	K12-K13
Wielewaalstraat			
Loriot (rue du)	WB	61	L13
Wielrijderslaan			
Cyclistes (av. des)	WSP	51	I16
Wiener (av. Léopold-laan)	WB	60	L12-M12
Wiener (pl. Léopold-pl.)	WB	61	M12
Wiertz (rue-str.)	BR	9	I9N
–	XL	9	I9S
Wijnbrondal			
Artistes (vallée des)	LIN	69	P7
Wijndaalstraat	HOE	75	P16
Wijngaardenstraat			
Vignes (rue des)	BR	24	E8
Wijngaardlaan			
Vignes (av. des)	WO	40	H17
Wijngaardstraat			
Vigne (rue de la)	AND	43	J3
Wijngaardstraat			
Vignoble (rue du)	FO	57	K6-L6
Wijngaardstraat	TER	53	J19-K19
Wijngaardstraat	ZAV	27	E15
Wijnheuvelenstraat			
Coteaux (rue des)	SCH	5	G9-G10
–	SJ	5	G9S
Wijnoogstdreef			
Vendanges (dr. des)	FO	56	L6
Wijnpersdreef			
Pressoir (dr. du)	FO	56	L6
Wijnstokstraat			
Treille (rue de la)	XL	60	L11
Wijtsman (sent.-pad)	LIN	69	O7-P7
Wilde Kersensquare			
Mérises (sq. des)	UC	69	O7
Wilde Rozenlaan			
Eglantines (av. des)	WO	52	I17
Wilde Rozenweg			
Eglantiers (ch. des)	KR	39	H16
Wilde Tijmstraat			
Serpolet (rue du)	MSJ	32	H4
Wilde Zwanenlaan			
Cygnes Sauvages (av. des)	WO	40	G17
Wildehoek			
Herbes Sauvages (carré des) = 175	WSP	39	H16
Wildejasmijnenlaan			
Seringas (av. des)	BR	23	D8
Wilder (rue du-str.)	BER	31	G3
Wilderkasteellaan	SPL	55	M3
Wilderozelaarslaan			
Eglantiers (av. des)	UC	70	O9-N10
Wilderozenstraat	AS	20	D2
Wildewoudstraat			
Bois Sauvage (rue du) = 454	BR	4	H8N
Wilgendaal	AS	20	D2-D3

Nom / Naam	Gemeenten Communes	Plattegrond Plan n°	Plaatsaanduiding Repère
Wilgendreef			
Saules (dr. des)	**BR**	14	**C9**
Wilgengaarde	**DIL**	30	**F1-G1**
Wilgengaarde			
Saules (clos des)	**KR**	39	**G16**
Wilgenlaan	**SPL**	55	**M3-N3**
Wilgenstraat	**ZAV**	28	**D16**
Wilgenweg	**TER**	64	**L17**
Wilgeroosjesstraat	**ZAV**	28	**E16**
Wilgeroosjestraat			
Osier Fleuri (rue de l')	**BR**	26	**C13**
Wilgstraat			
Saule (rue du)	**GAN**	22	**E5**
–	**J**	22	**E5-E6**
Willame (rue Robert-str.)	**AUD**	49	**K13**
Willebroek (quai de)			
Willebroekkaai	**BR**	34	**F8-G8**
Willebroekkaai			
Willebroek (quai de)	**BR**	34	**F8-G8**
Willem (rue Alexis-str.)	**AUD**	50	**K14**
Willem de Zwijgerstraat			
Taciturne (rue du)	**BR**	35	**H10**
Willems			
(pl. Joseph Benoît-pl.)	**BR**	23	**E8**
Willems (rue-str.)	**BR**	35	**H10**
–	**SJ**	35	**H9-H10**
Willemyns (rue Adolphe-str.)	**AND**	43	**I3-I4**
Willeriekendreef			
Bonne Odeur (dr. de)	**WB**	61	**M13-O15**
Willoxstraat (W.)	**MA**	17	**C14**
Wilmotte (rue Maurice-str.)	**SG**	46	**J8**
Wilskrachtstraat			
Energie (rue de l')	**AND**	43	**K4**
Wilson (rue John			
Waterloo-str.)	**BR**	35	**H10**
Wilstraat			
Volonté (rue de la) = 328	**AND**	43	**K4**
Wimpelberg (rue du-str.)	**BR**	15	**C10-C11**
Windberg	**WEM**	11	**A4-B4**
Windbreukweg			
Chablis (ch. des)	**WB**	60	**L11**
Windedreef			
Volubilis (dr. des)	**WB**	60	**L11**
Windhondweg			
Lévrier (sent. du)	**BR**	13	**C8**
Windmolen	**AS**	20	**D1**
Windmolenberg	**WSL**	38	**H14**
Windmolenstraat	**BE**	68	**P5**
Windmolenstraat	**DIL**	30	**H2-H3**
Windmolenstraat			
Moulin à Vent (rue du)	**EV**	25	**E11**
Windmolenstraat			
Moulin à Vent (rue du)	**WO**	52	**I18**
Winkel	**WEM**	12	**B5**
Winkelhaakstraat			
Equerre (rue de l')	**EV**	26	**E12**
Winkelveldstraat	**DIL**	31	**H3**
Winkelveldstraat	**VIL**	14	**B9**
Winterkoninkjestraat			
Roitelet (rue du)	**WB**	60	**L11**
Winterlaan	**SPL**	66	**O2**
Winteroy (rue Egide-str.)	**BER**	32	**F4**
Wipstraat			
Perche (rue de la)	**EV**	25	**D12**
Wipstraat			
Perche (rue de la)	**SG**	45	**J7**
Wiser			
(sq. Charles-Maurice-pl.)	**ETT**	47	**I10**
Wissenstraat			
Osiers (rue des)	**MSJ**	2	**G6**S
Witherendreef	**OV**	64	**N17-N19**
Witherenstraat			
Pères Blancs (rue des)	**ETT**	48	**J11**
Witloof (rue du-str.)	**BR**	16	**C13**
Witloofstationstraat			
Gare du Witloof (rue de la)	**BR**	26	**D13**
Witte Acacialaan			
Robiniers (av. des)	**BR**	23	**D7-D8**
Witte-Bergstraat			
Mont-Blanc (rue du)	**SG**	8	**J8**N
Witte Damenlaan			
Dames Blanches (av. des)	**KR**	51	**J16-J17**
Witte Dovenetellaan			
Lamier Blanc (av. du)	**WO**	41	**H19**
Witte Vrouwendreef			
Dames Blanches (dr. des)	**AUD**	50	**K14**
Wittehoedstraat	**SPL**	55	**M4**
Wittevrouwenlaan			
Dames Blanches			
(av. des)	**WSP**	51	**J16**
Wittmann (rue Emile-str.)	**SCH**	36	**G11**
Wittouck (carré)	**SPL**	55	**M3**
Wittouck (rue Louis-str.)	**BR**	23	**E7**
Wittouckstraat (Felix)	**SPL**	55	**L3**
Wittouckstraat (Georges)	**SPL**	55	**N2-N3**
Witvissenlaan			
Ablettes (av. des)	**AUD**	60	**K12**
Woeringen (rue de-str.)	**BR**	6	**I7**N
Woeste (av. Charles-laan)	**J**	23	**E6-F7**
Wollegrassquare			
Linaigrettes (sq. des)	**AND**	43	**K3**
Wollendriestoren			
Grosse Tour (rue de la)	**BR**	8	**I8**S-**J8**N
–	**XL**	8	**I8**S-**J8**N
Wollès (rue Camille-str.)	**SCH**	36	**G11**
Wolstraat			
Laines (rue aux)	**BR**	8	**I7**S
Woluwe (bd. de la-dal)	**KR**	27	**F15**
–	**WSL**	38	**H14-G15**
Woluwe (bd. de la-laan)	**WSP**	50	**I14**
Woluwe-Saint-Etienne (ch. de)			
Sint-Stevens-			
Woluweweg = 116	**EV**	26	**E12**
Woluwe-Saint-Etienne (rue de)			
Sint Stevens Woluwestraat	**BR**	26	**D13-E14**
Woluwe-Saint-Lambert (av. de)			
Sint-Lambrechts			
Woluwelaan	**WSL**	48	**I12**
Woluwedal	**ZAV**	27	**E15-G15**
Woluwelaan	**MA**	17	**A14-D15**
Woluwestraat	**MA**	17	**A14-B14**
Woluwestraat	**ZAV**	28	**E16**
Woluweveld	**ZAV**	27	**E15**
Woluweweg	**ZAV**	28	**E16**

Nom / Naam	Gemeenten Communes	Plattegrond Plan n°	Plaatsaanduiding Repère
Wolvenberg (rue du-str.) = 304	**UC**	57	**M6**
Wolvendael (av.-laan)	**UC**	57	**M7**
Wolvendreef			
Loups (dr. des)	**AUD**	63	**N16**
Wolvengracht			
Fossé aux Loups (rue du)	**BR**	4	**H8**N
Wolvens (av. Henri-Victor-laan)	**WSL**	38	**G14**
Wolvenstraat			
Loups (rue des)	**AND**	43	**K4**
Wolvenstraat (korte)			
Loups (pet. rue des)	**AND**	43	**J4**
Wolveweg	**TER**	53	**K20-L20**
Wolvindreef			
Louve (dr. de la)	**WB**	61	**M13**
Woonwijkstraat			
Cité (rue de la)	**XL**	9	**J9**N
Woudlaan			
Forêt (av. de la)	**BR**	60	**M11**
–	**XL**	60	**M11**
Woudlaan			
Forêt (av. de la)	**KR**	51	**I16**
–	**WO**	40	**I16-H17**
Woudmeesterdreef	**TER**	64	**L17-L18**
Woudmeesterlaan			
Grand Forestier (av. du)	**AUD**	61	**L13**
–	**WB**	61	**L13**
Woudmeesterstraat	**OV**	77	**O20**
Woudweg			
Forêt (ch. de la)	**UC**	69	**O7-O8**
Wouterbos	**LIN**	69	**P7**
Wouters (av. Capt. Robert)			
Wouterslaan (Kapt. Robert)	**WEM**	11	**C4**
Wouters (pl. Rik-pl.)	**WB**	61	**N13**
Wouters (rue Alexandre-str.)	**J**	22	**D5**
Wouterslaan (Kapt. Robert)			
Wouters (av. Capt. Robert)	**WEM**	11	**C4**
Woutersplein	**OV**	77	**N20**
Wulpenhof	**WO**	40	**G18**
–	**ZAV**	40	**G18**
Wulpenstraat			
Courlis (rue des) = 31	**WB**	61	**M12**
Wybran (av. Joseph-laan)	**AND**	42	**K1**
Wytsman (rue Juliette-str.)	**XL**	47	**J10-K10**

Nom / Naam	Communes	Plan	Repère
Xhoneux (rue Maurice-str.)	**AND**	44	**I5-J5**
Yachts (quai des)			
Jachtenkaai	**BR**	24	**E8**
Yourcenar (av. Marguerite-laan)	**XL**	47	**J10**
Yourcenar (pass. Marguerite-doorgang) = 68	**BR**	8	**I8**S
Ypres (bd. d')			
Ieperlaan	**BR**	2	**G7**S
Ysaye (av. Eugène-laan)	**AND**	43	**J4**
Yser (av. de l')			
IJzerlaan	**ETT**	48	**I11**
Yser (pl. de l')			
IJzerplein	**BR**	4	**G8**N
Yser (rue de l')			
IJzerstraat	**DRO**	68	**O6**
–	**UC**	68	**O6**
Ysewyn (rue François-str.)	**AND**	44	**J5**

Z

Nom / Naam	Communes	Plan	Repère
Zaadstraat			
Semence (rue de la)	**AND**	32	**H5**
–	**MSJ**	32	**H5**
Zaligehedenlaan			
Béatitudes (av. des)	**WEM**	12	**B5**
Zaman (av.-laan)	**FO**	57	**L6**
Zamenhof (av. Dr.)			
Zamenhoflaan (Dr.)	**AND**	44	**J4-J5**
Zamenhoflaan (Dr.)			
Zamenhof (av. Dr.)	**AND**	44	**J4-J5**
Zandbeek (rue-str.)	**UC**	69	**N6**
Zandblauwtjeslaan	**OV**	76	**P18**
Zandgroeflaan			
Sablière (av. de la) = 298	**AUD**	49	**K13**
Zandkeverssquare			
Cicindèles (sq. des)	**WB**	60	**M11-M12**
Zandstraat			
Sables (rue des)	**BR**	4	**H8**N
Zangrijelaan	**VIL**	14	**B9**
Zangvogellaan			
Passereaux (av. des)	**AUD**	49	**K12**
–	**WSP**	49	**K12**
Zaterdagplein			
Samedi (pl. du)	**BR**	4	**H8**N

Nom / Naam	Communes / Gemeenten	Plan n° / Plattegrond	Repère / Plaatsaanduiding
Zavelberg			
Montagne de Sable = 297	**AUD**	49	**K13**
Zaveldreef	**TER**	53	**J20**
Zavelenberg (clos du-gaarde)	**BER**	21	**F3-F4**
Zavelput			
Sablonnière (rue de la)	**BR**	5	**H9**N
Zavelstraat	**BE**	68	**P5-P6**
Zavelstraat			
Sablons (rue des)	**BR**	8	**I8**N
Zavelstraat			
Sables (rue des)	**LIN**	69	**P7**
Zavelstraat			
Sables (rue des)	**WO**	52	**I18**
Zavelstraat	**ZAV**	29	**F18**
Zaventem (chaus. de)			
Zaventemsesteenweg	**KR**	28	**F16-G16**
Zaventem (rue de-str.)	**EV**	37	**F12-F13**
Zaventemsebaan	**ZAV**	27	**F14-E14**
Zaventemsesteenweg			
Zaventem (chaus. de)	**KR**	28	**F16-G16**
Zaventemsesteenweg	**MA**	17	**C14-C15**
Zaventemsesteenweg (nieuwe)	**MA**	17	**C15**
Zaventemseweg	**ZAV**	27	**E14-E15**
Zedigheidsstraat			
Modestie (rue de la)	**AND**	42	**I2**
Zeecrabbe (rue-str.)	**UC**	58	**L8**
Zeegodenlaan			
Tritons (av. des)	**WB**	61	**L12**
Zeehondstraat			
Chien Marin (rue du)	**BR**	3	**H7**N
Zeemeeuwenlaan			
Goëlands (av. des)	**WSP**	49	**J13**
Zeemtouwersstraat			
Mégissiers (rue des)	**AND**	2	**H6**S
Zeenstraat	**ZAV**	40	**G18**
Zeepaardjesstraat			
Hippocampes (rue des)	**MSJ**	32	**G4-G5**
Zeepkruidhoek			
Saponaires (clos des)	**AND**	43	**K3**
Zeepziederijstraat			
Savonnerie (rue de la)	**MSJ**	2	**H6**N
Zeevaartstraat			
Navigation (rue de la)	**BR**	23	**F8**
Zelfbestuursstraat			
Autonomie (rue de l')	**AND**	6	**I7**N
Zellik (chaus. de)			
Zelliksesteenweg	**BER**	21	**F3**
Zelliksesteenweg			
Zellik (chaus. de)	**BER**	21	**F3**
Zellikseweg (kleine)	**AS**	10	**C2**
Zénith (rue du)			
Zenitstraat	**BER**	31	**F3**
Zenitstraat			
Zénith (rue du)	**BER**	31	**F3**
Zennebeemden	**BE**	67	**P4**
Zennedreef	**BE**	67	**P4-P5**
Zennestraat	**BE**	66	**P2**
Zennestraat			
Senne (rue de la)	**BR**	2	**H7**S

Nom / Naam	Communes / Gemeenten	Plan n° / Plattegrond	Repère / Plaatsaanduiding
Zéphyr (rue du)			
Westenwindstraat	**WSL**	37	**H13**
Zesbunderspleín	**OV**	76	**O18**
Zesellenstraat			
Six Aunes (rue des)	**BR**	8	**I8**S
Zesjonkmansstraat			
Six Jeunes Hommes (rue des) = 467	**BR**	8	**I8**N
Zespenningenstraat			
Six Jetons (rue des)	**BR**	2	**H7**S
Zeven Bunderslaan			
Sept Bonniers (av. des)	**FO**	57	**L6**
–	**UC**	57	**K7**
Zeven Tommen	**ZAV**	29	**D17-D18**
Zevensterrestraat			
Sept Étoiles (rue des)	**BER**	31	**F3**
Zeventien Aprilstraat			
Dix-Sept Avril (rue du)	**EV**	37	**G12**
Zeyp (rue-str.)	**GAN**	22	**E5**
Zijdeteeltstraat			
Magnanerie (rue de la)	**UC**	57	**M6**
Zijdeweverijstraat			
Soierie (rue de la)	**FO**	56	**L4-L5**
Zijlaan			
Latérale (av.)	**UC**	58	**M9**
Zijp	**WEM**	12	**A5-A6**
Zikkelstraat			
Faucille (rue de la)	**WO**	52	**I18-J18**
Zilveren Paardgaarde			
Cheval d'Argent (clos du) = 508	**XL**	60	**L11**
Zilverreigersstraat			
Aigrettes (rue des)	**WB**	61	**M12**
Zilverstraat			
Argent (rue d')	**BR**	4	**H8**N
Zilvervoslaan			
Renard Argenté (av. du)	**WO**	52	**I18**
Zinnebeeldstraat			
Symbole (rue du) = 332	**AND**	43	**K3-K4**
Zinner (rue-str.)	**BR**	9	**H9**S
Zinniaplein			
Zinnias (pl. des)	**WB**	61	**L13**
Zinnias (pl. des)			
Zinniaplein	**WB**	61	**L13**
Zinnikstraat			
Soignies (rue de)	**BR**	2	**H7**S
Zircon (sent. du)			
Zirkoonpad	**BR**	12	**C6**
Zirkoonpad			
Zircon (sent. du)	**BR**	12	**C6**
Zodiaque (rue du)			
Dierenriemstraat	**FO**	45	**K7**
Zola (av. Émile-laan)	**SCH**	24	**E10**
Zomerlaan	**SPL**	66	**O2**
Zomerstraat			
Été (rue de l')	**XL**	47	**K10-K11**
Zondagboslaan			
Bois du Dimanche (av.)	**WSP**	50	**J14-K14**
Zoniënboslaan	**OV**	75	**N16**
Zonienbosstraat	**HOE**	75	**P16**
Zoniënwoudweg			
Forêt de Soignes (ch. de la)	**WB**	73	**O12-N13**

Nom / Naam	Communes Gemeenten	Plan n° Plattegrond	Repère Plaatsaanduiding
Zonlaan	**DIL**	30	**G1**
Zonnebloemenstraat			
Tournesols (rue des)	**AND**	32	**H4**
Zonnebloemlaan			
Hélianthe (av. de l')	**UC**	69	**N7-O7**
Zonneboslaan			
Bois Soleil (av. du)	**KR**	52	**I17**
Zonnedallaan	**ZAV**	29	**E17**
Zonnegaarde			
Soleil (clos du)	**WSP**	49	**I13**
Zonnestraat			
Soleil (rue du)	**SCH**	5	**G9**S
–	**SJ**	5	**G9**S
Zonneveld			
Soleil (champ du)	**WO**	41	**H19**
Zonnewegel	**ZAV**	29	**F18**
Zoomlaan			
Orée (av. de l')	**BR**	59	**L10**
–	**XL**	59	**L10**
Zorgvliet	**OV**	77	**P20**
Zoutstraat			
Sel (rue du)	**AND**	44	**I5**
Zuen (rue de)			
Zuunstraat	**AND**	55	**L3-L4**
Zuiddreef	**TER**	65	**L20**
Zuiderkruislaan			
Croix du Sud (av. de la)	**WSL**	37	**H12-H13**
Zuiderlaan	**AS**	21	**E3**
Zuidlaan			
Midi (bd. du)	**BR**	6	**H7**S
Zuidlaan	**HOE**	76	**P18**
Zuidstraat			
Midi (rue du)	**BR**	4	**H7**S
Zuinigheidsstraat			
Économie (rue de l')	**BR**	6	**I7**S
Zuunbeeklaan	**SPL**	54	**M2-M3**
Zuunstraat			
Zuen (rue de)	**AND**	55	**L3-L4**
Zuurbessenlaan	**OV**	76	**N17-N18**
Zwaab (rue Michel-str.)	**MSJ**	33	**F7**
Zwaardstraat			
Épée (rue de l')	**BR**	8	**I8**N
Zwaluwenlaan			
Hirondelles (av. des)	**KR**	39	**G16**
Zwaluwenstraat			
Hirondelles (rue des)	**BR**	4	**H8**N
Zwaluwenstraat	**VIL**	14	**A9**
Zwaluwenveld			
Hirondelles (champ des)	**WO**	41	**H19**
Zwaluwstraat			
Aronde (rue de l')	**WB**	60	**M12**
Zwanenhofstraat	**DIL**	20	**F2**
Zwanenstraat			
Cygnes (rue des)	**XL**	9	**J9**N
Zwart-Paardstraat			
Cheval Noir (rue du)	**MSJ**	2	**G7**S-**H7**N
Zwarte Dennenlaan			
Pins Noirs (av. des)	**WSP**	51	**J16**
Zwarte Lievevrouwstraat			
Vierge Noire (rue de la)	**BR**	4	**H8**N
Zwarte Pijnbomenlaan			
Pins Noirs (av. des)	**KR**	51	**J17**
Zwarte Vijverplein			
Étangs Noirs (pl. des)	**MSJ**	2	**G6**S
Zwarte Vijverstraat			
Étangs Noirs (rue des)	**MSJ**	33	**G6**
Zwartebeek (rue-str.)	**UC**	56	**M5**
Zwartkeeltjeslaan			
Traquets (av. des)	**AUD**	49	**K12**
–	**WSP**	49	**J13-K13**
Zwedenstraat			
Suède (rue de)	**SG**	6	**I7**S
Zweefvliegtuigstraat			
Planeur (rue du)	**BR**	26	**E12**
Zwemkunststraat			
Natation (rue de la)	**XL**	47	**J10**
Zwitserlandstraat			
Suisse (rue de)	**SG**	8	**I8**S-**J8**N

Téléphones utiles, Nuttige telefoonummers
Nützliche Telefonnummern, Useful telephone numbers, Numeri di telefono utili, Teléfonos útiles

Assistance - *Noodnummers*

Notdienste - Emergency services
Numeri d'Emergenza - Servicios de asistencia

Antigifcentrum .... 070 / 24 52 45
Belgisch Rode Kruis 105
Brandweer 100
Centre anti-poisons .... 070 / 24 52 45
Croix-rouge de Belgique 105
Dokters van wacht (Vlaamse Wachtdienst Brussel) .... 02 / 242 43 44
Gendarmerie 101
K.A.C.B. (Pechdienst dag en nacht) .... 02 / 287 09 00
Médecins de garde .... 02 / 479 18 18
Police secours 101
Politiehulp 101
Pompiers 100
R.A.C.B. (dépannage jour et nuit) .... 02 / 287 09 00
Rijkswacht 101
Touring Secours (Dépannage jour et nuit) .... 070 / 34 47 77
Touring Wegenhulp (Pechdienst dag en nacht) .... 070 / 34 47 77

Offices d'information touristique
Toeristische informatie

Tourist Information - Tourist Information Centres
Uffici informazioni turistiche - Centros de información turística

OPT: Office de Promotion du Tourisme, Wallonie Bruxelles
Rue du Marché aux Herbes /
Grasmarkt 63, 1000 BR .... 02 / 504 03 90
TIB: Office du Tourisme et d'Information de Bruxelles
Hôtel de Ville, Grand-Place /
Stadhuis, Grote Markt, 1000 BR .... 02 / 513 89 40
Toerisme Vlaanderen,
Grasmarkt / Rue du Marché aux Herbes 63, 1000 BR .... 02 / 504 03 90

Transports - *Vervoer*

Transporte - Transport
Trasporti - Transportes

N.M.B.S.; Nationale Maatschappij van Belgische
Spoorwegen .... 02 / 555 25 55
S.N.C.B.; Société Nationale des Chemins de Fer Belges .... 02 / 555 25 25

Transports urbains - *Stadsvervoer*

Nahverkehr - Urban Transport
Trasporti urbani - Transportes urbanos

M.I.V.B.; Maatschappij voor het Intercommunaal
Vervoer te Brussel .... 02 / 515 20 00
S.T.I.B.; Société des Transports intercommunaux
de Bruxelles .... 02 / 515 20 00
Taxis .... 02 / 647 99 30, 02 / 640 40 40, 02 / 349 49 49,
02 / 513 62 00, 02 / 512 21 23
T.E.C.; Transport en Commun
Société Régionale Wallonne de Transport .... 010 / 23 53 53
V.V.M.; Vlaamse Vervoer Maatschappij - De Lijn .... 02 / 526 28 11

Aéroport - *Luchthaven*

Flughafen - Airport
Aeroporto - Aeropuerto

Aéroport de Bruxelles National .... 02 / 753 21 11
Renseignements .... 02 / 753 39 13
Luchthaven Brussel Nationaal .... 02 / 753 21 11
Inlichtingen.. 02 / 753 39 13

Ambassades - *Ambassades*

Botschaften - Embassies
Ambasciate - Embajadas

Afrique du Sud - Rue de la Loi, 26 - 1040 BR.................... 02 / 285 44 00
Algérie - Av. Molière, 207 - 1050 BR .... 02 / 343 50 78
Algerije - Molièrelaan, 207 - 1050 BR .... 02 / 343 50 78
Allemagne - Av. de Tervueren, 190 - 1150 BR .... 02 / 774 19 11
Arabie Saoudite - Av. Fr. Roosevelt, 45 - 1050 BR .... 02 / 649 57 25
Argentine / Argentinië
Av. Louise / Louizalaan, 225 - 1050 BR .... 02 / 647 78 12
Australie / Australië - R. Guimardstr., 6-8 - 1040 BR............. 02 / 286 05 00
Autriche - Pl. du Champ de Mars, 5 - 1050 BR.................... 02 / 289 07 00
Brazilië - Louizalaan, 350 - 1050 BR.......................... 02 / 640 20 15
Brésil - Av. Louise, 350 - 1050 BR .... 02 / 640 20 15
Burundi - Sq. Marie-Louise / Maria-Louizasq., 46 - 1000 BR .... 02 / 230 45 35
Cameroun - Av. Brugmann, 131 - 1190 BR........................ 02 / 345 18 70
Canada - Av. de Tervueren / Tervurenlaan, 2 - 1040 BR............. 02 / 741 06 11
Centraal Afrikaanse Republiek
Lambermontlaan, 416 - 1030 BR .... 02 / 242 28 80
Centrafricaine (République)
Bd Lambermont, 416 - 1030 BR............................... 02 / 242 28 80
Chili - R. Montoyerstr., 40 - 1000 BR .... 02 / 280 16 20
China - Tervurenlaan, 445 - 1050 BR .... 02 / 771 33 09
Chine - Av. de tervueren, 445 - 1050 BR .... 02 / 771 33 09
Congo (Democratische Republiek)
M. de Bourgognestr., 30 - 1040 BR .... 02 / 513 66 10

Congo (République Démocratique du)
Rue M. de Bourgogne, 30 - 1040 BR .... 02 / 513 66 10
Corée - Ch. de La Hulpe, 173 - 1170 BR.................. 02 / 662 23 03
Côte-d'Ivoire - Av. Fr. Roosevelt, 234 - 1050 BR........... 02 / 672 23 57
Cuba - Rue Roberts-Jonesstr., 77 - 1180 BR............... 02 / 343 00 20
Danemark - Av. Louise, 221 - 1050 BR .... 02 / 626 07 70
Denemarken - Louizalaan, 221 - 1050 BR................. 02 / 626 07 70
Duitsland - Tervurenlaan, 190 - 1150 BR................. 02 / 774 19 11
Égypte / Egypte
Av. L. Errera, 44 / L. Erreralaan - 1180 BR .... 02 / 345 50 15
Espagne - Rue de la Science, 19 - 1040 BR............... 02 / 230 03 40
États-Unis - Bd du Régent, 27 - 1000 BR................. 02 / 508 21 11
Finland - Kunstlaan, 58 - 1000 BR .... 02 / 287 12 12
Finlande - Av. des Arts, 58 - 1000 BR .... 02 / 287 12 12
France - Rue Ducale, 65 - 1000 BR...................... 02 / 548 87 11
Frankrijk - Hertogsstr., 65 - 1000 BR .... 02 / 548 87 11
Grèce - Av. Fr. Roosevelt, 2 - 1050 BR .... 02 / 648 17 30
Griekenland - Fr. Rooseveltlaan, 2 - 1050 BR............. 02 / 648 17 30
Hongarije - E. Picardstr., 41 - 1050 BR.................. 02 / 343 67 90
Hongrie - Rue E. Picard, 41 - 1050 BR................... 02 / 343 67 90
Ierland - Froissartstr., 89 - 1040 BR .... 02 / 230 53 37
IJsland - Trierstraat, 74 - 1040 BR .... 02 / 286 17 00
Inde - Chaussée de Vleurgat, 217 - 1050 BR .... 02 / 640 91 40
India - Vleurgatsesteenweg, 217 - 1050 BR .... 02 / 640 91 40
Indonésie / Indonesië
Av. de Tervueren / Tervurenlaan, 294 - 1150 BR .... 02 / 771 20 14
Irlande - Rue Froissart, 89 - 1040 BR.................... 02 / 230 53 37
Islande - Rue de Trèves, 74 - 1040 BR................... 02 / 286 17 00
Israël - Av. de l'Observatoire / Sterrewachtlaan, 40 - 1180 BR 02 / 373 55 11
Italie / Italië - Rue E. Clausstr. 28-34 - 1050 BR .... 02 / 649 97 00
Ivoorkust - Fr. Rooseveltlaan, 234 - 1050 BR.............. 02 / 672 23 57
Japan - Kunstlaan, 58 - 1000 BR........................ 02 / 513 23 40
Japon - Av. des Arts, 58 - 1000 BR...................... 02 / 513 23 40
Jordanie / Jordanië - Av. Fr. Rooseveltlaan, 104 - 1050 BR. 02 / 640 77 55
Kameroen - Brugmannlaan, 131 - 1190 BR................ 02 / 345 18 70
Kenia - W. Churchilllaan, 208 - 1180 BR.................. 02 / 340 10 40
Kenya - Av. W. Churchill, 208 - 1180 BR .... 02 / 340 10 40
Korea - Terhulpsesteenweg, 173 - 1170 BR .... 02 / 662 23 03
Koweït - Av. Fr. Rooseveltlaan, 43 - 1050 BR.............. 02 / 647 79 50
Liechtenstein - Pl. du Congrès / Congresplein, 1 - 1000 BR . 02 / 229 39 00
Luxembourg - Av. de Cortenbergh, 75 - 1000 BR .... 02 / 737 57 00
Luxemburg - Kortenberglaan, 75 - 1000 BR............... 02 / 737 57 00
Malaisie - Av. de Tervueren, 414a - 1150 BR.............. 02 / 776 03 40
Maleisië - Tervurenlaan, 414a - 1150 BR .... 02 / 776 03 40
Mali - Av. Molièrelaan, 487 - 1060 BR.................... 02 / 345 74 32
Maroc - Bd St-Michel, 29 - 1040 BR..................... 02 / 736 11 00
Marokko - St-Michielslaan, 29 - 1040 BR................. 02 / 736 11 00
Mexico - Fr. Rooseveltlaan, 94 - 1050 BR................. 02 / 629 07 11
Mexique - Av. Fr. Roosevelt, 94 - 1050 BR .... 02 / 629 07 11
Monaco - Pl. G. d'Arezzoplaats, 17 - 1180 BR............. 02 / 347 49 87
Nederland - Herrmann-Debrouxlaan, 48 - 1160 BR .... 02 / 679 17 11
Nieuw-Zeeland - Regentlaan, 47 - 1000 BR............... 02 / 512 10 40
Nigeria - Av. de Tervueren / Tervurenlaan, 288 - 1150 BR ... 02 / 762 52 00
Noorwegen - Louizalaan, 130A - 1050 BR .... 02 / 646 07 80
Norvège - Av. Louise, 130A - 1050 BR................... 02 / 646 07 80
Nouvelle-Zélande - Bd du Régent, 47 - 1000 BR.......... 02 / 512 10 40

Oeganda - Tervurenlaan, 317 - 1150 BR .... 02 / 762 58 25
Oekraïne - L. Lepoutrelaan, 99-101 - 1050 BR.................... 02 / 344 40 20
Oostenrijk - Marsveldplein, 5 - 1050 BR .... 02 / 289 07 00
Ouganda - Av. de Tervueren, 317 - 1150 BR....................... 02 / 762 58 25
Pakistan - Av. Delleurlaan, 57 - 1170 BR......................... 02 / 673 80 07
Pays-Bas - Av. Hermann-Debroux, 48 - 1160 BR .... 02 / 679 17 11
Polen - Frankenstr., 28 - 1040 BR................................ 02 / 735 72 12
Pologne - Rue des Francs, 28 - 1040 BR.......................... 02 / 735 72 12
Portugal
Av. de la Toison d'Or / Gulden Vlieslaan, 55 - 1060 BR .... 02 / 539 38 50
Roemenië - Gabriëllestr., 105 - 1180 BR......................... 02 / 345 26 80
Roumanie - Rue Gabrielle, 105 - 1180 BR .... 02 / 345 26 80
Royaume-Uni - Rue d'Arlon, 85 - 1040 BR .... 02 / 287 62 11
Rusland - De Frélaan, 66 - 1180 BR............................... 02 / 374 68 86
Russie - Av. De Fré, 66 - 1180 BR .... 02 / 374 68 86
Rwanda - Av. des Fleurs / Bloemenlaan, 1 - 1150 BR............... 02 / 763 07 02
Saint-Marin - Av. Fr. Roosevelt, 62 - 1050 BR .... 02 / 644 38 49
San Marino - Fr. Rooseveltlaan, 62 - 1050 BR.................... 02 / 644 38 49
Saoedi-Arabië - Fr. Rooseveltlaan, 45 - 1050 BR.................. 02 / 649 57 25
Sénégal / Senegal - Av. Fr. Rooseveltlaan, 196 - 1050 BR........... 02 / 673 00 97
Seychelles - Bd Jubilé / Jubileumlaan, 157 - 1080 BR.............. 02 / 425 62 36
Singapore - Fr. Rooseveltlaan, 198 - 1050 BR .... 02 / 660 29 79
Singapour - Av. Fr. Roosevelt, 198 - 1050 BR..................... 02 / 660 29 79
Slovaque (République) - Av. Molière, 195 - 1050 BR .... 02 / 346 43 42
Slovénie / Slovenië
Av. Louise / Louizalaan, 179 - 1050 BR .... 02 / 646 90 99
Slowakije (Republiek) - Molièrelaan, 195 - 1050 BR .... 02 / 346 43 42
Spanje - Wetenschapsstr., 19 - 1040 BR .... 02 / 230 03 40
Suède - Av. Louise, 148 - 1050 BR................................ 02 / 289 57 60
Suisse - Rue de la Loi, 26 - 1040 BR .... 02 / 285 43 50
Tchad - Bd Lambermont, 52 - 1030 BR .... 02 / 215 19 75
Tchèque (République) - Rue Engeland, 555 - 1180 BR............ 02 / 375 59 51
Thailand - Terkamerendalsquare, 2 - 1050 BR .... 02 / 640 68 10
Thaïlande - Square du Val de la Cambre, 2 - 1050 BR.............. 02 / 640 68 10
Togo - Av. de Tervueren / Tervurenlaan, 264 - 1150 BR .... 02 / 770 17 91
Tsjaad - Lambermontlaan, 52 - 1030 BR........................... 02 / 215 19 75
Tsjechië (Republiek) - Engelandstraat, 555 - 1180 BR............. 02 / 375 59 51
Tunesië - Tervurenlaan, 278 - 1150 BR .... 02 / 771 73 95
Tunisie - Av. de Tervueren, 278 - 1150 BR........................ 02 / 771 73 95
Turkije - Montoyerstr., 4 - 1000 BR .... 02 / 513 40 95
Turquie - Rue Montoyer, 4 - 1000 BR .... 02 / 513 40 95
Ukraine - Av. L. Lepoutre, 99-101 - 1050 BR....................... 02 / 344 40 20
Vaticaan - Franciskanerlaan, 5-9 - 1150 BR......................... 02 / 762 20 05
Vatican - Av. des Franciscains, 5-9 - 1150 BR .... 02 / 762 20 05
Venezuela - Av. Fr. Rooseveltlaan, 10 - 1050 BR .... 02 / 639 03 40
Verenigd Koninkrijk - Aarlenstraat, 85 - 1040 BR................. 02 / 287 62 11
Verenigde Staten van Amerika
Regenstlaan, 27 - 1000 BR .... 02 / 508 21 11
Viêt Nam / Vietnam
Av. de la Floride / Floridalaan 130 - 1180 BR..................... 02 / 374 91 33
Yougoslavie / Yougoslavië
Av. E. de Motlaan, 11 - 1000 BR.................................. 02 / 647 26 52
Zuid-Afrika - Wetstraat, 26 - 1040 BR .... 02 / 285 44 00
Zweden - Louizalaan, 148 - 1050 BR .... 02 / 289 57 60
Zwitserland - Wetstraat, 26 - 1040 BR .... 02 / 285 43 50

Transports - Vervoer
Transporte - Transport
Trasporti - Transportes

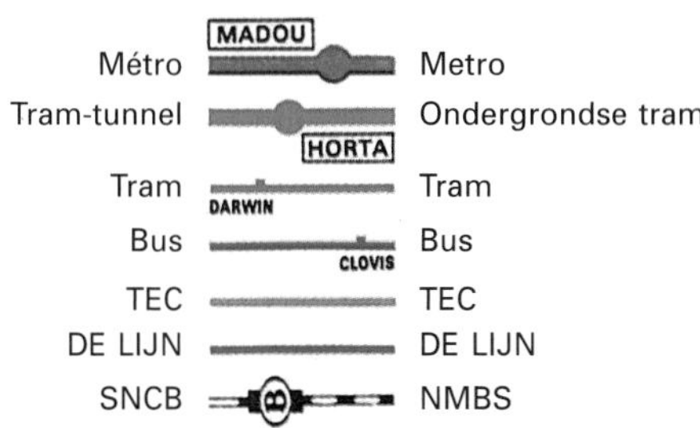

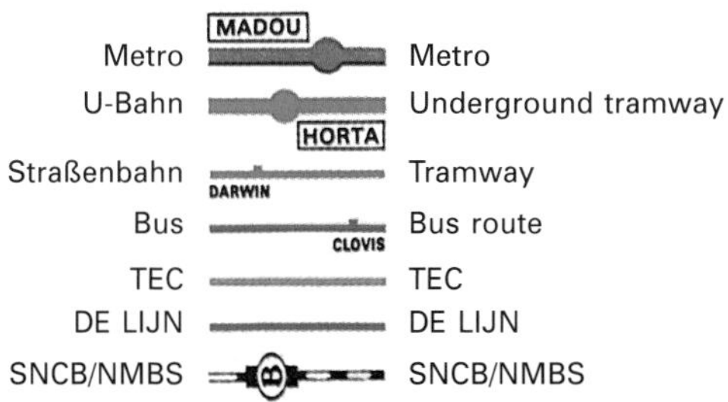

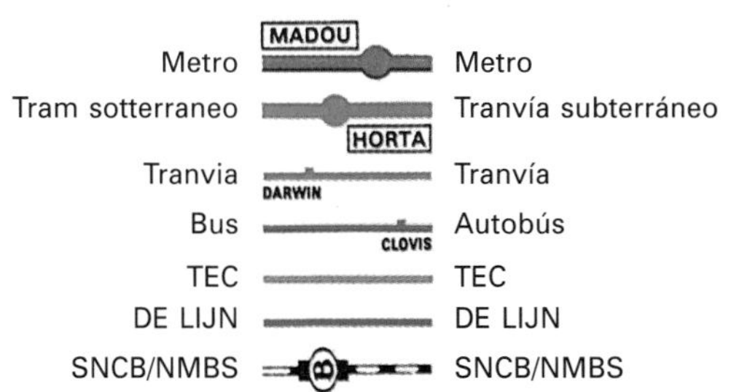

PANNENHUIS
BELGICA
2 SIMONIS
RIBAUCOURT
YSER IJZER
GARE DU NORD NOORDSTATION
OSSEGEM OSSEGHEM
ETANGS NOIRS ZWARTE VIJVERS
COMTE DE FLANDRE GRAAF VAN VLAANDEREN
BEEKKANT
ROGIER
SAINTE-CATHERINE SINT-KATELIJNE
DE BROUCKERE
BOURSE BEURS
GARE CENTRALE CENTRAAL STATION
PARC PARK
ANNEESSENS
2 CLEMENCEAU
LEMONNIER
NAAMSEPOORT PORTE DE NAMUR
GARE DU MIDI ZUIDSTATION
LOUIZA LOUISE
HALLEPOORT PORTE DE HAL
MUNTHOF HOTEL DES MONNAIES
PARVIS DE SAINT-GILLES SINT-GILLISVOORPLEIN
HORTA
LOYAUTE RECHTSCHAPENHEID
WOESTE
LEGRELLE
PL R ASTRID K ASTRIDPL
LEOPOLD I
DEMEER
BRUXELLOIS BRUSSELAARS
ODON WARLAND
MIROIR SPIEGEL
PARC HUYBRECHTS PARK
SIMPSON
ESCAUT SCHELDE
RIETHUISEN
BROUSTIN
VANDERSTICHELEN
STEAMERS STOOMBOTEN
ARMATEURS REDERS
ENTREPOT STAPELHUIS
MASUI
DESTOUVELLES
THOMAS
BOSSAERT
VANDERBORGHT
FLESSINGUE VLISSINGEN
PICARD
GLIBERT
PROGRES VOORUITGANG
TOUR ET TAXIS
THURN EN TAXIS
BESME
KU BRUSSEL
SIPPELBERG
ST-REMIGIUS ST-REMI
WTC
VAN HUFFEL
SAINCTELETTE
AUTRIQUE
MERCHTEM
NICOLAY
KARREVELD
ST-LAZARE
YPRES IEPER
PTE D'ANVERS ANTWERPSE PT
BORNE PAAL
GILLON
DE WITTE DE HAELEN
SAVONNERIE ZEEPZIEDERIJ
PTE DE FLANDRE VLAAMSE PT
BEGUINAGE BEGIJNHOF
PACHECO
Congres Kongres
BOTANIQ KRUIDTU
VANDENPEEREBOOM
SEPH BAECK
DELAUNOY
DANSAERT
DE BERLAIMONT
PTE DE NINOVE NINOOFSEPT
ASSAUT STORM
4 VENTS 4 WINDEN
DUCHESSE HERTOGIN
TREURENBERG
ARENBERG
ARTS ET METIERS
PLATTESTEEN
BIRMINGHAM
BUANDERIE WASHUIS
PTE D'ANDERLECHT ANDERLECHTSE PT
B-ARTS
SCH KUNST
ST-JEAN ST-JAN
PARC DE BRUXELLES PARK VAN BRUSSEL
ABATTOIRS SLACHTHUIZEN
LIVERPOOL
BODEGHEM BODEGEM
GD SABLON GR ZAVEL
ROYALE KONING
BROGNIEZ
BARA
CHAPELLE KAPEL
PT SABLON KL ZAVEL
ALBERT I
FIENNES
CONSEIL RAAD
CUREGHEM KUREGEM
JEU DE BALLE VOSSENPLEIN
MIDI(B)
PTE DE HAL HALLEPT.
DE STASSART
ST-PIETER(H) ST-PIERRE(H)
ST-BONIFACE ST-BONIFAAS
SUEDE ZWEDEN
PARENTE
STEPHANIE STEFANIA
VETERINAIRES VEEARTSEN
2 GARES 2 STATIONS
PARVIS ST-GILLES ST-GILLIS VOORPLEIN
VERHAEGEN
DANTE
BETHLEEM BETHLEHEM
FAIDER
DEFACQZ
GUILLAUME TELL WILLEM TELL
FIERLANT
BARRIERE BAREEL
LESBROUSSART
ORBAN
JANSON
WIELEMANS
COMBAZ
MORIS
TRINITE DRIEVULDIGHEID
OUTRE-PONTS OVER DE BRUGGEN
DE TROOZ
ROYAUTE KONINGSCHAP
LENOIR

SCHAERBEEK (B)
SCHAARBEEK (B)
CHAUMONTEL
PAIX
VREDE
SABCA
BORDET (B)
TEICHMANN
PR.ELISABETH
HELMET
TILLEUL
LINDE
PARIS
PARIJS
GERMINAL
BALE
BASEL
GERMINAL
MATISSE
DEMOLDER
VERBOEKHOVEN
FOYER SCHAERBEEKOIS
SCHAARB. HAARD
HOEDEMAEKERS
LEKAERTS
PAVILLON
PAVILJOEN
WAELHEM
H SCHAERBEEK
SCHAARBEEK H
NOTRE-DAME
ONZE-LIEVE-VROUW
GENEEENENS
KENNIS
G.KURTH
PARC D'EVERE
EVERE PARK
COLIGNON
DESTREE
LATINIS
DE BRANDT
LOISIRS
VRIJETIJD
RUBENS
LEHON
POGGE
E.LAUDE
LOUIS BERTRAND
Evere
AERSCHOT
AARSCHOT
CROSSING
GILISQUET
EVERE SHOPPING
PARC
JOSAPHAT
PARK
LIEDTS
ST-SERVAIS
ST-SERVAAS
HERMAN
HELIOTROPES
HELIOTROPEN
GENEVE
DUNANT
AZALEA
AZALEES
LEFRANCQ
ROBIANO
JOSAPHAT
DUNANT
COTEAUX
WIJNHEUV.
CHAZAL
GUILLAUME
L'OLIVIER
BIENFAITEURS
WELDOENERS
P.LEDUC
STE-MARIE
ST-MARIA
F.COURTENS
ST-LAZARE
GEEFS
PATRIE
VADERLAND
LEOPOLD III
GEORGIN
GILLON
TRAVERSIERE
DWARSSTRAAT
MERIDIEN
MIDDAGLIJN
MEISER(B)
MEISER
BOSSUET
FUSS
CLAYS
DAILLY
RADIUM
LIMITE
GRENS
BOTANIQUE
KRUIDTUIN
QUETELET
HOUWAERT
STEURS
TH.VINCOTTE
COLONEL BOURG
KOLONEL BOURG
BRABANCONNE
PLASKY
REYERS
CONGRES
KONGRES
ST-JOSSE
ST-JOOST
OPALE
OPAAL
PLASKY
V.HUGO
CLOVIS
CHASSEURS
ARDENNAIS
FEVRIER
FEBRUARI
PRESSE
GUTENBERG
CONFEDERES
EEDGENOTEN
ARDENSE
JAGERS
DIAMANT
MADOU
PERS
WATERLOO
WILSON
AMBIORIX
MARGUERITE
DEJAMBLINNE
DE MEUX
V.HUGO
PARC
PARK
LEVIE
ARTS-LOI
KUNST-WET
PALMERSTON
LIVINGSTONE
JOSEPH II
MARGARETA
GUEUX
VERGOTE
MICHEL-ANGE
MICHELANGELO
PARC
PARK
MAALBEEK
MAELBEEK
WAPPERS
ARLON
AARLEN
SCHUMAN
CHEVALERIE
RIDDERSCHAP
PARC DE BRUXELLES
PARK VAN BRUSSEL
GUIMARD
DE LALAING
GEORGES
HENRI
PARC DU
CINQUANTENAIRE
DUCALE
BELLIARD
SCHUMAN (B)
HERTOG
MONTOYER
BREYDEL
NERVIENS
NERVIERS
JUBEL
PARK
MERODE
TROON
TRONE
DE MEUS
PARC LEOPOLD
LEOPOLDSPARK
QUARTIER
LEOPOLD (B)
LEOPOLDSWIJK (B)
GAULOIS
GALLIERS
PL ST-PIERRE
ST-PIETERSPL
JOURDAN
GL LEMAN
MONTGOMERY
WAYENBERG
WAAIENBERG
PARNASSE
PARNASSUS
DE THEUX
L.HAP
VAN GELE
THIEFFRY
FERNAND COCQ
11 NOVEMBRE
11 NOVEMBER
BOILEAU
FETIS
BLYCKAERTS
ROI VAINQUEUR
KONING OVERWINNAAR
OCEAN
ATLANTIS
CHASSE
JACHT
MALIBRAN
PETILLON
BARON
DE CASTRO
VANNE
VERLAAT
DE
HENNIN
PL ST-ANTOINE
ST-ANTOONPL
BUEDTS
GERMOIR
MOUTERIJ
HANSEN
SOULIE
PETILLON
DAUTZENBERG
DREVE DE
NIVELLES
NIJVELSEDREEF
FLAGEY
LEVURE
GIST
RODIN
ARSENAL
ARSENAAL
STRATEGIE
KRIJGSKUNDE
LANNOY
DELPORTE
(H)ETTERBEEK-IXELLES
ETTERBEEK-ELSENE(H)
MACAU
2e LANCIERS

MANUFACTURE FRANÇAISE DES PNEUMATIQUES MICHELIN

Société en commandite par actions au capital de 2 000 000 000 de francs

Place des Carmes-Déchaux - 63 Clermont-Ferrand (France)
R.C.S. Clermont-Fd B 855 200 507

Dépôt légal Septembre 99 - ISBN 2-06-204400-3

Printed in France 08-99

Photocomposition : APS/Chromostyle, Tours
Impression : AUBIN Imprimeur, Ligugé
Brochage : SIRC, Marigny-Le-Châtel